J'attends un enfant

LAURENCE PERNOUD

J'attends un enfant

édition 2010 2011

Mis à jour sous la direction d'Agnès Grison

HORAY

DU MÊME AUTEUR, CHEZ LE MÊME ÉDITEUR :

J'élève mon enfant

© EDITIONS HORAY 2010
22 Bis Passage Dauphine - 75006 Paris
ISBN 978-2-7058-0473-2
editions@horay-editeur.fr
lpernoud@horay-editeur.fr
www.horay-editeur.fr

Sommaire

J'attends un enfant 1

La vie quotidienne 2

Bien se nourrir 3

4 Belle en attendant un bébé

5 La vie avant la naissance

6 Si vous attendez des jumeaux

Trois questions que vous vous posez — 7

Les malaises courants — 8

La surveillance médicale de la grossesse — 9

Dans ce tableau, voici rassemblés consultations et examens à passer, formalités à accomplir, préparatifs à faire. Vous pourrez également suivre les grandes étapes du développement de votre bébé. Un tableau à lire au présent ou au futur.

10   Et si une complication survient ?

11   Quand accoucherai-je ?

L'accouchement et la naissance 12

La douleur et l'accouchement 13

Comment préparer son accouchement 14

15 L'accouchement avec anesthésie

16 Votre enfant est né

17 Après la naissance : votre bébé et vous

Mémento pratique · 18

Complétant ce sommaire, l'index des pages 471 et suivantes vous permettra de trouver rapidement une réponse à toutes vos questions. Consultez-le chaque fois que vous voudrez en savoir plus sur un mot rencontré dans le texte

SOMMAIRE DES TABLEAUX

Voici l'édition 2010 de *J'attends un enfant*, le « Laurence Pernoud », riche de l'expérience des années et des compétences d'aujourd'hui. Ce livre a été écrit pour vous, chers futurs parents, pour répondre à toutes les questions qui jaillissent dès le premier jour de la grossesse, parfois avant, dès le désir d'enfant

Comment un œuf, dont on peut à peine imaginer la taille, deviendra-t-il en neuf mois un bébé de trois kilos ? Quel est le processus de cette croissance prodigieuse qui ne se reproduira plus jamais au cours de la vie ? Quelles en sont les grandes étapes ? Comment le bébé se nourrit-il ? Que ressent-il ? Quelles précautions prendre pour lui assurer le meilleur développement ? Faut-il changer de mode de vie ? Et de façon de se nourrir ? Comment se déroule une grossesse ? Quand passer la première échographie ? La péridurale est-elle possible partout ? Comment être sûr que l'accouchement a bien commencé ? Et si notre bébé naissait prématurément ? ... Les questions affluent, parfois aussi des inquiétudes. *J'attends un enfant* est là pour vous informer, vous rassurer, vous donner confiance dans vos capacités à attendre un enfant, à le mettre au monde, à devenir parents.

CHÈRE LECTRICE, CHER LECTEUR

Laurence Pernoud était déjà très connue lorsque je l'ai rencontrée. Avoir eu l'idée d'écrire un livre s'adressant directement aux futurs parents, le faire dans un langage clair et chaleureux, tout en donnant une information rigoureuse, lui avait rapidement fait connaître le succès. *J'attends un enfant* puis *J'élève mon enfant* sont vite devenus la référence pour les parents. Ils le restent aujourd'hui.

Rencontrer Laurence Pernoud a été pour moi un grand événement. Lorsqu'elle m'a proposé de travailler avec elle, j'ai accepté sans hésiter. Cela a été le début d'une aventure passionnante qui se poursuit aujourd'hui. Laurence m'a aussitôt fait confiance et m'a peu à peu donné une place particulière au sein de l'équipe qu'elle rassemblait autour d'elle. Je suis devenue sa principale collaboratrice, « son bras droit », disait-elle. Ensemble, chaque année, nous mettions sur pied la nouvelle édition, décidions des sujets à traiter, discutions chaque nouveau chapitre jusqu'à ce qu'il ait pris sa forme définitive, recherchions des photos, etc. Ensemble, nous choisissions les nouveaux collaborateurs de notre équipe qui, au fil des années, s'est étoffée. Ensemble, nous répondions à l'abondant courrier des lecteurs, dont les témoignages et les suggestions ont enrichi notre expérience. Lorsqu'elle s'est peu à peu mise en retrait, Laurence a souhaité que je poursuive son œuvre, celle de toute une vie. Je continue aujourd'hui ce travail avec le même enthousiasme, le même plaisir, fidèle aux principes de qualité et de rigueur qui nous ont toujours animées.

Maintenant je vous laisse à votre lecture, en espérant que *J'attends un enfant* sera le compagnon de ces mois à venir. Une nouvelle vie vous attend : plus rien ne sera comme avant.

AGNÈS GRISON

La mise à jour régulière de *J'attends un enfant*, dans des domaines aussi variés que l'obstétrique, la psychologie, la diététique, le sport, la beauté, la législation, etc., représente un travail permanent de rencontres, de contacts, de lectures. Elle nécessite le concours d'une équipe de spécialistes. Chaque collaborateur, fier de participer à cet ouvrage, apporte son expérience, son dynamisme. Ce travail entraîne des discussions passionnées : parler de la vie est une œuvre délicate, parler de l'avenir aussi. Chacun est conscient de l'enjeu et l'assume. Voici l'équipe qui m'entoure et participe à la mise à jour annuelle.

Le docteur ANDRÉ BENBASSA, ancien chef de clinique au CHU de Grenoble, directeur médical d'une importante maternité de la région Rhône-Alpes, est le gynécologue obstétricien de *J'attends un enfant*. Il est expert auprès du ministère de la Santé et il est membre du Collège National des Gynécologues Obstétriciens Français (CNGOF). Le docteur André Benbassa fait profiter nos lecteurs de son expérience et de sa compétence et nous apprécions qu'il sache allier la confiance envers la médecine et une certaine réserve devant les risques d'une hypermédicalisation de la grossesse.

L'ŒUVRE D'UNE ÉQUIPE

DANIELLE RAPOPORT, psychanalyste, psychologue, ancienne titulaire de l'Assistance Publique-Hôpitaux de Paris, est fondatrice de l'association « Bien-traitance formation et recherches ». Elle collabore à *J'attends un enfant* depuis de nombreuses années et elle sait parler des situations psychologiques les plus délicates avec finesse et clarté.

MARIE-NOËLLE BABEL, sage femme libérale, participe à un groupe d'accueil parents-enfants. Avec elle, nous avons approfondi différents sujets, comme l'entretien prénatal précoce et la décision des futures mères d'allaiter au sein ou au biberon.

DOMINIQUE FAVIER, cadre socio-éducatif à l'Assistance Publique-Hôpitaux de Paris, a rejoint notre équipe. Elle s'occupe avec rigueur et efficacité du Mémento pratique, chapitre si utile aux lecteurs.

BRIGITTE COUDRAY, diététicienne, sait concilier les bons principes alimentaires avec le plaisir de manger.

AUDE WEILL-RAYNAL, avocate, spécialisée en droit de la famille, a en charge toutes les questions juridiques qui peuvent intéresser les futurs parents.

MICHELLE GRIES est chargée des relations extérieures et de la communication. Elle occupe ses fonctions avec dynamisme et efficacité.

Nous remercions également pour leurs précieux avis :

le docteur JEAN-LOUIS BENASSAYAG, gynécologue-obstétricien et échographiste, pour les superbes échographies sur la vie avant la naissance ;

le professeur T. BERRY BRAZELTON, pédiatre mondialement reconnu pour ses travaux sur la compétence du nouveau-né, les interactions parents-enfants et l'attachement précoce ;

le docteur NADIA BRUSCHWEILER-STERN, pédiatre et pédopsychiatre, spécialiste des relations précoces parents-enfants ;

AGNÈS BUCHET et CÉCILE GANTES, sages-femmes dans une maternité ;

MARIE-CLAIRE BUSNEL, spécialiste de l'éveil sensoriel chez le fœtus et le bébé ;

le docteur ODILE COTELLE, spécialiste en uro-dynamique et en rééducation périnéale ;

le professeur THIERRY DEBILLON, néonatologiste, pour ses intéressants commentaires sur les pages consacrées au nouveau-né ;

le docteur BERNADETTE DE GASQUET qui s'occupe particulièrement de préparation à la naissance ;

le docteur FRANCOISE DEVILLARD, généticienne ;

le docteur ALBERT GOLDBERG, gynécologue-obstétricien, spécialiste de l'haptonomie ;

le professeur JEAN-CLAUDE PONS, gynécologue-obstétricien.

Cette année, nous remercions particulièrement :

le docteur MARC ALTHUSER, échographiste, de nous avoir communiqué de très beaux documents ;

SYLVIE MORIETTE, psychologue clinicienne dans une maternité, pour ses réflexions pertinentes sur quelques difficultés psychologiques des futures mères ;

le docteur ELISABETH ROBERT-GNANSIA, tératologiste, conseiller scientifique de REMERA (Registre des Malformations en Rhône-Alpes), d'avoir accepté de relire le texte sur les produits cosmétiques et la grossesse.

La maquette de *J'attends un enfant* a été réalisée avec talent par PHILIPPE et NICOLAS MARCHAND qui ont su allier sens artistique et exigences professionnelles. Nous apprécions qu'ils aient donné à notre livre cette allure fraîche et colorée.

1

J'attends
un enfant

28... 29... 30...

Deux, trois jours se sont déjà glissés depuis la date régulière. Vous comptez encore une fois, 28, 29, 30 ; c'est le calcul de l'espoir : suis-je vraiment enceinte ? Vous vivez ce moment d'incertitude avec intensité, tous les rêves sont permis.

Lorsque le désir sera devenu certitude, lorsque la première émotion sera passée, à peine le temps de savourer le bonheur réalisé, vous allez sûrement faire un autre calcul. Non plus en jours mais en mois cette fois : quand accoucherai-je ?

C'est ainsi que la plus belle histoire d'amour, le rêve qui prend forme, s'accompagne très vite de calculs et de prévisions dans d'autres domaines concernant la vie du bébé : à 4 semaines son cœur va se mettre à battre ; à 12 semaines je le verrai à l'échographie ; à 4 mois ses mouvements me réveilleront.

Et voici comment chiffres et émotions se mettent à dialoguer, mais c'est la vie ! Précisément c'est de la vie qu'il s'agit ; c'est la vie qui se prépare.

D'autres interrogations vont surgir : est-ce une fille, est-ce un garçon ? Et si c'était des jumeaux ? Faut-il déjà s'inscrire à la maternité ?

Mais pour commencer le chapitre, revenons à votre espoir de grossesse, à votre désir d'enfant.

De l'espoir à la certitude

Comment savoir si je suis vraiment enceinte ? Certains signes accompagnent le début de la grossesse : les voici dans le désordre et sans obligation pour vous de les ressentir tous. Vous pouvez aussi faire un test qui vous donnera une réponse rapide.

LES SIGNES DE LA GROSSESSE

Le plus important, et en général le premier, est l'arrêt des règles, ou *aménorrhée* en terme médical. Mais ce signe n'a pas de valeur absolue. Même si vos règles ont un retard de deux ou trois jours, vous ne pouvez pas en conclure que vous êtes enceinte, vous pouvez seulement le présumer, à condition :
• que vous ayez un cycle régulier, tout en sachant qu'un retard de quelques jours peut se produire en dehors de toute grossesse
• que vous soyez en bonne santé. En effet certaines perturbations psychologiques ou certaines maladies, même les plus bénignes, suffisent parfois à provoquer un retard de règles
• que vous ne soyez pas dans des circonstances particulières telles que voyage, changement de climat, vacances, ou bien choc émotionnel, qui peuvent perturber le cycle

• que vous soyez loin de la puberté et de la ménopause, périodes où les cycles sont souvent irréguliers.

Vous pourrez aussi remarquer certains symptômes ou malaises qui sont parfois présents au début de la grossesse :

• simples nausées s'accompagnant, dans 50 % des cas, de vomissements bilieux au réveil, alimentaires dans la journée

• manque d'appétit pour tous les aliments ou dégoût pour certains

• parfois, au contraire, augmentation de l'appétit ou goût très prononcé pour certains aliments

• modification de l'odorat : certaines odeurs deviennent insupportables, même s'il s'agit du parfum le plus raffiné

• sécrétion inhabituelle de salive

• aigreurs d'estomac, lourdeurs après les repas ; envie de dormir, notamment après les repas : envie de sieste, besoin de se coucher tôt

• constipation

• envies fréquentes d'uriner

• augmentation précoce du volume des seins qui deviennent lourds, tendus, et souvent sensibles. L'aréole, partie brune et concentrique qui entoure le bout du sein, gonfle. Enfin, signe important mais que vous aurez peut-être du mal à apprécier vous-même, sur l'aréole apparaissent de petites saillies, qu'on appelle les tubercules de Montgomery.

UNE FEMME ENCEINTE N'A PAS DE RÈGLES

C'est vrai. Mais il peut arriver, quelques jours après la date théorique des règles (parfois même avant), que des saignements apparaissent. Ces saignements doivent alerter : ils peuvent être bénins mais ils peuvent aussi être le signe d'une grossesse anormale (fausse couche ou grossesse extra-utérine, voir ces mots). Il est préférable de consulter le médecin ou la sage-femme.

SIGNES VISIBLES À L'EXAMEN MÉDICAL

Vous venez de voir les signes qui peuvent accompagner le début d'une grossesse. Il ne faut pas que cette énumération vous effraie car la grossesse peut aussi débuter et se poursuivre sans qu'aucun de ces petits malaises n'apparaisse ; ou bien ceux-ci peuvent être si atténués qu'ils passeront inaperçus.

Mais même si vous avez remarqué un ou plusieurs de ces symptômes, vous ne pouvez avoir la certitude que vous recherchez. La seule idée que vous êtes peut-être enceinte a pu les faire naître. Dites-vous seulement que vos chances augmentent, que l'hypothèse se renforce.

Dans ce cas, vous savez que vous pouvez acheter un test qui vous donnera une réponse rapide (p. 21). Vous pouvez aussi aller voir un médecin. En vous examinant, celui-ci vous dira, suivant le moment où vous le consulterez, si vraiment vous attendez un enfant. Nous disons : « suivant le moment », car il ne peut être affirmatif avant 1 mois 1/2 de grossesse, c'est-à-dire au moment où, pour la deuxième fois consécutive, les règles n'apparaissent pas.

La grossesse commence le jour de la conception. Or, vous le verrez au chapitre 5, la conception a lieu à peu près au milieu du cycle menstruel. Par conséquent, au premier jour de retard des règles, si vous êtes enceinte, votre grossesse a déjà 2 semaines. Elle aura 1 mois et 1/2, quatre semaines plus tard, au moment où, pour la deuxième fois, vos règles manqueront.

Au cours de la visite, le médecin va procéder à un examen gynécologique pour voir si votre utérus s'est modifié. L'utérus d'une femme enceinte est bien différent de celui d'une femme qui ne l'est pas. Il a changé de forme (il est devenu rond alors qu'il était triangulaire), de consistance (ramolli au lieu de ferme), et surtout de volume.

Ce changement, insensible pour vous au début, est perceptible pour le médecin. Dès la 6ᵉ semaine, l'utérus a la taille d'une petite orange et cette augmentation régulière de volume va se poursuivre progressivement. C'est elle qui permettra au médecin d'établir son diagnostic. Mais cela demande quelques semaines. C'est pourquoi, après un retard de seulement huit jours, le médecin ne peut vous donner une réponse définitive.

Vous êtes peut-être suivie régulièrement par un gynécologue. Dans ce cas, un seul examen vers la 6ᵉ semaine qui suit la date des dernières règles lui suffira pour se rendre compte si votre utérus s'est modifié, et pour vous donner une réponse.

Certaines femmes, rares il est vrai, n'ont besoin d'aucun des signes décrits plus haut, ni de voir le médecin, pour savoir qu'elles sont enceintes ; elles disent qu'elles le savent, on pourrait dire qu'elles le sentent, deux ou trois jours après la conception, surtout s'il ne s'agit pas de leur première grossesse.

LES TESTS DE GROSSESSE

Ces tests reposent sur la recherche d'une hormone sécrétée par l'œuf (donc caractéristique de la grossesse), hormone appelée *gonadotrophine chorionique* (ou βHCG). Le procédé de recherche est dit immunologique car il fait appel à des anticorps qui réagissent électivement à la présence de cette hormone. Cette réaction est visible à l'œil nu sous forme d'une agglutination de particules, ou de réaction colorée.

LES TESTS À FAIRE SOI-MÊME

Ces tests recherchent l'hormone βHCG dans les urines. Ils sont vendus en pharmacie, sans ordonnance, sous forme de coffrets contenant tous les accessoires nécessaires. Ils ne peuvent servir qu'une seule fois ; mais certains sont vendus par boîte de deux, ce qui permet de recommencer le test quelques jours plus tard, en cas de doute. Ils peuvent être faits dès les premiers jours de retard.

Différentes marques existent. Les prix varient autour de 15 €. Ils ne sont pas remboursés par la Sécurité sociale. Le mode d'emploi, très clair, est donné dans chaque coffret. Il doit être suivi fidèlement pour éviter les erreurs.

• Si votre test est positif, il signifie presque certainement que vous êtes enceinte. Les fausses réponses positives sont très rares.

• Par contre, si le test est négatif, l'hypothèse de la grossesse ne peut être formellement éliminée ; notamment si le test est fait très tôt, avec un retard de règles de quelques jours seulement.

En effet, malgré une fiabilité de plus en plus grande, il y a une limite, un seuil en dessous duquel la réponse n'est pas possible. Il faut en effet une concentration suffisante d'hormone dans les urines

LES HORMONES
sont des substances sécrétées par les glandes dites endocrines ou à sécrétion interne parce qu'elles déversent leurs produits, non pas en dehors de l'organisme, mais à l'intérieur, dans la circulation sanguine. Elles coopèrent au fonctionnement régulier de l'organisme. Certaines hormones sont communes aux hommes et aux femmes, d'autres sont propres à chaque sexe, ce sont les hormones sexuelles.

pour rendre la réaction positive. C'est pourquoi il est conseillé d'utiliser plutôt les urines du matin, en ayant peu bu la veille à partir de 18 h. On obtient ainsi des urines plus concentrées avec un taux d'hormone plus élevé.

• Pour résumer : si votre test est positif, vous pouvez considérer avec quasi-certitude que vous êtes enceinte.

Si le test est négatif, et surtout s'il a été effectué précocement, attendez une semaine pour le refaire. Si après ce délai le test est toujours négatif, et si votre retard de règles se prolonge, il est préférable de consulter un médecin, qui fera probablement faire un examen de laboratoire.

LES TESTS FAITS PAR LES LABORATOIRES

Habituellement pratiqués sur le sang, ces tests permettent non seulement de détecter la présence d'hormone βHCG (comme les tests précédents pour les urines), mais aussi d'en doser la quantité. Ainsi, ils sont plus fiables que les tests à faire soi-même et donnent des résultats plus précoces, avant même le retard de règles. En plus, ces tests permettent, en comparant les chiffres à des moyennes statistiques, de préciser l'évolution normale ou non de la grossesse en question.

Ces tests pratiqués par les laboratoires sont remboursés par la Sécurité sociale quand ils sont prescrits par un médecin. Cette prescription doit être médicalement justifiée.

• Il y a enfin un moyen plus simple et plus rapide de connaître une grossesse à son début, mais il n'est possible que pour les femmes qui font leur courbe de température (p. 25). En effet, lorsqu'il y a grossesse, au lieu de baisser, la température reste haute. Et c'est ainsi que la persistance de la température haute en l'absence de règles est un signe précoce de grossesse. Elle permet de reconnaître celle-ci dès les premiers jours de retard : dès le 16e jour de température élevée, il y a présomption de grossesse, et, au 20e jour, c'est-à-dire après une semaine de retard, cette présomption devient une certitude. La montée de la température est liée à la sécrétion de progestérone par le corps jaune, qui apparaît dans l'ovaire après l'ovulation (chapitre 5).

IL EST IMPORTANT D'ÊTRE FIXÉE RAPIDEMENT

Il est mieux de savoir de bonne heure si vous êtes enceinte, car il y a des précautions à prendre pendant les trois premiers mois, ceux où l'embryon a le plus besoin d'être protégé car il est le plus vulnérable. En effet, tous les organes de votre bébé vont se former dans ces premiers mois de la grossesse. Il faut donc être particulièrement prudente pendant cette période, notamment vis-à-vis de la prise de médicaments : tout ce qui n'est pas formellement indiqué est contre-indiqué.

Si vous suivez un traitement, demandez au médecin si vous devez le poursuivre. Évitez de voir un malade contagieux. Ne faites pas de vaccination sans savoir si elle est permise. Si vous devez voyager, renseignez-vous sur d'éventuelles précautions sanitaires à prendre. Au cas où une radiographie vous serait prescrite, signalez que vous êtes peut-être enceinte. Ne mangez pas de viande crue ou peu cuite. Lavez bien les salades et les fruits. Évitez les fromages au lait cru. Vous verrez au cours des chapitres suivants le pourquoi de ces différentes recommandations.

PAS D'ALCOOL, PAS DE TABAC
DÈS QUE LA GROSSESSE EST ÉVOQUÉE : VOYEZ PAGES 55 ET 56.

C'est non,
vous n'êtes pas enceinte

Vous venez d'apprendre que vous n'êtes pas enceinte. Le retard de règles qui vous avait fait croire à une grossesse avait une autre cause. Avec le retour de vos règles et la reprise de cycles normaux reviendra la possibilité d'une grossesse.

Si vous êtes déçue de ne pas être enceinte, sachez que la survenue d'une grossesse est moins facile ou se fait attendre plus longtemps chez certaines femmes que chez d'autres. C'est pourquoi il peut être important pour vous de connaître la période la plus propice à la fécondation, celle que l'on appelle la période fertile. Vous verrez plus loin (chapitre 5) que la fécondation ne peut avoir lieu qu'au moment où un événement important se produit dans l'organisme : l'ovulation, c'est-à-dire la « ponte » de l'ovule. Cette ovulation se produit généralement chez les femmes qui ont un cycle de 28 jours, vers le 14e jour (en comptant à partir du premier jour des règles).

Mais cette ovulation ne se produit pas toujours à date fixe, ni chez une même femme, ni d'une femme à l'autre (elle varie par exemple avec la longueur du cycle). Vous pouvez en connaître le moment (donc la période où vous êtes fertile) grâce à la courbe de température ou aux tests d'ovulation (voyez plus loin).

De plus, même lorsque les rapports sexuels ont lieu en période fertile, ils ne sont pas toujours immédiatement fécondants et les chiffres montrent que seulement 40 % des couples voient survenir la grossesse désirée dans les six premiers mois. Les autres devront attendre plus longtemps. Faire enlever son stérilet, arrêter de prendre la pilule ne veut pas dire que l'on sera enceinte dès le cycle suivant. Cela signifie simplement que l'on se donne la possibilité de concevoir, et que la nature (ou la Providence) décidera. Cette notion d'attente possible va certes à l'encontre de l'idée actuelle que l'on programme une naissance comme un voyage, mais les choses sont moins mathématiques.

« Un enfant si je veux, quand je veux », ce slogan qui a eu son heure de célébrité peut induire les couples en erreur, et les plonger dans le désarroi : « J'ai passé l'agrégation sans problème, et je ne vais pas arriver à avoir un enfant ? » L'impatience des couples à avoir un enfant à la minute où ils le souhaitent est certes compréhensible ; elle est d'ailleurs souvent d'autant plus grande que la période de non-désir a été plus longue.

Mais l'impatience ne doit pas pour autant conduire les couples à penser à la possibilité d'une stérilité, et à consulter trop rapidement un médecin. On conseille en général cette consultation après – au minimum – un an, voire deux ans sans grossesse, surtout si la femme est encore jeune.

Et si le médecin lui-même parlait d'infertilité, ne pensez pas que tout espoir soit perdu. L'infertilité peut avoir de nombreuses causes dont beaucoup sont guérissables.

Et l'âge, quelle influence a-t-il sur la conception ?

Théoriquement, la conception est possible tant qu'il y a ovulation, c'est-à-dire jusqu'à la ménopause. Pratiquement, la fertilité de la femme commence à diminuer légèrement à partir de 30 ans. Et après 35 ans, la baisse de la fertilité s'accentue (voyez la courbe page suivante). Au fur et à mesure que passent les années, une grossesse survient plus difficilement : l'ovule est moins fécondable ; de plus, l'embryon, même s'il réussit à s'implanter, peut ne pas être de bonne qualité : dans ce cas, la fausse couche est inévitable, dépassant 30 % après la quarantaine.

Et pourtant le nombre de femmes désirant avoir un enfant au-delà de 30 ans augmente régulièrement. Elles sont alors confrontées à la force, presque à l'urgence de leur désir d'enfant et à la difficulté à le réaliser. A vous qui avez dépassé la trentaine et qui souhaitez être enceinte, nous disons de ne pas attendre et de ne pas idéaliser le meilleur moment pour avoir un enfant (« Ce sera mieux plus tard, nous serons mieux installés », « Ma situation professionnelle sera meilleure » « Nous nous sentirons vraiment prêt à accueillir notre bébé »). Les chiffres sont là : plus l'âge avance, plus la fécondité diminue.

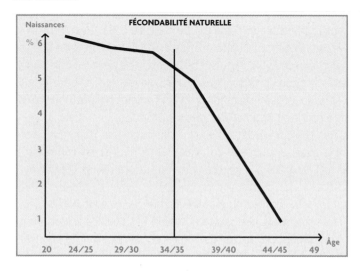

Comme le montre cette courbe, la fécondabilité (c'est-à-dire la probabilité de naissance) de la femme diminue après 30 ans et la baisse s'accentue après 35 ans.

Âge et fertilité masculine

L'âge joue chez la femme, mais aussi chez l'homme. On croyait jusqu'ici que tous les hommes pouvaient enfanter jusqu'à 80 ans. Des statistiques montrent que la fertilité masculine diminue avec l'âge. Mais par rapport à la diminution de la fertilité féminine, celle des hommes est plus tardive, plus progressive, en un mot moins brutale. Les chiffres montrent également que, quelque soit son âge, l'homme d'aujourd'hui est moins fertile que celui d'hier. Enfin le tabac semble diminuer la fertilité aussi bien de l'homme que de la femme.

POUR CONNAÎTRE LES JOURS FERTILES

Pour connaître le moment de l'ovulation, donc vos périodes de fécondité, vous pouvez établir une courbe de température ou bien utiliser des tests d'ovulation. Mais ne soyez pas obsédée par cette date de l'ovulation. Certaines femmes font des courbes de température tous les mois pendant des années (c'est fastidieux), ou bien utilisent régulièrement des tests d'ovulation (c'est coûteux). Pour repérer le moment de l'ovulation, il est en général suffisant d'établir des courbes pendant trois mois.

La courbe de température

Prenez votre température tous les matins, avant de vous lever : une activité même minime peut faire monter la température de quelques dixièmes. Notez-la sur un graphique spécial que vous aurez demandé au pharmacien. Commencez à prendre votre température dès la fin des règles. À mesure que les jours passent, vous constatez des hauts et des bas dans votre tracé : ils sont minimes. Mais, un jour, vous remarquerez une nette élévation de niveau : si, par exemple, la courbe se situait jus-qu'alors aux alentours de 36°5, vous verrez que le tracé est monté à 37°, même s'il y a des hauts et des bas minimes autour de ce chiffre. Puis, un jour, la température redescend à son niveau initial (36°5 dans l'exemple choisi). Ce jour est celui de la veille des nouvelles règles.

Regardez maintenant la courbe qui s'est dessinée au cours du cycle. Vous remarquerez qu'il y a une période de température basse et une période de température haute. C'est ce décalage qui permet de repérer le moment où a lieu l'ovulation : le décalage de la température peut se produire en 24 heures, mais parfois aussi en quelques jours. Dans le premier cas, l'ovulation se situe le dernier jour de la température basse. Dans le second cas, elle se situe le premier jour où la température commence à monter. Connaissant le moment où se produit l'ovulation, vous saurez les jours où les rapports peuvent être fécondants. Ce sont :

• le jour de l'ovulation, bien sûr
• les quelques jours qui précèdent cette ovulation.

Pourquoi les jours qui précèdent ? Parce que les spermatozoïdes ont un pouvoir fécondant dont la durée est discutée, mais qui en tout cas n'est pas inférieur à deux ou trois jours. L'ovule, quant à lui, dégénère au bout de 24 heures s'il n'est pas fécondé.

Comment distinguer une élévation de température due à une maladie d'une élévation due à l'ovulation ? C'est très différent car, en cas de maladie avec fièvre, la température s'élève nettement plus que la normale. En outre, elle ne se maintient pas au niveau supérieur, mais elle continue à monter, ou bien elle redescend : on n'observe pas sur la courbe les deux niveaux caractéristiques. Puis, d'autres symptômes surviennent : la fièvre est rarement l'unique symptôme d'une maladie. Il n'y a donc pas de risque de confusion.

Cette courbe de température qui vous a permis de repérer le moment de l'ovulation pourra aussi vous indiquer si une grossesse a commencé, car dans ce cas la température ne descend pas : la température haute se maintient au-delà des 14 jours. Cette température haute, en l'absence de règles, est même un des premiers signes de grossesse.

Certaines femmes se rendent compte très naturellement du moment de l'ovulation : quelques heures, voire une journée avant, elles sentent nettement une douleur au moment où le follicule se rompt et où l'ovule quitte l'ovaire.

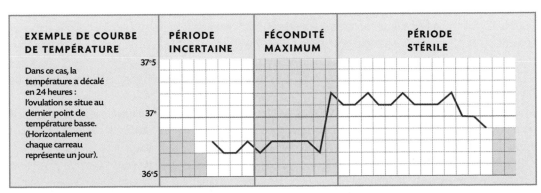

EXEMPLE DE COURBE DE TEMPÉRATURE	PÉRIODE INCERTAINE	FÉCONDITÉ MAXIMUM	PÉRIODE STÉRILE
Dans ce cas, la température a décalé en 24 heures : l'ovulation se situe au dernier point de température basse. (Horizontalement chaque carreau représente un jour).			

37°5
37°
36°5

Les tests d'ovulation

Il existe des tests vendus en pharmacie (environ 45 € les sept dosages) qui permettent de dépister soi-même l'ovulation. Leur principe est de déceler l'apparition dans les urines d'une hormone fabriquée par l'hypophyse (appelée en abrégé LH), chargée de provoquer l'ovulation qui a lieu 24 à 36 heures plus tard. Pratiquement, le mieux est de faire un test chaque jour dans la période qui précède l'ovulation. Dès que le test devient positif, vous savez que l'ovulation aura lieu dans les 24 à 36 heures.

UNE CONSULTATION AVANT LA CONCEPTION ? OUI !

Elle est désormais vivement conseillée, d'autant que la consultation prénuptiale n'est plus obligatoire. De toute façon, la moitié des mamans qui accouchent aujourd'hui ne sont pas mariées. Cette consultation pourrait avoir lieu à l'occasion de l'arrêt de la pilule, ou au moment de l'ablation du stérilet, ou avant une procréation médicalement assistée.

Les rares contre-indications à une grossesse

Elles sont exceptionnelles mais il faut les signaler car les risques sont très importants pour la mère et pour l'enfant. Il s'agit d'hypertension maligne, de maladies cardiaques avancées, d'insuffisance hépatique sévère, de diabète avec atteinte des artères coronaires ou une d'insuffisance pulmonaire majeure. Seuls les spécialistes concernés pourront dire si la grossesse est absolument contre-indiquée.

Les risques à connaître

• Le risque vasculaire augmente avec l'âge ; plus la grossesse est tardive, plus grands sont les risques de complications vasculaires (hypertension, thrombose, embolie, etc.).
• L'obésité est également un facteur aggravant pour la grossesse et l'accouchement. Un contrôle du poids avec régime sera vivement conseillé.

Les antécédents à rechercher

Lors de la consultation, le médecin va interroger sa patiente, regarder son dossier médical, prendre éventuellement l'avis de confrères spécialisés. Il pourra évaluer les risques possibles d'une grossesse. Voici les antécédents qui seront recherchés.
• Les antécédents obstétricaux, notamment prématurité, diabète, hypertension, malformations, mort in utéro. Toute césarienne antérieure constitue un risque de mauvaise implantation du placenta sur la cicatrice de césarienne.
• Les antécédents médicaux, personnels ou familiaux, notamment thromboemboliques, seront soigneusement recherchés par l'interrogatoire ; mais aussi hypertension, diabète, affection de la glande thyroïde, affection rénale, asthme, épilepsie, maladie auto-immune.
• Les antécédents gynécologiques, notamment l'existence d'une malformation utérine, la prise de Distilbène par la mère (p. 227).
• Le risque génétique : un avis spécialisé auprès d'un généticien devra être envisagé. Celui-ci précisera l'existence d'un risque et, en particulier, la possibilité que cette anomalie génétique se reproduise dans la descendance.

Enfin, il est conseillé d'arrêter de fumer lorsqu'on souhaite être enceinte : vous l'avez vu plus haut, le tabac semble diminuer la fécondité de la femme (et de l'homme).

C'est oui, et tout va changer dans votre vie

« J'attends un enfant » : il est peu de mots qui ont autant de résonances dans l'esprit d'une femme. Dès le moment où elle est sûre d'être enceinte, des sentiments nombreux et contradictoires l'envahissent.

Ce n'est jamais tout simplement : « Je suis très heureuse » ou bien « Vraiment, ce n'était pas le moment. » À la joie se mêle la crainte devant l'inconnu, à une éventuelle déception se mêle la fierté d'être capable d'avoir un enfant.

Et à ces différents sentiments s'ajoutent mêlés : la joie d'avoir un enfant de l'homme qu'on aime, l'émotion d'être en face d'un événement lourd de conséquences, l'excitation, car l'on devine que l'on ira de découverte en découverte, parfois le désarroi devant une situation inconnue si c'est un premier enfant, la curiosité de vivre à son tour l'aventure de la maternité, l'inquiétude de voir son corps se déformer, la crainte de moins plaire à son mari, etc. Mais, dans tous les cas, domine une certitude : rien ne sera plus comme avant.

« J'attends un enfant » : en entendant ces mots dits par sa femme, l'homme se sent ému, bouleversé même. Il est soudainement confronté à un événement exceptionnel, sans avoir eu le temps de se préparer, sans avoir vécu dans son corps les signes annonciateurs de la grossesse. Cette forte émotion provoque souvent des sentiments contradictoires : plaisir et déception, excitation et désarroi, fierté et inquiétude. Et lui aussi sait que maintenant une nouvelle vie l'attend.

Il est difficile, même avec beaucoup d'imagination, de prévoir le bouleversement qu'amènera dans la vie d'une femme, dans la vie d'un couple, la venue d'un enfant. Tout va dépendre du caractère de chacun, de sa personnalité, de ses préoccupations particulières. Les changements vont concerner aussi la vie quotidienne. C'est le moment où tous les jeunes couples se posent la question : « Qu'est-ce qui va changer dans la vie de tous les jours, qu'est-ce qui devrait changer ? » À cette question, nous répondons dans le chapitre suivant, où nous parlerons travail, voyage, sport, etc.

La grossesse n'est pas une maladie

Pendant ces neuf mois, vous allez vous rendre régulièrement à une consultation médicale, passer des échographies, faire des examens de laboratoire. Tout cela est fait pour s'assurer que votre grossesse évolue de façon naturelle, ce qui est le plus souvent le cas. Et vous serez informée des quelques précautions à prendre dans la vie de tous les jours pour protéger au mieux la santé de votre bébé.

Malgré cette si nécessaire et importante surveillance médicale, malgré une certaine vigilance à observer, vous n'êtes pas « malade » parce que vous attendez un enfant. Entourée d'appareils et de soins de plus en plus sophistiqués, la future maman pourrait se croire patiente d'un nouveau type : saine mais à soigner. Non, la grossesse n'est pas une maladie, elle est un état normal, physiologique, un état prévu, auquel l'organisme tous les mois se prépare. Vous le lirez au chapitre 5 : chaque mois, un ovule s'attend à rencontrer un spermatozoïde pour former l'œuf, la première cellule d'un nouvel être humain. Et dès le moment où l'œuf est formé, où l'enfant a été conçu, l'organisme se modifie ; mois après mois, le corps d'adapte à son nouvel état et se prépare à l'accouchement. C'est cela la grossesse, elle entre dans le processus normal de la vie d'une femme. Voyez le chapitre 2, concernant la vie quotidienne : il y a certes des précautions à prendre, vous serez parfois fatiguée, vous pourrez avoir envie de vous coucher plus tôt ; mais la vie ne s'arrête pas lorsqu'on est enceinte : on peut travailler, se déplacer, se divertir, faire du sport, etc.

Et si au cours des consultations, avec le résultat des différents examens, le médecin, ou la sage-femme, constatait la présence ou la survenue d'éléments anormaux susceptibles d'avoir un retentissement sur vous-même ou votre bébé, il prendrait toutes les mesures qui conviennent afin que la grossesse se poursuive dans les meilleures conditions : échographies supplémentaires, examens particuliers, voire brève hospitalisation. Vous seriez alors surveillée plus étroitement et bénéficieriez d'une prise en charge particulière. Nous parlons de tout cela en détail au chapitre 9, *La surveillance médicale de la grossesse*.

VOUS SEREZ PEUT-ÊTRE INQUIÈTE

Passée la première émotion, cette certitude : « J'attends un enfant » va mettre un certain temps à s'imposer dans votre vie. C'est peu à peu que vous allez vous habituer à cette idée, vivre avec elle. Puis l'idée prendra forme et deviendra un visage : vous essaierez d'imaginer cet enfant. Sera-t-il blond ou brun, aura-t-il les yeux bleus ou gris, vous l'imaginerez déjà dans vos bras, vous vous verrez l'entourant de tous vos soins.

Mais pourquoi attendre ? Mettez tout ce futur au présent, il est là, votre enfant, il est déjà blond ou brun, tous ses caractères physiques ont été déterminés dès l'instant de la conception. Et la couleur de ses yeux, et la taille qu'il aura, et la couleur de ses cheveux. Il est en vous, il vit.

L'enfant est vivant dès la conception : c'est dès cet instant qu'il a besoin de vos soins. En ce moment, il édifie ses os, ses muscles. C'est votre corps, par l'intermédiaire du placenta, qui lui fournit la nourriture et l'oxygène dont il a besoin. Mais certains microbes, certaines toxines peuvent traverser la barrière placentaire et risquent d'infecter le bébé. C'est pour cela qu'il est important de savoir rapidement si on est enceinte ou non.

QUAND ACCOUCHERAI-JE ?
SI C'EST LA QUESTION QUE VOUS VOUS POSEZ DÈS MAINTENANT, LISEZ LA PREMIÈRE PARTIE DU CHAPITRE 11, « DATE PRÉVUE ».

Vous serez peut-être inquiète, beaucoup de futures mères le sont et le disent, surtout si c'est la première fois qu'elles sont enceintes. Voici quelques unes des préoccupations qui reviennent souvent :

« - Je suis devenue enceinte le premier mois après l'arrêt de la pilule.
- J'ai continué de faire de l'aérobic sans savoir que j'étais enceinte.
- J'ai, au cours d'une ou deux soirées, bu un peu trop d'alcool.
- J'ai continué de fumer pendant quelques jours.
- J'ai pris de l'aspirine pour un mal de tête ou de dos... »

Rassurez-vous. Aucun de ces éléments n'est dangereux en soi. Par contre, maintenant que vous vous savez enceinte, prenez les précautions dont nous parlons dans ce livre. *J'attends un enfant* a été écrit pour vous informer. Cette information est l'élément primordial de cet ouvrage, c'est elle qui saura le mieux vous rassurer. Cela ne nous empêchera pas de vous signaler, chemin faisant, les symptômes vraiment inquiétants et de vous alerter pour que, le cas échéant, vous preniez au sérieux tel signe qui vous aurait paru anodin. En revanche, chaque fois que vos craintes seront injustifiées, chaque fois que vous serez inquiète pour avoir cru un des préjugés qui entourent encore la grossesse, nous vous rassurerons.

Grâce à ce livre, nous l'espérons et le souhaitons, vous serez bien informée, alertée si nécessaire, rassurée à bon escient. C'est ainsi que vous aurez confiance en vous, en votre capacité à mener à bien cette tâche exceptionnelle : porter votre bébé et le mettre au monde.

DES CHIFFRES RASSURANTS
SACHEZ QUE 90% DES GROSSESSES ÉVOLUENT NATURELLEMENT, SANS INCIDENT PARTICULIER ET QUE LA PLUPART (AUTOUR DE 93%) SE POURSUIVENT HEUREUSEMENT JUSQU'AU TERME.

Vous avez peut-être d'autres craintes : en devenant mère, saurez-vous préserver votre identité ? Cet enfant ne va-t-il pas submerger toutes vos occupations et préoccupations actuelles ? Et ces craintes peuvent être renforcées par l'entourage qui complaisamment répète : « Tu vas voir, ta vie va complètement changer. » C'est vrai et c'est faux. Oui, au début les tâches matérielles vont être envahissantes, mais après la période d'organisation, peu à peu, vous saurez les dominer ; et les progrès rapides et spectaculaires du bébé empêcheront toute routine de s'installer. En plus, avoir une nouvelle responsabilité peut vous permettre de vous affirmer, vous rendre plus indépendante de votre entourage.

Profitez de vos mois de grossesse. Attendre un enfant est une aventure de maturité, une étape dans l'histoire d'une femme, dans une vie. C'est une attente riche de sensations nouvelles, de surprises, de projets, de rêveries.

Attendre à deux
L'évolution psychologique des futurs parents

Pourquoi votre livre ne s'appelle-t-il pas *Nous attendons un enfant*, ont reproché certains lecteurs ? Et pourtant, c'est la femme qui porte le bébé. C'est son corps qui tous les mois, au cours de trois à quatre cents cycles, se prépare à une éventuelle conception avec les inconvénients que cela représente dans sa vie quotidienne. D'où le privilège qu'elle a de pouvoir dire au sens précis du terme « J'attends un enfant. »

Mais il est vrai que si la femme porte son enfant dans son corps, psychologiquement, affectivement, intellectuellement, un enfant s'attend à deux. Le père est maintenant très lié à cette attente : il assiste aux échographies, parfois aux visites prénatales et aux séances de préparation ; et les pères sont de plus en plus nombreux à être présents à la naissance de leur enfant ; le domaine si longtemps fermé de la grossesse et de l'accouchement s'est peu à peu ouvert aux hommes qui se sentent, bien avant la naissance, concernés par leur bébé.

Mais pour que « attendre à deux » ne reste pas qu'une formule, encore faut-il que chacun comprenne les réactions de l'autre, ce n'est pas toujours facile : la future mère a parfois des craintes, des hésitations qu'elle ne livre pas, le futur père une attitude qui déroute.

DU CÔTÉ DES MÈRES

Certaines femmes, en devenant enceintes, changent complètement. Chez d'autres, ni le caractère ni le comportement ne semblent apparemment modifiés. C'est pourquoi vous estimerez peut-être, en lisant ce chapitre, que nous avons trop insisté sur telle ou telle particularité de la future mère, ou au contraire que nous l'avons insuffisamment mise en valeur. La psychologie n'est pas une science exacte ; chaque femme a sa manière à elle de devenir mère, manière qui dépend de son âge, de son éducation, de son entourage, de son caractère. Mais, hormis les extrêmes, d'une manière générale une future mère a une psychologie particulière qui évolue avec les mois. Cette évolution, et c'est normal, est si intimement liée à l'évolution physique, qu'on a pris l'habitude de diviser la grossesse au point de vue psychologique en trois trimestres, comme on la divise en trois trimestres du point de vue physiologique.

AU PREMIER TRIMESTRE : ÉTONNEMENT ET INCERTITUDE

La période d'incertitude se réduit de plus en plus avec la précocité et la rapidité des tests. « Est-ce que je suis enceinte ? » Dès les premiers jours de retard, il suffit de quelques heures, parfois même de quelques minutes, pour avoir la réponse. Mais cela n'empêche pas que, même lorsqu'une femme sait qu'elle attend un enfant, elle a de la peine à y croire (« Est-ce bien moi, est-ce bien vrai ? »). Souvent, elle n'en est vraiment convaincue que lorsque, cet enfant, elle l'a senti vivre en elle, ou qu'elle a vu son « image » lors d'une échographie.

Une femme très heureuse d'être enceinte hésite, au début, entre la joie et la crainte. Ce n'est pas encore la crainte de l'accouchement, mais une crainte diffuse faite de plusieurs éléments : peur de l'inconnu (surtout pour un premier enfant) ; ignorance de « ce qui se passe », de cette vie intra-utérine ; inquiétude liée aux changements qui s'annoncent ; interrogation sur ses capacités à être mère ; crainte que le mari ne s'écarte pendant quelques mois, etc.

Nausées, insomnies, manque d'appétit, fatigue : causes ou conséquences de ces sentiments mélangés, rendent les premières semaines souvent pénibles.

Une autre crainte peut dominer le premier trimestre : celle d'un accident, car les femmes savent en général que les fausses couches se produisent surtout au cours des trois premiers mois. Écoutez cette mère : « Au début c'était la joie d'être enceinte. Puis j'ai eu quelques saignements et peur d'une fausse couche. Une échographie m'a heureusement montré que le bébé était bien vivant, j'ai alors senti un état de calme et de paix. J'avais l'impression que rien ne pourrait me sortir de ce bien-être que j'éprouvais. » Certaines femmes n'éprouvent pas ces sentiments de bonheur, d'étonnement joyeux, au moment de l'annonce d'une grossesse. Elles sont

MARI ET FEMME
Bien que les parents ne soient pas tous mariés lorsqu'ils attendent un enfant, dans ce livre nous parlons souvent de « votre mari », « votre femme ». Par simplicité, et parce que ces mots sont fréquemment utilisés par les parents eux-mêmes.

POUR EN SAVOIR PLUS
À celles qui sont intéressées par l'expérience intérieure de la maternité, je recommande le livre de Monique Bydlowski, psychiatre, psychanalyste, directeur de recherches à l'INSERM : Je rêve un enfant, éditions Odile Jacob. Ambivalence du désir d'enfant et du sentiment maternel, sensibilité et vulnérabilité des femmes enceintes, complexité du lien mère-fille, crise maturative de la grossesse, angoisse de l'accouchement, etc. : à travers ces différents thèmes, ce livre veut aider les futures mères à comprendre la richesse intérieure qu'elles vivent. L'auteur s'adresse aussi à celles qui ont des souvenirs douloureux de perte d'enfants avant la naissance, ou d'infertilité.

émues de se savoir enceinte mais elles sont inquiètes des responsabilités à venir, surtout si la grossesse survient à un moment de grandes difficultés (financières, de logement, tensions dans le couple, etc.), parfois aussi sans raison apparente. Il est alors important pour elles d'en parler avec une personne en qui elles ont confiance (médecin de famille par exemple) et de se faire accompagner, le plus tôt possible, par toute une équipe (sage-femme, psychologue du service, assistante sociale).

Ce mélange de joie, de refus, de crainte, caractérise le premier trimestre. Même si au début le refus domine, en général tout change lorsque la future mère sent bouger son enfant. Le désir de maternité correspond à un instinct si profond que même la femme qui avait juré ne pas vouloir d'enfant, inconsciemment le désire. Et il n'est pas rare de voir une femme qui avait pleuré quand elle s'était vue enceinte, devenir en l'espace de quelques mois très maternelle.

La crainte de l'inconnu entraîne souvent une sorte de régression, la femme se sent démunie, dépendante. C'est peut-être cette peur de l'inconnu qui la rapproche de sa mère qui, elle, est passée par là. Selon les cultures, l'entourage favorise d'ailleurs cet état un peu régressif et y répond avec un certain empressement : par exemple dans les pays maghrébins, la période de la grossesse est tout à fait valorisée ; dans nos pays, bien que moins attentifs, la femme enceinte est en général l'objet de sollicitude de la part de ses collègues.

D'ailleurs, plus ou moins consciemment, la future mère se plaît à cet état un peu particulier, d'autant qu'elle se sent plus émotive, plus fragile, physiquement et psychologiquement ; elle a envie qu'on s'occupe d'elle, qu'on l'entoure. Elle balance entre peur et fierté d'accéder à ce nouveau monde. Mais en même temps qu'elle vit cette sorte de régression, la future mère se sent devenir pleinement adulte, puisqu'à son tour elle va avoir un enfant, comme l'a eu sa propre mère : elle sera son égale.

Entre mère et fille

Lorsque la mère et la fille s'entendent bien, cette évolution dans leurs rapports sera enrichissante pour l'une et pour l'autre. Sinon il peut y avoir quelques tensions, quelques rivalités, surtout lorsque la mère veut montrer qu'elle sait tout, et accable sa fille d'attentions.

Les mères, ou belles-mères, trop interventionnistes sont souvent mal supportées par les futurs parents. Ainsi cette jeune femme agacée par tous les achats que sa mère fait pour le bébé ; ou bien cette future grand-mère qui se substitue à son gendre dans la vie quotidienne de sa fille, donc du couple, ce qui fatigue les futurs parents ; ou encore ce futur grand-père, qui investit trop dans ce prochain petit-enfant, en parle tout le temps, fait des projets, etc., et du coup se fait rejeter. L'important est de savoir garder des limites de part et d'autre, sans dramatiser.

La femme qui attend un enfant se rapproche non seulement de sa mère, mais des autres femmes qui ont eu un enfant, c'est ce que remarque T. Berry Brazelton (dans *La Naissance d'une famille*) : « Il peut lui prendre l'envie de rendre visite à sa mère, pour la regarder vivre et, à l'occasion, lui poser des questions sur son enfance. Elle peut aller jusqu'à remuer de vieux conflits, mais elle observe sa mère intensément et sent qu'elle a de nouveau grand besoin d'elle. Parfois, le désir d'être maternée la pousse à attirer l'attention de sa belle-mère ; elle désire alors être dorlotée et conseillée par la mère de son époux, tout en cherchant à s'en défendre. Elle en viendra même à regarder sous un autre jour ses amies qui ont des enfants. La grossesse est certainement le moment où l'on apprend le plus sur soi-même tandis que l'on se prépare à son nouveau rôle. »

Et de même qu'au début la future mère oscille entre la joie et la crainte, de même est-elle partagée entre ces deux tendances : redevenir enfant et devenir pleinement adulte. Cette ambivalence des sentiments, le malaise qu'elle peut provoquer, est une des raisons des changements d'humeur que l'entourage a parfois de la peine à comprendre.

LE DEUXIÈME TRIMESTRE EST CELUI DE L'ÉQUILIBRE

Il est possible d'essayer d'expliquer à un homme l'état d'esprit d'une future mère, mais je ne crois pas qu'il soit possible de lui décrire les sentiments d'une femme qui pour la première fois sent vivre en elle son enfant. L'émotion est si forte, si profonde qu'une femme n'en parle d'ailleurs pas facilement, comme si la pudeur l'en empêchait. Avec ces premiers mouvements commence entre elle et son enfant un dialogue singulier, mystérieux, qui cessera apparemment avec la naissance, mais qui, en réalité, continuera toute la vie. Même lorsque son enfant est grand, la mère inquiète sent sa crainte retentir profondément, viscéralement, là où elle portait son enfant.

> **COMMENT UNE FEMME DEVIENT-ELLE MÈRE ?**
> *Par quelles étapes passe-t-elle pour acquérir sa nouvelle identité ? À ce sujet, Daniel Stern et Nadia Bruschweiler-Stern ont consacré tout un livre très intéressant :* **La naissance d'une mère** *(Poche Odile Jacob).*

Ces premiers mouvements ont une grande importance pour toutes les femmes. Celles qui n'osaient montrer leur plaisir s'y abandonnent maintenant qu'elles sont sûres d'une présence. Et pour les femmes qui au début ont de la peine à accepter cet enfant, cette période des premiers mouvements est capitale. Souvent ce signal, venu de l'enfant lui-même, apaise leurs hésitations.

La mère a déjà eu d'autres preuves de la présence de son enfant. Le médecin lui a fait entendre les bruits du cœur, puis grâce à l'échographie, elle a vu battre ce cœur. Mais souvent ces preuves lui font moins d'impression que les premiers mouvements. La mère les perçoit au plus profond d'elle-même. « J'ai vu battre son cœur, je l'ai entendu, j'étais émue mais un seul petit mouvement de son pied dans mon sein m'a bouleversée », m'a écrit une lectrice. Ce signe - celui-là ou un autre - qui donne à la future maman la confirmation «objective» de sa maternité est un moment important : il lui permet de se laisser aller à imaginer son bébé.

TROP D'ÉCHOGRAPHIES
ou de plus en plus sophistiquées, peuvent appauvrir le mystère de l'attente, la rêverie nécessaire à l'imaginaire, si importants dans l'établissement des premiers liens maman-bébé. C'est ce que disent des équipes de maternité, obstétriciens, sages-femmes, psychologues.

Cette présence de l'enfant agit sur les pensées et l'imagination, mais aussi sur le corps, ce qui montre à quel point l'un et l'autre sont liés : par exemple, les nausées disparaissent, le sommeil revient, l'appétit également. Ce deuxième trimestre s'ouvre sous les meilleurs auspices. Il s'écoule paisible ; les incidents sont rares, les complications exceptionnelles. Vers 4-5 mois, la grossesse commence à se voir, mais elle n'est pas gênante. Les femmes surveillent bien leur poids, elles savent aussi qu'il est inutile de changer leurs activités, à moins de prescriptions particulières. C'est d'ailleurs ce que fait naturellement une future mère, car elle est alors au mieux de sa forme. Elle n'est pas fatiguée, elle n'a pas de malaises, elle a souvent le teint plus éclatant qu'à l'ordinaire.

Certaines femmes n'ont pas envie d'afficher trop tôt leur grossesse : elles ont peur que, dorénavant, on ne les voie plus que comme des femmes enceintes. D'autres, au contraire, sont pressées d'acheter un vêtement qui mette leur ventre en valeur ; elles sont fières de cet enfant qu'elles portent : il montre qu'elles sont aimées.

AU TROISIÈME TRIMESTRE

Au premier trimestre l'enfant était un espoir, puis une certitude ; au deuxième, il est devenu présence ; au troisième trimestre, la date de l'accouchement se rapproche, l'enfant est le centre exclusif des pensées, des intérêts, des préoccupations de la future mère.

Tandis que les événements qui font la trame de la vie quotidienne paraissent la toucher de moins en moins au fur et à mesure que passent les semaines, la mère concentre la plupart de ses pensées sur l'enfant qu'elle porte : attentive à sa croissance, à sa position et à ses changements de position, à la fréquence de ses mouvements, elle s'intéresse à son volume, à ses périodes de calme ou d'agitation. Elle en parle comme s'il était né, lui attribue des qualités, redoute des défauts physiques, le replace dans le cadre familial, compare éventuellement sa grossesse aux précédentes.

Cet intérêt entièrement centré sur l'enfant est le fait saillant de ce troisième trimestre ; il est important que le futur père en soit averti et le comprenne. Sa participation à un groupe de préparation à la naissance, à des séances d'haptonomie, lui permettra de ne pas se sentir exclu, d'entrer en relation avec ce bébé déjà si proche.

L'enfant bouge de plus en plus, même et surtout pendant le sommeil de sa mère et, par ses mouvements, il attire chaque jour un peu plus son attention. Cette présence rappelle les préparatifs à faire : un berceau à acheter, une layette à compléter, une préparation d'accouchement à suivre. On dirait parfois que la future mère désire s'isoler, même de ceux qu'elle aime : les aînés le sentent, et cherchent à provoquer par tous les moyens l'attention et le contact avec leur mère : ils refusent de s'habiller, de manger seuls, ils exigent leur maman au coucher, ils l'appellent au cours de la nuit, ils mouillent de nouveau leur lit. Il est certain que c'est au père de rétablir l'équilibre, et les parents peuvent prévenir les enfants que la mère est fatiguée par le bébé qui va naître, sans insister cependant pour ne pas les inquiéter. En général, si à l'annonce d'une naissance, les frères et sœurs sont ravis et curieux, ils sont souvent plus ou moins jaloux après. La jalousie est un sentiment naturel et il sera d'autant mieux surmonté que les parents le sauront et le comprendront. Mais chez certains enfants particulièrement sensibles, ou dont la personnalité est très affirmée ou exigeante, les manifestations de jalousie peuvent être excessives, voire agressives. L'enfant montre de cette façon qu'il souffre ; si vous ne savez comment réagir, parlez-en au pédiatre.

Certaines futures mères deviennent indifférentes sur le plan intellectuel : elles ont de la peine à s'intéresser à leur travail, elles sont moins attentives, elles ont des défaillances de mémoire. Des sentiments ou des pensées dépressives peuvent parfois apparaître : la dépression avant la naissance est aujourd'hui reconnue. C'est pourquoi, il ne faut pas hésiter à se faire aider.

Rêves et cauchemars

Lorsqu'on attend un enfant on rêve beaucoup, souvent d'une manière très intense, et en plus on s'en souvient (d'ailleurs tout au long de la grossesse, pas seulement à la fin). Ces rêves se transforment parfois en cauchemars et peuvent être extrêmement violents, je le signale car c'est fréquent et cela inquiète ; il y a des mères qui craignent que ces rêves ne soient prémonitoires ; je peux vraiment les rassurer, ce qui se passe est normal ; cette activité onirique est due à l'important remaniement psychologique de la grossesse ; il se passe la même chose dans toutes les périodes décisives de la vie, vous l'avez certainement observé, on rêve davantage. Ces rêves s'expliquent par ce que Monique Bydlowski appelle la *transparence psychique* de la femme enceinte : comme l'adolescence, la grossesse est une période très particulière qui fait mûrir chacun et qui entraîne des transformations. Pendant cette période, des souvenirs très anciens, jusque-là refoulés, affleurent à la conscience et se manifestent dans des rêves. Le passé peut aussi resurgir sous forme d'une tristesse sans motif, mais qui n'est pas une dépression. Dans certaines maternités, les femmes enceintes peuvent avoir quelques entretiens avec un psychothérapeute pour parler de ce qui les préoccupe : angoisses, phobies, cauchemars, etc., et y trouver un sens.

Les dernières semaines

Tout entière concentrée sur le bébé, la future mère n'en conserve pas moins son caractère. La grossesse est une évolution, et non pas une révolution. Qu'elle soit de tempérament actif, elle courra les magasins, voudra installer le coin du bébé ; qu'elle soit plus nonchalante, elle s'évadera dans ses rêveries. Mais dans les deux cas, ses pensées, ses préoccupations tourneront autour de l'enfant et la future mère recherchera des livres de maternité ou de puériculture. Le troisième trimestre est souvent un moment où les futures mères, malgré le poids du bébé, malgré sa présence encombrante, le portent avec un bonheur manifeste qui suscite la sympathie.

Puis, à mesure que les semaines passent, que le bébé pèse plus lourd, que la future mère est moins alerte, une certaine lassitude apparaît et, avec elle, le désir que maintenant les événements se précipitent. Certaines mères s'inquiètent d'en vouloir à leur bébé qui tarde à venir. Qu'elles se rassurent, c'est un sentiment normal. Les dernières semaines semblent alors plus longues que celles qui ont précédé. D'ailleurs, cette impatience a un avantage : elle estompe l'appréhension de l'accouchement qui persiste toujours plus ou moins.

À la veille d'accoucher, la future mère est souvent saisie d'une grande activité, d'une envie de rangements, de nettoyage, de mise en ordre, de déménagement de mobilier, énergie qui contraste avec la lassitude des jours précédents. Elle est comme « un oiseau qui prépare le nid pour son petit ». C'est signe que la naissance est proche. Les pères, eux aussi, préparent le nid en bricolant, en installant la chambre.

C'EST SOUVENT DIFFICILE DE CHOISIR

En plusieurs occasions la future maman peut se heurter à l'entourage qui multiplie les conseils : sa mère « parce qu'elle l'a mise au monde » ; le médecin ou la sage-femme auréolés d'expérience, de technique et de pouvoir ; l'amie, une sœur qui a déjà eu des enfants, parce que « je suis de ta génération et pas de celle de ta mère ».

Ces conseils sont utiles. Avoir une famille, un entourage, qui vous soutient est un confort appréciable à tous points de vue. Mais ces conseils peuvent devenir pesants, pour une future mère en état de moindre résistance aux autres si elle est fatiguée, en état d'infériorité si elle se croit mal informée, sentiments d'ailleurs plus ou moins présents chez toute future maman.

Lorsque vous serez bien renseignée sur ce qui se passe dans votre corps, bien au courant du développement de votre enfant, bien suivie par le médecin ou la sage-femme, c'est-à-dire assurée que du côté santé tout va bien, faites-vous confiance pour les décisions à prendre ; c'est d'abord vous qu'elles concernent. Qu'il s'agisse de votre désir – ou non – de connaître le sexe de l'enfant avant la naissance, de votre souhait – ou non – que le père assiste à l'accouchement, de votre désir – ou non – d'allaiter, de votre désir – ou non – de péridurale, renseignez-vous, écoutez les autres, discutez-en, mais qu'en dernier ressort ce soit votre choix qui l'emporte.

C'est vous qui êtes la plus impliquée dans cet événement, c'est de votre corps qu'il s'agit, c'est donc normal que ce soit d'abord à vous de choisir. Et c'est avec votre mari, votre compagnon, que vous aurez envie de partager les décisions.

FRAGILITÉ PSYCHOLOGIQUE OU ÉTAT DÉPRESSIF ?

Dans la vie d'une femme, la grossesse est un événement qui parfois représente une véritable épreuve physique et psychique. Certaines futures mamans peuvent ressentir des difficultés à appréhender le passage du statut de fille à celui de mère, sans pour autant traverser une dépression. Elles sont plus sensibles, plus fragiles.

Au premier trimestre, cette fragilité se manifeste par des changements rapides de l'humeur, la femme enceinte passe par des moments d'anxiété, d'irritabilité, qui peuvent exprimer la peur d'avoir un enfant anormal, ou de le perdre. Au cours du deuxième trimestre, l'instabilité émotionnelle diminue souvent, la mère est rassurée par les mouvements de son bébé et par les échographies. Au troisième trimestre, l'angoisse se focalise sur la peur de l'accouchement.

Les états dépressifs de la grossesse sont favorisés par des circonstances psychologiques ou des situations médico-sociales (difficultés affectives ou matérielles, antécédents personnels ou familiaux, grossesse à risques, grossesse à l'adolescence). Ils sont en général passagers ; plus rarement, ils peuvent durer toute la grossesse. Les manifestations sont les mêmes que dans une dépression classique : ralentissement de l'activité, manque de vitalité physique et psychique, perte de l'appétit, crises de larmes, sentiments d'impuissance et d'incapacité, de honte, de culpabilité. L'entourage ne sait comment aider la future maman et prodigue des conseils inadaptés du genre : « Prends sur toi, pense à ton bébé, tu as tout pour être heureuse. »

D'une manière générale, une dépression pendant la grossesse ne permet pas de prévoir un état dépressif après la naissance. Mais il faut être vigilant lorsqu'une dépression se manifeste à proximité du terme car elle pourrait se prolonger au-delà de l'accouchement. N'hésitez pas à demander de l'aide à l'équipe qui vous suit : assistée de psychologues, elle est formée pour vous soutenir dans ces moments difficiles, pour soulager votre souffrance et conseiller votre compagnon.

LA NAISSANCE D'UN PÈRE

Il y a des hommes qui se sentent pères dès le jour de la conception. Il y en a pour qui la révélation se produit le jour de la première échographie. Il y en a qui découvrent la paternité en prenant pour la première fois leur enfant dans les bras. Il y en a enfin qui ne prennent vraiment conscience de leur paternité que plusieurs mois après la naissance. La paternité ne naît pas un jour précis, la naissance d'un père se fait par étapes.

L'idée qu'il va avoir un enfant suscite chez l'homme de nombreux sentiments, souvent contradictoires, tant en ce qui le concerne que vis-à-vis de sa femme.

Tout d'abord il est heureux, puis souvent soulagé de voir que finalement tout se passe bien malgré des mois, parfois des années, de contraception. En même temps il est fier : pour un homme, savoir qu'il peut procréer est généralement ressenti comme une confirmation de sa virilité.

Futur père, il se rapproche de son père, il devient son égal. Mais ce changement peut l'inquiéter : il va devenir un autre. Sera-t-il à la hauteur ? Ce sentiment d'inquiétude est renforcé par l'entourage, les amis qui se font un plaisir de lui répéter : « Tu vas voir comme c'est difficile d'élever un enfant. » « La liberté c'est bien fini, adieu le cinéma. » Heureusement, d'autres trouvent les mots qui rassurent et transmettent les joies qu'ils ont éprouvées lors de la naissance de leurs enfants.

L'homme peut redouter que sa femme organise un monde à deux où il n'ait pas sa place. Souvent, les futures mères ont l'intuition de ce sentiment, et savent convaincre le père que deux tendresses peuvent vivre ensemble.

Même s'il ne ressent pas ces craintes, le futur père se rend compte que matériellement la vie va changer : les projets ne seront plus à faire pour deux mais pour trois, certains deviendront même impossibles – au moins au début. Et l'homme se sent d'autant plus responsable de cette nouvelle organisation que souvent sa femme se repose sur lui, elle est accaparée par ce qu'elle a à faire : porter et mettre au monde un enfant.

Ce sentiment, que l'on pourrait croire dépassé par la mentalité d'aujourd'hui, où la plupart des femmes travaillent, et de ce fait partagent les responsabilités matérielles du couple, demeure ; pendant ces neuf mois la femme éprouve le besoin de se décharger de certains soucis sur l'homme.

La fierté d'un futur père à l'idée d'avoir un enfant, lui fait éprouver pour sa femme de l'admiration, de la reconnaissance, de la tendresse. Mais en même temps, cette femme qui va devenir mère semble tout à coup étrangère à son mari : il sent qu'elle devient une autre personne – il a raison d'ailleurs –, une personne qu'il lui faudra découvrir.

Ces sentiments sont plus ou moins ressentis d'un futur père à l'autre. Mais chez certains hommes, il y a parfois en plus un sentiment de crainte : l'homme a peur pour la santé de sa femme, souvent plus qu'elle-même d'ailleurs. Il se sent responsable de ce qui peut lui arriver. Le père peut s'inquiéter également pour son enfant.

La crainte qu'il ne soit pas normal poursuit certains pères surtout en fin de grossesse, peut-être plus que la mère : parce que sentir bouger l'enfant est rassurant alors que dans la tête du père, l'imagination court vite.

Attendre un enfant est un tel bouleversement que certains hommes manifestent leur fragilité de différentes façons : troubles du sommeil, troubles digestifs, prise de poids. Ce sont les symptômes de «couvade». Ce terme, emprunté aux ethnologues, n'est pas approprié à nos sociétés car il n'est associé à aucun rite. Mais il a eu le mérite d'attirer l'attention sur ce que vivent les pères.

Les sentiments d'un futur père sont donc variés, et contradictoires en apparence : il a le sens de ses responsabilités nouvelles, parfois il a peur d'être mis à l'écart ; il est reconnaissant envers sa femme, et jaloux à la fois ; il se sent renforcé dans sa valeur d'homme, en même temps qu'il a une

COUVADE
À l'origine ce mot désignait, dans les peuplades traditionnelles, le rite, l'habitude de l'homme de se coucher au moment de la naissance : « l'homme se couche quand la femme accouche », simulant d'affreuses douleurs. Puis par extension, on a employé le mot couvade pour des symptômes ressentis par certains futurs pères pendant la grossesse.

impression d'inutilité vis-à-vis de sa femme ; il s'inquiète pour sa santé et parfois il a envie d'oublier qu'elle est enceinte ; devant sa femme, il est comme intimidé et, en même temps, il sent qu'il prend de l'assurance, qu'il mûrit en étant bientôt père.

Ces réactions sont d'autant plus fortes qu'il s'agit d'un premier enfant, puisque tout est nouveau, tout est à découvrir. Au deuxième, au troisième... les pères se sentent tout aussi concernés, s'impliquent autant pendant la grossesse, mais vivent cette période avec plus de sérénité.

LES FUTURS PÈRES AU JOUR LE JOUR

Grâce à l'échographie, presque tous les pères s'intéressent au développement de leur enfant et accompagnent leur femme aux trois échographies faites pendant la grossesse. Ils écoutent les bruits du cœur, ils guettent et commentent les premiers mouvements de l'enfant, qui sont d'ailleurs, pour certains, un des révélateurs de la paternité ; ils savent que l'enfant les entend et même qu'il reconnaît leur voix : « Je disais à ma femme, je suis sûr qu'il sait que c'est moi qui parle. » Les pères apprécient la visite de la maternité, ils aiment connaître le chemin de la salle d'accouchement, ils ont besoin de visualiser l'endroit.

ON PARLE EN GÉNÉRAL DU « FUTUR PÈRE »
Strictement parlant, la formulation n'est pas fausse, mais le psychanalyste Bernard This fait remarquer que l'emploi du mot futur présente un inconvénient : il empêche parfois l'homme de réaliser complètement qu'il va être père, et de s'impliquer d'emblée dans des projets d'avenir. Bernard This propose de parler tout simplement de père dès la conception ; comme nous le faisons à maintes reprises dans ce livre.

Mais les futurs pères ne participent pas tous de la même manière à la grossesse de leur femme. Certains la vivent vraiment avec elles, c'est ce que dit Michel : « J'ai vécu la grossesse de Carole du début jusqu'à la fin. Je demandais à partir plus tôt. Pour un peu, j'aurais arrêté de travailler en même temps qu'elle ! » Ces pères vont aux séances de préparation : « J'ai manqué quelques séances à cause de mon travail et je l'ai regretté. Je trouve que les pères posent des questions pratiques que les mamans n'osent pas poser : quand aller à la maternité ? Est-ce qu'il faut appeler une ambulance ? etc. Vers la fin de la grossesse, des parents sont venus nous raconter comment cela s'était passé, ce que nous avons fait par la suite aussi. »

Certains pères suivent la préparation par femme interposée : « Ma femme me racontait en rentrant, comme ça j'étais prêt pour l'accouchement » ; d'autres y vont une fois, mais n'y retournent pas : se retrouver seul homme parmi tout un groupe de futures mamans peut faire peur, reconnaissons-le. Et les femmes ne tiennent pas trop à la présence des hommes, elles n'osent plus parler aussi librement. D'ailleurs, bien souvent, la préparation n'a pas été pensée ni prévue pour les pères. Les hommes n'ont d'autre possibilité que de faire comme leurs compagnes : respirer, faire quelques mouvements. Ils se sentent ridicules. « Je n'avais pas envie d'y aller, mais j'étais bien obligé car c'est moi qui faisais le chauffeur. » D'autres hommes ne peuvent aller à la préparation pour des raisons pratiques, puisque malheureusement la plupart du temps les séances ont lieu dans la journée. Certains préfèrent les entretiens où les couples se retrouvent. Certaines maternités proposent aussi des groupes où il n'y a que des pères, ce qui leur permet de parler plus facilement de ce qui les préoccupe. Et la plupart de ces pères seront présents à la naissance.

Les pères sont encore peu nombreux à se rendre aux consultations prénatales. Ils disent qu'ils n'ont pas le temps, qu'il faut garder l'aîné. Souvent, ils considèrent leur présence comme inutile car l'examen se termine en général par « tout va bien madame ». Parfois aussi le père est gêné d'être spectateur de cet examen intime. D'autres pères, tout en étant très attentifs et en veillant à la santé de leur femme, ne vont pas avec elle aux séances de préparation, ils ne tiennent pas à assister à l'accouchement. Et s'ils y vont, c'est qu'ils s'y sentent vraiment forcés. Pascal dit carrément : « J'aurais culpabilisé si je n'y étais pas allé. Si on n'est pas le superpapa vanté à la télévision, on est nul. » La contribution de ces pères est différente, elle est plus sentimentale, plus affective, ils aident par des gestes, par des mots ; leur femme peut compter sur eux, mais ils ne veulent pas empiéter sur un domaine qu'ils ne considèrent pas comme le leur. Pour eux, la grossesse reste une affaire de femme.

Certains hommes hésitent entre la participation à la grossesse et l'envie de ne pas s'en mêler (ce sont ceux qui, jusqu'à la dernière minute, hésiteront à la porte de la salle d'accouchement). Voici François : « J'ai participé, j'ai été aux consultations, aux échographies mais j'ai gardé mon autonomie. Je partais avec mes copains faire des balades en montagne, je n'avais pas envie que ma vie change. »

Certaines femmes ne souhaitent pas que leur mari assiste à l'accouchement. Elles veulent préserver leur intimité. C'est une pudeur compréhensible. Et si c'est le père qui ne souhaite pas être présent à la naissance, il faut aussi respecter ce désir.

NICOLAS, UN PAPA BIEN D'AUJOURD'HUI

« Notre bébé a été désiré et programmé. Nous avions même choisi la date de la naissance en fonction des vacances : si l'enfant naissait au tout début de l'été, les vacances continuaient le congé de maternité. Mais le hasard a ignoré notre souhait : Maxime est né en novembre. »

« Au début de la grossesse, je ne réalisais pas bien. Le bébé a commencé à exister pour moi quand la silhouette de ma femme s'est transformée, quand son ventre et ses seins se sont arrondis. Cette transformation du corps m'a d'ailleurs fait plus d'effet que le message de la machine, l'échographie.

« Je ne voulais pas savoir le sexe au début, Marie non plus ; nous voulions la surprise. À la deuxième échographie, Marie a dit qu'elle aimerait bien savoir tout de même, ce serait mieux pour les vêtements, le prénom. Moi, j'étais persuadé que c'était un garçon à cause de sa façon de gesticuler dans le ventre. Et c'était un garçon. »

« C'est à deux qu'on attend un enfant, c'est vrai, mais c'est quand même la femme qui l'a dans son ventre, nous on est extérieurs, on a du mal à ressentir la même chose, à croire qu'il y a un bébé qui bouge, qui se manifeste vraiment à différents moments de la journée. Je demandais souvent à Marie : Il bouge en ce moment ? »

PAROLES DE PÈRES
La plupart des propos tenus par des pères et cités ci-dessus ressortent d'une enquête faite auprès de pères âgés de 25 à 35 ans. Nous reproduisons ci-contre un peu plus longuement le témoignage de Nicolas qui nous semble résumer assez bien quelques attitudes de pères d'aujourd'hui.

Et Nicolas poursuit : « L'accouchement est arrivé plus vite que je ne pensais car Maxime est né à 8 mois. Je me sentais un peu inutile mais j'étais là. Quand le bébé arrive, alors là franchement c'est formidable. Voir le bébé sur le ventre de sa maman, c'est une image qui restera, c'est inoubliable. »

Et il conclut ainsi : « Je suis heureux, mais j'ai un petit doute au sujet de notre couple, il paraît qu'au début il y a beaucoup de femmes qui sont avant tout mères. Je crois que c'est normal, il y a la fatigue, le temps pour s'occuper du bébé. Je serai patient, mais il faut que la mère laisse le père participer. Mais j'ai confiance dans la vie. »

CE QUE DISENT D'AUTRES PÈRES

Ces témoignages montrent bien que les pères s'intéressent de plus en plus tôt à leurs enfants et passent beaucoup de temps avec eux. Nombreux sont d'ailleurs ceux qui prévoient de prolonger le congé de paternité de quelques jours.

Les couples souhaitent le plus souvent programmer la naissance de leurs enfants, parfois même avec une grande précision. « Pendant six ans nous avons voulu profiter un peu. Puis, nous avons souhaité avoir un enfant, dit Luc. Ce qui fut fait. Après la naissance de Jacques, nous avons attendu trois ans pour qu'il soit rentré à l'école à la naissance de Marie. Tout s'est bien déroulé. »

Même dans ces conditions, lorsqu'une femme dit à l'homme de sa vie « J'attends un enfant », souvent l'annonce le surprend : « J'ai appris cela un soir en rentrant, dit Yves. C'est une surprise vraiment formidable ; même si on a voulu l'enfant, on a du mal à y croire. » « Moi, j'ai mis une semaine à le réaliser, dit Jean. Je ne cessais de dire à ma femme : en es-tu bien sûre ? » « J'ai été le premier à savoir, dit ce père. Ma femme était trop émue, elle m'a demandé de lire le résultat du test. »

Les pères sont heureux de parler du contact physique qu'ils ont avec leur enfant en posant la main sur le ventre de leur femme : « J'ai vécu la grossesse de Carole à 100 %... Le soir, j'aimais câliner son ventre. La première fois que je l'ai fait, j'ai senti que cet enfant était à nous deux ». Les pères qui pratiquent l'haptonomie ressentent encore plus cette relation particulière.

Enfin au sujet du sexe : presque tous les parents veulent d'abord un fils, mais à la loterie de la naissance, c'est 50/50. Alors pour le deuxième enfant, ils souhaitent en général un enfant de l'autre sexe ; mais pas toujours. Écoutez Pierre : « Après une fille, je pensais avoir envie d'un garçon. Maintenant, je me dis que deux filles ce serait bien. Ensuite cela nous donnera peut-être envie d'avoir un garçon. On aura trois enfants, ce dont j'ai toujours rêvé. »

À PROPOS DE L'ÉCHOGRAPHIE

La première est souvent la plus importante : « Ça officialise, dit Gaël. À partir de là, j'ai commencé à faire des projets. » Pour Bertrand : « C'est comme un rendez-vous avec mon bébé. C'est magique : on voit son enfant "en entier", on voit son cœur battre, on le voit bouger par de toutes petites secousses. J'en ai frissonné d'émotion. »

Une étude, réalisée par des échographistes, pédiatres et psychologues, apporte d'autres éclairages sur la rencontre père-bébé avant la naissance (1).

Première constatation : la plupart des pères présents à l'échographie viennent de leur propre initiative mais c'est tout d'abord pour soutenir moralement leur femme, pour ne pas la laisser seule en face de cet examen. Ensuite, les pères disent venir pour découvrir leur bébé. Les pères les plus intéressés ne sont d'ailleurs pas les plus jeunes (peut-être que la grossesse n'a pas été réellement désirée) ni les plus âgés (ils ont déjà assisté à plusieurs échographies). Certains pères disent, avec pragmatisme, être venus parce qu'on avait besoin d'eux comme chauffeur, mais ce n'est pas la majorité !

La plupart des pères se sont dit rassurés par l'examen, quelques-uns inquiets, très peu sont indifférents. Certains pères ont été à la fois rassurés par la parole mais inquiets par des mimiques de l'échographiste. Comme si le médecin ne disait pas tout.

Découverte, satisfaction, étonnement, soulagement, joie, émerveillement, sont des mots qui reviennent souvent. D'autres pères ajoutent :

« - Le bébé devient plus visible, donc plus réel, plus présent.

- Enfin voir le bébé pour de vrai.

(1) Étude réalisée sous la direction du docteur Christine Eglin.

- Le premier regard sur mon enfant.
- On sent la vie.
- On connaît le sexe, les mensurations. Tout va bien, c'est super.
- On comprend mieux l'évolution du bébé et les réactions de la maman.
- Je ne l'imaginais pas si développé pour 12 semaines.
- Je suis encore plus heureux.
- Cela permet de sortir du côté flou qu'est la grossesse pour un homme.
- Il vit déjà avec nous. »

L'échographie a permis au père d'être concerné plus tôt par la grossesse de sa femme : il se sent témoin mais aussi partenaire à part entière de cette aventure. Il perçoit son bébé différemment : celui-ci acquiert une vraie présence. Il se sent père avant la naissance.

POUR AIDER VOTRE FEMME PENDANT CES NEUF MOIS

Sur le plan pratique, voici quelques suggestions : rappelez-vous, et rappelez-le à votre femme, que tant que la grossesse est normale, elle ne nécessite qu'un minimum de précautions, elle ne doit pas devenir une obsession. C'est vrai pour l'alimentation (chapitre 3) ; c'est valable pour les sports : il y en a peu de contre-indiqués ; c'est vrai pour les rapports sexuels (p. 52) ; c'est vrai pour les voyages ; et également pour le travail. Mais si, devant des phénomènes pathologiques, le médecin impose des mesures temporaires désagréables (régime, surveillance plus stricte, repos, si nécessaire hospitalisation), la femme les acceptera d'autant mieux qu'on ne lui aura pas rendu la vie impossible jusque-là avec des interdits, des prescriptions inutiles.

Cela dit, aucune future maman ne se plaindra d'être secondée dans la vie quotidienne, surtout quand arrive le troisième trimestre. D'ailleurs, c'est une réaction qu'ont naturellement la plupart des pères. « Si tu es fatiguée, tu te reposes, je ferai tout », dit Maxime. Parfois l'aide du père est imposée par les circonstances : « Avant 6 mois, j'étais spectateur ; quand Anne s'est retrouvée au lit avec des contractions, j'ai été tout à coup très impliqué, devant materner Anne pour qu'elle puisse materner le bébé. Je faisais tout. Cela faisait beaucoup. Mais c'était mon nouveau rôle. »

On s'attend souvent à ce qu'une future mère soit de temps en temps irritable, nerveuse, comme on s'attend à ce qu'elle ait mal au cœur. Cela n'étonne pas. Mais il y a des comportements plus difficiles à comprendre, parce que plus inattendus, en particulier le repli du troisième trimestre. Il y a aussi cette mélancolie si fréquente après la naissance, qui étonne toujours l'entourage car elle cadre mal avec l'événement heureux qui vient de se produire. S'il vous arrive de ne pas comprendre certains de ces comportements, n'hésitez pas à en parler ensemble, ainsi qu'avec l'équipe qui suit la grossesse, et lors des séances de préparation.

Comme vous le verrez au chapitre 4, la grossesse se porte bien aujourd'hui ; les femmes sont moins complexées par leur ventre, et les maris trouvent en général leur femme belle ; il n'empêche que certaines femmes vivent dans la crainte que leur compagnon ne les délaisse et maintenant, et après la naissance. Si votre femme vit dans cette crainte, une personne peut lui redonner le moral : c'est vous. Quand on doute de soi, il suffit souvent de quelques mots pour reprendre confiance.

Et si votre femme a peur d'un accident, peur de l'accouchement, d'abord, écoutez-la : savoir qu'elle peut vous parler la libérera déjà un peu de ses peurs ; puis essayez de la rassurer, dites-vous bien d'ailleurs qu'elle ne demande que cela, et n'oubliez pas que les mots ont un pouvoir magique, ils peuvent inquiéter : une amie racontant un accouchement difficile peut plonger une future mère dans l'angoisse, mais les mots peuvent aussi rassurer. Ces paroles, vous saurez les trouver.

En ce moment, chez votre femme, une force prodigieuse s'exerce. C'est la plus grande force qui existe dans la nature : celle qui est capable de faire se développer et naître un enfant ; aucune autre ne peut lui être comparée. Cela demande à la femme beaucoup d'énergie. Parfois elle en éprouve une lassitude, une certaine faiblesse, cela se comprend.

D'autres futures mères deviennent vulnérables, particulièrement sensibles ; une phrase mal comprise ou mal interprétée peut les impressionner. Par exemple, au cours d'une échographie, le médecin dit : « Là, je vois une jambe. » La mère, anxieuse, traduisit : « Mon bébé n'a qu'une jambe. » Il fallut une autre échographie pour la persuader du contraire.

Une autre future mère sort bouleversée du cabinet de son médecin et téléphone à une amie sage-femme en lui disant qu'elle souhaite la voir tout de suite. Que s'était-il passé ? À la fin de l'examen, la gynécologue avait dit avec un air très sombre et les sourcils froncés :

« - Col long, fermé, postérieur.

- Mais c'est parfait, lui dit son amie sage-femme, c'est que tout va bien.

- Alors pourquoi la gynécologue faisait-elle cette tête-là ?

- Elle pensait peut-être tout simplement à sa voiture qui était mal garée… »

PARENTS VULNÉRABLES
La façon dont un homme et une femme vivent l'attente de leur enfant dépend aussi d'événements extérieurs qui peuvent fragiliser (deuil, perte d'emploi, problème de logement ou financier, conflit ou instabilité dans le couple…). Dans ces situations de vulnérabilité, il est important de ne pas rester seul, d'en parler, par exemple au médecin, à la sage-femme, à la personne qui s'occupe de la préparation à la naissance.

DU COUPLE À LA FAMILLE

Aujourd'hui, c'est acquis, le père a vraiment pris sa place dans cette période de l'attente de l'enfant : il participe parfois aux séances de préparation à l'accouchement, il aime assister aux échographies, il est souvent présent à la naissance. Dans l'attente de l'enfant, le couple est en général proche et uni. Arrive le bébé, naît une famille. Est-ce que ce passage du couple à la famille se fait facilement, sans heurt ? Il y a toujours besoin d'un peu de temps, et d'une certaine adaptation pour la transformation.

Malgré le congé paternité de deux semaines, le père se sent parfois frustré de quitter sa nouvelle famille pour retourner à son travail. Ce sentiment est fréquent, surtout pour un premier enfant. Pour l'atténuer, certains pères essaient de prendre quelques jours de congés supplémentaires et d'être plus à la maison dans la journée. Il n'en reste pas moins vrai qu'une naissance renforce les liens à l'intérieur du couple, lui donne une autre dimension, un autre avenir.

Si vous êtes seule

Si vous êtes seule pour attendre votre enfant, ce qui précède vous aura peut-être donné un pincement au cœur. Attendre à deux ? Vous voudriez bien, mais le père n'est pas là. Il est peut-être parti avant de savoir que vous étiez enceinte, ou lorsque vous le lui avez annoncé. C'est au moment où l'homme prend conscience de la vie qui se prépare qu'il se sent parfois incapable de l'affronter.

Céline partage la vie d'un homme nettement plus âgé qu'elle ; elle aimerait un enfant, mais Marc ne le souhaite pas : « Ce n'est plus de mon âge », lui dit-il chaque fois qu'ils abordent la question. Malgré cela, Céline attend un enfant, mais ne révèle sa grossesse qu'au 4e mois pour être sûre de pouvoir garder le bébé. Son compagnon se sent pris au piège, floué, et la quitte.

Quelles que soient les difficultés que la mère a, ou aura, à affronter dans de telles circonstances, au départ l'enfant aura été une histoire d'amour entre un homme et une femme, cela semble un élément positif.

Il arrive qu'une femme choisisse délibérément d'avoir un enfant et de l'élever seule. Ce choix peut provenir du rejet volontaire d'une présence masculine. D'autres fois, la femme souhaite avant tout avoir un enfant parce que les années passent, et cet enfant, elle est prête à l'élever, même sans père ; ou encore elle cherche une compagnie pour sa vie quotidienne, et un but.

> **RENSEIGNEMENTS PRATIQUES**
> SI VOUS ÊTES SEULE ET À LA RECHERCHE D'UNE ADRESSE OU D'UNE AIDE, VOUS TROUVEREZ DE NOMBREUX RENSEIGNEMENTS AU CHAPITRE 18, AINSI QUE DES INFORMATIONS JURIDIQUES.

Ces choix sont volontaires, mais le plus souvent, à l'origine de ce désir d'enfant, il y a une motivation inconsciente, elle peut resurgir plus tard. Florence décide à 37 ans d'avoir un enfant. Elle a une bonne situation, elle rencontre un homme avec qui elle ne souhaite pas vivre, mais qui comble le désir d'enfant qu'elle a depuis quelques années. Le bébé naît, tout va bien. Ce n'est que quelques mois plus tard, lors des difficultés que rencontre toute mère, que Florence réagit d'une façon excessive, elle se sent très nerveuse, presque déprimée. Florence prend alors conscience que ce rejet d'un homme et d'un couple a des racines profondes, et remonte à une déception amoureuse qu'elle a éprouvée lors de l'adolescence. Cette déception a été si grande que Florence n'est jamais arrivée à nouer une relation amoureuse satisfaisante avec aucun homme. C'est pourquoi elle a choisi d'avoir un enfant et a rejeté le père. Cette prise de conscience a été bénéfique pour Florence ; elle qui voyait dans son enfant la cause de sa dépression, s'est alors détendue.

Qu'on ait choisi d'être seule pour élever son enfant, ou qu'on se retrouve seule, il est rare qu'il n'y ait pas de difficultés en chemin. D'autant plus que l'entourage n'est pas toujours tendre ni solidaire de ces mamans, comme si elles étaient responsables de se retrouver seules. Ce sentiment peut être accentué par le fait qu'on sait aujourd'hui combien la présence du père est importante. Sonia, abandonnée au 4e mois de grossesse alors qu'elle et son compagnon avaient désiré ensemble leur enfant, nous écrit : « J'en arrive à culpabiliser car on nous dit partout que le papa est indispensable à l'équilibre d'un enfant. Pourtant ce n'est pas moi qui me suis mal conduite. »

Il est important pour la mère de trouver quelqu'un à qui parler, en dehors de ses amis, de sa famille, une personne qui ne soit pas impliquée dans son histoire personnelle. Par exemple la psychologue de la maternité, le médecin, un psychothérapeute.

Dans bien des cas cependant, la famille et les amis apportent un soutien affectueux et compréhensif, des aides matérielles, sans tomber dans l'excès de surprotection de la future mère. Cette dernière attitude pourrait l'empêcher de vivre pleinement sa vie d'adulte, car avoir un enfant est une étape de maturation, quelles que soient les circonstances. Attendre un enfant est un événement si important qu'il peut être riche d'émotions et d'apprentissages, sauf si on le vit avec gêne et culpabilité.

La place du père

Parlons un peu de l'absent, le père. Il compte pour l'enfant, même s'il n'est pas là. Si la mère a de cet homme une image traumatisante et dévalorisante, elle risque de projeter sur son enfant ses sentiments d'amertume, de frustration, de rejet. Or, ce qui est important, c'est que la mère essaie de séparer son bébé de cette image négative, qu'elle lui permette de se développer comme un être indépendant affectivement. Car si au départ l'enfant est accablé par un passé si lourd, son développement pourrait s'en ressentir et les relations entre la mère et l'enfant risqueraient alors d'être perturbées. Tandis que si l'enfant peut être associé à des projets positifs et chaleureux, la vie de tous les jours sera plus facile.

Mais quelle que soit son image, et bien que physiquement il ne soit pas là, ce père devra prendre une place dans la vie de l'enfant ; cette place, c'est la mère qui la lui donnera en parlant de lui. Dire, comme certaines femmes (c'est une psychologue de maternité qui me l'a rapporté), « Son père est mort » ou « Il n'a pas de père » est pour l'enfant une mutilation, une amputation de la filiation. C'est faire comme si cet enfant avait été conçu sans père. Ce n'est pas toujours facile de parler à l'enfant de son père, mais si la mère n'y arrive pas, tôt ou tard, ce père, l'enfant le recherchera et il en voudra à sa mère de le lui avoir caché, quelles qu'aient été les circonstances.

UNE PHOTO

Il est bien de garder de garder avec soi une photo du père afin que l'enfant puisse avoir une image de lui. Cela lui donnera un repère et l'aidera dans le développement de sa personnalité. Mieux encore une photo où figurent et le père et la mère le confirmera dans l'idée qu'il est né et a été désiré par amour.

Quel que soit votre cas, ne prenez pas de décisions hâtives (demander le divorce, déménager, aller vivre ailleurs). Il est certes important que vous connaissiez vos droits, par exemple les obligations financières du père, les aides que vous pouvez demander. Mais concentrez-vous sur votre bébé et votre attente, essayez de ne pas laisser vos difficultés actuelles gâcher ces moments précieux. Votre vie continue, nul ne sait ce que vous réserve le lendemain. Vous reprendrez peut-être un jour une vie commune avec le père de votre enfant.

« SI VOUS ÊTES SEULE »

C'est le titre de ce chapitre, mais en fait, vous ne le serez jamais vraiment. Jour après jour, votre bébé va vous accompagner. Si vous l'attendez, lui aussi vous attend, et même plus, il est là en vous, il vous sent près de lui, vous le sentez tout proche. En lisant certaines pages de ce livre, vous verrez à quel point le dialogue se noue très tôt, et comment, bien avant la naissance, un enfant et sa mère peuvent faire connaissance, et déjà s'aimer.

L'accouchement au secret

Dans certains cas, la femme enceinte est bien loin de penser à l'avenir. Le présent est trop lourd pour elle. Elle se sent incapable d'élever l'enfant qu'elle porte, elle souhaite le mettre au monde dans le silence, dans l'anonymat. Elle envisage de se séparer de lui à la naissance. Elle a entendu parler de la possibilité d'accoucher anonymement (accouchement au secret, anciennement appelé sous X). La femme peut accoucher sans laisser de trace de son identité. Le bébé sera alors confié pour être adopté.

Lorsqu'une femme est confrontée à une détresse si grande, à un isolement si profond qu'elle envisage l'accouchement au secret, il est important qu'elle parle rapidement de sa situation à des professionnels qui pourront l'aider et la soutenir : tout d'abord à l'assistante sociale de la maternité, ou de la mairie proche de son domicile, mais aussi à l'équipe obstétricale qui la suit : médecin, sage-femme, puéricultrice.

L'accouchement au secret permet de donner naissance au bébé tout en préservant l'anonymat de la femme. Cet anonymat peut malheureusement être préjudiciable à l'enfant et l'empêcher plus tard de connaître ses origines. C'est pourquoi, si elles le souhaitent, les mères peuvent, ce qu'elles ne savent pas toujours, laisser des renseignements dans le dossier de l'enfant (par exemple une lettre, un message enregistré) afin qu'il puisse avoir un jour accès à un minimum d'informations sur son histoire. Et une loi récente cherche à concilier le droit des enfants à connaître leurs origines, et celui des femmes à mettre leur enfant au monde dans l'anonymat. Voyez les détails de cette loi au chapitre 18.

La vie
quotidienne

Qu'est-ce qui va changer dans votre vie ?

Psychologiquement, tout va changer, jour après jour, semaine après semaine. L'attente n'est au début qu'une idée, puis elle se précise et prend forme, puis mouvement. Et vos réactions suivent. Vous étiez une, vous commencez à vous sentir deux, vous imaginez votre vie à trois : le père, votre bébé et vous. Alors peu à peu, vous réalisez que tout sera désormais différent. Cette évolution psychologique était l'objet du précédent chapitre.

Dans celui-ci, nous allons parler de la vie pratique, quotidienne, celle au sujet de laquelle vous vous posez les premières questions : travail, voyages, sports, etc. Vous allez voir que les changements, car il y en aura, seront progressifs ; ils dépendront de votre état de santé, de vos activités, de vos goûts. Ils dépendront aussi de votre bébé : il va se développer, prendre plus de place, se faire plus lourd, il est normal qu'une certaine fatigue s'ensuive, et que vous deviez modifier un peu votre façon de vivre.

Certaines grossesses nécessitent des précautions particulières, par exemple lorsqu'on attend des jumeaux (chapitre 6). Ou si la grossesse présente un risque (chapitre 9).

VOTRE TRAVAIL

Parlons d'abord du travail. Quelle incidence peut-il avoir sur l'avenir de la grossesse, donc sur celui de l'enfant ? C'est ce que plusieurs enquêtes ont étudié, voici leurs conclusions :
• effectué dans des conditions normales, le travail, qu'il soit fait à l'extérieur ou à domicile, ne nuit pas à la grossesse
• lorsqu'une femme travaille, elle est souvent plus à même de prendre sa santé en charge car dans son milieu professionnel, elle est mieux informée
• mais il y a certains facteurs qui augmentent les risques de prématurité, par exemple des conditions de travail particulièrement pénibles physiquement. De ce fait, de nombreuses dispositions ont été prises pour la protection des futures mères.

Si vous effectuez un travail fatigant, consultez le médecin du travail : celui-ci pourra demander à l'employeur un aménagement de poste, ou un changement temporaire, et/ou une réduction de la durée du travail. Si cela n'a pas été possible, adressez-vous à votre médecin traitant. Les médecins sont aujourd'hui bien informés des risques que représentent des travaux particulièrement pénibles ; et, s'ils le jugent nécessaire, ils prescrivent un arrêt de travail.

Il en est de même pour le travail fait chez soi : son incidence sur le déroulement de la grossesse dépend des conditions dans lesquelles vit la future mère. Si elle est bien informée, bien suivie, et s'il le faut aidée, tout ira bien. Mais si elle vit dans de mauvaises conditions socio-économiques, elle risque d'avoir des difficultés à mener sa grossesse à terme. On ne peut donc établir l'équation travail = danger, ou travail = protection, tout dépend des circonstances. Mais regardons les choses de plus près.

Si vous avez une activité professionnelle

Si vous êtes salariée, vous savez probablement que la loi prévoit que vous pouvez prendre six semaines de repos avant la date prévue pour l'accouchement, et dix semaines après. Plus qu'une possibilité, ce repos est d'ailleurs une obligation pour recevoir les indemnités journalières. En fait, vous pouvez vous reposer moins longtemps, mais pour recevoir vos indemnités journalières, il faut vous arrêter au moins huit semaines en tout.

Ce temps de repos peut paraître court mais il est en général suffisant si votre grossesse se déroule bien et si votre travail est physiquement peu fatigant. Par contre, six semaines de repos avant l'accouchement sont insuffisantes dans certains cas et il appartiendra à votre médecin de prescrire un repos prénatal supplémentaire de deux semaines en cas d'*état pathologique,* ou même plus si votre état de santé le justifie.

Les jeunes femmes dont le métier est incompatible avec la grossesse (artistes et mannequins) à partir du moment où celle-ci est très visible peuvent s'arrêter de travailler dès la 21e semaine, après accord du médecin-conseil et sur présentation d'un certificat médical. Elles sont indemnisées par la Sécurité sociale au tarif maladie.

Nous vous signalons dès maintenant (vous trouverez les détails chapitre 18) que si vous étiez malade et obligée d'interrompre votre travail, vous ne pourriez pas être licenciée, et vous seriez indemnisée par la Sécurité sociale au tarif maladie pour le temps de votre absence.

D'autres raisons indépendantes de la fatigue causée par un travail pénible entraînent un changement de poste pour tout ou partie de la grossesse :
• dès le début de la grossesse pour les femmes travaillant dans un laboratoire de radiologie médicale ou industrielle, à cause de l'exposition aux rayonnements
• également dès le début de la grossesse pour les femmes amenées à manipuler des produits chimiques, des toxiques ou des solvants
• pendant les trois premiers mois de la grossesse, en cas d'épidémie de rubéole, pour les femmes que leur métier met en rapport avec des enfants, institutrices par exemple, si elles ont un sérodiagnostic négatif (c'est-à-dire si elles ne sont pas protégées contre la rubéole).

Quelques mouvements de détente

Si vous travaillez de longs moments assise ou de longs moments debout, il est bien de prendre l'habitude, le plus souvent possible, de « casser » les tensions musculaires liées aux positions gardées un peu trop longtemps : station assise devant un ordinateur, station debout avec le bras en l'air, pour écrire au tableau.

Pour vous détendre, faites le mouvement qu'on fait spontanément le matin au réveil : étirez haut les bras au-dessus de la tête, ou bien, si cela n'est pas possible socialement, voici quelques exercices plus discrets :

• haussez les épaules en inspirant, tenez quelques secondes, puis relâchez en soupirant

• faites 2 ou 3 mouvements des épaules en rotation avant et arrière ou roulez « des mécaniques » 2 ou 3 fois

• faites 2 ou 3 « cercles de chevilles » ou flexions-extensions des chevilles pour faire circuler le sang dans les membres inférieurs.

Ce ne sont pas des exercices à faire en série de 10 ou de 20, mais simplement des mouvements de détente à faire de temps en temps.

COMBIEN Y A-T-IL DE FUTURES MÈRES QUI TRAVAILLENT ?
D'après la plus récente enquête de l'INSERM, 61 % des femmes avaient un emploi au moment de la naissance. Près d'un quart se déclaraient femmes au foyer et 10 % au chômage.
Quant au niveau général des études faites par les mères, il continuait de s'améliorer.

Chez vous

Vous aurez, comme toutes les femmes qui attendent un enfant, l'envie de tout ranger dans la maison, ce qui est nécessaire comme ce qui l'est moins ; la chambre où sera le berceau, mais les autres aussi, pour qu'en arrivant « il » trouve tout net, joli, bien soigné. C'est normal. Mais évitez quand même les efforts excessifs. D'ailleurs, vous vous rendrez bien compte vous-même de vos limites. Et ne remuez pas vous-même la grosse commode aux tiroirs pleins à craquer, ne décidez pas à un mois de votre accouchement qu'il est indispensable de tapisser tout l'appartement. Pensez à ces recommandations si vous êtes obligée de déménager, ce qui arrive souvent quand on attend un enfant. Essayez de déménager au milieu de votre grossesse, c'est-à-dire pendant la meilleure période, plutôt qu'à la fin.

TRAVAUX DE PEINTURE
Il faut éviter de faire des travaux de peinture lorsqu'on est enceinte et bien aérer les pièces fraîchement repeintes. En effet, en peignant, vous inhalez des substances chimiques qui peuvent être toxiques pour votre bébé.

Enfin, que vous travailliez à l'extérieur ou non, deux précautions supplémentaires sont à prendre en ce qui concerne votre vie quotidienne :

• évitez toute source de contamination éventuelle, c'est-à-dire abstenez-vous de rendre visite à des malades ayant une affection contagieuse

• méfiez-vous des chats qui peuvent transmettre la toxoplasmose (p. 246). Si vous n'êtes pas immunisée contre la toxoplasmose, vous n'êtes pas obligée de vous séparer de votre chat, mais demandez à quelqu'un de votre entourage de changer sa litière ou mettez des gants pour le faire ; le bac sera lavé à l'eau chaude avec un peu d'eau de Javel.

Au cas où le médecin vous aurait prescrit de vous reposer, mais que vous n'ayez pas les moyens de vous faire aider pour les travaux ménagers ou les soins de vos enfants, demandez à l'assistante sociale de votre mairie si vous ne pouvez pas bénéficier d'une aide familiale ; elle vous donnera également la liste des associations qui pourraient vous aider.

LE SOMMEIL

Si vous le pouvez, dormez au moins huit heures. En fait, au début cela ne pose guère de problème : les premiers mois, une future maman a de grands besoins de sommeil.

Et si vous êtes chez vous, ou si dans votre travail vous avez la possibilité de vous reposer après le déjeuner : ôtez vos chaussures, posez vos pieds sur un coussin pour soulever vos jambes, et détendez-vous. Si vous êtes allongée, installez le coussin sous les pieds et les jambes, c'est plus confortable. Vous sentirez vous-même le bienfait de ce repos, de cette détente au milieu de la journée, surtout si vous avez de la peine à digérer, ou si vous avez une mauvaise circulation.

Vous pouvez dormir dans n'importe quelle position sans crainte d'écraser ou de gêner votre enfant. Il est bien à l'abri.

Si vous avez des insomnies en fin de grossesse, reportez-vous au paragraphe « Troubles du sommeil » (p. 200).

LES RELATIONS SEXUELLES

La première question que se posent en général les couples est la suivante : peut-on continuer à avoir des relations sexuelles pendant la grossesse ? C'est sans raison valable que l'on a, pendant longtemps, recommandé l'abstention. Rien n'a jamais justifié cette recommandation, si ce n'est les mythes qui entouraient la grossesse et plaçaient la femme enceinte en dehors de la vie.

Sauf contre-indications médicales précisées plus loin, la vie sexuelle du couple n'a pas de raison d'être modifiée quand la grossesse se déroule bien.

En ce qui concerne les positions les plus confortables à ce moment de la vie, je pense que chaque couple trouvera lui-même celle qui convient le mieux à chaque âge de la grossesse, à la transformation du corps féminin, au désir de chacun.

Quant à la fréquence des rapports amoureux, là aussi il n'y a pas de règles, c'est une question vraiment personnelle, chaque couple y répondra selon son désir.

La visualisation régulière du bébé sur l'écran de l'échographie rend peut-être plus fréquente la crainte de lui faire mal, de le heurter lors d'un rapport sexuel. Que les parents se rassurent, le bébé ne risque rien. Redouter que le pénis puisse toucher l'enfant, craindre que des rapports fougueux puissent provoquer une fausse couche ou un accouchement, est une peur répandue, normale, mais elle n'a pas raison d'être : le bébé est bien protégé dans sa petite bulle, entouré du liquide amniotique qui l'isole du monde extérieur.

Certains parents sont gênés par la présence de ce bébé dont on leur a dit qu'il était déjà si sensible, capable dès avant la naissance d'éprouver tant de sensations. Quel effet peut avoir sur l'enfant la relation amoureuse de ses parents ? Vous comprendrez que personne ne peut vraiment répondre à cette question. Naturellement, certains couples espacent leurs relations sexuelles lorsqu'ils ont constaté que le bébé semblait réagir fortement et que cela provoquait des contractions utérines, surtout au moment de l'orgasme. Ce qui semble essentiel, c'est que ces relations se passent dans la douceur et le respect du corps maternel.

Les variations du désir

Pendant les trois premiers mois, le corps s'adapte à la grossesse, souvent les rapports sexuels tentent moins la future mère, tant les sensations qu'elle éprouve sont fortes : son corps devient autre, il prend une valeur nouvelle, encore mystérieuse. Elle peut aussi avoir moins de désir à cause des inconvénients du début de la grossesse : nausées, vomissements, plus grand besoin de sommeil. Ce qui peut déboucher sur des alibis, ou des drames, selon le climat d'entente et d'amour du couple.

Pour le père, une fois passée la joie de l'annonce de sa paternité, commence en général une période moins euphorique. Il peut s'inquiéter de cette baisse de désir chez la femme : est-ce l'amorce d'un changement définitif dans leurs relations ? Il peut aussi se sentir rejeté, frustré, en évaluant mal à l'avance la place que le bébé va prendre dans sa vie.

Au deuxième trimestre, le bonheur à deux est en général retrouvé. Cet enfant qui va naître est le symbole de l'harmonie de leur couple, de leur épanouissement de femme et d'homme. La féminité, la virilité sont comblés. Il y a aussi des couples qui apprécient ce moment de leur vie sexuelle où ils n'ont pas à se préoccuper d'un moyen de contraception, quel qu'il soit. La période d'adaptation du début est passée, l'inquiétude qui parfois apparaît au troisième trimestre, n'est pas encore présente. Cette période peut créer des liens très forts entre l'homme et la femme.

Certains hommes sont éblouis et impressionnés par la transformation du corps féminin : ils le trouvent beau, mystérieux, fascinant. L'homme est souvent séduit par ces seins épanouis. Et certaines femmes qui ont en temps normal de petits seins, les découvrent avec fierté, si beaux, si attirants.

À signaler que les bouts de seins sont souvent plus sensibles, certaines caresses peuvent devenir désagréables ; les seins augmentent de volume et peuvent gêner certains mouvements, certaines postures, s'ils sont comprimés. Si des sensations inattendues, ou des impressions inhabituelles surviennent, n'hésitez pas à en parler entre vous. Le dialogue dans un couple peut souvent éclairer sur des problèmes qui n'ont pas qu'une seule réponse.

Puis arrive le dernier trimestre, l'enfant prend plus de place, il bouge beaucoup ; l'activité sexuelle se ralentit en général, peut-être parce que la future mère est davantage centrée sur ce qu'elle vit à l'intérieur de son corps, attentive à la présence de ce bébé ; elle est peut-être tout simplement fatiguée.

Les couples amoureux trouvent alors d'autres mots, d'autres gestes qu'ils connaissaient déjà ou qu'ils découvrent aujourd'hui. Cela devient souvent le temps des conversations amoureuses, des gestes tendres. « Avec ma femme nous réinventons le flirt », écrit un lecteur. Avec ce nouveau corps, l'homme et la femme découvrent de nouveaux rapports empreints de délicatesse.

Il y a des situations moins faciles. La femme a souvent peur que son mari s'éloigne, que son gros ventre lui déplaise. C'est parfois vrai, on ne peut le nier, c'est une situation plus fréquente qu'on ne croit. « C'est injuste, m'écrit Florence, je porte notre enfant et il s'écarte de moi. »

Heureusement l'expérience montre que dans la plupart des cas le couple retrouve après la naissance un équilibre affectif et sexuel. Mais il faut parfois un peu de temps.

Y a-t-il des contre-indications aux rapports sexuels ?

Voici les cas où les médecins conseillent la diminution ou même la suppression des rapports sexuels :
• au début de la grossesse, quand il y a eu des petits saignements (une échographie a sûrement été faite)
• en cas de placenta *prævia* (placenta bas inséré) et de saignements répétés.

Il est fréquent que des rapports sexuels, avec orgasme, provoquent des douleurs (comme celles des règles) qui sont en fait des contractions. Il n'y a pas à s'inquiéter.

Il peut arriver qu'après un rapport sexuel vous constatiez l'apparition de quelques gouttes de sang. Ceci est habituellement dû au fait que la grossesse rend le col de l'utérus plus fragile ; parlez-en au médecin, surtout si la perte de sang se prolonge ou se répète.

BAINS ET DOUCHES

Pendant la grossesse, la transpiration est nettement augmentée. Un cinquième de l'élimination de l'eau se fait par les glandes sudoripares, celles qui sécrètent la sueur. Elles aident les reins qui ont fort à faire pour éliminer les déchets rejetés par la mère et l'enfant. Les bains ne sont pas contre-indiqués pendant la grossesse. Au contraire, ils ont une action sédative générale. Si vous avez de la peine à vous endormir, prenez votre bain le soir. Si vous transpirez beaucoup, salez l'eau de vos bains. La douche est plus stimulante qu'un bain. Pensez à mettre un petit tapis antidérapant dans le fond de la douche, ce n'est pas le moment de tomber.

La toilette intime

Les sécrétions vaginales sont souvent augmentées au cours de la grossesse, et les hémorroïdes ne sont pas rares ; il est conseillé dans ces cas de faire des toilettes locales à l'eau et au savon ordinaire, ou avec un savon gynécologique (savon liquide ou poudre à diluer, vendus en pharmacie). N'utilisez pas des produits acides qui sont trop agressifs pour la muqueuse vaginale. Et toujours pour respecter cette muqueuse, vous ferez une toilette externe, sans pénétrer à l'intérieur du vagin.

Les pertes blanches abondantes sont fréquentes. Si elles sont malodorantes, ou s'accompagnent de démangeaisons ou de brûlures, parlez-en au médecin (p. 196).

PRÉCAUTIONS ALIMENTAIRES

Lorsqu'on attend un enfant, il faut respecter encore plus les règles de base (lavage des mains, précautions à prendre pour consommer ou conserver certains aliments, etc.). Voyez pages 81 et 82.

LES CIGARETTES

Il est important de s'arrêter de fumer lorsqu'on attend un enfant. L'Académie de médecine recommande cet arrêt dès que la grossesse est constatée. Les statistiques montrent en effet qu'il y a un rapport entre le poids de l'enfant à la naissance et le nombre de cigarettes fumées par une future mère : 9 % des bébés de mères non fumeuses ont un poids inférieur à la moyenne ; ce chiffre passe à 16 % lorsque la future mère fume de 1 à 10 cigarettes par jour et à 27 % pour plus de 10 cigarettes quotidiennes. D'autre part, chez les grandes fumeuses (plus de 15 à 20 cigarettes) les accouchements prématurés sont deux fois plus fréquents. Des études récentes semblent montrer qu'il peut y avoir d'autres conséquences lorsqu'une femme enceinte fume beaucoup, en particulier une augmentation de certaines malformations et un retentissement sur le développement psychomoteur de l'enfant. L'emploi de patchs à la nicotine – pour aider à s'arrêter – est autorisé sous surveillance médicale.

C'est le bon moment pour suggérer à votre mari de s'arrêter lui aussi de fumer... Vous vous encouragerez mutuellement et votre bébé en profitera.

Et demandez également à votre entourage de ne pas fumer : on connait l'influence néfaste du tabagisme passif. La fumée des autres peut vous faire du mal à vous et à votre bébé.

Si vous ne réussissez pas à supprimer le tabac avec votre seule volonté, vous pourrez trouver de l'aide dans des consultations hospitalières spécialisées, qui aident à s'arrêter de fumer. Certaines maternités ont mis en place des consultations de tabacologie. Voici le numéro de téléphone de Tabac Info Service : 0825 309 310.

Le tabac est également contre-indiqué au cours de l'allaitement : on trouve de la nicotine dans le sang des bébés allaités par des mères qui fument.

Puisque le tabac est déconseillé aux futures mères, on comprend que le **cannabis** le soit aussi. Et même encore plus car cette drogue peut provoquer des troubles de type neuro-sensoriel chez le nouveau-né.

ET L'ALCOOL ?

On connaît de mieux en mieux le rôle néfaste de l'alcool absorbé pendant la grossesse. L'alcool, comme le tabac, passe très vite dans le sang. On peut d'ailleurs en doser la quantité, après un accident par exemple. Mais l'alcool passe aussi dans le sang du bébé car le placenta ne lui fait pas barrage. Vous comprendrez qu'on ne doit pas boire d'alcool lorsqu'on attend un enfant.

PAS D'ALCOOL PENDANT LA GROSSESSE
Désormais, une mention figure sur les bouteilles de boissons alcoolisées (vin, bière, whisky, etc) qui informe du risque encouru à consommer de l'alcool pendant la grossesse.

Dès que la grossesse est évoquée, il faut supprimer toute boisson alcoolisée, y compris le vin, le cidre et la bière. Contrairement à une idée reçue, boire de la bière n'augmente pas du tout la production du lait.

Vous êtes inquiète d'avoir bu une coupe de champagne alors que vous ne saviez pas que vous étiez enceinte ? Rassurez-vous, mais à partir de maintenant il est raisonnable de ne plus consommer d'alcool, même de façon occasionnelle, car on ne connaît pas la dose minimale qui est toxique pour le bébé.

Nous ne parlons pas ici de l'alcoolisme. C'est un sujet différent qui est traité page 260.

LES VOYAGES ET LES DÉPLACEMENTS

Pendant longtemps on a déconseillé aux femmes enceintes tout déplacement et tout voyage, notamment en voiture : celle-ci, disait-on, favorisait les fausses couches et autres accidents de la grossesse. Ceci est évidemment faux. Cependant, il est bon de rappeler certains conseils.

Premier principe, de simple bon sens : on ne doit pas voyager avec une grossesse « à problèmes ». Car, dans ce cas, il vaut mieux ne pas trop s'éloigner de la maternité qu'on a choisie.

Second principe : il concerne le choix du moyen de transport. Ce ne sont pas tant les secousses – du train ou de la voiture – qui sont à craindre, que la fatigue. D'abord les trains n'ont plus de secousses, et de toute manière, votre enfant est solidement accroché, vous ne risquez pas de le faire naître en le secouant.

En revanche, tout voyage fatigue (mal au dos, notamment). Il faut donc prendre le moyen de transport le moins fatigant : pour un long voyage, choisissez plutôt le train ou l'avion. Et de toute manière, après 7 mois, le long voyage est à éviter, quel que soit le moyen de transport.

EXAMINONS DE PLUS PRÈS QUELQUES MOYENS DE TRANSPORT

Voiture

Pour éviter la fatigue et les douleurs lombaires, si fréquentes, placez un coussin au creux du dos, faites des étapes courtes de 200 à 300 km, et arrêtez-vous de temps en temps cinq à dix minutes pour marcher et vous dégourdir les jambes.

À part la fatigue que l'on peut diminuer en prenant ces précautions, la voiture présente un vrai danger : celui de l'accident. N'oubliez pas de mettre votre ceinture de sécurité. Encore faut-il pour qu'elle soit efficace :

BIEN METTRE SA CEINTURE DE SÉCURITÉ

BONNE POSITION

MAUVAISE POSITION

• qu'il s'agisse d'une ceinture à trois points de fixation (les ceintures à deux points sont plus dangereuses qu'utiles)
• qu'elle soit correctement placée comme indiqué sur le dessin ci-dessus
• qu'il n'y ait aucun espace entre la ceinture et le corps, c'est-à-dire que la ceinture doit être tendue en permanence.

Les statistiques montrent que la sécurité du passager est plus grande à l'arrière de la voiture, et avec une ceinture. D'ailleurs la ceinture est obligatoire aussi bien à l'arrière qu'à l'avant.

Si vous conduisez, prenez ces éléments en considération :
• d'abord que les réflexes sont souvent un peu ralentis et l'attention émoussée au cours de la grossesse
• ensuite que, au moins dans les trois à quatre derniers mois, votre ventre vous gênera et rendra difficiles les mouvements rapides parfois nécessaires à la conduite.

Bateau

Partir, enceinte de 8 mois, pour faire le tour des îles grecques, c'est parfaitement déraisonnable : pas de médecin sur le bateau, pas de médecin sur la petite île.

Mais faire une partie de pêche ou une promenade en bateau, cela ne pose pas de problème. Évitez toutefois les hors-bords et les bateaux à moteur qui font de fortes secousses à répétition.

Avion

Pour les longues distances, c'est le moyen de transport le plus recommandé parce que le moins fatigant. Mais attention, il peut être indiqué, selon votre état veineux, de prendre un traitement avant de partir car le risque de thrombose vasculaire (phlébite) est augmenté par la position assise prolongée. Parlez-en avec votre médecin. Et il est conseillé à toutes les futures mères d'éviter de rester trop longtemps en position assise, ce qui favorise les troubles circulatoires dans les jambes : promenez-vous de temps en temps dans la cabine, et portez pour le voyage des chaussettes ou collants de contention (p. 193). Pensez également à boire suffisamment pendant le voyage car le degré d'humidité est faible à l'intérieur de l'avion. Il n'existe pas de législation concernant le transport aérien des femmes enceintes, mais la plupart des compagnies acceptent les femmes jusqu'à 7 mois révolus. Une précision : il n'y a aucun risque à passer dans les portails de détection-sécurité.

Votre destination

Elle ne pose guère de problème, la longueur éventuelle du voyage mise à part, si vous allez dans un pays sans risque sanitaire. Rappelez-vous cependant qu'il n'est guère raisonnable d'envisager un long voyage après 7 mois. Il y a toujours un risque non négligeable d'accouchement prématuré. Ce risque se doublerait de l'inconvénient d'accoucher dans une maternité que vous n'auriez pas choisie et qui n'est peut-être pas équipée pour une naissance prématurée.

Voyager outre-mer

Si vous souhaitez vous rendre dans un pays où il faut prendre des précautions sanitaires, la plus grande prudence s'impose. Demandez conseil à votre médecin, ou au Centre de vaccinations situé dans l'hôpital le plus proche de votre domicile. En effet, les vaccinations, parfois nécessaires, peuvent être contre-indiquées (p. 223). Ensuite, le risque d'y contracter certaines maladies infectieuses ou parasitaires est augmenté, ce risque se doublant du fait que leur traitement peut nécessiter la prise de médicaments contre-indiqués chez une femme enceinte.

Il s'agit en particulier du **paludisme** auquel les femmes enceintes sont particulièrement sensibles, et le restent d'ailleurs pendant deux à trois mois après l'accouchement : les médicaments préventifs varient selon les endroits où sévit la maladie, et certains sont tout à fait déconseillés pendant la grossesse. Si vous devez partir malgré tout, demandez conseil à votre médecin. Une fois sur place, n'hésitez pas à prendre un surcroît de précautions ; utilisez tous les moyens pour lutter contre les piqûres de moustiques : portez des vêtements amples, serrés aux poignets et aux chevilles, mettez sur la peau un produit qui repousse les moustiques, utilisez une moustiquaire imbibée d'un produit insecticide, etc. Contre les **autres maladies infectieuses et parasitaires**, prenez un certain nombre de précautions. Prenez régulièrement des douches. Ne marchez jamais pieds nus sur un sol humide. Evitez les baignades en eau douce. Lavez-vous les mains avant les repas. Evitez glaçons, glaces et préférez toujours eau en bouteille et lait capsulé. Pelez les fruits. Evitez crudités et coquillages. Mangez viandes et poissons bien cuits.

> **IMPORTANT**
> PLUS ON S'APPROCHE DU TERME DE LA GROSSESSE, MOINS ON DOIT S'ÉLOIGNER DE LA MATERNITÉ

Pour conclure, quel que soit le moyen de transport utilisé, on peut dire ceci :

• vous allez très bien, mais vous voulez aller loin, ne partez pas sans demander l'avis du médecin

• votre grossesse ne se déroule pas tout à fait normalement, parlez-en au médecin avant tout déplacement.

VOUS AVEZ BESOIN D'EXERCICE PHYSIQUE

Vous êtes peut-être de ces femmes qui ne font aucun sport, jamais de gymnastique, et qui n'ont pas l'habitude de marcher. Maintenant que vous êtes enceinte, c'est le moment de prendre l'habitude de faire au moins un peu d'exercice physique, et peut-être, ayant découvert comme c'est agréable de faire de la gymnastique et de marcher régulièrement ou d'aller à la piscine, continuerez-vous après la naissance de votre enfant. Car le minimum d'exercice dont vous avez besoin – et pour vous et pour votre enfant – vous le trouverez en marchant chaque jour, et en faisant tous les matins quelques mouvements.

La marche est le sport de la grossesse

Elle n'est jamais dangereuse, elle active la circulation, particulièrement dans les jambes, la respiration, le fonctionnement de l'intestin, souvent paresseux ; elle renforce la sangle abdominale. L'idéal est de pouvoir marcher tous les jours une bonne demi-heure, dans un endroit bien aéré, ce qui permet d'absorber plus facilement les 25 % d'oxygène supplémentaire dont la future mère a besoin. D'ailleurs marcher tous les jours est une recommandation faite aujourd'hui à tous, quel que soit l'âge.

Si la marche est excellente pendant la grossesse, elle n'a pas d'action sur le déclenchement de l'accouchement ; il ne sert à rien de vous forcer à marcher pour accoucher plus tôt, cela vous fatiguerait inutilement.

Des exercices bien choisis présentent un triple avantage :

• tout d'abord, ils facilitent le bon déroulement de la grossesse : circulation activée ; meilleure oxygénation ; bonne position du corps qui permet de porter l'enfant sans fatigue ; meilleur équilibre nerveux
• ensuite, ils préparent un accouchement plus facile et plus rapide par le raffermissement des muscles appelés à jouer un rôle important au cours de l'accouchement, et par l'assouplissement des articulations du bassin
• enfin, ils permettent aux différentes parties du corps de retrouver leur état normal plus rapidement après l'accouchement : ventre plat, taille fine, seins bien soutenus, etc.

Les exercices recommandés se divisent en trois catégories : exercices respiratoires, exercices proprement musculaires, exercices de relaxation (chapitre 14). Vous comprendrez mieux l'utilité de ceux qui sont particulièrement destinés à préparer l'accouchement, quand vous saurez comment il se déroule et ce que vous aurez à faire. Si vous le souhaitez, vous pouvez commencer ces exercices dès le début de votre grossesse.

Tenez-vous en aux exercices décrits. Ils sont tout à fait suffisants. Il ne s'agit pas de vous transformer en athlète ni de faire de la musculation, mais de faciliter votre grossesse et votre accouchement par quelques mouvements simples. En fin d'exercice, pensez à consacrer quelques minutes à la relaxation (p. 340) pour bien vous détendre. Il y a peu de contre-indications à cette activité physique modérée durant la grossesse.

Vous pouvez faire les exercices chez vous. Vous pouvez aussi les faire dans un groupe de préparation à la naissance ; c'est toujours intéressant et agréable de rencontrer d'autres futures mères.

LES SPORTS

Peut-on continuer à pratiquer un sport pendant la grossesse ? Tout dépend du sport envisagé, de l'entraînement de la future mère, de la manière dont elle le pratique (avec modération ou avec excès) et de son état de santé.

Votre grossesse est normale, vous êtes sportive et entraînée : continuez à pratiquer un sport, sauf s'il est contre-indiqué pendant la grossesse (voir la liste ci-dessous), mais faites-le avec modération, en connaissant vos limites : tout excès peut être dangereux car il peut entraîner un risque d'hypoxie (manque d'oxygénation) chez le bébé. L'excès, c'est le surmenage, l'essoufflement et une femme enceinte se fatigue vite. En effet, dès le début de la grossesse, l'activité de base de l'organisme s'accroît de 10 % : le cœur augmente ses pulsations cardiaques, la femme consomme plus d'oxygène. La grossesse peut être assimilée à une activité sportive d'endurance. Tout surcroît d'activité physique s'ajoutera à cette augmentation de base et sera d'autant plus fatigant.

À cause de cette fatigue, et des risques qu'elle entraîne, les exercices et sports violents, notamment de compétition, seront interdits. D'une façon générale, les sports collectifs (volley, basket, etc.) sont contre-indiqués car il est difficile de limiter son effort quand on est au milieu d'un groupe. Et même si tout va bien, mieux vaut – à l'exception de la marche et de la natation – ne plus pratiquer de sport pendant la deuxième moitié de la grossesse. Ceci est d'autant plus recommandé qu'il s'agit d'un sport fatigant ou exposant au risque de fracture.

Mais si la grossesse n'est pas normale, le sport est déconseillé. Passons maintenant en revue quelques sports courants.

Danse classique, danse rythmique
Oui, tout à fait possible.

Équitation
Non, le risque de chute est trop grand.

Exercices en salle
Oui, on peut pratiquer des exercices en salle mais de façon mesurée : pas d'effort maximum et récupération rapide (moins de 15 mn) en fin d'exercice.

Golf
Excellent, puisqu'il concilie grand air et marche. Mais vous serez très vite gênée par votre ventre.

Jogging

Au premier trimestre, celles qui aiment le jogging peuvent le pratiquer mais avec modération : il ne faut jamais être exténuée.

Judo

Ce n'est pas le sport idéal pour une femme enceinte : sport violent, risques de chutes, etc. Seules les femmes qui le pratiquent peuvent continuer au moins au début de la grossesse, en essayant de limiter les risques (mais cela semble difficile). Il ne faut certainement pas qu'une femme enceinte commence le judo quand elle n'en a jamais fait auparavant.

Natation

C'est, avec la marche, le meilleur sport pour la femme enceinte. Une femme sportive obligée de renoncer à un sport incompatible avec la grossesse, aura en nageant, la faculté de s'adonner à une activité physique, à la fois agréable et utile. Dans l'eau, une femme enceinte se sent plus légère. Plus légère, elle se détend plus facilement. D'autre part, la natation est un excellent exercice musculaire et respiratoire.

Pour ces raisons, la natation est bonne pour la future mère. Certaines séances de préparation à l'accouchement se font en piscine. Les futures mères qui ont eu l'occasion de participer à une telle préparation n'y ont trouvé que des avantages, notamment l'agrément de pratiquer dans l'eau plutôt que dans une salle, les exercices de détente et de respiration (p. 347). Si la natation est bonne, comme pour les autres sports, pas d'excès, pas de compétition, pas de plongeon. Et préférez la natation sur le dos ou le crawl qui ne provoquent pas de douleurs lombaires.

Aquagym

Comme son nom l'indique, c'est une gymnastique qui se fait en milieu aquatique. Elle se répand de plus en plus, elle est tout à fait bénéfique pour les femmes enceintes ; elle comporte des exercices de respiration, de marche dans l'eau, des jeux de groupe (avec un ballon par exemple). Même les femmes qui ne savent pas nager peuvent pratiquer l'aquagym.

Patinage

Oui, si vous êtes une habituée, sinon vous risquez les chutes.

Planche à voile

Finalement il apparaît, à cause des risques de chutes et de chocs, que la planche à voile est déconseillée dans tous les cas, même si vous n'êtes pas une débutante.

Plongée sous-marine

Elle est contre-indiquée en raison du risque d'hypoxie (manque d'oxygène pour le bébé).

RASSUREZ-VOUS
Une chute dans la vie quotidienne, ou lors de la pratique d'un sport, n'entraîne en général aucune conséquence sur la santé de votre bébé. Celui-ci est bien protégé.

Randonnées en montagne

Oui, mais en évitant de faire trop de dénivelé en une journée, ainsi que d'évoluer en haute altitude. De l'ascension sportive, du rocher, de la varappe, non. Le risque à éviter (nous y reviendrons souvent), c'est la chute.

Roller

Il doit être considéré, sinon comme un sport violent, du moins comme un sport à risques (chutes). Il est, de ce fait, tout à fait déconseillé.

Ski alpin

À déconseiller, sauf aux bonnes skieuses qui ne tombent pas.

Ski de fond

S'il s'agit de ski de fond de promenade, sa pratique ne pose pas de problème. En revanche, le ski de fond pratiqué intensément et de façon sportive n'est pas conseillé : risque d'être exténuée.

Ski nautique

Non, comme tout sport mécanique. Risque de chute important.

Tennis

Oui, mais pour s'amuser seulement, pas pour la compétition.

Vélo

Le vélo est un sport actif, qui fait travailler de nombreux muscles, et qui est bon pour le muscle cardiaque. Mais quand on parle de vélo, il y a deux aspects complètement différents : d'un côté le vélo-tourisme pour se promener ; il n'est pas en cause sauf à la fin de la grossesse ; soyez prudente cependant car les pertes d'équilibre ne sont pas rares et la chute peut arriver. Et il y a le vélo-moyen de transport quotidien, au milieu des encombrements, qui comporte des risques à cause de la fréquence des accidents des deux-roues. Quant au VTT, il est naturellement déconseillé : c'est un vélo qui est fait pour les terrains accidentés, il y a donc trop de risques de chute. Le cyclomoteur et la moto sont fortement déconseillés à cause des risques d'accidents.

Yoga
C'est à la fois un sport et une excellente préparation à l'accouchement (p. 342).

Vous le voyez, ce que l'on redoute dans certains sports, outre la fatigue qu'ils peuvent entraîner chez une femme enceinte, c'est le risque d'hypoxie (manque d'oxygène) pour le bébé si l'activité est pratiquée de façon trop intense. C'est aussi l'éventualité d'une chute : une femme enceinte est moins agile et moins stable, et peut tomber plus facilement. Il est exceptionnel qu'un choc direct et violent sur l'abdomen mette en danger la vie du bébé, ou puisse provoquer un accouchement prématuré. Mais qui dit chute, dit risque de lésions : entorse, fracture. Or, au cours de la grossesse, ces lésions mettent plus longtemps à se consolider.

LE SPORT EN PRATIQUE
• *pour toutes les futures mères :* supprimer les sports mécaniques (auto, moto, 4X4...) et ceux à haut risque de chute (VTT, roller, équitation...)
• *pour les sportives :* la modération est recommandée, pas d'effort maximum
• *pour les non-sportives :* une activité physique d'au moins 30 minutes, deux à trois fois par semaine, est souhaitable (marche, natation, gymnastique d'assouplissement, yoga...)

BAINS DE SOLEIL, BAINS DE VAPEUR
• **Le bain de soleil.** Chaque année, les dermatologues mettent en garde contre les méfaits d'un excès de soleil. Malgré cela, le bronzage reste à la mode. Les futures mères ont pourtant des raisons supplémentaires de se méfier du soleil car il risque de faire apparaître le masque de grossesse et autres taches brunes (pp. 91-93). De plus, le soleil a une action néfaste sur les veines et peut accentuer d'éventuelles varices.
• **Les bains de vapeur**, c'est-à-dire le **sauna**. L'élévation de température du corps qu'ils provoquent n'est bonne ni pour une femme enceinte, ni pour le bébé. En plus, une température très élevée est souvent inconfortable et mal supportée.

3

Bien se nourrir

À la conception, l'œuf humain est si petit qu'on ne peut le voir à l'œil nu.
À la naissance, l'enfant pèse environ 3,3 kg, il mesure aux alentours de 50 cm.
Jamais plus, l'être humain ne connaîtra de croissance aussi prodigieuse.
Or ce qu'il lui faut pour prendre ces kilos et ces centimètres, pour bâtir ses os et ses muscles, l'enfant le puise dans le sang de sa mère : et le calcium et les protéines, et le fer et les vitamines, et les graisses et le phosphore, etc.
L'enfant a des besoins précis qu'il faut satisfaire, la future mère également. Porter un enfant représente pour son organisme un travail auquel participent tous ses organes. En outre, certaines parties de son corps se développent considérablement : les seins et l'utérus.
Enfin l'alimentation va contribuer à préparer l'allaitement.
Pour toutes ces raisons, on comprend pourquoi il est important de bien se nourrir lorsqu'on attend un bébé.

Faut-il manger plus ?

Faut-il manger plus ? Faut-il manger différemment lorsqu'on attend un enfant ?
Nous parlerons d'abord de la quantité. C'est la première question que se posent, en général, les futures mères. Des générations ont vécu dans l'idée qu'il fallait manger pour deux ; aussitôt enceintes, les futures mères mettaient les bouchées doubles. Le résultat : elles prenaient trop de poids, ce qui était inutile et même dangereux. Puis, on a tellement attiré l'attention sur les dangers de cette suralimentation systématique qu'aujourd'hui certaines futures mères mangent très peu pour ne pas prendre trop de poids. Où est la juste mesure ? Avant de vous répondre, voici quelques précisions.

LA QUESTION CALORIES

Le corps humain ne peut fonctionner qu'au prix d'un apport d'énergie. L'énergie, pour les voitures, c'est l'essence ; pour un four, l'électricité ou le gaz. Pour le corps humain, l'énergie ce sont les calories apportées par les aliments. L'organisme fonctionne comme une machine, comme un moteur. Au contact de l'oxygène absorbé par les poumons, les aliments « brûlent ». Cette combustion dégage de la chaleur, autrement dit, fournit de l'énergie.

On sait d'une manière précise combien d'énergie fournit chaque aliment. On exprime, ou l'on mesure, cette énergie en calories. Ainsi, on dit : 100 g de viande fournissent 170 kilocalories (en abrégé kcal) ; un verre de lait demi-écrémé, 70 ; une portion de salade, 10, etc. (tableau p. 80). Au point de vue énergétique, on notera donc qu'il y a une grande différence d'un aliment à l'autre : les uns apportent peu de calories, les autres dix ou cent fois plus. Vous en tiendrez compte pour surveiller votre poids.

COMMENT SONT DÉPENSÉES LES CALORIES ?

Cette énergie apportée par les aliments, sous forme de calories, permet à notre corps de fonctionner. Nous avons besoin d'environ 1200 à 1500 kcal par jour pour assurer les fonctions vitales (respiration, activité du cerveau, battements cardiaques...), auxquelles s'ajoutent les calories utilisées pour la digestion des aliments, le maintien de la température du corps à 37°C et l'activité physique.

Les besoins énergétiques varient en fonction de l'âge, du sexe, de la corpulence, de l'activité physique. Par exemple, par jour : 1900 kcal pour une femme sédentaire, 4000 kcal pour un sportif de haut niveau.

Si un individu ne consomme pas assez de calories pour couvrir ses besoins, il puise dans ses réserves de graisse et maigrit. S'il mange plus que ses besoins, il stocke l'excédent de calories et grossit.

Que se passe-t-il chez la femme enceinte ? Avant la grossesse, une femme d'activité moyenne a des besoins énergétiques d'environ 2 200 kcal par jour. Au cours de la grossesse, les besoins quotidiens augmentent peu : 150 kcal (un yaourt et un fruit) à 250 kcal en moyenne. Les besoins énergétiques sont variables d'une femme à l'autre : le mieux est de se fier à son appétit et de n'intervenir qu'en cas de prise de poids insuffisante ou excessive.

DÉPENSE CALORIQUE HORAIRE D'UNE FEMME DE 60 KG, MESURANT 1,65 M
Durant le sommeil : 50 kcal
Regarder la TV : 65 kcal
Coudre : 78 kcal
Cuisiner : 90 kcal
Activité professionnelle (de bureau) : 120 kcal
Faire le ménage : 128 kcal
Marcher : 148 kcal
Courir : 350 kcal

(Source : Les apports nutritionnels conseillés pour la population française)

QUELQUES CAS PARTICULIERS

S'il n'est pas nécessaire à une femme enceinte de manger beaucoup plus que d'habitude, il y a cependant quelques cas où cela sera indispensable.
• Les besoins d'une très jeune femme enceinte sont d'autant plus élevés qu'elle peut ne pas avoir terminé sa croissance. Voici ce qui lui est recommandé : une ration quotidienne d'environ 2 500 kcal ; une prise de poids de 12 à 15 kg. C'est important à savoir car les toutes jeunes femmes peuvent avoir tendance à surveiller leur poids et à ne pas manger suffisamment. Or, c'est chez elles que le poids de naissance de l'enfant est le plus en rapport avec la prise de poids maternelle. Par ailleurs, l'apport supplémentaire de calcium, fer, folates et de vitamine D sera systématique. Enfin, un aliment à base de lait sera consommé à chaque repas.

• Une femme attendant des jumeaux devra, à partir de la deuxième moitié de la grossesse, consommer plus d'aliments énergétiques et d'aliments riches en minéraux et vitamines.

COMBIEN DE REPAS PAR JOUR ?

Les besoins sont individuels, il y a des périodes de fringales, d'autres au contraire de manque d'appétit, de nausées. D'après notre expérience et le courrier reçu, voici ce qui convient le mieux aux futures mères : prendre trois repas principaux (matin, midi et soir) et un goûter. Cette manière de répartir la nourriture au cours de la journée favorise une meilleure assimilation, diminue les nausées en début de grossesse, ainsi que les sensations de pesanteur ou de gonflement après les repas. Le goûter permet d'éviter les fringales et les grignotages. Ne sautez pas le petit déjeuner, comme le font beaucoup de femmes, notamment par manque de temps. Vous risqueriez de souffrir d'hypoglycémie en fin de matinée. Même si on travaille on peut emporter un yaourt, une pomme, une barre de céréales ou quelques biscuits, l'important est que la quantité et l'équilibre de la journée soient respectés. (Voyez quelques idées de menus p. 74 et pp. 76-77).

Que faut-il manger ?

La réponse est facile : il faut simplement avoir une alimentation bien équilibrée, ce qui est d'ailleurs conseillé, qu'on soit enceinte ou pas, pour être en bonne santé ; et maintenant que vous attendez un enfant, c'est encore plus important. Si manger pour deux n'est pas vrai sur le plan de la quantité, c'est certes vrai sur le plan de la qualité. Autrement dit, manger pour deux, ce n'est pas manger deux fois plus, c'est manger deux fois mieux.

Mais qu'est-ce que se nourrir correctement ? C'est avoir une alimentation équilibrée, c'est manger varié et en quantité suffisante. L'alimentation doit être composée des principales catégories d'aliments afin d'apporter à l'organisme les différentes substances dont il a besoin : vitamines, protéines, calcium… Bien manger, c'est aussi préparer l'avenir : on sait aujourd'hui qu'une bonne alimentation de la future maman a une influence sur la santé de l'enfant et plus tard sur celle de l'adulte.

Mais entrons un peu dans le détail : par le courrier reçu, nous savons que les lectrices sont désireuses de mieux connaître les propriétés nutritionnelles des aliments et apprécient d'avoir des conseils diététiques.

LES ALIMENTS CONTENANT DES PROTÉINES (PROTIDES)

Les protéines fournissent le matériau de construction et d'entretien de l'organisme. En fin de grossesse, les besoins augmentent de 15 à 20 %. En pratique, il faut consommer tous les jours de la viande, ou du poisson, ou des œufs, et des produits laitiers. De nombreux plats bon marché permettent de consommer facilement des protéines : hachis parmentier, quiche aux poireaux, couscous, crêpes au fromage et béchamel, pâtes au gruyère, riz au lait, etc.

Les légumes secs et les céréales contiennent aussi des protéines. Mais les protéines d'origine végétale sont de moins bonne qualité nutritionnelle que celles d'origine animale, elles ne peuvent donc pas remplacer totalement les protéines d'origine animale.

VOICI DES EXEMPLES DE PORTIONS D'ALIMENTS RICHES EN PROTÉINES À CONSOMMER DANS UNE JOURNÉE AU COURS DES DIFFÉRENTS REPAS

120 à 130 g de poisson ou de viande ou de volaille ou 2 gros œufs
+ 1 verre de lait à boire ou à utiliser dans une recette (riz au lait, purée…)
+ 1 yaourt
+ une part de fromage de 20 à 30 g
Le lait peut être remplacé par du fromage blanc ou du fromage râpé
Le fromage peut être remplacé par un laitage

LES ALIMENTS CONTENANT DES LIPIDES (OU GRAISSES)

Les graisses sont indispensables car elles «transportent » certaines vitamines (A, D, E, K) et elles fournissent de l'énergie et des acides gras essentiels au développement du cerveau et des cellules nerveuses du bébé ; il s'agit en particulier des acides gras oméga 3. Les principales sources de lipides sont les huiles, le beurre, les margarines, les charcuteries, les fruits oléagineux (noix, noisettes, cacahuètes, amandes), les fromages, certains plats cuisinés, les pâtisseries et biscuits. Il est nécessaire de varier les sources de lipides pour bénéficier de leurs atouts (vitamine A dans le beurre, oméga 3 dans les poissons et les huiles de colza ou de noix).

Il est préférable de ne pas abuser des fritures, charcuteries, pâtisseries et viennoiseries. Pensez à cuisiner léger en utilisant peu de matières grasses. Choisissez de préférence l'huile de colza ou de noix pour les vinaigrettes.

LES ALIMENTS CONTENANT DES GLUCIDES (OU HYDRATES DE CARBONE OU SUCRES)

On classe ces aliments en deux catégories. Ceux qui contiennent des sucres dits **simples** : fruits, lait ; certains sont à consommer pour le plaisir et avec modération : sucre, confitures, bonbons, chocolat, gâteaux et biscuits, sodas et jus de fruits, glaces. Les aliments riches en sucres appelés **complexes** fournissent de l'énergie à la maman et au bébé : pain, pâtes, riz, légumes secs, pommes de terre, maïs. Ils sont à consommer à chaque repas tout au long de la grossesse.

Que penser des **édulcorants**, tels que l'aspartame, qui donnent un goût sucré aux aliments sans apporter les calories du sucre ? Aucune étude ne permet de dire aujourd'hui que les édulcorants, consommés en quantité raisonnable, sont nocifs pour le bébé à naître. Mais si vous souhaitez limiter votre consommation de sucre, mieux vaut essayer de se déshabituer du goût sucré. C'est souvent plus facile qu'on ne croit de prendre, par exemple, l'habitude de boire du thé sans sucre ou de manger un yaourt nature.

ALLERGIE
Si le papa, ou l'un des frères et sœur de l'enfant, ou vous-même êtes allergique, votre bébé risque de l'être. Pour diminuer les risques d'allergie chez l'enfant à naître, il est recommandé à la maman de supprimer l'arachide de son alimentation pendant la grossesse et l'allaitement : cacahuètes, beurre d'arachide, certaines pâtisseries ou biscuits industriels. A vérifier sur l'étiquette : l'étiquetage des principaux allergènes, comme l'arachide, est obligatoire.

LES SUBSTANCES MINÉRALES

Parmi tous les minéraux dont a besoin l'organisme, certains sont particulièrement importants pendant la grossesse.

Le calcium

Le rôle du calcium dans la formation du squelette et des dents du bébé est bien connu. Les aliments qui contiennent le plus de calcium sont le lait, les fromages, yaourts, etc. Pour satisfaire les besoins quotidiens, **il est nécessaire de consommer chaque jour 3 produits à base de lait**, par exemple un à chaque repas.

Pensez à les utiliser dans des gratins, des soufflés, des tartes, des desserts. En cas de problème de poids, préférez les produits écrémés ou demi-écrémés.

Le lait contient aussi des protéines et des vitamines. Si vous n'aimez pas ou ne supportez pas le lait, mangez plus de laitages et choisissez les fromages à pâte cuite qui sont les plus riches en calcium : emmental, gruyère, comté, cantal, beaufort. Les fruits, les légumes et les eaux de boissons complèteront les apports en calcium.

Le fer

Les aliments riches en fer sont les viandes (boudin noir bien cuit et bœuf surtout), les poissons, les volailles et les œufs. Il est nécessaire de manger chaque jour un de ces aliments car les besoins en fer sont fortement accrus pendant la grossesse, surtout les six derniers mois. Par ailleurs, une alimentation riche en vitamine C (fruits et légumes) augmente l'assimilation du fer ; et, au contraire, boire du thé pendant le repas empêche son absorption. En cas d'anémie, de régime végétarien, de grossesses rapprochées ou multiples, le médecin vous prescrira peut-être une supplémentation en fer.

Le sel

Quant au sel – chlorure de sodium – il ne faut pas en abuser : on met du sel dans l'eau de cuisson des aliments mais il est inutile d'en rajouter à table. N'oubliez pas que les soupes du commerce, les plats tout prêts, les quiches, les pizzas contiennent généralement trop de sel. A noter que certains boulangers et industriels ont diminué la quantité de sel ajouté dans leurs produits.

L'iode

La grossesse augmente les besoins en iode. Cet oligoélément indispensable au bon fonctionnement de la thyroïde intervient également dans le développement du cerveau du bébé. Les besoins quotidiens seront satisfaits grâce à la consommation de poissons de mer, crustacés bien cuits, lait, yaourt et fromage blanc, œufs. Vous pouvez aussi cuisiner avec du sel enrichi en iode (voyez l'étiquette).

Les autres minéraux

Magnésium, phosphore, soufre, se trouvent dans de nombreux aliments. Avec une alimentation variée et suffisante, vos besoins et ceux de votre enfant seront couverts.

LES VITAMINES

Deux vitamines sont à mettre en avant car leurs besoins sont nettement augmentés pendant la grossesse : il s'agit de la vitamine B9 (plus connue sous le nom de folates) et de la vitamine D.

Les folates (ou vitamine B9 ou acide folique)

Les folates interviennent notamment dans le développement du système nerveux et cérébral. Pendant la grossesse, les besoins en folates sont augmentés d'un tiers. Une carence en acide folique peut être responsable de diverses complications : anémie, retard de croissance intra-utérin, prématurité, mais surtout malformations fœtales, notamment neurologiques. Certains facteurs peuvent provoquer une carence en folates : une grossesse gémellaire, l'attente d'un second enfant (ou plus), l'adolescence, une alimentation insuffisante, l'alcoolisme, le tabagisme, quelques médicaments (notamment les anti-épileptiques).

On trouve l'acide folique dans les légumes verts (salades, mâche, épinards, cresson, endives, choux, haricots verts, petits pois…), les fruits (melon, fraises, framboises…), les lentilles, les noix, le germe de blé, les fromages pasteurisés, la levure.

Chez les femmes présentant un facteur de risque (et notamment celles ayant déjà accouché d'un enfant atteint d'une malformation neurologique), un apport supplémentaire, sous forme de médicament prescrit par le médecin, est indispensable.

La vitamine D

Cette vitamine permet au calcium d'être absorbé et de se fixer. Des apports suffisants en vitamine D permettent au bébé de se constituer des réserves et de faire face à ses propres besoins pendant les premiers mois de vie.

Or les aliments contiennent de très petites quantités de vitamine D ; on la trouve notamment dans les poissons gras, les laitages non écrémés, le jaune d'œuf et certains produits laitiers enrichis en vitamine D. C'est principalement l'organisme qui fabrique lui-même cette vitamine sous l'action des rayons solaires sur la peau. La meilleure source de vitamine D est donc le grand air et le soleil (avec modération !).

La carence en vitamine D est très fréquente chez les femmes enceintes. C'est pourquoi les médecins prescrivent volontiers, pendant la grossesse, de la vitamine D, sous forme de médicament, notamment si vous devez accoucher au printemps .

Les autres vitamines (A, B, C, E, K)

Elles sont fournies par une alimentation équilibrée, en variant les aliments

Comment préserver les vitamines des fruits et des légumes ?

• **Les fruits.** Les consommer plutôt crus que cuits, les laver rapidement, ne pas les laisser tremper dans l'eau, les couper avec un couteau inoxydable, enfin les consommer aussitôt. Le contact de l'air détruit la vitamine C, c'est pourquoi il ne faut pas préparer les jus de fruits à l'avance. Si l'on fait des compotes, les cuire dans peu d'eau et peu longtemps, la perte en vitamines sera réduite.

• **Les légumes.** Eux aussi, en cuisant, perdent une partie de leurs vitamines, mais la perte peut être réduite si l'on prend ces précautions : après avoir lavé les légumes, les laisser tremper le moins longtemps possible, les faire cuire dans peu d'eau et peu longtemps, et si possible dans leur peau (la pomme de terre notamment). Le mode de cuisson idéal est la cuisson à la vapeur, très facile dans un autocuiseur, ou dans un « cuiseur-vapeur » électrique.

Contrairement à ce que l'on pense parfois, **les fruits et les légumes en conserve ou surgelés** ne sont pas moins riches en vitamines que les végétaux frais. En effet, les vitamines, très fragiles, sont en partie détruites en cas de stockage prolongé, et pendant les opérations d'épluchage, de trempage et de cuisson. Tandis que les légumes destinés à la surgélation et aux conserves sont traités très rapidement dès la récolte, ce qui limite les pertes en vitamines. De plus le froid ne détruit pas les vitamines. Ainsi dans l'assiette, les légumes et les fruits en conserves ou surgelés sont aussi riches, voire plus, en vitamines que les végétaux frais préparés sans précaution.

Bon à savoir : plus les fruits et légumes sont colorés, plus ils sont riches en vitamines.

LE POINT SUR LES SUPPLÉMENTS (VITAMINES, MINÉRAUX) PENDANT LA GROSSESSE

Deux vitamines (acide folique et vitamine D) sont en général prescrites. Les autres le sont selon chaque cas.

Fer

La supplémentation systématique n'est pas justifiée. Par contre, les carences en fer sont fréquentes et le médecin les fera rechercher (dosage d'hémoglobine dès le début de la grossesse) et donnera un traitement en conséquence.

Acide folique (B9)

La supplémentation en acide folique 4 à 8 semaines avant la grossesse et pendant les premiers mois est recommandée. Une alimentation riche en céréales et légumes verts l'est également.

Vitamine D

Un complément est fortement recommandé car l'alimentation n'est en général pas suffisante pour couvrir les besoins pendant la grossesse, surtout si elle se déroule en hiver.

Autres vitamines et minéraux

Une supplémentation légère peut être envisagée en cas d'une alimentation insuffisante ou déséquilibrée. Dans le cas contraire, un complément n'est pas justifié.

Pendant la grossesse, il est **déconseillé** de prendre, sans avis médical, des compléments alimentaires car leur intérêt n'a pas été démontré.

DÉJEUNER AU TRAVAIL

De plus en plus de femmes, et donc de futures mères, déjeunent en dehors de chez elles et souvent en moins d'une demi-heure. Supprimer ou trop réduire la pause-déjeuner est déconseillé. Voici quelques exemples pour arriver à manger équilibré et éviter quelques erreurs.

• **Déjeuner d'un sandwich**

C'est possible, à condition de bien le choisir. Préférez le pain aux céréales ou bis plutôt que du pain blanc ou viennois ; le jambon, le poulet, le thon, le fromage, le bœuf, les œufs plutôt que la charcuterie. N'oubliez pas les légumes : tomates, salade, carottes, concombre, poivrons marinés... Et pour finir, mangez un laitage et une compote sans sucres ajoutés ou un fruit, éventuellement une pâtisserie de temps en temps. En boisson, de l'eau ou du lait si vous ne prenez pas de laitage. Le dîner à base de légumes, fruits et yaourt compensera le déjeuner.

• **Pâtes ou pizza ?**

La pâte à pizza et les tagliatelles contiennent des glucides qui vont permettre de passer l'après-midi sans avoir faim. Choisissez les garnitures composées de légumes (tomates, poivrons, aubergines, oignons...) et de fromage (chèvre, bleu...). Viande et poisson ne sont pas indispensables si la pizza est au parmesan ou à l'œuf. A éviter : l'excès de sauce de certaines préparations de pâtes et trop d'huile pimentée car même l'huile d'olive est riche en graisse.

• Une salade composée

Elle peut ne pas suffire : tout dépend de la taille de la salade et de sa composition. La salade doit contenir des féculents (pâtes, riz, pommes de terre, lentilles) pour être nourrissante et éviter d'avoir faim l'après-midi ; sinon, accompagnez-la de pain. Ajoutez-y des légumes, du fromage et de la viande ou du poisson, et éventuellement quelques noix, amandes ou fruits secs. Le tout assaisonné d'une vinaigrette à l'huile de colza ou de noix, si c'est possible. Après la salade, le fromage peut être remplacé par un yaourt. Finissez le repas avec un fruit ou gardez-le pour l'après-midi.

• Manger une pomme et un yaourt

Un fruit et un laitage composent le menu d'un goûter pas celui d'un déjeuner, surtout pendant la grossesse. N'oubliez pas que vous devez nourrir aussi votre bébé. Un seul moyen : manger en quantité suffisante.

• Et le restaurant d'entreprise ?

C'est bien sûr la meilleure solution qui permet de déjeuner bien et relativement vite, en choisissant par exemple un plat accompagné d'une entrée ou d'un dessert. Privilégiez les crudités en entrée, le fruit ou le laitage en dessert, et mélangez légumes et féculents pour accompagner la viande ou le poisson.

VARIER, C'EST FACILE...

Avec une nourriture variée et suffisante, comprenant toutes les catégories d'aliments, ni votre bébé ni vous ne manquerez de rien. Ne faites pas des repas du genre : sardines, œufs, bifteck, fromage (repas essentiellement riche en protéines), ou un repas du type : pamplemousse, épinards, poire (repas essentiellement riche en vitamines) ; ou encore : salade de riz, gratin de spaghetti et bananes, c'est-à-dire un concentré de glucides.

Mangez de tout régulièrement, chaque jour : du poisson, des œufs, de la viande, des laitages (fromages, yaourts, lait), des fruits et des légumes, etc.

Voyez les menus des pages suivantes : ils apportent en quantité et en qualité tout ce qui est nécessaire. Inspirez-vous-en pour composer d'autres menus qui soient bien équilibrés. Les futures mamans ont parfois de la peine à digérer un plat de poisson, viande ou œuf au repas du soir. Si tel était le cas, remplacez-les de temps en temps par des légumes secs, et une portion supplémentaire de laitage ; vous aurez ainsi votre ration de protéines et de calcium. Vous savez maintenant ce qu'est une alimentation variée. Il est possible que si avant d'être enceinte vous aviez une alimentation déséquilibrée, vous découvriez aujourd'hui le plaisir de bien vous nourrir.

Des menus bien équilibrés

PETIT DÉJEUNER

Fruit frais ou 1 verre de jus de fruit	50
Café au lait, 1 bol	150
3 tranches de pain	160
Confiture (1 cuillère à soupe)	100
Beurre (10 g)	80
Kcal	**540**

PETIT DÉJEUNER

Fruit frais ou 1 verre de jus de fruit	50
1 bol de Muesli + lait	230
2 tranches de pain	110
Confiture (1 cuillère à soupe)	100
Beurre (10 g)	80
Thé	0
Kcal	**570**

DÉJEUNER

1 assiette de crudités en salade	100
(tomates, radis, carottes, chou rouge) assaisonnées à l'huile et au citron	
1 escalope de poulet garnie de persil haché (100 g)	145
Gratin de courgettes	140
3 tranches de pain	160
1 poire	70
Kcal	**615**

DÉJEUNER

Salade de crudités	100
1 bifteck (100 g)	175
Riz (50 g, poids cru)	175
Cantal (30 g)	115
2 tranches de pain	110
Kcal	**675**

GOÛTER

1 yaourt	80
3 biscuits	115
Kcal	**195**

GOÛTER

1 yaourt	80
1 fruit	70
Kcal	**150**

DÎNER

1 tranche de colin	130
Pommes à l'anglaise	150
Fromage blanc	80
2 tranches de pain	110
Ananas ou fraises	50
Kcal	**520**

DÎNER

1 omelette de 2 œufs	150
Des épinards aux croûtons	50
2 petits-suisses	80
Compote de pommes	90
3 tranches de pain	160
Kcal	**530**

POUR LA JOURNÉE

35 g de matières grasses	250
3 morceaux de sucre	80
Kcal	**330**

POUR LA JOURNÉE

35 g de matières grasses	250
3 morceaux de sucre	80
Kcal	**330**

Soit au total 2 200 Kcal

Soit au total 2 255 Kcal

... pour les quatre saisons

PRINTEMPS

Déjeuner
Radis
Bifteck
Purée de carottes
Flan

Dîner
Salade verte
Tagliatelles à la sauce viande et au fromage
Fraises

ÉTÉ

Déjeuner
Salade de tomates
Poulet rôti
Petits pois
Gruyère

Dîner
Courgettes, aubergines farcies au riz
Yaourt
Salade de fruits frais

AUTOMNE

Déjeuner
Salade de concombre
Tranches de poisson à l'italienne
Pommes vapeur
Fromage blanc

Dîner
Quiche lorraine
Salade mixte
Glace
Poire

HIVER

Déjeuner
Carottes et céleri râpés en salade
Filet de poisson frit avec citron
Poêlée de légumes
Gâteau de semoule

Dîner
Soupe de légumes
Risotto
Salade verte
Cantal

LES DIFFICULTÉS D'UNE ALIMENTATION CORRECTE

Au début de la grossesse, les futures mères souffrent souvent de divers troubles digestifs : nausées, vomissements, maux d'estomac, etc., ou alors, elles n'ont pas faim ; parfois, au contraire, elles sont atteintes de boulimie. Ces divers troubles risquent d'empêcher un bon équilibre de l'alimentation.

Ainsi, par exemple, certaines femmes sujettes aux nausées, pour les éviter, suppriment les repas et grignotent des biscuits ou du chocolat. Le résultat c'est qu'elles grossissent sans s'être nourries convenablement. Heureusement, les divers troubles digestifs disparaissent, passé le premier trimestre. C'est cela qui explique que, au cours de ces trois premiers mois, certaines femmes aient pris 3 kg alors que d'autres en ont perdu autant.

En attendant :

• si vous avez peu d'appétit, mangez au moins des aliments vous apportant des protéines, du calcium et des vitamines

• si vous avez toujours faim, essayez de résister aux bonbons, gâteaux, ou biscuits : entre les repas, mangez un laitage, un œuf dur, une tranche de pain complet, un fruit, par exemple une pomme

• si vous avez des nausées, reportez-vous aux conseils donnés page 190.

QUESTIONS DE RÉGIMES

• *Les régimes végétariens* ne sont pas toujours souhaitables pendant la grossesse, surtout s'ils excluent beaucoup d'aliments. Si vous supprimez uniquement la viande, il faudra veiller à consommer chaque jour du poisson et des œufs pour assurer les apports en protéines et surtout en fer et vitamine B12. Si vous avez exclu de votre alimentation la viande et le poisson, vous trouverez les protéines animales dans les œufs, le lait et ses dérivés et vous compléterez avec des protéines végétales en consommant à la fois des légumineuses et des céréales (blé, pâtes, riz...). En revanche, les apports en fer, en zinc, en vitamine B12, risquent d'être insuffisants, vous verrez avec votre médecin si vous avez besoin d'une supplémentation. Si vous craignez d'avoir une alimentation trop déséquilibrée, vous pouvez prendre conseil auprès d'un diététicien.

• *Par contre les régimes végétaliens* sont à proscrire, car ils excluent non seulement la viande, mais également tous les produits d'origine animale indispensables à la croissance, comme le lait, les œufs, le fromage. Ils sont vraiment dangereux et ils provoquent inévitablement des carences nutritionnelles.

POURQUOI IL NE FAUT PAS TROP MANGER

Trop manger, grossesse ou pas, aboutit à prendre trop de poids. Il n'est pas rare qu'une femme enceinte grossisse trop, soit parce qu'elle a plus d'appétit qu'avant, soit parce qu'elle pense que cette nourriture supplémentaire est nécessaire à son enfant.

Manger pour deux est une recommandation qui nous vient de siècles souvent défavorisés et qui n'a plus cours dans nos sociétés actuelles où nous avons plutôt tendance à avoir une nourriture trop riche. Or, une prise de poids excessive pendant la grossesse peut avoir des conséquences néfastes.

Elle favorise l'apparition de complications : diabète, hypertension artérielle, toxémie, etc. Une autre conséquence est que plus les tissus ont tendance à s'infiltrer anormalement d'eau et de graisse, plus ils perdront leur souplesse et leur élasticité naturelle ; cela peut perturber votre confort au cours de la grossesse et rendre l'accouchement moins facile. Enfin, et ce n'est pas négligeable, vous risquez de récupérer moins vite votre silhouette d'avant la grossesse.

Pour ne pas manger plus qu'il n'est nécessaire, vous avez un moyen simple : surveillez votre poids en vous pesant régulièrement une fois par semaine.

SURVEILLEZ VOTRE POIDS

Une future mère de corpulence normale prend en moyenne 10 à 12 kg pendant sa grossesse, 3 à 4 kg de plus pour des jumeaux. En moyenne, cela signifie que certaines femmes prendront 1 ou 2 kg en plus, d'autres en moins, cela dépendra de leur constitution, de leur poids avant la grossesse, de leur taille, de leur activité physique, etc. Par exemple, une femme obèse ne doit pas prendre plus de 6 à 7 kg, alors qu'une femme maigre doit en prendre de 12 à 18. Voyez le tableau ci-dessous.

   Les trois premiers mois, le poids reste stable en général. Mais un certain nombre de femmes maigrissent au début de leur grossesse de 1 ou même 2 kg, surtout celles qui sont sujettes aux vomissements. Si c'est votre cas, ne vous en inquiétez pas : vous reprendrez du poids lorsque ceux-ci auront cessé. Ces kilos, vous les prendrez donc surtout à partir du 4e mois, à raison de 350 g par semaine environ. Si vous avez grossi de plus de 350 à 400 g par semaine, c'est que votre nourriture est trop riche, il faut donc la ramener à la normale. Pensez aussi au fait que l'appétit reste à peu près identique pendant toute la grossesse alors que les dépenses physiques diminuent progressivement.

SI VOUS AVEZ PRIS TROP DE POIDS

En regardant votre balance, vous constatez que vous avez pris trop de poids. Qu'allez-vous faire ? Surtout ne vous mettez pas à sauter des repas ou à calculer les calories avant de vous mettre à table, celles de la tranche de pain, du bifteck, du yaourt. Tout régime restrictif est formellement contre-indiqué pendant la grossesse sous peine d'entraîner des carences pour la maman et une sous-nutrition pour le bébé. Ce qu'il faut, c'est repérer les aliments gras et/ou sucrés afin d'en limiter la consommation ou de les éviter le temps de la grossesse.

• Pour diminuer les **apports en graisses** (sans les supprimer), il est conseillé de limiter les charcuteries, les viandes grasses, les matières grasses et d'éviter les fritures, les chips, les cacahuètes, les viennoiseries.

• Il est également conseillé de réduire les **aliments très sucrés** comme les pâtisseries, les biscuits, les confiseries, le chocolat, le sucre ou le miel ajouté dans le thé, le café ou le yaourt. Quant aux sodas et jus de fruits du commerce, biscuits apéritifs et autres amuse-gueules, on a souvent tendance à en abuser sans s'en rendre compte ; réservez-les pour une occasion particulière.

• Ce n'est pas un régime de famine, il vous reste pour vous nourrir :

- les entrées de crudités assaisonnées d'huile riche en oméga 3 (par exemple colza ou noix)

- les poissons et viandes cuits au four, en papillote, au grill, les œufs

- les fromages (à moins de 25% de MG sur produit fini*) et laitages (fromage blanc à moins de 10% de MG sur produit fini, yaourt).

PRISE DE POIDS CONSEILLÉE EN FONCTION DE LA CORPULENCE AVANT LA GROSSESSE.
LA CORPULENCE SE MESURE AVEC L'INDICE DE MASSE CORPORELLE (IMC)*.

CORPULENCE AVANT LA GROSSESSE	PRISE DE POIDS CONSEILLÉE PENDANT LA GROSSESSE
IMC : 19,8	12,5 à 18 kg
IMC entre 19,8 et 26	11,5 à 16 kg
IMC entre 26 et 29	7 à 11,5 kg
IMC supérieur à 29	6 à 7 kg

*Pour calculer l'IMC, on divise le poids (en kilos) par la taille au carré (en mètre) ; soit : $\dfrac{\text{poids (kilos)}}{\text{taille (en mètre)} \times \text{taille (en mètre)}}$

Par exemple, chez une femme de 1,65 m et 60 kg, l'IMC est de 22 ($60/1{,}65^2 = 22$).

VOUS PRENEZ TROP DE POIDS : CONSULTEZ CE TABLEAU

PORTIONS D'ALIMENTS	CALORIES POUR LA PORTION
Aliments à consommer en quantité raisonnable	
1 bol de lait demi-écrémé	135
200 g de légumes (carottes, tomates, courgettes, choux, haricots verts...)	50 à 80
1 yaourt nature	65
100 g de fromage blanc à 20 % MG	80
1 fruit moyen ou 2 petits fruits	50 à 80
120 g de poisson maigre (cabillaud, carrelet, colin, lieu, limande, raie, merlu, merlan, lotte, truite, flétan)	75 à 130
120 g de poisson semi-gras (anguille, hareng, maquereau, sardine, thon, saumon)	150 à 220
200 g pommes de terre (au four, en purée, à la vapeur)	160
120 g poulet	150
2 œufs	150
120 g viande (bœuf, veau, filet porc, jambon blanc)	200 à 230
160 g pâtes cuites ou de riz cuit	180
1/4 de baguette (50 g)	130
1 cuillère à soupe d'huile	90
1 noisette de beurre	37
1 part de fromage (30 g)	80 à 120
40 g de céréales petit déjeuner	100 à 160
Aliments les plus caloriques	
150 g poisson pané	350
150 g frites	400
50 g chips	210
1 cuillère à soupe de mayonnaise	105
1 tablette de chocolat (100 g)	550
1 cuillère à soupe de confiture	75
1 poignée de fruits secs (raisins, figues...)	130 (250 kcal pour 100 g)
1 poignée d'amandes, noisettes, noix	300 (600-700 kcal pour 100 g)
1 part de tarte aux fruits	360
1 muffin chocolat	250
1 part de quiche	340
1 part de pizza	200 à 300
1 barre chocolatée (60 g)	300
1 grand verre de soda, jus de fruit (200 ml)	90
1 sandwich au saucisson-beurre	530
1 tranche de pâté de foie	185
1 cuillère à soupe rase de sucre	40
100 g de biscuits au chocolat	450

• Consommez à chaque repas des légumes verts, des fruits, des féculents ou du pain, cela vous évitera d'avoir faim entre les repas. Le grignotage souvent composé de biscuits, confiseries peut en effet favoriser la prise de poids.

Le **tableau ci-contre** complètera ces informations en vous indiquant l'apport en calories des principaux aliments. Il vous permettra de comparer des portions d'aliments et de voir ceux qui sont plus ou moins énergétiques.

Si malgré ces conseils, vous continuez à prendre trop de poids, parlez-en au médecin ou consultez un diététicien.

* Une nouvelle réglementation a modifié l'étiquetage de taux de matières grasses des fromages. Désormais, on parle de « produit fini », et non plus d'extrait sec : le pourcentage affiché correspond donc au fromage prêt à consommer.

POUR CELLES QUI NE PRENNENT PAS ASSEZ DE POIDS

Il n'y a pas que des femmes qui mangent trop pendant leur grossesse. Un certain nombre sont au contraire sous-alimentées, soit par coquetterie pour ne pas trop grossir, soit, hélas ! par manque de ressources. Ainsi voit-on des femmes minces, voire maigres, ne prendre que 6 kg pendant toute leur grossesse, même moins. Or des restrictions alimentaires importantes entraînent une insuffisance d'apport en énergie, des risques de carences en minéraux (calcium, fer, magnésium...), en vitamines et même en protéines. Cette sous-alimentation est dangereuse pour le bébé, qui risque de naître trop tôt, avec un retard de croissance ou de naître à terme avec un petit poids de naissance. Il y a aussi un risque plus lointain : des études montrent que l'enfant devenu adulte a plus de risques de maladies cardio-vasculaires.

Donc, pas de sous-alimentation systématique pour rester mince. Aujourd'hui, pour votre enfant, il faut vous nourrir suffisamment.

Si vous prenez peu de poids parce que vous avez un petit appétit, pensez à faire plusieurs petits repas dans la journée en multipliant les collations avec des laitages, des fruits, du pain et du fromage, du lait et des céréales enrichies, des flans aux œufs. N'hésitez pas à consulter un diététicien pour vous aider.

LES ALIMENTS À ÉVITER OU À LIMITER

Les aliments contre-indiqués
• L'alcool, y compris le vin et la bière (p. 56)
• Les aliments et margarines enrichis au « stérol » ou « stanol » (pour faire baisser le cholestérol)
• Certains poissons : marlin, espadon, siki. Cette recommandation concerne essentiellement les habitants de l'île de la Réunion
• Le foie.

Les aliments qui pourraient rendre malade ou provoquer une intoxication
• Gibier, viandes et poissons mal cuits ou crus
• Crustacés, moules, huîtres : il est parfois difficile d'être sûr de leur fraîcheur, et ils risquent de transmettre le virus de l'hépatite A (p. 250)
• Lait cru (non pasteurisé), fromages à pâte molle au lait cru (brie, camembert, coulommiers, livarot etc.). Ôtez la croûte des fromages (listériose p. 247)

• Rillettes, pâtés, foie gras et produits en gelée. Préférez les charcuteries préemballées et consommez-les rapidement après ouverture
• Graines germées crues (soja)
• Les aliments dérivés du soja (jus de soja, desserts, tofu...) ne peuvent être consommés qu'occasionnellement. En effet leur richesse en phyto-estrogènes pourrait avoir des conséquences néfastes sur la maturation sexuelle du bébé.
• Les boissons contenant de la caféine : café, thé, boissons énergisantes, certains sodas, sont à limiter. Par exemple, il est conseillé de ne pas boire plus de 3 tasses de café par jour.

Les aliments lourds à digérer dont il ne faut pas abuser
Fritures, ragoûts, charcuterie (à part le jambon)....

Les précautions à prendre
• Lavez soigneusement les légumes et les fruits destinés à être mangés crus
• Dans le réfrigérateur, protégez vos aliments en les plaçant dans des récipients fermés et propres. Séparez bien les produits crus des produits cuits. Nettoyez régulièrement votre réfrigérateur
• Les plats à base d'œuf sans cuisson (crèmes, pâtisseries, mayonnaise) doivent être préparés juste avant la consommation et ne doivent pas être gardés
• Pour éviter tout risque de toxoplasmose (p. 246), vous ne mangerez pas de viande crue, ni marinée, ni fumée. Vous ferez cuire à point toutes les viandes en particulier le mouton. Une température à cœur de 65° est nécessaire pour détruire tout germe, y compris des parasites comme le ténia.
• Se laver fréquemment les mains (qui peuvent transporter des germes dans les aliments).

LES BOISSONS

Pendant la grossesse, il faut boire suffisamment : au moins 1,5 l de liquide par jour (c'est d'ailleurs la quantité recommandée pour tous les adultes). Vous-même et votre enfant avez besoin de liquide. Boire abondamment joue également un rôle dans la prévention des infections urinaires si fréquentes pendant la grossesse. N'ayez pas peur de boire et de « faire de la rétention d'eau ». À l'exception de certaines maladies, notamment cardiaques ou rénales, une prise de poids excessive pendant la grossesse correspond plus souvent à un stockage de graisses qu'à une rétention d'eau.

Que boire ?
• L'eau. On peut boire l'eau du robinet. Mais dans certaines villes elle contient trop de nitrates et est déconseillée aux femmes enceintes : renseignez-vous à la mairie, les services d'hygiène et de santé des communes font faire régulièrement des analyses de l'eau. Si l'eau de votre ville a un goût désagréable à cause des produits utilisés pour la désinfecter, quelques gouttes de citron la rendront plus agréable à boire.
Les eaux minérales sont toutes recommandables, à l'exception de certaines trop riches en sodium. L'Hépar est riche en magnésium et facilite le transit intestinal. Au début de la grossesse, quand existent des troubles digestifs, les eaux pétillantes facilitent la digestion. Ensuite, il faut se méfier, car elles augmentent l'appétit et risquent de faire manger davantage.

• **Le thé et le café** sont des excitants pour vous et votre bébé, bien que leur tolérance varie beaucoup d'un individu à l'autre. N'en abusez cependant pas et buvez-les « légers » : 3 tasses de café maximum par jour, le thé éventuellement un peu plus car il est moins riche en caféine.

• **Les infusions** ont, selon leur composition, certaines vertus. La menthe et la verveine facilitent la digestion. Mais la menthe n'est pas recommandée à celles qui ont de la peine à s'endormir. Au contraire, le tilleul et la camomille facilitent le sommeil.

• **Les jus de fruits** apportent de l'eau, des glucides, pour certains des substances minérales et de la vitamine C. Mais ils contiennent plus de sucre que les jus de fruits pressés, ils sont donc à consommer avec modération.

• **Les boissons pétillantes** aromatisées aux fruits contiennent généralement peu de fruits et beaucoup de sucre. Elles sont déconseillées aux futures mères qui prennent trop de poids. Il en est de même de la limonade et des sodas.

• **Les jus de légumes** sont riches en vitamines. **Le bouillon de légumes** apporte des sels minéraux.

LES ENVIES

Vous aurez peut-être des envies. Il n'y a pas de raison de ne pas les satisfaire, à moins qu'elles ne concernent des aliments formellement contre-indiqués ou des aliments « excentriques », ce qui arrive. D'ailleurs, bien souvent, les envies correspondent à des besoins. Telle femme qui, avant sa grossesse, n'aimait pas la viande ou le lait, sentira un besoin impérieux de bifteck ou de grands verres de lait. Telle autre voudra de l'ananas alors qu'elle n'en mangeait jamais auparavant. Telle autre encore aura particulièrement envie de vinaigre. Les envies se fixent souvent sur les condiments, qui, en général, facilitent la digestion, mais dont il ne faut cependant pas abuser. Mais n'allez pas croire que s'il ne vous est pas possible de satisfaire l'envie qui vous semble irrésistible, cela puisse avoir une conséquence néfaste pour votre enfant. Il est évidemment faux qu'un enfant risque d'avoir un angiome (tache de vin) sous le seul prétexte que sa mère ait eu une envie non satisfaite d'un quelconque fruit rouge.

Ces envies alimentaires sont traditionnelles dans beaucoup de cultures. Tout l'entourage d'une femme enceinte a envie de la gâter, de la choyer, désire qu'elle soit bien, heureuse, afin que le bébé lui aussi soit bien. De son côté, une femme enceinte, au fond d'elle-même, a l'envie de se faire plaisir pendant la grossesse.

BIEN SE NOURRIR EN PRATIQUE
Bien se nourrir pendant la grossesse (et en dehors), c'est avoir une « alimentation équilibrée», répartie en 4 repas quotidiens.
Privilégier :
• viande, poisson, œufs pour les protéines, le fer et la vitamine B12
• lait, yaourts, fromages cuits et pasteurisés pour les protéines et le calcium
• tous les fruits et légumes pour les fibres, les vitamines et les folates
• pain, pâtes, riz, légumes secs pour les glucides
• et aussi beurre, huile, avec modération, pour les lipides et les vitamines.
Éviter :
• gibier, viande et poisson mal cuits et également crustacés, moules, huîtres et coquillages
• les charcuteries non préemballées ainsi que rillettes, pâté, foie gras
• tous les fromages à pâte molle, au lait cru, vacherin, brie, camembert, coulommiers, etc.
Enfin, respecter la sécurité alimentaire :
• maintenir la chaîne de froid pour les denrées périssables à température ambiante
• ranger, régler le réfrigérateur et le nettoyer deux fois par mois avec une solution diluée d'eau de javel à 2 %.

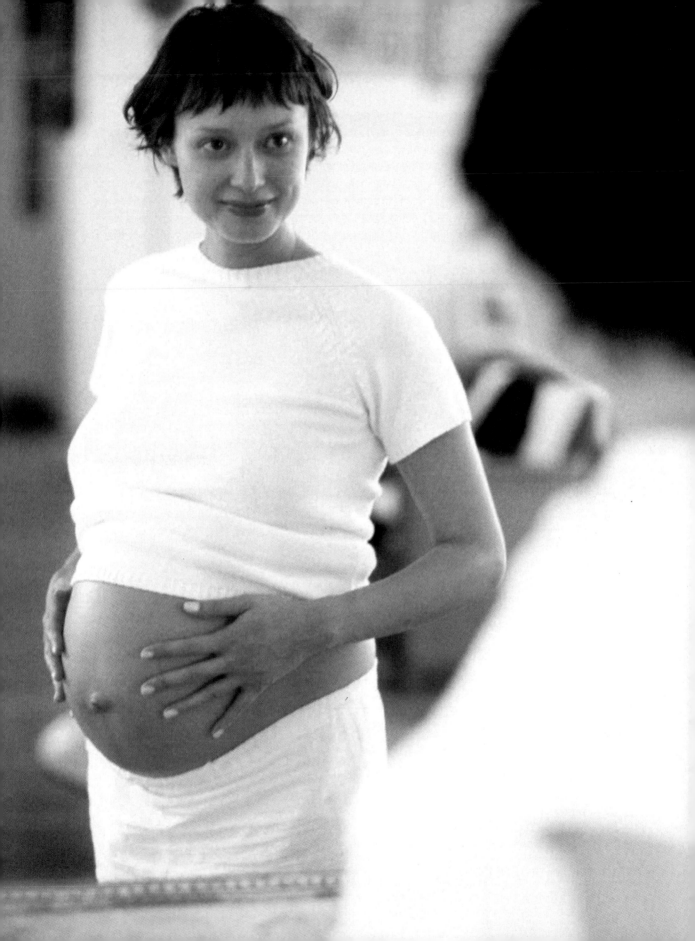

4

Belle en attendant un bébé

Un ventre bien rond et bien lisse, porté avec bonheur, en couverture d'un magazine, n'étonne personne. **Notre société a redécouvert la femme enceinte, son corps et sa beauté.**

Aujourd'hui, les futures mamans sont à l'aise dans leur corps : elles ne prennent pas trop de poids, elles font de l'exercice dans leur vie quotidienne. Elles ne cherchent plus à dissimuler leur ventre, elles aiment souvent le souligner par une ceinture, une écharpe, un cache-cœur.

Mais certaines femmes sont préoccupées par l'image que leur renvoie la glace. Elles ne s'y habituent pas. Elles n'arrivent pas à admettre ce corps qui change, changement qu'elles vivent comme une agression. Elles en veulent à l'enfant de les enlaidir, puis elles s'en veulent de lui en vouloir. Certaines ont peur que ce changement n'écarte leur mari.

La grossesse est parfois difficile en raison de ces sentiments contradictoires. Une femme peut être heureuse d'être enceinte et malheureuse de voir son aspect changer.

Pour commencer ce chapitre, nous vous dirons quelques mots sur votre nouvelle silhouette et les vêtements qui s'y adapteront le mieux. Puis nous parlerons peau, visage, cheveux, etc.

COMMENT S'HABILLER ?

Au début vous n'éprouverez peut-être pas le besoin de changer vos tenues habituelles : vous prenez peu de poids, votre silhouette se modifie peu. Seuls vos seins vont se développer, et souvent d'une façon importante. Aussi le premier achat à faire en début de grossesse, c'est un soutien-gorge bien enveloppant.

Bientôt, vous chercherez dans votre garde-robe, les tee-shirts les plus larges et les grands pulls confortables ; si vous achetez un chemisier, un haut, choisissez dès maintenant une ou deux tailles au-dessus de la vôtre. Les tuniques sont agréables à porter ainsi que les pulls ou robes avec petites fronces sous les seins. Les cache-cœur s'ajustent bien grâce à leur nœud plus ou moins serré. Ces vêtements auront l'avantage d'accompagner au jour le jour l'arrondi de votre ventre.

Dès la fin du premier trimestre, vous aurez envie d'aisance au niveau de la taille. Les jupes et pantalons à taille élastique s'adapteront facilement, ainsi que ceux dont la partie supérieure est faite dans un tissu souple, genre stretch.

Il viendra un moment où vous aurez peut-être envie d'aller dans des magasins spécialisés qui présentent des collections très à la mode pour futures mères, notamment des jupes et pantalons, réglables, des chemises, pulls, et robes. Vous y trouverez en plus de la lingerie, des collants, des maillots de bain. Certaines femmes regrettent que la lingerie « future maman » ne soit pas plus raffinée.

Pantalons ? Robes ? Jupes ? Vous choisirez, bien sûr, selon vos goûts, votre silhouette, votre budget, la saison. En été, une tunique portée sur un débardeur, avec une jupe légère : voilà une tenue féminine et agréable. Variante : on remplace la jupe par un pantalon large, en tissu léger, genre lin. Pour tous les jours, une robe en coton sans manche, assez courte, pas trop près du corps, se met facilement. Pour une petite sortie, on peut choisir une robe un peu moulante en tissu souple, comme du jersey. Et en toutes saisons, diverses combinaisons sont possibles : pantalon étroit, ou jupe droite, avec un haut un peu ample ; pantalon large avec un petit top ; jean et chemise, etc.

En faisant des essais devant une glace vous vous rendrez vite compte de ce qui vous va le mieux : court, long, ample, moulant ? Si vous hésitez, une amie saura vous conseiller.

Quelques suggestions.

• Un cache-cœur, porté à même la peau, ou sur un petit haut, met en valeur le décolleté.

• Un gilet court et sans manches, porté sur une longue chemise, fait un joli effet en marquant la place de la taille.

• Égayez vos tenues avec des ceintures en jersey élastique qui soulignent le ventre, ou par des écharpes nouées.

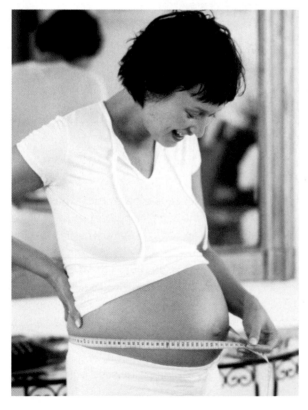

• En fin de grossesse, s'il fait froid et humide, pensez à vous couvrir le ventre. Prévoyez un vêtement bien enveloppant (« doudoune », imperméable, parka). En demi-saison, un grand châle ou un « poncho » feront l'affaire.

• **Le maillot de bain.** Il y a de ravissants maillots pour les futures mamans, vous en trouverez dans les magasins spécialisés, ou dans les grands magasins, ils sont bien adaptés à vos nouvelles formes. Vous pouvez aussi porter un maillot de bain « classique », deux-pièces ou une pièce, dans une plus grande taille pour être bien à l'aise. Pour un deux-pièces, choisissez-le avec un bon soutien-gorge et une culotte adaptée à votre ventre.

• **Les chaussures.** Si vous avez l'habitude des talons, vous pouvez continuer à les porter, à condition que ces talons ne soient pas trop hauts. Et surtout qu'ils soient suffisamment larges (les talons aiguille, même peu élevés, sont mauvais pour le dos).

Les chaussures à talons compensés sont agréables à porter, mais avec une semelle trop haute, l'équilibre est souvent instable. Bien souvent, à partir du 5e mois, les futures mamans abandonnent les talons – ils leur font mal au dos – et préfèrent les chaussures plates.

Ce qu'il faut c'est que les chaussures soient confortables, car les jambes et le dos sont souvent fatigués par le poids de l'enfant ; elles doivent vous donner un bon équilibre, car la grossesse prédispose aux chutes ; être assez larges, car, en fin de grossesse, les pieds ont tendance à gonfler. Choisissez des chaussures faciles à enfiler : les derniers mois le ventre gêne et prive de souplesse, il peut être difficile de nouer des lacets ou d'attacher des brides. Des ballerines, ou des petites bottes à talon plat, sont souvent agréables à porter.

LES SEINS

Dans les seins, il n'y a aucun muscle qui puisse les empêcher de se dilater lorsqu'ils augmentent de volume, ou les soutenir lorsqu'ils deviennent trop lourds. Les muscles qui soutiennent les seins sont les pectoraux. Mettez-vous de profil devant une glace ; appuyez vos mains ouvertes l'une contre l'autre et pressez-les très fort : vous verrez vos seins remonter sous l'effet de la contraction des pectoraux. Vous comprendrez ainsi que si vous voulez conserver une jolie poitrine et l'empêcher de tomber, il faut :
• Porter un bon soutien-gorge.
• Se tenir bien droite, sans creuser le bas du dos, les épaules légèrement rejetées en arrière. Là aussi, regardez-vous dans une glace, et vous verrez que cette manière de se tenir met les seins en valeur. En plus cette attitude diminue la fatigue du dos ; certaines activités (travailler sur ordinateur, écrire au tableau noir, faire la vaisselle, etc.) provoquent des douleurs entre les omoplates, douleurs qui peuvent être largement atténuées par une bonne manière de se tenir.
• Faire travailler vos muscles pectoraux pour les rendre très fermes, puisque d'eux dépend la bonne tenue de vos seins. Plus ces muscles seront fermes, moins votre poitrine aura tendance à tomber. Vous trouverez au chapitre 14 les exercices à faire et page 146 un schéma sur le sein.

Peut-on, pendant la grossesse, préparer le bout des seins à l'allaitement ?
Ce n'est pas utile disent aujourd'hui les professionnels de l'allaitement : les bouts des seins s'adapteront à la succion du bébé. Et il est déconseillé de les durcir par des applications d'alcool, cela dessècherait trop la peau.

Certaines mamans sont déroutées par les sensations particulières qu'elles éprouvent lors des premières tétées. Leurs bouts de seins, habituellement bien au chaud, à l'abri dans un soutien-gorge douillet, se trouvent d'un jour à l'autre confrontés à la succion, c'est-à-dire aux tiraillements, aux étirements, à l'humidité. A cause de cela, des mamans arrêtent l'allaitement et le regrettent par la suite. Pour vous habituer à ces nouvelles sensations, vous pouvez tout simplement pendant le dernier trimestre de la grossesse, ôter votre soutien-gorge une à deux heures par jours : ainsi vous sentirez vos bouts de sein au contact de l'air ou du vêtement.

Vers la fin de la grossesse, les seins sécrètent parfois du colostrum, c'est-à-dire un liquide blanchâtre ou transparent, précurseur du lait. C'est normal et il n'y rien de particulier à faire.

COMMENT BIEN SE TENIR ?   FIGURE 1   FIGURE 2   FIGURE 3   FIGURE 4

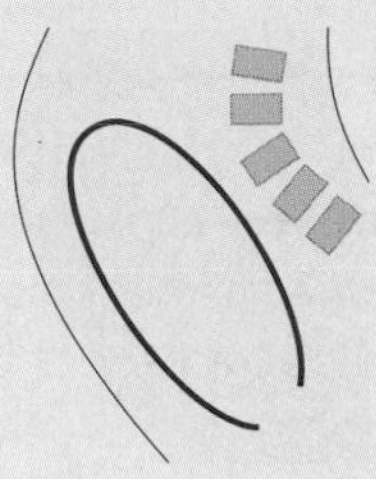

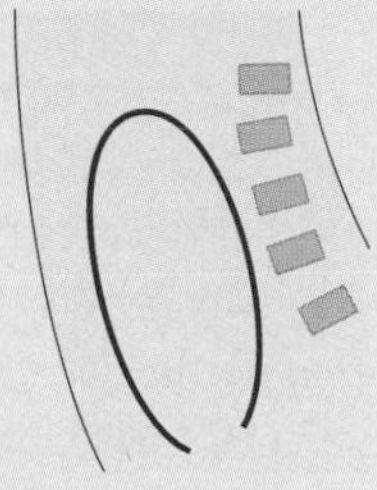

figure 1 : la femme se tient cambrée. le ventre est projeté en avant, les abdominaux et la peau du ventre sont très distendus.

figure 2 : la femme se tient droite. En basculant le bassin, la cambrure des reins est supprimée.

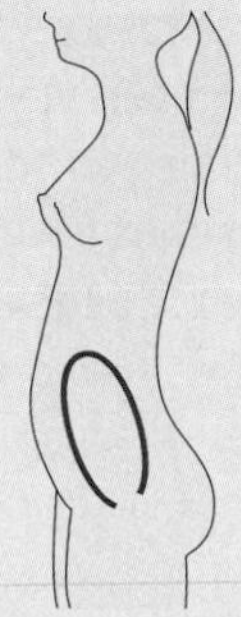

LES DISQUES
figure 3 : la femme se tient cambrée.
Risque de douleurs lombaires

figure 4 : la femme se tient droite.
Les disques sont bien séparés les uns des autres.

LE VENTRE ET LA SILHOUETTE

Les futures mamans sont fières de montrer leur ventre –certaines sont déçues si on ne remarque pas qu'il s'arrondit . Mais elles se demandent aussi comment il va pouvoir redevenir plat et musclé, comment hanches, cuisses et fesses vont retrouver leurs formes.

• Le premier investissement beauté est d'acheter une balance, si on n'en a pas déjà une dans sa salle de bains. Ne pas trop grossir est en effet la meilleure manière de retrouver rapidement sa taille et ses formes.

• La deuxième, c'est de faire régulièrement des exercices : pendant la grossesse (p. 337) et après l'accouchement (p. 397).

• La troisième, c'est de prendre – ou de garder – l'habitude de bien se tenir, ce qui d'ailleurs est aussi efficace pour le confort que pour la silhouette.

Si vous cambrez les reins, votre ventre est projeté en avant, et les abdominaux et la peau du ventre sont très distendus (figure 1). Maintenant regardez la figure 2 (l'utérus a la même taille que celui que l'on voit sur figure 1) : la femme se tient droite, bien grande, le ventre le plus effacé possible.

Comment y arriver ? En basculant le bassin ; cela supprime la cambrure des reins. Ce mouvement de bascule du bassin est important pendant la grossesse, pas simplement pour l'esthétique mais pour le confort. Vous trouverez au chapitre 14 des exercices à faire pour prendre l'habitude de basculer le bassin. D'ailleurs pratiquement toutes les préparations à la naissance incluent ces exercices.

UN COUSSIN DE RELAXATION
Il existe un coussin très pratique, à la fois ferme et confortable, genre polochon (photo p. 329). Pendant la grossesse, ce coussin permet de s'installer au mieux, en position assise ou couchée. Lors de l'allaitement, il aide à bien caler le dos. Certaines sages-femmes le conseillent même pendant l'accouchement. Si vous souhaitez l'adresse du fabricant, écrivez-nous.

Regardez maintenant la différence entre les figures 3 et 4 pour comprendre comment le confort dépend de la manière de se tenir. Dans la figure 4, la femme se tient droite (comme en figure 2) ; résultat : les disques entre les vertèbres de la colonne vertébrale sont bien séparés les uns des autres. Mais que se passe-t-il dans la figure 3 ? Les reins cambrés provoquent un pincement de la partie postérieure des disques intervertébraux, ce qui est source de douleurs lombaires et risque même de provoquer une sciatique. La préparation en piscine est particulièrement adaptée aux exercices pour assouplir le dos : la nage sur le dos, notamment le dos crawlé, est bénéfique. À l'inverse, la brasse, qui accentue la cambrure, est à éviter.

• En cas de douleurs, le port d'une petite **ceinture souple** de soutien lombaire (à acheter en pharmacie) est parfois conseillé par le médecin ou la sage-femme. Cette ceinture s'attache facilement avec du Velcro et se fait dans des coloris tout à fait seyants ; elle est remboursée sur prescription médicale ; elle ne doit pas être portée en permanence, mais chaque fois que vous risquez de surmener votre colonne vertébrale : voyages en voiture ou en avion, travaux ménagers, port d'objets lourds, etc. Cette ceinture peut se porter au-dessus des vêtements ; elle est donc facile à ôter et remettre plusieurs fois par jour sans se déshabiller.

LE VISAGE

Une femme soucieuse de l'image qu'elle donne sera plus réceptive aux « on-dit » ; et c'est curieux comme dans ce domaine de la beauté les préjugés sont restés tenaces. D'après eux, chez la future mère, « les dents se carient, les ongles se cassent, les taches marquent la peau du visage et du corps, les cheveux sont secs et après la naissance ils tombent » ! Il y a vraiment de quoi faire peur ! Vrai ? Faux ? Qui croire et que faire ? Parlons d'abord du visage.

Les futures mères ont souvent un éclat particulier : un teint frais, des yeux brillants. C'est sûrement dû à l'épanouissement intérieur, au bonheur, au plaisir d'attendre un enfant. Cela vient aussi du régime et du mode de vie conseillés pendant la grossesse : de bonnes nuits, de l'exercice, un régime alimentaire très sain, des vitamines, pas de cigarettes, pas d'alcool. C'est ce que l'on conseille en général à une femme qui veut avoir un joli teint.

Une peau normale, c'est-à-dire ferme, souple, fine de grain, veloutée au toucher, ne change pas au cours d'une grossesse normale. Et contrairement à une opinion répandue, la peau ne montre pas de tendance particulière à se dessécher.

LE MASQUE DE GROSSESSE

Parfois, vers le 4ᵉ ou le 6ᵉ mois, apparaissent sur le visage de petites taches brunes, qui peuvent être assez nombreuses pour former comme un masque : c'est le masque de grossesse. En général, après la naissance de l'enfant, les taches disparaissent. Mais ce n'est pas toujours vrai. Il faut donc tout faire pour éviter ce masque. Pour cela, une seule précaution, mais elle est indispensable : ne pas exposer son visage au soleil car le masque de grossesse ne se développe qu'à la faveur de modifications hormonales qui se produisent sous l'influence du soleil. À telle enseigne qu'une femme prenant la pilule et qui s'expose au soleil peut voir également des taches brunes apparaître, comme le masque des femmes enceintes, puisque la pilule est à base d'hormones. Donc, en été comme en hiver, n'exposez pas votre visage au soleil ou portez une casquette ou un grand chapeau.

LES SOINS DE BEAUTÉ

Prudence pendant la grossesse pour les soins de beauté ! Les effets indésirables, voire nocifs, de différents produits sur notre organisme, sont régulièrement évoqués. Et les futures mamans savent qu'il faut prendre des précautions pour protéger leur bébé en train de se développer : pas de médicaments sans avis médical, pas d'alcool, pas de tabac, pas de prise de poids excessive, etc.

Aujourd'hui des études scientifiques attirent l'attention sur le risque possible provoqué par la présence de substances chimiques dans les cosmétiques, ces produits qu'on se met sur la peau ou les cheveux : certaines de ces substances pourraient être des « perturbateurs endocriniens », c'est-à-dire qu'elles pourraient avoir des effets indésirables sur le développement du futur bébé, notamment sur sa maturation sexuelle.

Pour limiter votre exposition, et donc celle de votre bébé, à ces substances, voici quelques conseils. Ils s'adressent aux futures mamans mais aussi à celles qui allaitent, car le développement génital de l'enfant se poursuit après la naissance.

Par précaution :
• utilisez le moins possible de produits cosmétiques, de lotions, et choisissez des produits non parfumés
• évitez le parfum
• ne vous colorez pas les cheveux (même avec des colorants naturels comme le henné)
• évitez les produits en sprays (déodorants par exemple)

Vous le voyez, pendant la grossesse et l'allaitement, il est raisonnable de n'utiliser que ce qui est vraiment indispensable. Tous les produits cités ne présentent pas de risque prouvé, mais dans le doute il vaut mieux s'abstenir : c'est le fameux principe de précaution. Vous reprendrez vos habitudes de soins de beauté après la naissance.

LES PEAUX À PROBLÈMES

Chez les femmes à peau grasse ou franchement acnéique, l'évolution au cours de la grossesse est imprévisible. On peut assister à une amélioration, voire une disparition totale de l'acné mais aussi à une aggravation. Le problème est que beaucoup des médicaments efficaces sont interdits ou déconseillés pendant la grossesse. Il y a toutefois des traitements possibles, notamment externes. Le soleil est un faux ami de l'acné (rebond d'une poussée après une amélioration transitoire). Aucun régime alimentaire n'a d'efficacité. Heureusement l'acné lui-même ne peut avoir d'action sur le fœtus.

La séborrhée et l'acné sont des affections d'origine génétique ; certains **eczémas** commençant dans l'enfance, et qu'on appelle atopiques ou constitutionnels, sont également génétiques ; tout comme la peau grasse, ces eczémas peuvent, imprévisiblement, s'améliorer ou s'aggraver pendant la grossesse. Il en va de même d'une autre affection de la peau, le **psoriasis**, qui peut aussi bien s'étendre que disparaître subitement et dont les traitements les plus actifs (dérivé de la vitamine A, rayons ultraviolets, Puva-thérapie) sont formellement contre-indiqués pendant la grossesse.

LA PEAU DU CORPS

Parfois des taches comme celles qui constituent le masque de grossesse font leur apparition, notamment chez les femmes brunes à peau mate. Cette pigmentation peut se localiser à l'abdomen sous forme d'une raie brune médiane qui s'étend du nombril jusqu'à la région pubienne. Elle peut se localiser aussi sur les aréoles des mamelons. Cette pigmentation disparaîtra progressivement, mais parfois très lentement après l'accouchement. Comme pour le masque de grossesse, il faut éviter le soleil. A signaler l'apparition fréquente de grains de beauté ; certains disparaîtront après l'accouchement.

Les cicatrices peuvent se modifier : tantôt elles se pigmentent de façon anormale, tantôt elles deviennent épaisses, rougeâtres et plus ou moins sensibles. Ces modifications disparaissent peu à peu après l'accouchement.

Pendant la grossesse, la production d'une hormone, l'**œstradiol**, augmente considérablement. Or, cette hormone a la propriété de dilater les vaisseaux sanguins. Il peut en résulter des poussées congestives du visage, des varicosités des jambes accompagnées de varices, ou encore de petites dilatations capillaires rouge vif, à disposition étoilée et dénommées pour cette raison, *angiomes stellaires*. Ces angiomes apparaissent entre le 2ᵉ et le 5ᵉ mois. Il ne faut pas essayer d'intervenir car leur régression spontanée est habituelle dans les trois mois qui suivent l'accouchement.

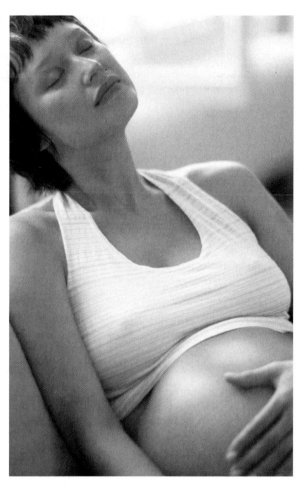

LES VERGETURES

Ce sont de petites stries en forme de flammèches, de couleur rosée. Elles peuvent apparaître à partir du 5ᵉ mois de la grossesse, sur le ventre, les hanches, et les cuisses, mais parfois aussi sur les seins. Après l'accouchement, les vergetures deviennent peu à peu blanc nacré. Les vergetures sont dues à une destruction des fibres élastiques de la peau. On croit en général qu'elles n'apparaissent que chez les femmes, et que cette perte d'élasticité de l'épiderme est due à la distension mécanique de la peau pendant la grossesse. Or les vergetures ne sont pas rares chez les hommes, et la peau d'un adolescent ou d'une adolescente peut être distendue à l'extrême sans qu'apparaissent de vergetures.

On a tout lieu de croire que les vergetures sont dues à l'action de la cortisone sécrétée par les glandes surrénales. En effet, ces glandes sont particulièrement actives au troisième trimestre de la grossesse. Mais connaître le mécanisme probable de la formation des vergetures ne permet pas de les empêcher. Tout ce qu'on peut conseiller pour éviter leur développement, c'est de ne pas prendre trop de poids. En effet, l'action de la cortisone, responsable des vergetures, semble facilitée par la trop grande distension des tissus due à une prise de poids excessive.

Vous entendrez peut-être dire qu'on peut prévenir les vergetures en massant la peau avec différentes crèmes. Malheureusement, il n'y a guère de résultat à attendre de ces crèmes. Quant à supprimer les vergetures constituées, on ne peut, hélas ! être plus optimiste : il est impossible de les supprimer, même par la chirurgie esthétique. Nul moyen ne peut rendre à la peau son élasticité.

Pour les vergetures, il semble raisonnable de retenir ceci : on ne peut les empêcher, ni les supprimer ; mais il y a quand même une certitude, c'est qu'une trop grosse prise de poids favorise leur développement.

LES CHEVEUX

Contrairement à ce que l'on croit parfois, la grossesse n'abîme pas les cheveux, au contraire : les femmes qui ont des cheveux ternes et un peu mous, les voient devenir plus souples et plus brillants, et la séborrhée s'atténue ou disparaît souvent pendant la grossesse : les cheveux sont moins gras et vous aurez besoin de les laver moins souvent.

Les soins des cheveux pendant la grossesse ne sont pas différents de ceux qu'on leur donne en général. Ainsi est-il recommandé d'employer des shampooings doux qui évitent de dégraisser trop brutalement le cuir chevelu ou de le dessécher au risque d'entraîner la formation de pellicules. C'est-à-dire que même si vous avez les cheveux gras, vous utiliserez des shampooings pour cheveux secs et fragiles. Par précaution, il est déconseillé de les colorer (p. 92).

Durant la grossesse, les influences hormonales se font également sentir au niveau de la chevelure. Pendant cette période, la phase de croissance des cheveux (dite « anagène ») s'allonge au détriment de la phase qui précède la chute (dite « télogène »). Il y a donc beaucoup moins de cheveux qui tombent et le volume de la chevelure augmente. Mais dès l'accouchement les taux élevés d'œstradiol circulant dans le sang s'effondrent, déterminant un passage brutal des cheveux anagènes en cheveux télogènes. Ce phénomène, qui peut concerner jusqu'à 50 % de la chevelure, provoque trois mois plus tard une chute de cheveux massive, parfois impressionnante. Aucun traitement n'y peut rien. Il est donc inutile de multiplier les piqûres ou autres remèdes. Dans les six mois qui vont suivre, tout va s'arranger spontanément, la chute s'arrêtera et la repousse s'effectuera. Mais comme un cheveu ne croît que d'un centimètre à un centimètre et demi par mois, il faut s'armer de patience.

Ayant perdu beaucoup de cheveux, des mamans nous ont signalé en avoir profité pour les faire couper. Cela a été du temps gagné (pas de séchage, facilité de coiffage) dans la période bien occupée de l'après-naissance et cela leur a permis d'attendre plus sereinement de retrouver le volume de leur chevelure.

La pousse des poils est accélérée pendant la grossesse (toujours à cause des modifications hormonales). Chez certaines femmes génétiquement prédisposées, il peut même se constituer une hyperpilosité, au niveau du visage en particulier, et singulièrement sur la lèvre supérieure. Cette hyperpilosité régresse spontanément après l'accouchement. Il ne faut surtout pas l'épiler à la pince, ou pire à la cire, car on risque alors de la voir s'installer au lieu de disparaître.

LES DENTS

La grossesse ne cause pas systématiquement des caries. Mais il faut surveiller les dents car une carie existant avant la grossesse peut être aggravée. Attention aux caries car elles abîment les dents.

Comme vous pourrez le lire au chapitre 10, une infection, où qu'elle siège dans l'organisme, peut être néfaste pendant la grossesse. Une dent malade peut être un foyer d'infection. Il est donc conseillé de faire examiner ses dents dès le début de la grossesse.

> **L'EXAMEN DENTAIRE**
> *Pour bénéficier de l'assurance maternité, l'examen dentaire n'est pas obligatoire comme le sont les visites médicales, mais il est recommandé, et remboursé.*

Par ailleurs, n'oubliez pas que les caries dépendent en grande partie du soin que l'on prend de ses dents. Car ce sont les déchets d'aliments, surtout sucrés, demeurés entre les dents, qui sont la cause de la plupart des caries. C'est après chaque repas, sans oublier le petit déjeuner, qu'il est recommandé de se laver les dents. Et souvenez-vous que ce n'est pas la pâte dentifrice qui nettoie les dents, mais le brossage minutieux, qui doit être suivi d'un bon rinçage pour entraîner toutes les petites particules d'aliments qui se trouveraient encore entre les dents.

La grossesse cause souvent de petits ennuis à la muqueuse de l'intérieur de la bouche : les gencives peuvent gonfler et saigner facilement. Cette gingivite atteint habituellement son maximum au 5e mois et disparaît après l'accouchement. Elle peut être améliorée par les vitamines C et P (prescrites par le dentiste). On peut également se masser les gencives doucement avec un gel indiqué par le dentiste. Des petites tuméfactions rouges - appelées *épulis* - apparaissent féquemment sur la gencive entre deux dents.

Tous les soins dentaires sont possibles y compris les extractions. Ils ne sont en aucun cas susceptibles de retentir sur l'évolution de la grossesse, au moins si celle-ci est normale. Toutefois, si une intervention importante était nécessaire, parlez-en à l'accoucheur, ce qui vous aura été certainement conseillé par le dentiste.

LES ONGLES

Les ongles friables et cassants sont souvent dus aux vernis, qu'ils soient colorés ou incolores. Pour savoir si c'est le vernis qui est responsable de la fragilité de l'ongle, il suffit d'en supprimer les applications pendant six mois, temps qu'il faut pour que l'ongle entier se renouvelle. Si au bout de cette période l'ongle a retrouvé sa vigueur, c'était bien la laque qui était responsable de la détérioration de l'ongle.

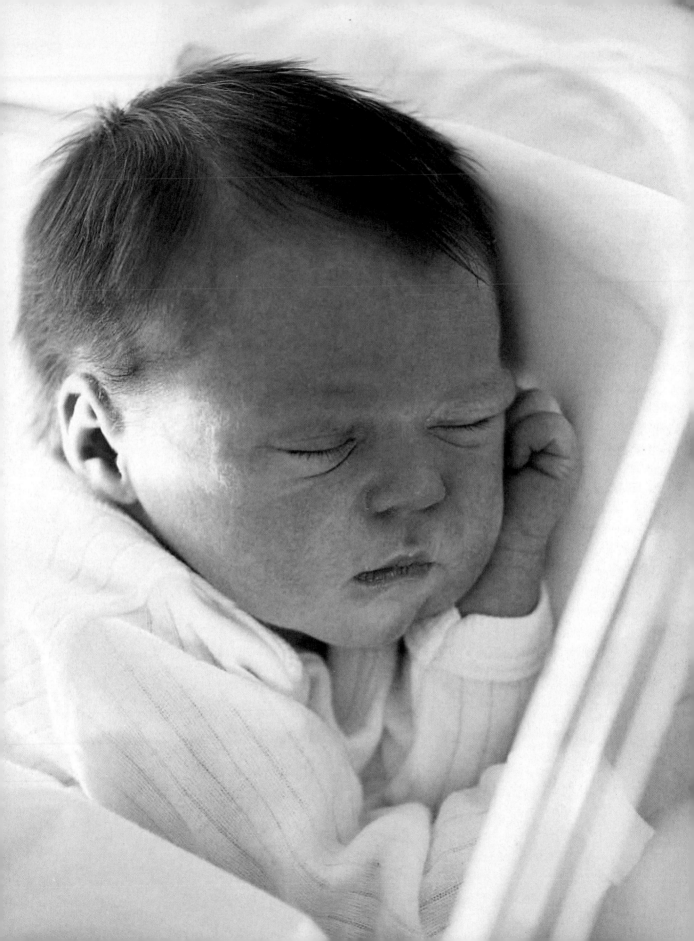

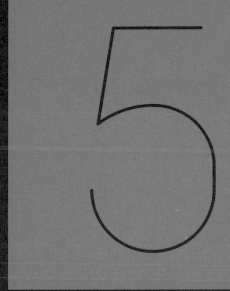

5

La vie avant la naissance

Ce chapitre est en général le premier lu par les parents, celui qu'ils relisent le plus souvent. Il raconte l'histoire de deux minuscules cellules, à l'aube de la vie. Il fait le récit, mois après mois, du développement de l'enfant, bien blotti dans le corps de sa maman. Il parle de cette vie mystérieuse et secrète, que nous avons tous vécue, mais dont nous n'avons plus de souvenirs. Voici la vie d'un bébé avant la naissance.

Comment la nature
crée un être humain

« Du germe au nouveau-né », pour reprendre l'expression de Jean Rostand, ce sont des cellules qui se multiplient et se transforment, mais au départ, il y a une histoire d'amour. Cette histoire est multiple, variée, changeante, unique pour chaque couple. Mais la rencontre de deux cellules et ce qu'il en advient, est la même, à quelques variantes près, pour tous. Et elle intéresse tous les futurs parents. La voici.

Pour que la vie se transmette, pour qu'un nouvel être soit formé, il faut que deux germes, l'un venant de l'homme, le spermatozoïde, l'autre de la femme, l'ovule, se rencontrent. L'union de ces deux germes forme un œuf de quelques centièmes de millimètre : l'œuf humain (ou embryon, ou zygote).

Cela semble simple aujourd'hui, mais il a fallu des millénaires pour connaître ce que nous allons maintenant raconter : comment l'ovule et le spermatozoïde s'unissent pour former l'œuf humain : la conception ; comment cet œuf trouve dans l'organisme maternel un endroit confortable où il pourra se loger : la nidation ; et enfin comment pendant ces neuf mois, la grossesse, l'œuf se développera peu à peu, se nourrira, deviendra embryon, puis fœtus, puis nouveau-né, votre bébé.

LES DEUX CELLULES
QUI VONT TRANSMETTRE LA VIE

Cette histoire se passe dans ce qu'il y a de plus petit en nous : l'infiniment petit des cellules. Tout ce qui est vivant est composé de cellules de quelques millièmes de millimètre. Ces cellules sont formées d'une substance identique, le cytoplasme, qu'entoure une membrane, et qui renferme en son centre un noyau. Parmi ces milliards de cellules, certaines d'entre elles ont une fonction particulière : transmettre la vie. Ce sont les cellules reproductives, ou cellules germinales, ou gamètes. Le gamète féminin est l'ovule. Le gamète masculin est le spermatozoïde.

L'OVULE

L'ovule, ou ovocyte, provient des ovaires qui sont les glandes sexuelles de la femme. Les ovaires sont situés dans le petit bassin, de part et d'autre de l'utérus (schémas 1 et 3). Les ovaires ont deux fonctions essentielles. La première est la sécrétion des hormones caractéristiques de la femme : les œstrogènes et la progestérone. La seconde est de produire, au cours de chaque cycle de 28 jours, un ovule : c'est l'ovulation. À la naissance, chaque petite fille possède un énorme stock d'ovules (environ 300 000). Seuls 400 à 500 seront utilisés (un par cycle) entre la puberté et la ménopause.

> **OVULE, OVOCYTE**
> LES DEUX MOTS SONT SYNONYMES. OVULE EST COURAMMENT EMPLOYÉ. LES MÉDECINS PARLENT PLUS FACILEMENT D'OVOCYTE.

Voici les deux ovaires. Ils ont la taille de grosses amandes et sous l'épaisseur de leur « écorce » (corticale, en terme médical) se trouvent des petites structures : les follicules. Chaque mois, une hormone (l'hormone FSH) provoque le mûrissement et le développement d'un follicule. La FSH agit sous l'effet d'une information qui part du cerveau et qui est transmise à l'ovaire, via l'hypothalamus et l'hypophyse. L'hypophyse est cette glande située à la base du cerveau et qui commande toute l'activité hormonale (schéma 2). Cette double transmission – à la fois neurologique et hormonale – explique que les troubles de l'ovulation soient souvent liés à un dysfonctionnement temporaire plutôt qu'à une maladie ; en effet, de nombreux facteurs (environnement, stress, etc.) peuvent perturber les bonnes relations cerveau-hypophyse-ovaire.

Revenons au follicule qui mûrit. On l'appelle le follicule « dominant » (puisqu'il a dominé les autres follicules qui vont arrêter leur croissance et régresser) ; c'est celui qui contient l'ovule qui va être « pondu ». Ce mûrissement s'accompagne de la sécrétion d'œstrogènes.

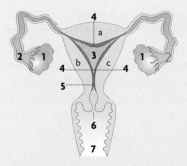

1. L'APPAREIL GÉNITAL DE LA FEMME
*Les **deux ovaires** (1) (glandes de la forme et de la taille d'une grosse amande), les **deux trompes** (2) aboutissant à la **cavité utérine** (3). En regardant ce schéma, on réalise plus facilement que l'utérus est un muscle creux avec, au centre, cette cavité dont **les parois (a, b, c)** ont la propriété de se contracter. La face intérieure de l'utérus est tapissée par l'**endomètre** (4) qui desquame à chaque fin de cycle, ce sont les règles. Plus bas, le **col de l'utérus** et ses **deux orifices, interne** (5) et **externe** (6), se trouvent au fond du vagin (7).*

2. LES HORMONES FÉMININES

La FSH provoque la croissance et la maturation du follicule, lequel sécrète des œstrogènes. La LH provoque l'ovulation, celle-ci est suivie de la sécrétion de progestérone par le corps jaune.

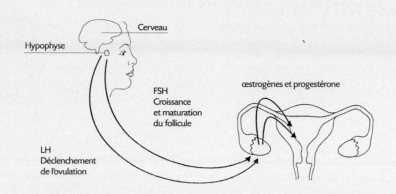

SUR LE CHEMIN DE LA CONCEPTION

Juste avant la « ponte » de l'ovule, le follicule a atteint sa taille maximum de 25 mm. Il est bien visible à l'échographie sous forme d'un petit « kyste ». C'est alors que sous l'effet d'une autre hormone hypophysaire, la LH, le follicule « dominant » va s'ouvrir à la surface de l'ovaire et libérer son contenu : le liquide folliculaire et l'ovule qui s'y trouvent. C'est **l'ovulation** qui se situe normalement entre le 13e et le 15e jour du cycle.

Le follicule va ensuite se transformer en un corps jaune (parce que sa couleur est jaune) et produire l'autre hormone féminine : la progestérone. Cette hormone augmente de quelques dixièmes de degrés la température du corps : c'est ce qui explique le décalage de température après l'ovulation (p. 25).

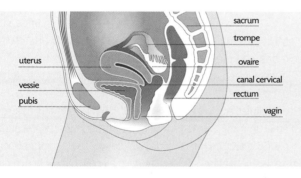

3. L'APPAREIL GÉNITAL VU DE PROFIL

Sur ce schéma, on voit bien que les trompes et les ovaires sont situés derrière l'utérus.

SUR LE CHEMIN DE LA CONCEPTION

Une fois libéré l'ovule qui, contrairement aux spermatozoïdes, ne possède aucun moyen de locomotion, est comme « happé » par les franges du pavillon de la trompe. Les trompes et les ovaires sont proches les unes des autres et se situent derrière l'utérus, dans ce que certains appellent « le puits de la fertilité » (schéma 3). Cela veut dire que la trompe gauche peut happer un ovule libéré par l'ovaire droit et inversement. Pour qu'il y ait fécondation naturelle, peu importe le côté où l'ovulation a lieu : ce qu'il faut, c'est au moins un ovaire et une trompe qui fonctionnent. Savoir cela peut rassurer sur leur fécondité les femmes dont un ovaire ou une trompe est lésé.

4. L'OVULE PRÊT À LA FÉCONDATION
*Au centre, le noyau entouré du cytoplasme.
Autour, la zone pellucide entourée de quelques
cellules qui restent du follicule.*

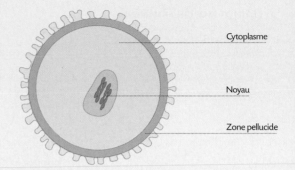

Cytoplasme

Noyau

Zone pellucide

Engagé dans la trompe, l'ovule a devant lui au maximum vingt-quatre heures pour être fécondé par un spermatozoïde. Au-delà de ce délai, l'ovule dégénère et disparaît dans l'organisme.

Voici donc le premier acte achevé. Un ovule a été pondu ; il est prêt pour le deuxième acte, la **fécondation**. Examinons cet ovule de plus près (schéma 4). Il est plus petit qu'un grain de pollen. Et pourtant, c'est la cellule la plus volumineuse de l'organisme (1/10ᵉ de mm). L'ovule est translucide, presqu'incolore. Il est sphérique et entouré d'une membrane : la **zone pellucide**.

LE SPERMATOZOÏDE PART À LA RENCONTRE DE L'OVULE

Pour qu'il y ait fécondation, il faut qu'un spermatozoïde, et un seul, pénètre l'ovule.

Le spermatozoïde provient des glandes sexuelles de l'homme : les testicules (schéma 5). Alors que la femme naît avec sa réserve d'ovules, chez l'homme le testicule ne commence à fabriquer les spermatozoïdes qu'à l'âge de la puberté. Cette production durera toute la vie et ne diminuera vraiment qu'à la vieillesse.

Le spermatozoïde se développe dans les tubes séminifères : des cellules vont subir une série de transformations successives pour devenir des spermatozoïdes aptes à féconder un ovule. Cette période de transformation s'étale sur 75 jours environ mais elle est ininterrompue, contrairement à la maturation de l'ovule qui a lieu une fois par mois.

Le spermatozoïde est une des plus petites cellules humaines (schéma 6) : 55 microns au total, dont 5 microns pour la tête (1 micron = 1 millième de mm). Après leur formation dans les tubes séminifères, les spermatozoïdes vont parcourir un long trajet en partant de l'épididyme, puis gagner le canal déférent et se masser ensuite dans les vésicules séminales situées de part et d'autre de la prostate.

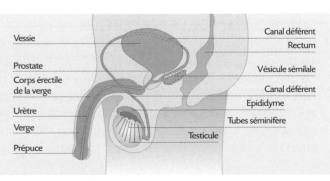

Vessie

Prostate

Corps érectile
de la verge

Urètre

Verge

Prépuce

Canal déférent

Rectum

Vésicule sémilale

Canal déférent

Epididyme

Tubes séminifère

Testicule

7. LES SPERMATOZOÏDES À LA RENCONTRE DE L'OVULE

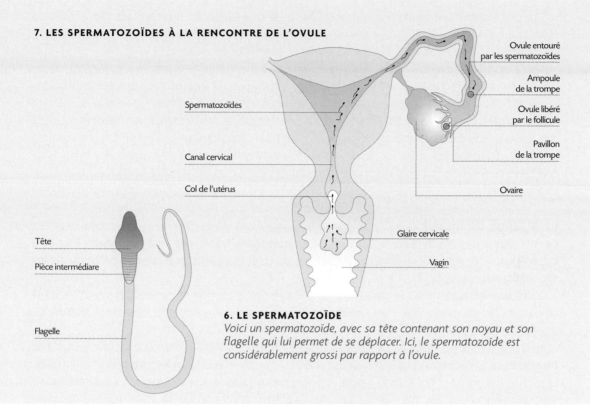

Spermatozoïdes

Canal cervical

Col de l'utérus

Ovule entouré par les spermatozoïdes

Ampoule de la trompe

Ovule libéré par le follicule

Pavillon de la trompe

Ovaire

Glaire cervicale

Vagin

Tête

Pièce intermédiare

Flagelle

6. LE SPERMATOZOÏDE
Voici un spermatozoïde, avec sa tête contenant son noyau et son flagelle qui lui permet de se déplacer. Ici, le spermatozoïde est considérablement grossi par rapport à l'ovule.

Pendant ce trajet, le spermatozoïde a acquis ses deux caractères les plus importants : sa mobilité et son pouvoir fécondant. Lors de l'éjaculation, les spermatozoïdes sont dilués dans le sperme, sécrété par la prostate et les vésicules séminales. Ce liquide est indispensable à la survie des spermatozoïdes et il en facilite le transport.

Dans certains cas, la survie des spermatozoïdes peut atteindre presque 10 jours. Cela explique qu'un rapport sexuel ayant lieu une semaine avant l'ovulation puisse être à l'origine d'une grossesse. Une fois déposés dans le fond du vagin, où s'ouvre et baigne le col de l'utérus, les spermatozoïdes ont un long chemin à faire avant de rencontrer l'ovule : 25 cm soit 5 000 fois leur longueur. Par le col de l'utérus, et grâce à la glaire que sécrète le canal cervical, les spermatozoïdes vont remonter dans l'utérus, le traverser et s'engager dans les trompes.

C'est au niveau de l'ampoule de la trompe (schéma 7) que l'ovule et le spermatozoïde, ces deux cellules si différentes, et pourtant chargées de la même mission, vont pouvoir se rencontrer.
Notons au passage que sur les 50 à 100 millions de spermatozoïdes produits lors de l'éjaculation, il n'en reste que quelques milliers pour se regrouper autour de l'ovule et un seul le fécondera.

UN SPERMATOZOÏDE PÉNÈTRE DANS L'OVULE : UN ŒUF EST NÉ
Dans la trompe, voici l'ovule. Les spermatozoïdes l'entourent, comme attirés par un aimant ; frétillant, agitant leur flagelle, ils se collent contre l'ovule. Un seul va le pénétrer. C'est celui-là qui nous intéresse.

Il réussit à percer la membrane qui entoure l'ovule – la zone pellucide – en sécrétant des substances qui détruisent les tissus qu'il trouve devant lui. Quand il a pénétré dans l'ovule, le spermatozoïde perd son flagelle. Il ne reste plus que la tête qui gonfle et augmente de volume.

Dès ce moment, aucun des autres spermatozoïdes qui se trouvaient autour de l'ovule ne peut y pénétrer. Ils meurent progressivement sur place. Mais on verra plus loin que parfois deux spermatozoïdes fécondent deux ovules, ce qui donne naissance à des jumeaux ; ce sont des faux jumeaux (p. 155).

Pour sa part, l'ovule réagit à la pénétration du spermatozoïde. Il se rétracte en même temps que son noyau augmente de volume. Les deux noyaux vont à la rencontre l'un de l'autre. Cette rencontre se fait dans la région centrale de l'ovule. L'instant est décisif : les deux noyaux s'approchent, ils se touchent, ils fusionnent. L'œuf est formé, la première cellule d'un nouvel être humain est née. C'est le début de la vie.

LE VOYAGE DE L'ŒUF

La fécondation accomplie dans la trompe, l'œuf est entraîné lentement vers l'utérus où il va être accueilli, protégé, nourri. Il va faire en somme, en sens inverse, une partie du chemin parcouru par les spermatozoïdes (schéma 8).

Cette migration est assurée par un liquide sécrété par la trompe et par les cils vibratiles de la muqueuse, qui poussent l'œuf dans la bonne direction ; enfin par les contractions de la trompe. Ce voyage dure 3 à 4 jours.

Arrivé dans l'utérus, l'œuf ne se nide pas immédiatement, car il n'a pas encore atteint le stade de développement nécessaire, et la muqueuse utérine, le « nid », n'est pas encore prête à l'accueillir. L'œuf va donc rester libre dans la cavité utérine pendant 3 jours, durant lesquels il subira d'importantes modifications, que vous verrez plus loin. La nidation n'aura lieu qu'au 7e jour après la fécondation, c'est-à-dire 21 ou 22 jours après le début des dernières règles. Pendant cette période, l'œuf survivra grâce aux réserves accumulées dans l'ovule et surtout grâce aux sécrétions de la trompe et de l'utérus.

Ce voyage de l'œuf est parfois interrompu en cours de route. L'œuf se fixe dans la trompe elle-même. C'est une grossesse tubaire ou extra-utérine. Elle ne peut évoluer sans complication. Un traitement chirurgical, ou parfois médical, est alors nécessaire (p. 239).

LA MULTIPLICATION DES CELLULES

Pendant ces 7 jours de liberté, l'œuf se modifie considérablement.

La cellule initiale, née de l'union de l'ovule et du spermatozoïde, se divise en 2 à la 30e heure. Ces deux cellules en produisent 4 à la 50e heure, puis 8 à la 60e heure, et ainsi de suite suivant une progression géométrique.

À son arrivée dans l'utérus, l'œuf en est au stade de 16 cellules. Vu au microscope, il a l'aspect d'une masse arrondie ressemblant à une mûre, d'où son nom de *morula* (mûre en latin). Ces cellules sont de plus en plus petites car le volume total de l'œuf reste le même qu'au début. Ce n'est qu'après la sixième division cellulaire (64 cellules) que l'œuf commence à augmenter de volume.

Pendant les 3 jours de vie libre à l'intérieur de l'utérus, va se produire un phénomène très important pour la suite des événements. La division cellulaire se poursuit, mais alors que jusque-là toutes les cellules étaient semblables, elles commencent à se différencier. À la période de simple division (ou segmentation), va maintenant succéder la période d'organisation. Voici comment elle commence.

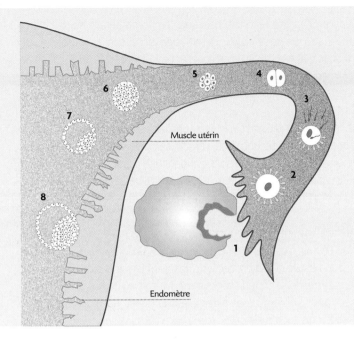

8. LE VOYAGE DE L'ŒUF
1- Follicule rompu. Ébauche de formation du corps jaune
2- Ovule entouré des cellules folliculeuses.
3- Ovule fécondé par un spermatozoïde. Les cellules folliculeuses sont éliminées.
4- Début de la division de l'œuf. Stade à 2 cellules.
5- Stade à 8 cellules.
6- Stade à 16 cellules (morula).
7- L'œuf se creuse d'une cavité (blastocyste).
8- Implantation dans la muqueuse utérine ou nidation.

À l'intérieur de l'œuf, les cellules du centre deviennent beaucoup plus grosses, elles se réunissent en une petite masse que l'on appelle le bouton embryonnaire parce que c'est lui qui va devenir embryon, nom que portera le futur bébé jusqu'à 2 mois révolus (après, on parlera de fœtus). Les cellules les plus externes s'aplatissent, et sont refoulées à la périphérie de l'œuf. Un vide sépare le bouton embryonnaire de la couche extérieure sauf en un point où les deux parties restent soudées. Le vide va bientôt s'agrandir et former une cavité remplie de liquide.

Le plan du futur édifice est définitivement tracé ; il ne changera plus. Du bouton embryonnaire naîtra l'embryon ; des cellules extérieures, l'enveloppe qui entourera et protégera cet embryon. Cette enveloppe, c'est le *trophoblaste* qui contribuera à former le placenta grâce auquel l'enfant pourra se développer.

À ce stade, l'œuf mesure 0,25 mm. Il est maintenant capable de se nider. Mais voyons d'abord comment le « nid » s'est préparé à l'accueillir.

LA NIDATION SE PRÉPARE

Après l'ovulation, le follicule qui contenait l'ovule s'est transformé en corps jaune. Son rôle est fondamental : il va continuer à fabriquer des œstrogènes, comme avant l'ovulation, mais également l'autre hormone, la progestérone. C'est la progestérone qui, associée aux œstrogènes, permet le développement du tissu qui tapisse l'intérieur de l'utérus ; ce tissu, c'est la muqueuse utérine ou *endomètre*. Très mince avant l'ovulation, la muqueuse s'épaissit considérablement dans la deuxième moitié du cycle, passant de 1 mm à 1 cm. Elle se creuse de nombreux replis. Ses vaisseaux sanguins sont beaucoup plus nombreux ; et les glandes qu'elle contient fabriquent en grande quantité un sucre, le glycogène, dont le rôle nutritif est important. Cette muqueuse, désormais appelée *caduque*, est maintenant prête à recevoir et nourrir l'œuf.

Si l'ovule n'a pas été fécondé, il dégénère. S'il a été fécondé mais que l'embryon arrête de se diviser, car son matériel génétique n'est pas adéquat, il ne peut y avoir de nidation, donc pas de grossesse. Le corps jaune régresse, la quantité d'hormones diminue, l'utérus se contracte, la muqueuse se détache de la paroi utérine dont les petits vaisseaux sanguins se rompent et saignent. L'ensemble s'évacue à travers l'utérus, dans le vagin, ce sont les règles. Aussitôt, la nature persévérante amorce un nouveau cycle de 28 jours.

Tout s'enchaîne désormais. Entre les règles et la grossesse, le lien apparaît : les règles signifient qu'il n'y a pas eu de grossesse, ou du moins que, malgré la fécondation, l'embryon n'avait pas toutes les qualités pour se nider et se développer. Seulement 25 % des ovulations donnent lieu à une fécondation réussie, c'est-à-dire à une grossesse. Dans les 75 % restant, soit l'ovule n'a pas été fécondé, soit l'embryon n'avait pas d'avenir et donc la nidation ne s'est pas faite. Au contraire, l'absence des règles signifie qu'il y a une grossesse.

Pendant ce temps, que s'est-il passé dans l'ovaire depuis l'ovulation ? Le corps jaune, qui s'est édifié sur la cicatrice laissée après le départ de l'ovule, s'est rapidement développé. Produisant une quantité considérable de progestérone, le corps jaune est le grand protecteur des premiers jours de l'œuf. C'est en effet la progestérone qui a empêché l'utérus de se contracter comme il le fait au moment des règles, ce qui aurait eu pour résultat d'expulser l'œuf qui vient de se nider. C'est la même hormone qui a subvenu en partie à la nutrition de l'œuf. Vers 2 mois, lorsque le corps jaune aura terminé son temps, le relais sera pris par le placenta, vous le verrez plus loin.

Une conclusion s'impose : le corps jaune de l'ovaire est indispensable à la survie de l'œuf. Il y a d'ailleurs entre eux échange de bons procédés, car c'est à cause de l'implantation de l'œuf dans l'utérus que le corps jaune ne dégénère pas comme il le fait au cours d'un cycle normal. Pour maintenir en activité le corps jaune, le trophoblaste sécrète en effet une hormone appelée *hormone gonadotrophine chorionique* (ou βHCG) au moins pendant les premières semaines de grossesse. C'est la présence de cette hormone dans les urines et dans le sang, qui rend positifs les tests de grossesse.

L'ŒUF SE NIDE

C'est donc au 7e jour après la fécondation que l'œuf est prêt à se nider et que la muqueuse utérine est prête à le recevoir. L'œuf se pose sur la muqueuse utérine, puis il y adhère fortement, comme une

9. DE L'ŒUF À L'ENFANT

Sur ces quatre dessins, nous pouvons suivre la croissance de cet œuf que nous avons vu se nider en schéma 8. Le voici d'abord embryon à 6 semaines (a). Puis fœtus à 3 mois (b), 6 mois (c) et 9 mois (d). L'enfant est toujours représenté dans la même position. En réalité, il bouge fréquemment. Mais à 9 mois, à la veille de l'accouchement, il se présente, dans la majorité des cas, la tête en bas.

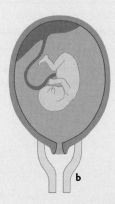
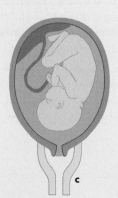
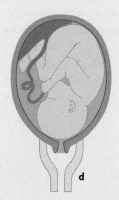

a   b   c   d

ventouse. À ce moment entre en jeu le trophoblaste ; il sécrète des ferments qui détruisent les cellules tapissant la cavité de l'utérus et creuse une sorte de nid dans la muqueuse. On peut dire alors que l'œuf « fait son nid ». Il s'engage dans le trou ainsi creusé et se loge de plus en plus profondément dans l'épaisseur de la muqueuse. Au-dessus de lui, les tissus se rejoignent, la brèche se referme.

À la fin du 9e jour, l'œuf est logé, entièrement entouré par la muqueuse utérine dans laquelle il s'est enfoui. On appelle cette muqueuse caduque, car, après l'accouchement, elle sera éliminée avec le placenta.

Il faut maintenant que l'œuf se nourrisse. Le trophoblaste – qui prend alors le nom de *chorion* – projette de petits filaments qui s'enfoncent avidement dans la muqueuse utérine comme une plante envoie ses racines dans une bonne terre. Ces filaments rompent les petits vaisseaux sanguins, détruisent les cellules, se gorgent de cette manne et l'envoient à l'embryon dont les besoins s'accroissent sans cesse, car sans cesse de nouvelles cellules se développent à un rythme de plus en plus accéléré.

L'œuf est maintenant fixé comme une greffe à l'organisme maternel. C'est là qu'il va se développer neuf mois durant (schéma 9). La grossesse ne commence véritablement qu'au jour de la nidation, celui où pour la première fois la mère protège et nourrit son enfant.

Au centre de l'œuf, l'embryon va croître à un rythme vertigineux. Mais cette croissance ne sera possible que parce que tout un système va se développer : ce système comprendra ce qu'on appelle les *annexes*, c'est-à-dire les membranes qui entourent l'œuf, le placenta et le cordon.

L'ŒUF, UNE GREFFE TRÈS SPÉCIALE

Toute greffe d'organe est normalement rejetée au bout d'un certain temps. En effet, l'organisme receveur met en jeu un système de défense, qui a pour but d'éliminer ce corps étranger qu'est la greffe. Pour qu'une greffe réussisse, les médecins sont obligés d'avoir recours à des procédés très complexes pour diminuer, ou abolir, ce système de défense du receveur.

Or, pour l'organisme maternel, l'œuf peut être considéré comme une greffe étrangère puisqu'il contient, pour moitié, des cellules qui proviennent du père. L'œuf devrait donc être rejeté, d'autant qu'il se nide au plus intime des tissus maternels, et aucune grossesse ne devrait être possible. Il n'en est rien évidemment. Mieux encore, l'organisme maternel offre à l'œuf les meilleures conditions de protection et de développement. Pourquoi ?

Parmi les très nombreuses hypothèses avancées, une semble aujourd'hui recueillir l'assentiment des chercheurs. Il semblerait que la partie de l'œuf en contact avec la muqueuse maternelle (la caduque) ne contienne pas d'éléments d'origine paternelle. L'organisme maternel n'a pas à fabriquer d'anticorps pour éliminer ce corps étranger, il n'y a donc pas de rejet de cette « greffe très spéciale ».

Dans certaines situations, il arrive néanmoins que le mécanisme de tolérance de cette greffe ne fonctionne pas. L'œuf va alors être rejeté très rapidement. On parle de fausse-couche d'origine *immunologique* dont la caractéristique est de se reproduire à chaque grossesse, créant ainsi une véritable maladie. On n'a malheureusement pas encore trouvé de traitement efficace pour prévenir ces échecs répétés, qui désespèrent les femmes qui y sont confrontées.

Le bon fonctionnement des mécanismes d'implantation de l'œuf est nécessaire à son développement et à sa croissance ultérieure. C'est ainsi que certaines maladies de la grossesse, comme la toxémie gravidique, ou certains troubles de la croissance, comme le retard de croissance intra-utérin, peuvent trouver leur origine dans ces anomalies de l'implantation.

COMMENT LA MÉDECINE PEUT AIDER LA NATURE À CRÉER UN ÊTRE HUMAIN

Lorsque la fécondation ne parvient pas à se faire naturellement, le couple peut avoir recours à des techniques médicales particulières. C'est ce qu'on appelle l'Assistance médicale à la procréation (AMP). Aujourd'hui, 5 % des femmes qui accouchent ont eu recours à ce type de traitement. Ce chiffre, qui augmente, est dû en partie au recul de l'âge du désir d'enfant. Les années passent, la fécondité diminue (voir schéma p. 24) ; le couple se sent pressé par le temps, et il se tourne vers la médecine pour l'aider à concevoir. Parmi les méthodes existantes, la fécondation *in vitro* est probablement la plus pratiquée.

LA FÉCONDATION *IN VITRO* (FIV)

Cette technique a connu en quinze ans un extraordinaire développement. D'abord destinée aux femmes ayant des trompes définitivement bouchées, son application s'est progressivement étendue. On y a recours dans d'autres causes d'infertilité de couples, qu'elles soient féminines (endométriose, stérilité inexpliquée, troubles de l'ovulation) ou masculines (sperme de qualité insuffisante). Récemment, les indications de FIV pour anomalies masculines ont dépassé les indications pour anomalies féminines.

La fécondation *in vitro* a pour but d'assurer la rencontre entre l'ovule et le spermatozoïde en dehors de l'organisme, en laboratoire, dans des petits réservoirs « en verre », d'où l'appellation *in vitro*.

Voyons maintenant le détail de cette méthode. Au-delà du langage froid de la technique, la fécondation *in vitro* est un moment intense dans la vie d'un couple. Avant de se lancer dans cette aventure, la femme et l'homme ont besoin de connaître le détail des étapes ; ils savent que leur désir d'enfant les aidera à les franchir.

Avant l'étape du laboratoire

Avant que ne débute la fécondation in vitro proprement dite, le médecin prescrit au couple un **bilan complet**.

Chez la femme, ce bilan comprend un examen clinique, une prise de sang pour connaître l'état hormonal et dépister certaines maladies, une hystérosalpingographie, c'est-à-dire une radiographie permettant de contrôler l'état de l'utérus et des trompes et souvent une cœlioscopie.

Chez l'homme, le bilan comprend une prise de sang pour dépister également certaines maladies, une analyse du sperme (spermogramme et spermoculture) ; celle-ci permet de déterminer si le sperme est a priori apte à féconder un ovule et de vérifier qu'il ne présente pas d'infection. Pensez à parler au médecin de tout incident de santé ayant pu survenir dans les trois mois précédant la FIV (fièvre, asthénie générale, prise de médicaments...) car ils peuvent retentir sur la qualité du sperme.

Après ce bilan médical, le médecin va procéder à la **stimulation** des ovaires. La stimulation a pour but d'assurer le développement simultané de plusieurs follicules, et donc de pouvoir disposer de plusieurs ovules.

La stimulation proprement dite est assurée par un traitement hormonal : des injections de gonadostimuline. Ce traitement est contrôlé par des échographies et par des dosages hormonaux dans le sang, pour surveiller le taux d'œstradiol (qui est l'œstrogène le plus important).

Lorsque les follicules ont atteint une taille suffisante et que le taux d'œstradiol est jugé satisfaisant, l'ovulation est déclenchée par une injection d'HCG (p. 106). Le moment de l'injection est important à respecter car il va déterminer celui de la **ponction** des follicules. Cette ponction est en effet réalisée environ 36 heures plus tard afin de recueillir les ovules contenus dans le liquide folliculaire que l'on aspire. Elle se fait habituellement par voie vaginale, sous contrôle échographique, avec une anesthésie générale ou locale.

La fécondation in vitro au laboratoire

Les différentes étapes de la FIV se déroulent sur plusieurs jours.

D'abord, recueil du sperme, par masturbation, au laboratoire de FIV, le matin même de la ponction des ovules. Une abstinence sexuelle est parfois recommandée par le biologiste du laboratoire. Le sperme est analysé et préparé de manière à sélectionner les spermatozoïdes les plus mobiles.

Une fois que la ponction a été réalisée, les ovules recueillis sont mis au contact des spermatozoïdes afin que la fécondation ait lieu.

1er jour : les ovules sont examinés pour savoir s'ils sont fécondés. Si c'est le cas, on observe un noyau mâle et un noyau femelle au centre de l'œuf.

2e jour : les œufs ont commencé à se diviser. Chacun présente 2 à 4 cellules.

3e jour : les œufs continuent à se diviser. Chacun présente 4 à 8 cellules.

4e jour : les œufs présentent l'aspect d'une mûre ; on les appelle des « morulas » (p. 105).

5e jour : les œufs doublent de volume et commencent à creuser une cavité (blastocyste, p. 126).

Le transfert des œufs, ou embryons, dans l'utérus, se fait le plus souvent le 2e ou 3e jour après la fécondation, parfois le 5e jour. Le nombre d'embryons à transférer est décidé après discussion entre le médecin, le biologiste et le couple. Il est en général de deux embryons, mais actuellement la tendance est de n'en transférer qu'un seul, de façon à éviter les grossesses multiples. Plus exceptionnellement, il peut atteindre trois, en fonction de l'âge de la femme et de l'histoire du couple. Les embryons surnuméraires de bonne qualité pourront être congelés, avec accord du couple, et être ainsi transférés ultérieurement.

Le transfert des embryons est réalisé au moyen d'un cathéter souple et très fin. Ce cathéter est introduit par le vagin dans l'utérus, la femme étant allongée en position gynécologique. Ce transfert d'embryon est un geste indolore et il ne nécessite ni anesthésie, ni hospitalisation. Le cathéter est ensuite délicatement retiré et le biologiste vérifie au microscope qu'un embryon n'est pas resté accroché au cathéter. On vous gardera au repos, allongée, une petite heure pour éviter d'éventuelles contractions utérines et vous pourrez ensuite reprendre votre vie habituelle. Il n'y a pas de précaution particulière à prendre par la suite.

Un dosage sanguin de βHCG est réalisé environ 14 jours après le transfert pour détecter un début de grossesse. S'il y a grossesse, des dosages ultérieurs seront effectués de façon à en suivre l'évolution. La grossesse sera vraiment confirmée par une échographie réalisée environ un mois après le transfert.

Le taux de succès pour obtenir une grossesse après une fécondation in vitro est d'environ 26 % et le taux d'accouchement est de 19 %, l'écart entre les deux chiffres s'explique par le fait que certaines grossesses s'interrompent.

Malgré l'omniprésence de la technique, l'émotion est là, très forte, lorsque le couple apprend qu'il va peut-être transmettre la vie. L'émotion est parfois même plus intense que lors d'une fécondation naturelle, comme si elle était augmentée par cette performance scientifique qui paraissait impossible il y a quelques dizaines d'années.

Les complications possibles

La première complication rare, mais possible, est une réponse excessive à la stimulation de l'ovaire. C'est le *syndrome d'hyper-stimulation ovarienne*. Les premiers signes sont des douleurs dans le ventre, une augmentation du volume de l'abdomen avec parfois des nausées, des vomissements. Il est nécessaire de consulter rapidement le médecin. Une hospitalisation de quelques jours est souvent nécessaire. D'autres complications exceptionnelles sont possibles et peuvent survenir au moment de la ponction.

À signaler que les grossesses extra-utérines, les fausses couches spontanées et les malformations ne sont pas plus nombreuses que lors d'une grossesse naturelle.

En fait, les complications de la FIV ne sont pas liées à la technique elle-même mais aux conséquences des grossesses multiples. En effet, 15 à 20 % des grossesses obtenues par cette méthode sont gémellaires, moins de 1 % sont triples. Aujourd'hui, la seule solution pour limiter ces grossesses multiples consiste à ne transférer qu'un seul embryon, au prix évidemment d'une diminution du taux de grossesses obtenues. Tous les spécialistes des centres de FIV ont cet objectif de limiter les grossesses multiples dont le premier risque est la prématurité du bébé. Plus l'accouchement est prématuré, plus la mortalité périnatale est élevée et plus les risques de séquelles de l'enfant sont importants. Une grossesse multiple est une grossesse à risques. Il est important que la future maman soit bien suivie et qu'elle accouche dans un établissement bien équipé pour que les bébés puissent être pris en charge, dans les meilleures conditions possibles, s'ils venaient à naître prématurément.

Qu'est-ce que l'ICSI ?

C'est une technique particulière de fécondation in vitro : un seul spermatozoïde est injecté directement dans l'ovule en piquant la membrane pellucide. L'ICSI (Intra Cytoplasmic Sperm Injection) est en général proposée lorsque le nombre et la mobilité des spermatozoïdes ne permettent pas d'assurer une fécondation in vitro par la technique classique. Cette méthode peut également être utilisée en cas d'échec inexpliqué de la fécondation. Elle représente une avancée considérable dans le traitement des stérilités masculines.

LE COUPLE CONFRONTÉ AUX DIFFICULTÉS DE PARCOURS DE LA FIV

La pratique de la FIV existe depuis près de 30 ans et elle a toujours été très médiatisée. Cela peut donner l'impression qu'aujourd'hui la technique s'est simplifiée et que les résultats sont toujours au rendez-vous. Mais lorsqu'ils recourent à la FIV, les couples se heurtent vite à la réalité. Les contraintes sont lourdes : examens à répétition, parfois pénibles, avec dates imposées. Les femmes peuvent se sentir comme des machines à fabriquer des ovocytes et les hommes du sperme. Les échecs sont fréquents. Et, stress supplémentaire, le temps presse : les couples qui consultent ont en moyenne autour de 35 ans et ils savent qu'au-delà la fertilité va diminuer rapidement.

L'HOMME ET LA FÉCONDATION IN VITRO

Lorsqu'un couple est confronté aux techniques de l'Assistance Médicale à la Procréation (AMP), la place de l'homme n'est pas facile. En effet, il est de plus en plus souvent en cause dans l'infertilité du couple. Et pourtant c'est la femme qui subit les examens, les traitements par injection, les contrôles biologiques et échographiques. En fin de traitement, l'homme n'a qu'à donner son sperme au laboratoire. Certaines femmes vivent difficilement cette situation. Il est donc important qu'un dialogue s'instaure dans le couple : parler, se parler encore, encore et toujours ! Voilà la seule façon pour que chacun ne s'isole pas dans des non-dits préjudiciables à l'équilibre du couple dans ces moments difficiles.

Pour faire face à ces difficultés, le couple est souvent dans une situation de fragilité : souffrir d'infertilité entraîne en général des sentiments d'échec, d'impuissance, de culpabilité devant l'impossibilité à concevoir un enfant. Un soutien psychologique peut aider à transformer un parcours souvent long, parfois décourageant, en une aventure riche d'émotions vécues à deux.

LES AUTRES ASSISTANCES MÉDICALES À LA PROCRÉATION

L'insémination avec sperme du conjoint a pour but de déposer le sperme directement dans l'utérus pour augmenter les chances de rencontre entre le spermatozoïde et l'ovule. Cette technique est proposée dans certaines situations : anomalie de la qualité du sperme ou problèmes d'éjaculation ; anomalie de la glaire sécrétée par le col de l'utérus et pouvant faire obstacle au passage des spermatozoïdes ; certains problèmes de stérilité inexpliquée. Ce traitement est souvent associé à une légère stimulation de l'ovulation, de façon à augmenter les chances de succès (plus il y a d'ovules produits en même temps, plus il y a de chances de grossesse). En revanche, le risque de grossesse multiple en est le corollaire. La surveillance du traitement se fait par des dosages hormonaux et des échographies. Les formalités administratives sont les mêmes que pour la fécondation in vitro.

Le don de gamètes (spermatozoïdes ou ovules) ne peut s'envisager que dans une situation de stérilité bien précise, lorsqu'il y a absence totale de gamètes. La demande du couple receveur doit être signée devant la justice (tribunal, notaire). Ces dons de gamètes sont anonymes et gratuits.

La gestion du **don de sperme** est confiée au CECOS (Centre d'étude et de conservation du sperme) ; il en existe dans chaque grande ville ayant un Centre hospitalier universitaire (CHU). Le sperme, qui a été congelé puis décongelé, est déposé sur le col de l'utérus par le médecin gynécologue au moment de l'ovulation. Ce geste est simple à effectuer.

En revanche, le **don d'ovules** n'est pas simple car la femme qui donne ses ovules, de façon anonyme et gratuite, doit subir une FIV, avec toutes les contraintes que cela suppose. C'est donc un esprit généreux qui préside à une telle décision, à ce « cadeau » à une femme inconnue. Cette technique reste encore, en France, confidentielle en raison de ces contraintes.

ET LES FEMMES DE PLUS DE 43 ANS?

Après cet âge, l'AMP n'est plus prise en charge par les organismes de Sécurité sociale car les chances de réussite sont minimes. En effet, la fécondabilité de la femme au-delà de 43 ans est très faible (schéma p. 24). Les femmes de cet âge souhaitant recourir à l'AMP doivent se rendre à l'étranger, en Espagne ou en Belgique, pour bénéficier d'un don d'ovules, don qui n'est pas gratuit. L'ovule, prélevé chez une femme jeune, est fécondé *in vitro* par le sperme du mari. L'embryon est ensuite transféré dans l'utérus de la femme souhaitant être enceinte.

UNE LOI DE BIOÉTHIQUE
encadre strictement la pratique de l'AMP. Elle garantit une transparence, une information complète sur les chances de succès, sur les contraintes et les risques de cet acte, et sur les autres possibilités qui s'offrent en cas de stérilité. La loi impose au médecin de fournir toutes les informations concernant l'AMP. De son côté, le couple doit donner son consentement écrit à l'AMP et s'engager à informer le médecin de l'issue de la tentative. La fécondation in vitro ne peut être pratiquée que dans des centres clinique et biologique agréés, par des médecins et des biologistes agréés. L'agrément est donné pour cinq ans par le ministère de la Santé.

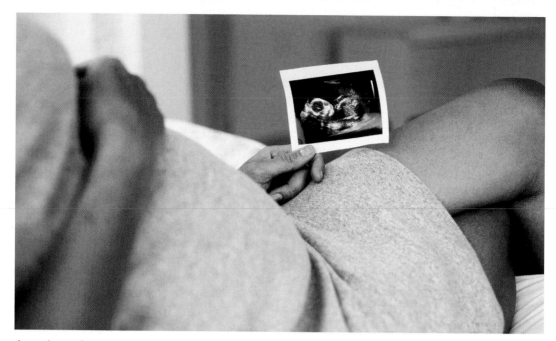

Mois par mois
l'histoire de votre enfant

Un jour, au cours du 5ᵉ mois, la future mère perçoit les mouvements de son enfant. Certaines disent qu'elles le sentent bouger ; d'autres parlent de caresses. C'est soudain une vie intense qui se révèle. Certes, la mère savait bien que le cœur de son enfant battait déjà. Elle le savait et elle l'avait peut-être déjà entendu grâce au stéthoscope à ultrasons, ou vu sur l'écran de l'échographe. Mais ce sont le plus souvent les mouvements qui font prendre conscience à la mère de la présence de cet enfant. Ce sont également ces mouvements qui constituent un nouveau lien entre le père et son enfant, après les images vues à l'échographie.

Pourtant c'est bien avant qu'a commencé l'étonnante histoire de l'enfant pendant les neuf mois de sa vie intra-utérine. Période à nulle autre pareille car, à aucun moment de sa vie, un être humain ne subit de telles transformations. Cette histoire, la voici.

LE PREMIER MOIS DE VOTRE BÉBÉ

JUSQU'À 6 SEMAINES ET DEMIE D'AMÉNORRHÉE
Quelques semaines avant d'avoir un visage, un cœur, des membres, l'embryon est un disque, un disque minuscule. Diamètre : 0,2 mm. Ce disque se trouve au centre des grosses cellules de l'œuf qui ont formé le bouton embryonnaire.

10. LA TAILLE RÉELLE DE L'EMBRYON

18 jours   25 jours   30 jours   60 jours

Les cellules qui forment ce disque vont se répartir en trois couches d'où vont naître tous les organes de l'enfant : la couche supérieure – ou *ectoderme* – donnera naissance à la peau, aux poils, aux ongles, et au système nerveux, cerveau, moelle épinière, nerfs. La couche moyenne – ou *mésoderme* – donnera les muscles, le squelette, l'appareil urinaire et génital, le cœur et les vaisseaux, et les différents organes qui fabriquent le sang. La couche inférieure – ou *endoderme* – fournira les muqueuses (le revêtement intérieur de la plupart des organes), les poumons, le tube digestif et les glandes qui s'y rattachent.

En même temps apparaît au-dessus de l'ectoderme une petite cavité qui va s'agrandir progressivement et qui occupera ultérieurement tout le volume de l'œuf : c'est la cavité amniotique où, dans quelque temps, flottera véritablement l'embryon.

Vers le 15ᵉ jour après la fécondation, le disque change de forme. Il était circulaire, il s'allonge et devient ovale, plus large en arrière qu'en avant, resserré au milieu ; d'avant en arrière apparaît un renflement, la *chorde*, avec de chaque côté, de petites saillies cubiques : les *somites*. Une, puis deux, puis trois, dans quelques semaines, elles seront une quarantaine et donneront naissance aux vertèbres, aux côtes, aux muscles du tronc et aux membres.

Parallèle à la chorde, apparaît un sillon formant bientôt une sorte de gouttière d'où dérivera tout le système nerveux. À l'intérieur de l'embryon se dessine l'intestin primitif, ébauche de l'appareil digestif.

Dès le 20ᵉ jour apparaît le tube cardiaque (ébauche du futur cœur). Ce tube est formé par la fusion de deux vaisseaux sanguins ; s'il n'a pas encore la forme du cœur, il est déjà animé de contractions spasmodiques : il bat. Une circulation s'ébauche, elle est visible à l'échographie.

MOIS ET SEMAINES
Dans ce récit de la vie de l'enfant avant la naissance, vous trouverez deux séries de dates qui correspondent aux deux façons de calculer la durée de la grossesse :
• soit en mois : on compte à partir du jour de la conception. On parle de mois de grossesse
• soit en semaines : on compte à partir du premier jour des dernières règles. On parle de semaines d'aménorrhée.
Entre ces dates – premier jour des dernières règles et conception – il s'est écoulé deux semaines. Cela explique le décalage entre les deux modes de calcul.
Dans ce chapitre, les informations sur le développement de votre bébé sont datées du jour de la conception, il s'agit de mois de grossesse. Mais, comme de nombreux examens sont prescrits en semaines d'aménorrhée, nous vous donnons l'équivalent en semaines. Par exemple, quand on vous demande de faire pratiquer une échographie à 22 semaines (d'aménorrhée), cela signifie que vous serez proche de la fin du 5ᵉᵐᵉ mois (qui se termine à 23 semaines et demie).
Page 268 vous trouverez un tableau sur la correspondance mois-semaines.

L'embryon a 3 semaines, il a fait du chemin. Il mesure environ 2 mm. Il a multiplié son diamètre par 100 et son volume par un million, ce qui signifie qu'il a doublé en moyenne chaque jour. Mais surtout il commence à prendre forme : le disque s'enroule sur lui-même, prend la forme d'un tube, puis les deux extrémités se rapprochent l'une de l'autre. À l'une des extrémités se dessine un renflement : c'est la future tête où va s'installer un rudimentaire cerveau. À l'autre bout, un deuxième renflement plus petit : le *bourgeon caudal*, correspondant au coccyx. Enfin, à la partie postérieure de l'embryon apparaissent les premières cellules sexuelles.

PREMIER MOIS, PREMIER BILAN

L'embryon mesure 5 mm. Il n'a pas encore figure humaine, il ressemblerait plutôt à une virgule allongée. En avant, le renflement de la future tête fait un angle droit avec la partie dorsale. La place des yeux et des oreilles n'est encore marquée que par de simples épaississements. Sur le dos, on note l'alignement régulier des somites. La partie ventrale est partagée entre la volumineuse saillie de l'ébauche du cœur et la zone ombilicale par où l'embryon communique avec l'organisme maternel. En arrière on voit un petit appendice. Mais dans ce minuscule embryon, le cœur bat déjà.

LE DEUXIÈME MOIS

DE 6 SEMAINES ET DEMIE À 10 SEMAINES ET DEMIE

En quatre semaines, l'embryon va constituer l'ébauche des organes qui lui manquent encore.

Au début du 2e mois apparaissent les membres, les bras, puis les jambes. Mais ces membres ne sont encore que de petites pousses, de petits bourgeons. Puis le visage se dessine, d'abord ce ne sont que des emplacements : deux petites saillies pour les yeux, deux fossettes pour les oreilles, une seule ouverture pour la bouche et le nez.

Pendant ce temps, le système nerveux se développe. La gouttière de la moelle épinière se ferme complètement. En avant, trois vésicules ébauchent le futur cerveau. L'appareil urinaire commence son développement. Le cœur et la circulation poursuivent le leur. À la partie postérieure de l'embryon, l'appareil urinaire et l'intestin débouchent dans un orifice unique, appelé du nom peu élégant de cloaque.

L'embryon a 5 semaines. Il a toujours la tête repliée en avant vers la grosse saillie que forme le cœur au milieu du ventre. Plus bas, pour la première fois, on voit le cordon ombilical. Le bourgeon caudal s'est développé. Le long de la ligne médiane, les somites sont maintenant au complet (une quarantaine). L'embryon mesure 7 à 8 mm.

Huit jours plus tard, il double sa taille : il mesure 15 mm. Mais cela ne se voit guère car il est toujours replié sur lui-même. La tête a augmenté de volume plus rapidement que le reste du corps. La queue s'est encore allongée et recourbée. À aucun moment de son évolution l'embryon ne ressemblera davantage à un tout petit animal endormi. Mais son visage dément cette comparaison car l'ébauche amorcée plus tôt se précise : l'embryon prend figure humaine quoique ses éléments soient très disproportionnés. Les yeux qui étaient très écartés l'un de l'autre, presque sur les côtés de la tête, se rapprochent ; ils paraissent immenses car ils n'ont pas de paupières. Le front est bombé. Le nez est aplati. La bouche est énorme, mais les lèvres se dessinent. Dans les gencives naissent les germes des dents de lait.

En même temps l'embryon modifie son allure. La tête se redresse sur le tronc, la queue disparaît. Mais surtout les membres se développent. Ils s'allongent, ils s'élargissent, on peut les reconnaître. À leur extrémité, mains et pieds apparaissent comme de petites palettes où se dessinent cinq rayons, les futurs doigts et orteils. Les lignes de la paume des mains, de la plante des pieds sont déjà dessinées. Les membres, qui ont toujours l'air de gros bourgeons, s'allongent et s'élargissent. Les bras sont aussi longs que les jambes. On devine maintenant les plis du coude et du genou. Sur le ventre apparaît une deuxième saillie, celle du foie.

À l'intérieur de l'organisme, les transformations ne sont pas moins importantes. L'estomac et l'intestin prennent leur forme et leur disposition définitives. Le cloaque se cloisonne en deux orifices différents pour le rectum et l'appareil génito-urinaire. L'appareil respiratoire se développe, mais il reste encore à ce stade sans activité. Le cœur prend sa forme définitive et la circulation embryonnaire se complète. Le cerveau commence à ressembler à celui de l'adulte avec ses sillons et ses saillies (les circonvolutions). Dans tout le corps, des muscles se développent.

L'embryon a 7 semaines, un événement important se produit : l'ossification du squelette s'amorce. Elle se poursuivra pendant des années et ne sera complètement achevée qu'après la puberté. L'embryon se redresse entièrement, son tronc devient plus droit, sa tête se relève. Il a atteint 2 cm. Il tient ses mains appuyées sur le ventre, ses jambes pliées genoux en dehors, ses pieds se rejoignant comme s'il allait nager.

L'EMBRYON A 8 SEMAINES
Il mesure 3 cm. Il pèse 11 g, moins qu'une lettre, et pourtant, dans ce minuscule corps dont la future mère ne soupçonne peut-être même pas encore l'existence, l'ébauche de tous les organes est formée. En deux mois, l'embryon a acquis tout ce qui lui donne sa qualité d'être humain. L'enfant va consacrer les sept mois qu'il a devant lui à fignoler le travail énorme qui vient de s'accomplir.

Deux mois pour le gros œuvre, sept mois pour le perfectionnement des ébauches, voilà pourquoi nous avons tant insisté pour que vous ayez le plus tôt possible la certitude que vous étiez enceinte : cette période de deux mois – celle de l'embryogenèse – est particulièrement importante. En effet, c'est celle où l'embryon est spécialement sensible aux agressions (tabac, alcool, infections, médicaments, par exemple), puisqu'elles risquent de perturber les processus normaux de formation des différents organes, et donc d'entraîner des malformations. Ces agressions restent d'ailleurs dangereuses jusqu'à la fin du 3e mois, au cours duquel certains organes achèvent leur formation.

LE TROISIÈME MOIS

DE 10 SEMAINES ET DEMIE À 15 SEMAINES

Fille ou garçon ? Tout se joue au moment où les noyaux de l'ovule et du spermatozoïde se rapprochent, fusionnent et forment un œuf. À ce moment-là, le sexe du futur enfant est fixé : il dépend du patrimoine génétique du spermatozoïde. Cela veut dire que dès la fécondation, l'œuf est programmé pour être un garçon ou une fille. Mais au cœur du noyau, le secret est bien gardé, à l'extérieur rien ne se voit. Fille ou garçon, tout semble pareil. Ce n'est qu'au début du 3e mois que les organes sexuels se différencient, et que l'appareil génital devient celui d'une femme ou celui d'un homme.

Progressivement, le visage devient plus humain. Les yeux se rapprochent de plus en plus. Les paupières poussent, mais elles recouvrent entièrement l'œil, pour protéger le globe oculaire qui se développe. Les lèvres sont bien dessinées. La bouche se rétrécit, mais le front reste proéminent et les narines très écartées. Les oreilles ressemblent à deux petites fentes.

C'est également au cours du 3e mois qu'apparaissent les cordes vocales. Elles ne fonctionnent pas pour autant et ne donnent pas de la voix au fœtus. Il ne poussera son premier cri qu'après la naissance, à l'air libre. Pendant ces six mois, les cordes vocales acquerront la consistance qui leur permettra de vibrer.

Dans le reste du corps, tout s'allonge mais les bras plus vite que les jambes ; les diverses parties se différencient : on distingue nettement l'avant-bras, le coude, les doigts dont l'extrémité se durcit pour former les ongles.

À l'intérieur de l'organisme, le foie s'est considérablement développé. Le rein définitif apparaît. L'intestin s'allonge et s'enroule. L'ossification du squelette se poursuit par celle de la colonne vertébrale. Les muscles et articulations se développent. Le fœtus se met à bouger, oh ! bien faiblement, si peu même que sa mère ne s'en rend pas compte ; mais déjà il agite légèrement bras et jambes, serre les poings, tourne la tête, ouvre la bouche, avale, et s'exerce même à pratiquer les mouvements de la tétée !

Pour le médecin, l'auscultation des bruits du cœur est un examen de routine. Pour la mère, pour le père, c'est entendre pour la première fois battre le cœur de son enfant, c'est vraiment la première certitude d'une présence, l'enfant commence à prendre une réalité. C'est vers la 12e semaine que, grâce au stéthoscope à ultrasons, on peut entendre battre le cœur. C'est en général à cette période que l'on pratique la première échographie.

La première échographie

Pour tous les parents, elle a une signification particulière. Elle leur montre enfin leur enfant, c'est un moment de grande émotion. Cet enfant on l'imagine, on entend son cœur et tout d'un coup on le « voit », et peut-être plus frappant, plus troublant, on le voit bouger. À ce propos vient à l'esprit le slogan bien connu d'un hebdomadaire : « Le poids des mots, le choc des photos. »

En réalité les échographies ne sont pas des photos, mais elles sont souvent perçues comme telles par les futurs parents. À tel point qu'aujourd'hui l'album de bébé débute généralement par des documents échographiques.

Quant aux mots, ils ont ici une place particulière. Ce que dit, ou ne dit pas l'échographiste, aura tendance à être interprété par les parents et pas toujours dans un bon sens. « Il est petit », est entendu comme « il est trop petit ». « Il a une grosse tête » sera perçu comme « il a une anomalie ». Et si l'échographiste fait la grimace, simplement parce qu'il a de la peine à régler son appareil, ou à fixer un détail, les parents sont persuadés que cette grimace est en relation avec la santé de leur bébé. Les parents ne savent pas que l'appareil est délicat à régler, et que, suivant la manière dont se présente l'enfant, il est parfois difficile de bien voir.

Le résultat c'est que l'échographiste met souvent un certain temps à fixer l'image, et plus il met de temps, plus l'inquiétude grandit. Comme le dit un spécialiste de l'échographie, le docteur Roger Bessis : « Il est très difficile de gérer simultanément et convenablement ses mains, ses yeux, son écoute, sa parole et sa réflexion technique. » Les parents doivent savoir que la séance d'échographie se passe en deux temps. Le premier est celui de l'investigation médicale : le médecin est entièrement concentré sur ce qu'il voit, mesure, évalue. Dans un deuxième temps, le médecin rend compte aux parents de ce qu'il a observé. Il est préférable que les futurs parents en soient avertis pour ne pas s'angoisser inutilement, et lorsqu'ils ont une inquiétude, qu'ils n'hésitent pas à l'exprimer.

Les parents sont éblouis et émus de voir leur bébé, de « le surprendre dans son petit monde intérieur, secret et paisible », comme me l'a écrit une lectrice. Voir le bébé installé calmement, confortablement, lui donne une réalité alors que le ventre de la maman s'est à peine arrondi et que les mouvements du bébé ne sont pas encore perceptibles. Les pères assistent en général à l'examen, il les rassure, eux qui ne ressentent pas dans leur corps la présence réconfortante de leur bébé.

À LA FIN DU 3ᵉ MOIS
L'embryon change de nom et devient fœtus. Il mesure près de 10 cm et pèse 45 g. Il a fait un bond en avant : en quatre semaines, sa taille a triplé, son poids quadruplé. Au cours des mois qui vont suivre, ce sont ses os qui subiront les modifications les plus importantes. Tout en se développant considérablement, le fœtus changera peu dans son aspect extérieur.

AU COURS DU QUATRIÈME MOIS

DE 15 SEMAINES À 19 SEMAINES ET DEMIE

Au cours du 4ᵉ mois, la croissance est moins spectaculaire. Les risques de fausses couches ont pratiquement disparu. C'est une des périodes calmes de la grossesse. C'est sans doute un bon moment pour annoncer à l'aîné qu'il va avoir un petit frère ou une petite sœur, si ce n'est déjà fait. Dites-le lui simplement, tranquillement, sans trop de détails ni d'explications et, bien sûr, en associant le papa à cette information. Certains parents hésitent à en parler trop tôt craignant que l'enfant soit impatient et ne comprenne pas l'attente. Un jeune enfant peut très bien comprendre qu'un bébé mette du temps à grandir dans le petit nid préparé par ses parents. D'autant plus qu'à 3-4 ans, il a encore la mémoire de sa vie intra-utérine et des premiers mois après la naissance.

Le bébé prend peu à peu des proportions nouvelles. L'abdomen s'étant considérablement développé, la tête a l'air moins disproportionnée par rapport au reste du corps.

La peau semble très rouge, car elle est si fine qu'elle laisse transparaître les petits vaisseaux dans lesquels le sang circule à un rythme accéléré. Elle est entièrement recouverte d'un fin duvet, le *lanugo*. Les glandes sébacées et sudoripares commencent à fonctionner. Le cœur bat très vite, deux fois plus vite que chez l'adulte. Le foie commence à fonctionner. Les autres éléments du tube digestif également – vésicule, estomac – et dans l'intestin s'accumule une substance verte, le méconium, principalement formée par la bile que rejette la vésicule. Le rein fonctionne aussi, les urines se déversent dans le liquide amniotique qui s'épure au fur et à mesure. Sur la tête poussent les premiers cheveux.

C'est à cette période de la grossesse que peut être réalisée une amniocentèse, si nécessaire (p. 181).

LE CINQUIÈME MOIS

DE 19 SEMAINES ET DEMIE À 23 SEMAINES ET DEMIE

Le 5ᵉ mois a pour les parents une signification particulière. Pour la mère tout d'abord car elle sent enfin **bouger son enfant** ; ces mouvements qu'elle attendait avec impatience, curiosité, ou même appréhension, ces mouvements que l'enfant fait depuis deux mois mais si doucement qu'ils n'étaient visibles que par l'échographie, la mère les ressent enfin. (Au début du 5ᵉ mois pour un premier enfant, au cours du 4ᵉ mois pour un deuxième.)

Et pour le père, posant la main sur le ventre de sa femme, c'est le premier contact physique, charnel, avec son enfant. Pour beaucoup de pères, la perception des mouvements du bébé est une étape importante dans la découverte de cet enfant et dans l'attachement qui peu à peu va le lier à lui. Le papa perçoit, en général, les mouvements de son enfant un mois après la maman.

L'enfant commence par donner une petite bourrade bien timide. Puis il s'enhardit, surtout lorsque sa mère est au repos, lançant bras et jambes. Au début ces mouvements ne sont pas du tout coordonnés, mais progressivement ils le deviennent. Peu à peu ces mouvements sont si fréquents que lorsqu'ils cessent, la mère le remarque, comme si quelque chose manquait en elle. Le remarquer est d'ailleurs utile car les mouvements de l'enfant sont témoins d'une bonne vitalité. Les mères se rendent vite compte que leur bébé bouge plus facilement la nuit, lorsqu'elles se reposent : l'utérus étant plus détendu, les mouvements de l'enfant sont plus aisés.

Au 5ᵉ mois, pour entendre battre le cœur, le médecin ou la sage-femme n'ont plus besoin d'un stéthoscope à ultrasons, un stéthoscope ordinaire suffit.

La vie d'un enfant avant la naissance est d'ailleurs suivie tout au long de la grossesse. D'abord avec les moyens classiques : vous avez vu comment on peut écouter battre le cœur. Puis, en mesurant la hauteur de l'utérus, le médecin connaît le volume qu'occupe l'enfant ; si la progression de la hauteur de l'utérus est régulière, c'est bon signe.

C'est à cette période également que l'on pratique la deuxième échographie pour s'assurer que le développement de l'enfant se poursuit de façon harmonieuse.

Au 5ᵉ mois, la peau de l'enfant est toujours fripée, car aucune graisse n'est encore là pour la remplir, mais elle perd son aspect rougeâtre. Sur le crâne, les cheveux sont plus abondants. Au bout des doigts, les ongles sont là.

Le fœtus s'exerce au mouvement de déglutition en absorbant du liquide amniotique qui l'entoure. On le sait car si l'on a besoin d'injecter un produit colorant dans le liquide amniotique, on le retrouve dans l'intestin du bébé quelques heures plus tard.

De leur côté les poumons poursuivent leur développement ; l'échographie a permis de constater dès le 3ᵉ mois des mouvements respiratoires ; d'abord irréguliers, ils deviennent réguliers à partir de 8 mois environ. Mais bien sûr, il ne s'agit pas d'une respiration identique à la nôtre, qui n'est possible qu'à l'air libre. Alors comment expliquer les mouvements respiratoires du fœtus ? On suppose (mais ce n'est qu'une hypothèse) qu'il s'agit d'un entraînement à la vie aérienne.

À LA FIN DU 5ᵉ MOIS
Le fœtus mesure maintenant 25 cm, 100 fois plus qu'à 4 semaines. Mais la grande période de croissance est terminée. Sa taille ne va que doubler jusqu'à la naissance. En revanche, dans le même temps, le poids va sextupler, puisqu'il passera des 500 g actuels aux 3 kg que pèse en général le bébé à terme.

LE SIXIÈME MOIS

DE 23 SEMAINES ET DEMIE À 28 SEMAINES

Le 6ᵉ mois est vraiment celui du mouvement, comme si le bébé exerçait ses forces. Il fait en moyenne 20 à 60 mouvements (bras, jambes, torsion du buste, etc.) par demi-heure. Il y a des variations au cours de la journée : la majorité semble remuer plus le soir quand la mère se repose. Les calmes bougent moins de 20 fois par demi-heure. D'autres au contraire, plus agités, remuent plus de 80 à 100 fois, toujours par demi-heure. Et rien ne permet actuellement d'établir un rapport entre la fréquence des mouvements avant la naissance et le « caractère » ultérieur de l'enfant après la naissance. Un fœtus « agité » ne sera pas forcément un enfant « nerveux ».

La fréquence des mouvements varie aussi avec l'âge de la grossesse. Elle est plus élevée entre la 22ᵉ et la 38ᵉ semaine ; elle a tendance à diminuer 2 à 4 semaines avant l'accouchement, en partie parce que l'enfant a moins de place. La fréquence des mouvements change aussi avec l'état physique de la mère ; elle diminue nettement quand la mère a de la fièvre ; elle est également influencée par son état psychologique. On a pu constater qu'une forte émotion, qui provoquait une brusque décharge d'hormones, faisait aussitôt réagir le fœtus.

À quoi cela sert-il d'étudier les mouvements de l'enfant ? À se rendre compte de sa vitalité : des mouvements actifs sont rassurants, toute diminution nette et prolongée peut inquiéter. *A fortiori*, un arrêt total pendant 24 à 48 heures doit conduire à consulter le médecin. Et depuis peu, on se sert de l'observation des mouvements pour évaluer l'influence de la consommation de tabac et d'alcool par la mère. Il semble qu'une consommation de l'un comme de l'autre agite le fœtus et accélère les battements de son cœur.

Le cerveau, quant à lui, continue à se développer, c'est-à-dire à se compliquer. Le visage s'affine, les sourcils sont bien apparents, le dessin du nez plus ferme, les oreilles plus grandes, le cou plus dégagé.

Le sommeil est organisé en différents cycles. Durant la vie prénatale, c'est au cours de ce mois que cette alternance s'établit. Chez le fœtus, les cycles de sommeil sont au nombre de quatre : sommeil calme ou agité, veille calme ou agitée. Ces cycles ont pu être observés grâce à l'étude de la variabilité du rythme cardiaque et à l'échographie. On les a aussi étudiés chez le bébé prématuré par électro-encéphalogramme. Lorsque le fœtus dort profondément, il est difficile de le réveiller, que ce soit par le bruit ou par la palpation de l'abdomen maternel. Et on voit que lorsque l'enfant dort – ce qu'il fait 16 à 20 heures par jour –, il a déjà la position qu'il aura dans son berceau : le menton contre la poitrine ou la tête rejetée en arrière.

Le diaphragme s'agite avec des mouvements un peu brusques et sporadiques donnant à la mère l'impression que l'enfant a le hoquet. Au début, ce phénomène, qui apparaît vers 6 mois, inquiète souvent la future mère.

Avec la fréquence et la régularité des mouvements, la présence de votre bébé se fait plus forte. Vous imaginez l'avenir proche et, si vous devez reprendre votre travail à la fin du congé de maternité, vous pensez à la façon dont votre enfant va être accueilli. Dès que vous aurez la confirmation de l'inscription à la crèche, n'hésitez pas à vous rendre sur place. Cette « visite prénatale » permet aux parents de tisser des premiers liens avec ceux qui vont garder leur bébé. Elle permet aussi d'atténuer l'anxiété, souvent teintée de culpabilité, lors de la première séparation. Alors que s'il y a eu un premier contact, lorsque les parents viendront après la naissance pour confier leur bébé, chacun se reconnaîtra : un grand pas pour une adaptation apaisée aura été franchi. Pour les mêmes raisons, ne tardez pas trop pour chercher une assistante maternelle.

À LA FIN DU 6ᴱ MOIS
L'enfant se tient les bras repliés sur la poitrine, et les genoux remontés sur le ventre. Il mesure 31 cm et pèse 1 000 g. Il a maintenant tout ce qu'il faut pour naître. S'il naissait à cet âge, il serait considéré comme viable. Toutefois, il resterait un grand prématuré et ses chances de survie seraient encore minces malgré les grands progrès de la médecine néonatale.

LE SEPTIÈME MOIS : L'ÉVEIL DES SENS

DE 28 SEMAINES À 32 SEMAINES ET DEMIE

Jusqu'ici, nous avons parlé muscles et os, nous avons vu un visage se dessiner, des cheveux pousser, nous avons pesé ce bébé, nous l'avons mesuré. Au 7ᵉ mois, c'est un autre éveil, c'est « l'aube des sens ».

Ces dernières années, l'intérêt accru pour la vie avant la naissance, la mise au point de différents appareils ont permis de se rendre compte des perceptions sensorielles du fœtus. Les découvertes, les observations de ces travaux remplissent déjà plusieurs livres.

Ces découvertes ne surprendront pas vraiment les mères : depuis toujours elles savaient que l'enfant qu'elles attendaient avait des sensations, qu'il réagissait à des bruits, à la musique, à certains de leurs comportements, mais ces croyances, n'étant pas étayées par la science, restaient du domaine féminin. Mais comment ne pas croire cette jeune femme qui, se trouvant dans une discothèque bruyante, au bout d'un moment a été obligée de sortir : « Il bougeait tellement… Ce n'était pas moi qui me sentais mal, c'était lui. » Quant aux berceuses, selon Françoise Loux, si elles plaisent c'est peut-être parce que le « nouveau-né retrouve la voix qu'il percevait avant la naissance… C'est en quelque sorte une voix extérieure, celle que l'enfant entendait avant sa naissance ».

Aujourd'hui ces intuitions des mères, ces impressions sont devenues des certitudes scientifiques ; on sait maintenant que le **fœtus entend**. Les chercheurs ne sont pas tous d'accord sur l'âge car il est difficile de tester un fœtus trop jeune. Mais, pour la majorité des études, c'est entre 5 mois 1/2 et 6 mois qu'on peut situer le début des réactions à une stimulation auditive.

Cette constatation des perceptions sensorielles du bébé, si elle n'a pas vraiment surpris la mère, a été pour le père un nouveau moyen d'entrer en relation avec le bébé. Beaucoup de pères parlent à leur enfant, lui chantent des chansons, cela leur permet de communiquer avec lui avant la naissance.

Qu'entend le fœtus avant la naissance ? Toute une gamme de bruits et de sons. Mais, évidemment, le fœtus n'entend pas comme nous, les bruits lui arrivent quelque peu assourdis, filtrés par le liquide amniotique dans lequel il baigne ; en plus, il entend de nombreux bruits intérieurs (« borborygmes » intestinaux, battements cardiaques) qui traversent le placenta ou le cordon ombilical. Ces bruits intérieurs représentent probablement un environnement sonore auquel le fœtus est si habitué qu'il ne l'entend plus consciemment, comme le marin n'entend plus les vagues.

Par contre, les bruits extérieurs sont bien entendus, et représentent une riche stimulation. Entend-il mieux les sons graves ou les sons aigus ? Autrement dit, le fœtus entend-il mieux la voix de son père ou celle de sa mère ? Les chercheurs ne sont pas d'accord sur ce point. Pour certains,

c'est sûr, le bébé entend mieux les sons graves. D'autres chercheurs (J.P. Lecanuet, C. Granier-Deferre, B. Gautheron, M.C. Busnel) sont plus nuancés : si leurs travaux montrent que le fœtus réagit plus à un son aigu, cela est peut-être dû à ce que le fœtus entendant plus de sons graves, réagit mieux aux sons aigus, moins familiers. En fait, cette question est peu importante. Ce qu'il faut savoir, c'est qu'avant de naître le bébé entend et réagit à la plupart des *stimuli* venant de l'extérieur.

L'équipe de chercheurs déjà citée a démontré que le fœtus différencie une voix féminine d'une voix masculine, une syllabe d'une autre et même deux mélodies différentes. Elle a également démontré que, dès 8 mois, le fœtus réagissait différemment à une comptine plusieurs fois répétée par la mère, et à une comptine inconnue. Il en est de même pour des morceaux de musique.

Et, après la naissance, le nouveau-né exprimera une préférence pour les bruits (musique ou voix) qu'il a entendus *in utero*. C'est pourquoi, dans certaines maternités, pour calmer les prématurés, et les réconforter, on leur fait entendre les battements du cœur de leur mère, enregistrés et amplifiés : le bébé reconnaissant ce bruit, se calme.

Quant à T.B. Brazelton, il a rapporté qu'un fœtus de 6-7 mois, non seulement réagissait à différents sons, mais qu'il était capable de se détourner des *stimuli* négatifs, et de faire attention aux *stimuli* positifs : une sonnerie de réveil le fait sursauter, mais si on la lui fait entendre plusieurs fois, il s'en détourne, et ne réagit plus ; le son d'une crécelle le fait se tourner vers ce bruit comme s'il attendait le prochain signal.

Comment sait-on que le fœtus entend ? Grâce au tococariographe (c'est l'appareil qui mesure le rythme cardiaque du fœtus), par les mains posées sur le ventre, et par l'échographie. On observe qu'à l'écoute de ces différents bruits, le cœur du bébé bat plus vite, que l'enfant sursaute, qu'il s'agite, qu'il change de position.

Ce qu'on a du mal à croire, c'est que le fœtus puisse être sensible à une **impression visuelle**. Pourtant, si après avoir repéré la tête de l'enfant par échographie, on dirige une forte lumière sur le ventre de la mère, que fait le bébé ? Il sursaute, ou simplement son rythme cardiaque s'accélère. Seules de rares observations de réactions visuelles ont été effectuées avec une lumière froide, c'est-à-dire excluant les effets de la chaleur associés aux sources lumineuses habituelles. Une accélération du cœur du fœtus a été observée à l'allumage d'une lumière introduite *in vitro* lors d'une amnioscopie.

Avant la naissance, les autres sens de l'enfant s'exercent aussi, par exemple **le goût**. « On peut être surpris par l'odeur de curry que dégagent les bébés indiens à la naissance » (V. Barrois), ce qui montre que le liquide amniotique peut avoir différents goûts et odeurs auxquels le fœtus s'habitue peu à peu. C'est ce qui explique d'ailleurs que, après la naissance, l'enfant n'est pas dérouté par les goûts que peut avoir le lait suivant les aliments qu'a mangés sa mère. Il semble donc inutile de dire « pas de chou, pas d'ail, etc. Cela donnerait un goût fort au lait ». *In utero*, le bébé a déjà été habitué à différentes saveurs. D'ailleurs, certaines mamans ont remarqué que lorsque leur bébé ne tète pas bien à la maternité, cela peut s'arranger si on leur apporte des aliments qu'elles ont l'habitude de consommer à la maison.

L'odorat est également présent avant la naissance : les chercheurs ont démontré que les réponses à des stimulations olfactives augmentaient de façon continue.

En conclusion, les sens du fœtus se mettent peu à peu tous en place à partir du 6ᵉ mois et sont efficaces dès le 8ᵉ mois. Ils vont continuer à se développer, à s'affiner, après la naissance.

L'échographie montre également la continuité entre la vie avant la naissance et la vie après la naissance. Dans le ventre maternel, le bébé s'exerce à différents gestes : resserrer le pouce et l'index, bouger les mains et les orteils, toucher le cordon. Si on a la chance d'être là au bon moment, on peut voir le bébé sucer son pouce. Et bien des nouveau-nés arrivent au monde avec un pouce tout irrité d'avoir été sucé.

C'est à la fin de ce mois (vers 32 semaines d'aménorrhée) qu'est en général pratiquée la troisième échographie.

À 7 MOIS
Le fœtus pèse 1 700 g et mesure 40 cm. S'il naissait, il aurait maintenant toutes ses chances de survie, avec parfois certaines séquelles. L'enfant de cet âge est certes viable – et bien des prématurés le prouvent – mais il est encore fragile : il n'a pas le poids et surtout la maturité nécessaires pour s'adapter facilement et rapidement au monde extérieur. Cette maturité, il va l'acquérir au cours des deux derniers mois. Plus l'enfant est proche du terme, plus il est prêt à s'adapter à sa nouvelle vie.

LE HUITIÈME MOIS : IL SE FAIT UNE BEAUTÉ

DE 32 SEMAINES ET DEMIE À 36 SEMAINES ET DEMIE

Les principaux organes sont maintenant au point. Certains fonctionnent déjà comme ils le feront après la naissance, en particulier l'estomac, l'intestin, les reins. D'autres ne sont pas encore tout à fait prêts : le foie et surtout le poumon. C'est seulement vers le 8ᵉ mois que s'achève la maturation du poumon.

Le poumon est formé de multiples petites alvéoles où circule l'air que nous respirons. Chez le fœtus au 8ᵉ mois, ces alvéoles, entourées de tout un réseau de vaisseaux, sont prêtes à fonctionner. Mais c'est à cette époque qu'apparaît une substance graisseuse (appelée surfactant) qui enduit chacune de ces alvéoles et empêche le poumon de se rétracter complètement après chaque inspiration. En l'absence de surfactant, le fœtus a de quoi respirer, mais pas parfaitement, et ceci d'autant plus qu'on est loin du terme de la grossesse. Ceci explique les problèmes de certains prématurés.

Le cœur continue de battre à un rythme élevé, 120 à 140 battements par minute. Il a sa forme et son aspect définitifs mais la circulation ne s'y fait pas encore tout à fait comme après la naissance, notamment parce que le sang fœtal ne s'oxygène pas au niveau des poumons, mais grâce à l'oxygène que lui apporte le cordon ombilical. Certaines communications existent encore (par exemple entre les parties droite et gauche du cœur), elles ne se fermeront qu'après la naissance.

La naissance approche, l'enfant se fait une beauté. La graisse tend la peau ; les rides disparaissent ; les contours s'arrondissent, la peau, de rougeâtre, devient rose clair ; le fin duvet qui la recouvrait disparaît, peu à peu, il est remplacé par un enduit, le *vernix caseosa*.

C'est généralement au cours du 8ᵉ mois (mais parfois avant) que l'enfant prend sa position définitive pour l'accouchement. L'utérus ayant la forme d'une poire renversée, l'enfant cherche à s'adapter le mieux possible à l'espace dont il dispose. C'est pourquoi, dans la plupart des cas (95 % au moins) il va se placer de façon que la partie la plus volumineuse de son corps, c'est-à-dire le siège, se retrouve dans le fond de l'utérus. L'enfant sera donc tête en bas, et le dos plus souvent à gauche qu'à droite. Ainsi, lors de la naissance, c'est la tête qui va se présenter la première. On dit qu'il s'agit d'une *présentation céphalique*, mais dans certains cas, notamment lorsque l'utérus est mal formé et manque d'ampleur, c'est la tête qui se cale dans le fond de l'utérus. C'est alors le siège qui sort le premier lors de l'accouchement. C'est une *présentation du siège*. Très rarement enfin, le bébé se met complètement en travers : c'est une *présentation transversale* qui n'est pas compatible avec un accouchement normal, elle nécessite le recours à la césarienne (schémas pp. 290-291).

À LA FIN DU 8ᵉ MOIS
L'enfant pèse en moyenne 2 400 g et mesure 45 cm. C'est le mois du « fignolage ». Ses mouvements deviennent plus coordonnés et plus doux.

LE NEUVIÈME MOIS : LE JOUR SE LÈVE

DE 36 SEMAINES ET DEMIE À 41 SEMAINES

L'enfant va consacrer les dernières semaines à prendre des forces et du poids, 20 à 30 g par jour, et à grandir. Il remue encore beaucoup au début du mois, mais il n'est pas rare que ces mouvements soient moins perceptibles dans les semaines qui précèdent la naissance, tout simplement par manque de place. Mais malgré cela le bébé continue à bouger, comme le sent la maman.

Le fin duvet qui recouvrait le fœtus est maintenant presque entièrement tombé, mais il peut persister après la naissance, notamment sur la nuque et les épaules. L'enduit sébacé qui recouvrait la peau est également en train de disparaître.

Le crâne n'est pas entièrement ossifié. Entre les os persistent des espaces fibreux que l'on appelle les fontanelles. Il en existe deux : l'une en forme de losange, en avant, au-dessus du front, l'autre triangulaire, en arrière, au niveau de l'occiput. Ces fontanelles permettent à l'accoucheur de reconnaître la position de la tête lors de l'accouchement. Elles ne se fermeront que plusieurs mois après la naissance.

À LA FIN DU 9e MOIS

L'enfant est prêt à naître, le plus souvent tête en bas, bras et jambes repliés sur le ventre. En moyenne, il pèse 3 000 à 3 300 g, et mesure 50 cm. Il est maintenant prêt à aborder le monde extérieur.

C'est au chapitre 16 que vous verrez les premières réactions, l'aspect et le développement du nouveau-né. En venant au monde, des modifications importantes s'opèrent en quelques heures dans l'organisme de l'enfant pour qu'il puisse s'adapter au milieu dans lequel il est brusquement plongé.

Images de la vie avant la naissance

Le fœtus suce son pouce. Ce document extraordinaire a fait le tour du monde.

LES EMBRYONS

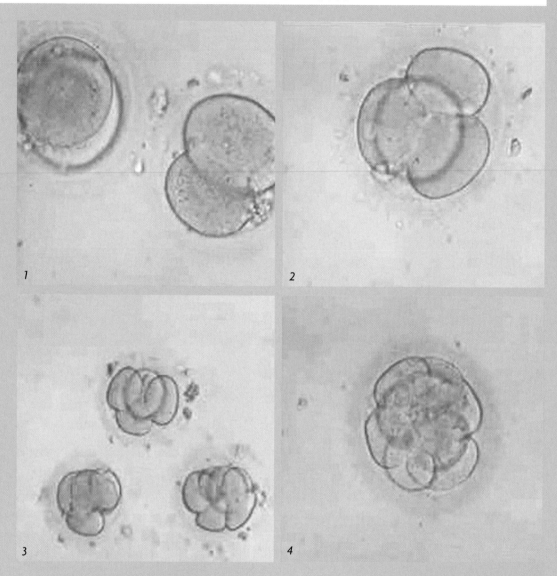

Les étapes des premiers jours après la fécondation

1- L'œuf se divise en deux cellules (sur cette image 2 embryons de 2 cellules)
2- Embryon de 4 cellules au 2° jour
3- Embryons au 3° jour. Celui en bas à droite a 6 cellules.
4- Embryon au 5° jour de plusieurs dizaines de cellules (appelé blastocyste)

Page de droite
5. L'embryon à 8 semaines : on commence à apercevoir l'ébauche de ses membres.
6. Le fœtus à 20 semaines : on distingue bien les mains et les jambes repliées.

EMBRYON ET FŒTUS

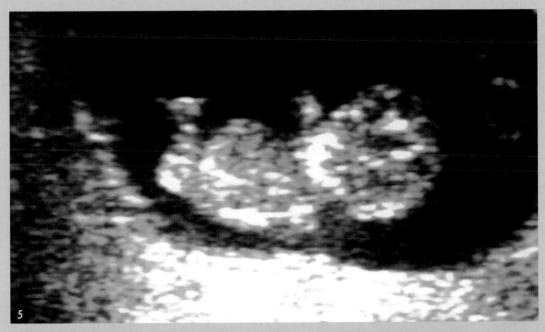

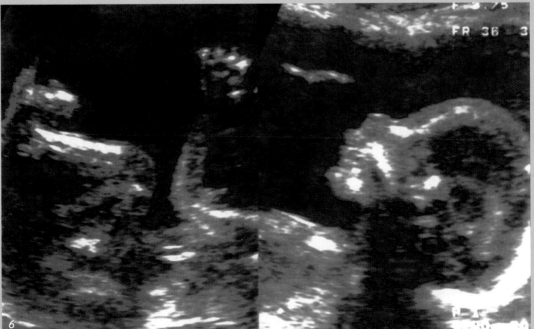

Dans ces images de la vie avant la naissance, l'âge du bébé est indiqué en semaines d'aménorrhée (sur la correspondance semaines d'aménorrhée et mois de grossesse, voir p. 113).

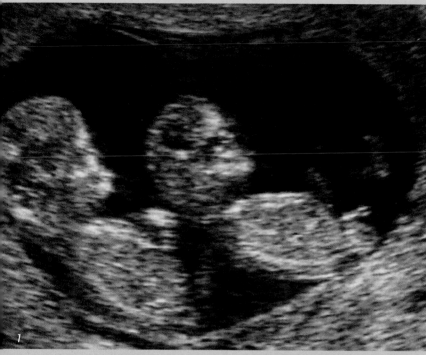

1. Une grossesse gémellaire de 12 semaines. Les deux embryons sont dans la même poche. Ce sont de vrais jumeaux (monozygotes), donc du même sexe.

2. Une grossesse gémellaire de 9 semaines, mais les embryons sont dans des poches distinctes. Ce sont des faux jumeaux (dizygotes).

3. Clarté nucale
La clarté nucale est mesurée lors de la première échographie et elle permet d'évaluer le risque de trisomie 21 (p.215). Sur ce cliché, la clarté (ou épaisseur) nucale est mesurée entre les 2 croix.

4. Longueur tête-fesses
Cette mesure est faite systématiquement lors des échographies précoces pour apprécier la taille de l'enfant

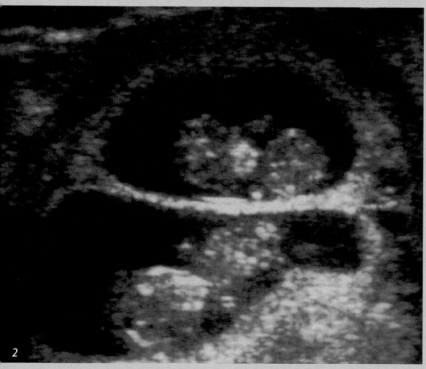

QUELQUES MESURES

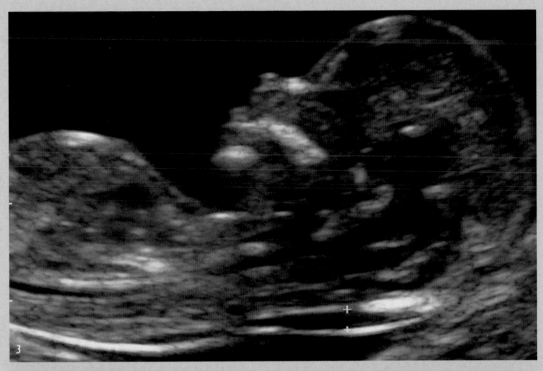

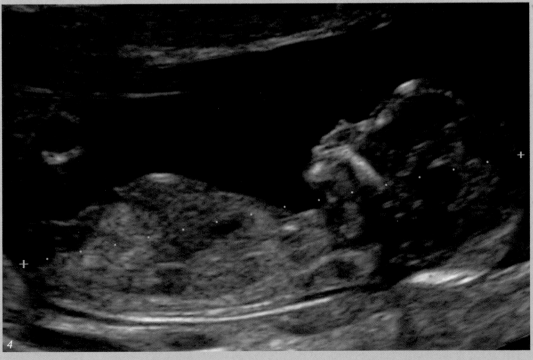

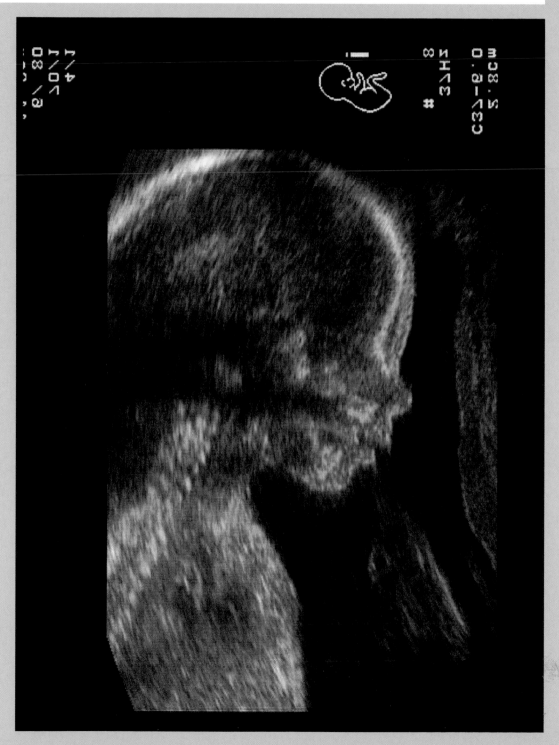

LE SEXE DU BÉBÉ

Sur ces échographies, le sexe du bébé est bien identifiable.

1. Le sexe d'un petit garçon
2. Le sexe d'une petite fille

Ces images montrent nettement le sexe de l'enfant à naître. Mais celui-ci n'est pas toujours aussi visible, cela dépend de la manière dont se tient le bébé. De toute façon, si vous souhaitez attendre le jour de la naissance pour avoir le plaisir de la découverte du sexe de votre enfant, pensez à le dire au médecin.

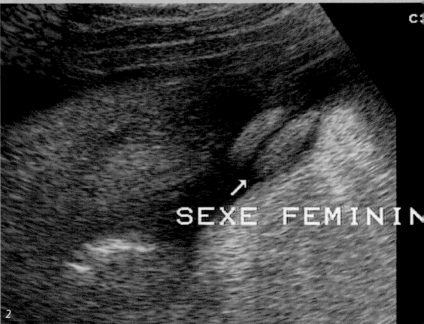

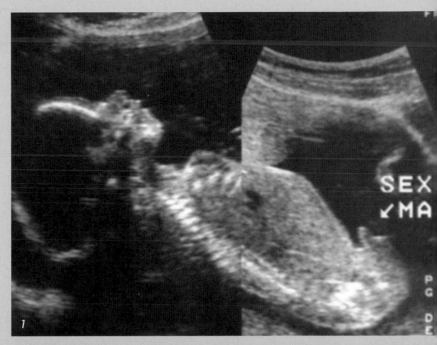

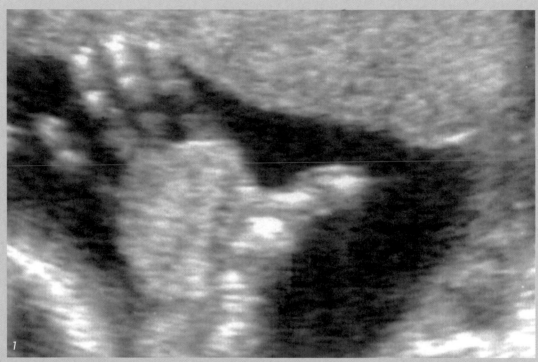

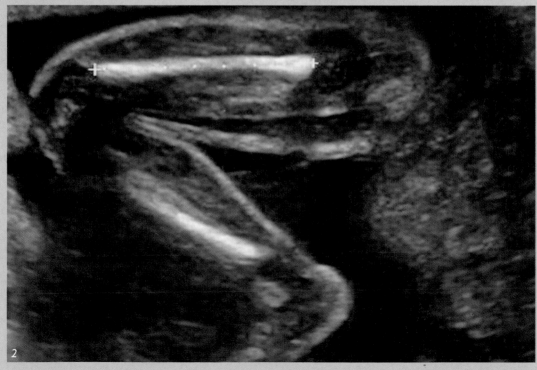

DE PROFIL ET DE FACE

1. À 18 semaines, les phalanges sont distinctes

2. La mesure du fémur chez un bébé de 21 semaines

3. Le bébé suce son pouce : une échographie pas très fréquente

4. Malgré les paupières encore fermées, le regard se devine.

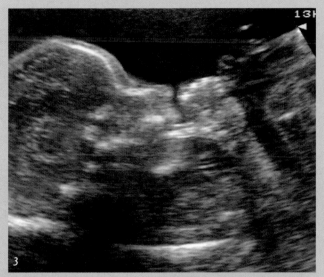

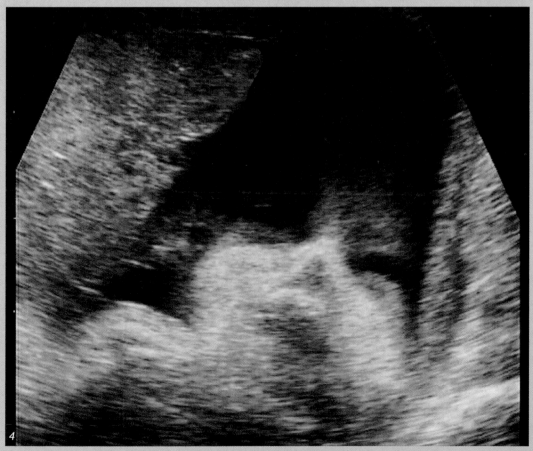

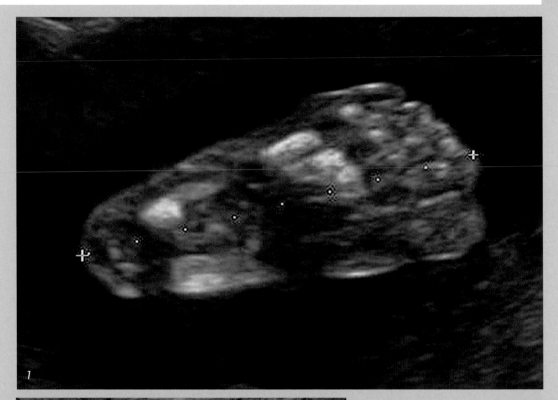

1 et 2. Pied et oreille d'un fœtus
de 32 semaines

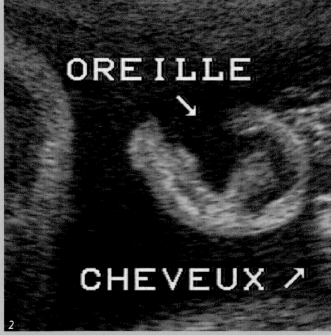

LES DOPPLERS

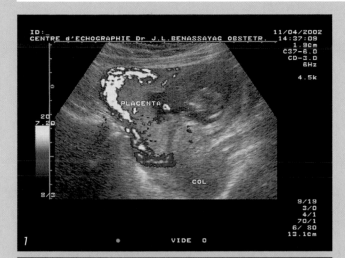

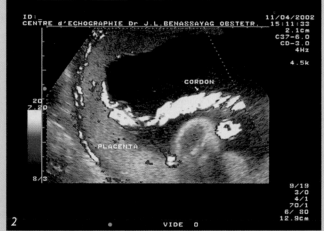

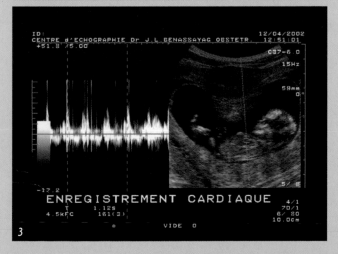

L'ÉCHOGRAPHE EST UN APPAREIL QUI UTILISE DIFFÉRENTES TECHNIQUES D'IMAGERIE. PARMI CES TECHNIQUES, IL Y A LES DOPPLERS. IL EXISTE DIFFÉRENTS TYPES DE DOPPLERS : ÉNERGIE COULEUR, CODE COULEUR, PULSÉ, ETC.

1 et 2. Il s'agit d'un doppler énergie couleur : c'est une technique qui permet de voir et de mesurer la quantité de sang qui circule dans un organe. Grâce au doppler énergie couleur, on peut vérifier si le placenta est bien implanté ou si au contraire un décollement ou une baisse du flux sanguin menace la grossesse.

3. Il s'agit d'un doppler pulsé qui permet « d'ausculter » l'endroit choisi par le médecin, et ainsi d'écouter le cœur du bébé et de prendre son rythme. Dans le cas d'une grossesse multiple (jumeaux, triplés) il est ainsi possible d'écouter le cœur de chacun des bébés séparément.

Comment votre enfant vit en vous

Nous mangeons par la bouche, nous respirons par le nez et les poumons.

Pour des raisons évidentes, le fœtus ne peut en faire autant. Il devra attendre de naître pour s'alimenter et respirer à notre manière. Pour le moment, c'est de sa mère qu'il reçoit la nourriture et l'oxygène dont il a besoin pour se développer. Ces échanges mère-enfant sont possibles grâce à un système relativement complexe que l'on appelle les « annexes » de l'œuf. Ces organes annexes sont transitoires. Ils n'existent que pendant la grossesse, ils seront éliminés après la naissance.

Ces annexes comprennent le *placenta*, le *cordon ombilical*, les *membranes de l'œuf*. Placenta et cordon se complètent, mais chacun a son rôle bien précis. Le premier puise dans le sang maternel les matières premières et l'oxygène nécessaires au fœtus, le deuxième les lui apporte. Après la naissance, le placenta est expulsé, c'est la délivrance. Quant aux membranes, ce sont elles qui forment le sac à l'intérieur duquel se trouvent l'œuf et le liquide amniotique.

Pour mieux vous faire comprendre ce que sont les annexes, il est nécessaire de faire un bref retour en arrière.

11. LE TROPHOBLASTE
va former le placenta en profondeur, et dans l'épaisseur de la paroi utérine. À la périphérie de l'œuf, il va prendre le nom de chorion. La cavité amniotique, où « flotte » l'embryon, va occuper peu à peu toute la cavité de l'utérus.

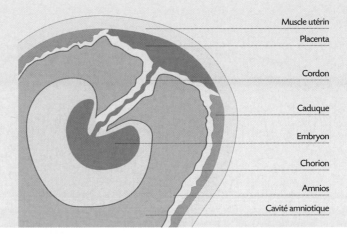

Muscle utérin

Placenta

Cordon

Caduque

Embryon

Chorion

Amnios

Cavité amniotique

Lors de la nidation, vous l'avez vu, l'œuf a complètement pénétré dans la muqueuse utérine. Celle-ci prend alors le nom de caduque car elle sera éliminée après l'accouchement. Sur les schémas de la page suivante vous pouvez voir que la caduque tapisse toute la cavité utérine, y compris la zone où va se nider l'œuf.

Au niveau de la zone où l'œuf s'est implanté, le trophoblaste (voir plus haut) comprend deux régions distinctes. L'une profonde, qui, pénétrant dans la muqueuse utérine et érodant ses vaisseaux, établit un contact avec la circulation maternelle pour y puiser les aliments nécessaires au développement de l'embryon. C'est l'ébauche du placenta. L'autre partie du trophoblaste (schéma 11) se trouve à la périphérie de l'œuf et prend le nom de *chorion*. L'œuf qui, en se développant, fait de plus en plus saillie dans la cavité de l'utérus, se trouve alors recouvert de deux couches de tissus : la caduque et le chorion.

Parallèlement est apparue dans le bouton embryonnaire une cavité remplie d'un peu de liquide : la cavité amniotique qui est limitée par une membrane appelée *amnios*.

Rapidement, cette cavité va se remplir de liquide. Elle va augmenter de volume et prendre une place de plus en plus grande dans la cavité utérine qu'elle va finir par occuper complètement vers la 10ᵉ semaine. La membrane qui la limite, l'amnios, va donc s'accoler au chorion et à la caduque. Ils vont former ce que l'on appelle les membranes de l'œuf.

En même temps, l'embryon, qui augmente de volume, s'est écarté de la zone d'implantation. Il s'éloigne progressivement de la paroi utérine et ne lui reste attaché, au niveau du placenta, que par un pédicule entouré par l'amnios : c'est le futur cordon ombilical.

Entrons maintenant dans le détail.

LE PLACENTA

En latin, placenta veut dire « gâteau ». À la fin de la grossesse le placenta ressemble en effet à un gros gâteau spongieux dont le diamètre est de 20 cm en moyenne, et de 2 à 3 cm d'épaisseur.

Voici comment se constitue le placenta. Lorsque l'œuf se nide, le trophoblaste s'insinue dans la muqueuse utérine et détruit la paroi des vaisseaux maternels où il peut puiser les aliments dont l'œuf a besoin pour se développer.

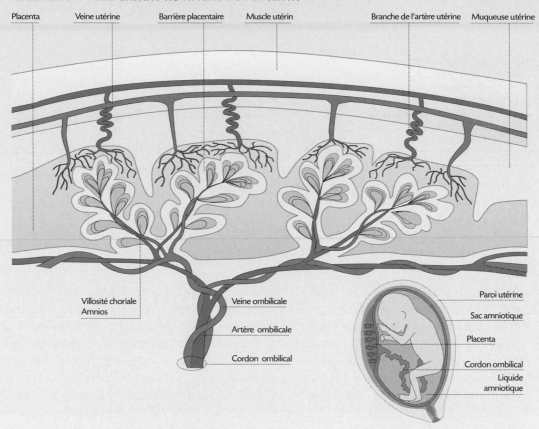

Placenta | Veine utérine | Barrière placentaire | Muscle utérin | Branche de l'artère utérine | Muqueuse utérine

Villosité choriale
Amnios

Veine ombilicale

Artère ombilicale

Cordon ombilical

Paroi utérine

Sac amniotique

Placenta

Cordon ombilical
Liquide amniotique

Très vite, cette machinerie élémentaire devient insuffisante pour les besoins de l'embryon qui se développe à grande vitesse. L'organisme maternel et l'œuf se mettent alors à édifier une petite centrale : le placenta. Le trophoblaste envoie de multiples petits filaments dans la muqueuse.
En quelques semaines ces filaments grossissent, s'organisent, et forment ce que l'on appelle les villosités du placenta. Vous pouvez les imaginer comme des arbres dont le tronc se divise en branches principales, elles-mêmes divisées en branches secondaires. Celles-ci se hérissent de bourgeons multiples où les villosités se terminent comme des touffes au nombre de plusieurs dizaines. Il existe ainsi 15 à 33 gros troncs qui, par divisions successives, vont aboutir à des milliers de villosités terminales. C'est au niveau de ces dernières que vont se faire les échanges entre la mère et l'enfant.

Ces villosités baignent, au niveau de l'utérus, dans une sorte de petit lac sanguin qui représente la partie maternelle du placenta. Dans ce lac sanguin circule le sang de la mère. Dans les villosités circule le sang de l'enfant, apporté par le cordon ombilical.

Ainsi le sang de la mère et celui de l'enfant se rencontrent au niveau du placenta, mais ils sont séparés par la paroi de la villosité à travers laquelle vont se faire les échanges mère-enfant. Cette paroi est d'ailleurs de plus en plus mince au cours de la grossesse, comme pour favoriser les échanges au fur et à mesure que les besoins du fœtus augmentent. Récemment encore, on considérait comme impossible le « mélange », du sang maternel et du sang fœtal. Mais maintenant on a la certitude que des cellules fœtales passent dans la circulation maternelle (on en retrouve environ 500 000 après trois mois de grossesse) et peuvent y rester plus de vingt ans. De même, des cellules maternelles passent dans la circulation fœtale. Pour autant, on ne peut pas dire que les deux sangs se mélangent vraiment.
• Le premier rôle du placenta est donc celui d'une véritable **usine nutritive**. C'est à travers la membrane

qui limite les villosités que le sang fœtal puise son oxygène. Le placenta est le véritable poumon fœtal.

En ce qui concerne l'eau, elle passe facilement à travers le placenta (3,5 l à l'heure à 35 semaines) ainsi que la plupart des sels minéraux.

En ce qui concerne les matières premières, c'est-à-dire les aliments, les choses sont plus complexes. Glucides, lipides, protides passent facilement. Les autres, le placenta doit d'abord les transformer avant de les assimiler. C'est là qu'on retrouve la notion d'usine, usine d'ailleurs prévoyante : dès qu'il y a abondance de nourriture, elle fait des stocks. L'usine se double alors d'un magasin dans lequel le fœtus puise en cas de besoin.

• Le second rôle du placenta est celui d'un **filtre** qui arrête certains éléments et en laisse passer d'autres. De nombreux médicaments passent ce filtre ; parfois c'est un bien mais parfois un mal car certains sont néfastes pour l'enfant. La plupart des virus ou certains parasites, tel le toxoplasme, traversent le placenta ainsi que l'alcool, le tabac et toutes les drogues.

• Usine nutritive, filtre, le placenta est aussi une source très importante d'**hormones**. Tout d'abord l'hormone gonadotrophine chorionique (ßHCG) dont la présence dans le sang maternel signe la grossesse (p. 21). La production de ßHCG augmente rapidement jusqu'à 13 semaines pour décroître ensuite. Peut-être cette hormone est-elle en partie responsable des nausées du début de grossesse ? Celles-ci sont en effet plus fréquentes lors d'une grossesse gémellaire et, dans ce cas, le placenta est plus important. Le placenta fabrique également des quantités croissantes d'œstrogènes et de progestérone, indispensables au bon déroulement de la grossesse.

PLACENTA, RITES ET SYMBOLES

Dans les sociétés primitives, ou chez nous il n'y a pas si longtemps, les coutumes faisaient une place à part aux organes éliminés lors de l'accouchement. Alors que le cordon ombilical et les membranes amniotiques étaient précieusement conservés pour accompagner l'enfant comme porte-bonheur, le placenta était éliminé, caché, ou transformé pour servir ailleurs. On l'enterrait pour fertiliser le sol, on le jetait à l'eau pour nourrir les poissons (comme en Allemagne au XVIe siècle) ; dans les pays nordiques, on le brûlait et sa cendre était considérée comme médicament ou poison, selon les cas.

Parfois, on gardait le placenta tel quel et, placé sous le lit d'un couple stérile, ou trempé dans le bain d'une femme stérile, il était censé rompre la malédiction. Mais dans la plupart des cas, on l'écartait de l'enfant et presque toujours, c'était pour le dissoudre, le disséminer. Un peu comme si l'on avait cherché à l'oublier.

Il n'y a pas si longtemps le placenta était conservé à la maternité dans un congélateur et il était récupéré par des sociétés qui l'utilisaient pour fabriquer des produits dermatologiques ou cosmétologiques. Aujourd'hui, cet usage est interdit à cause du risque de transmission de maladies virales connues ou inconnues et les placentas ne sont plus conservés.

LE CORDON OMBILICAL

Le placenta est relié au fœtus par le cordon ombilical. Ce cordon est une sorte de tige gélatineuse, arrondie, blanchâtre, luisante, qui unit le fœtus au placenta. Il mesure 50 à 60 cm, mais il existe des cordons plus courts ou plus longs, mesurant jusqu'à 1,50 m. L'épaisseur du cordon est de 1,5 à 2 cm.

Le cordon ombilical est formé en grande partie par les cellules de l'amnios, l'une des membranes qui recouvre l'enfant. À chaque extrémité du cordon, l'amnios, qui forme la gaine (ou la paroi) du cordon, se confond du côté fœtal avec la peau de l'abdomen, et du côté placentaire avec l'amnios qui recouvre le placenta. Le cordon est un vrai pipe-line. Il contient une veine et deux artères ; la veine amène au fœtus de la nourriture et l'oxygène prélevés et transformés par le placenta dans le sang maternel. Les artères ramènent les déchets (gaz carbonique, urée, etc.) au placenta, lequel les déverse dans la circulation générale maternelle.

Le cordon est solide et élastique (il supporte des tractions de l'ordre de 5 à 6 kg) et il se laisse difficilement comprimer, heureusement, car sinon le transport sanguin risquerait d'être perturbé. Le cordon est très souple, ce qui permet au fœtus tous les mouvements possibles.

Après la naissance de l'enfant, la section du cordon (qui est indolore pour la mère et pour l'enfant) rompt définitivement les liens entre la circulation maternelle et celle de l'enfant qui devient complètement autonome. Mais il est intéressant de signaler que la circulation dans le cordon s'interrompt d'elle-même car les artères se contractent ; ainsi, au bout de peu de temps, même si on coupait le cordon sans le lier, il ne saignerait pas. Ce n'est pas la section du cordon qui interrompt les échanges, c'est le cordon lui-même qui arrête de fonctionner.

Ce qui reste du cordon au niveau de l'abdomen de l'enfant tombe quelques jours après la naissance, et laisse une cicatrice indélébile qui persistera toute la vie : le nombril ou ombilic.

« Il n'a pas coupé le cordon. » « Elle se regarde le nombril. » « Il se prend pour le nombril du monde. » Comme le placenta, le cordon – et le nombril – sont devenus des symboles au-delà du rôle qu'ils ont joué pendant la grossesse.

CORDON OMBILICAL ET CELLULES SOUCHES

Le cordon ombilical est aujourd'hui mis en valeur par la recherche médicale. On a en effet découvert qu'il est extrêmement riche en cellules souches, des cellules qui par divisions successives ont la propriété de reconstituer des tissus lésés

Cette propriété particulière du sang du cordon ombilical est à l'origine de plusieurs types d'applications : certaines sont possibles dès maintenant, par exemple dans le traitement de certaines graves maladies du sang ; d'autres se dessinent à plus ou moins long terme, comme la reconstitution de la peau chez les grands brûlés, ou pour tester de nouveaux médicaments.

Les cellules souches du cordon sont beaucoup plus faciles à obtenir que celles provenant de l'embryon (qui nécessitent une fécondation *in vitro*). Leur recueil se fait au moment de l'accouchement. Il est néanmoins délicat techniquement et ne s'effectue actuellement que dans quelques centres. Il se fait bien sûr en accord avec la maman.

LE LIQUIDE AMNIOTIQUE ET LES ENVELOPPES DE L'ŒUF

Nourri par le placenta, ravitaillé par le cordon ombilical, le fœtus est protégé par ses enveloppes : au milieu, il flotte dans le liquide amniotique comme un poisson dans l'eau.

Des enveloppes, appelées aussi membranes (le chorion, la caduque, l'amnios) nous ne reparlerons pas, vous avez vu en détail comment elles s'étaient constituées et leur place respective apparaît sur le schéma en page suivante.

Du liquide amniotique, il y a peu et beaucoup à dire. Sur ses origines, on sait peu de choses, mais on pense qu'il a plusieurs sources. Tout d'abord, le fœtus lui-même qui le sécrète par la peau (jusqu'à 20 semaines), par le cordon (à partir de 18 semaines), par les poumons, enfin et surtout par la vessie. Une autre partie du liquide semble venir de l'organisme maternel en passant à travers les membranes de l'œuf, ces dernières en sécrètent d'ailleurs elles-mêmes.

La quantité de liquide amniotique varie : 20 cm³ à la 7e semaine, 300 à 400 cm³ à la 20e semaine, 1 l en moyenne à terme. Quand la grossesse dépasse le terme, la quantité de liquide diminue progressivement.

Le liquide amniotique est clair, transparent, blanchâtre, d'odeur fade. Il est composé d'eau, à 97 %. Il contient toutes les substances que l'on trouve dans le sang. On y trouve aussi des cellules éliminées par la peau et les muqueuses du fœtus, des poils et des fragments de matière sébacée qui forment des grumeaux.

Le liquide amniotique n'est pas une eau stagnante, comme celle d'une mare. Il est perpétuellement renouvelé et, à la fin de la grossesse, il l'est toutes les 3 heures. Ceci veut dire que non seulement du liquide est sécrété en permanence, mais également qu'en permanence il est absorbé pour être remplacé. Le fœtus absorbe du liquide par la peau, il en avale beaucoup : au voisinage du terme, en moyenne 450 à 500 cm³ par jour. Une partie de ce liquide filtre à travers les reins et reforme de l'urine fœtale que le bébé rejette régulièrement. Une autre partie est absorbée par l'intestin, gagne la circulation fœtale et, par l'intermédiaire du placenta, retourne à l'organisme maternel.

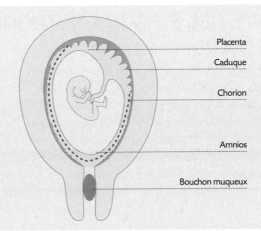

13. LES MEMBRANES DE L'ŒUF

Placenta

Caduque

Chorion

Amnios

Bouchon muqueux

À quoi sert le liquide amniotique ?

D'abord, il protège le fœtus contre les traumatismes extérieurs en formant autour de lui une sorte de matelas. Il lui permet de se mouvoir facilement à l'intérieur de l'utérus et maintient une température égale. Enfin, il apporte chaque jour au fœtus une certaine quantité d'eau et de sels minéraux. À la fin de la grossesse, il facilite ce que l'on appelle l'accommodation ; l'enfant cherche à trouver sa meilleure position pour que l'accouchement se déroule le plus facilement possible. Au cours de l'accouchement, le liquide amniotique s'accumule au pôle inférieur de l'œuf pour former la poche des eaux qui aide le col à se dilater (schémas p. 285). Après la rupture des membranes (qu'elle soit spontanée – c'est la perte des eaux – ou provoquée par la sage-femme), le liquide amniotique s'écoule à l'extérieur et sert à lubrifier les voies génitales, donc à faciliter l'accouchement. En fait, pour important qu'il soit, le rôle mécanique du liquide n'est certainement pas le seul. Mais nos connaissances dans ce domaine ne sont pas encore très grandes. Ainsi, on pense que le liquide contient des substances utiles à la croissance fœtale, d'autres seraient susceptibles de tuer certains microbes, d'autres encore agiraient sur les contractions utérines.

Ce qui est certain, c'est que le liquide amniotique est un lieu bien vivant, une zone permanente d'échanges entre la mère et l'enfant. Enfin, et ce n'est pas son moindre intérêt, le liquide amniotique permet des examens dont le rôle va croissant dans la surveillance médicale de certaines grossesses : il s'agit essentiellement de *l'amniocentèse* (p. 181).

TROP OU PAS ASSEZ DE LIQUIDE AMNIOTIQUE
Il existe des anomalies d'abondance de liquide amniotique (0,5 à 3 % des grossesses). En excès, c'est l'hydramnios. Il peut être d'origine maternelle (diabète, incompatibilité sanguine) ou fœtale (malformation, grossesse gémellaire). Il peut être aigu, obligeant à interrompre la grossesse ; ou chronique : le risque est alors celui d'un accouchement prématuré.
Quand le liquide amniotique est en quantité insuffisante, on parle d'oligoamnios ; il est souvent associé à une anomalie du développement ou une malformation fœtale (notamment de l'appareil urinaire).

LE FŒTUS ET SON ENVIRONNEMENT

Comme vous l'avez vu, c'est dans un environnement particulier que se développe le fœtus : il est bien à l'abri dans l'organisme de sa mère, il est protégé contre les chocs et les traumatismes par la double enveloppe de l'utérus maternel et du liquide amniotique. Pour combler ses besoins qui sont considérables puisque sa croissance se fait à un rythme qui ne sera plus jamais atteint au cours de sa vie, l'usine placentaire travaille pour lui en permanence en filtrant, en transformant, en stockant les aliments indispensables. Ces aliments le fœtus les reçoit, de même que l'oxygène, par l'intermédiaire de ce véritable pipe-line qu'est le cordon ombilical. C'est également le placenta qui forme une barrière protectrice (malheureusement incomplète) contre certaines agressions chimiques et infectieuses.

COURBE DE POIDS DU BÉBÉ AVANT LA NAISSANCE
L'augmentation moyenne quotidienne du poids est de 5 g à la 2ᵉ semaine, 10 g à la 21ᵉ, 20 g à la 29ᵉ et 35 g à la 37ᵉ semaine.

Est-ce à dire que le fœtus est un être totalement passif, subissant sa croissance sans y participer activement ? C'est ce que l'on a cru pendant longtemps. Or nous savons maintenant qu'il n'en est rien, et que le fœtus est capable de « traiter » lui-même un certain nombre de matériaux fournis par la mère. Il le fait selon un programme de développement génétique très précis, en s'équipant progressivement d'un certain nombre de substances nécessaires.

C'est le cas des **enzymes**. Ce sont des substances chimiques (plus exactement des protéines) qui sont chargées de provoquer, de permettre ou d'entretenir les milliers de réactions chimiques qui se produisent dans l'organisme et sans lesquelles la vie ne pourrait se poursuivre. À chaque réaction correspond un enzyme particulier. Et les milliers d'enzymes nécessaires, le fœtus va les produire lui-même et les utiliser au fur et à mesure de ses besoins.

C'est ainsi, par exemple, que grâce à ses propres enzymes le fœtus va utiliser le sucre (le glucose) que lui fournit le placenta à partir de la circulation maternelle. Ce sucre constitue sa nourriture essentielle, mais il va s'en servir un peu différemment de ce que fait un adulte. Il n'a pas à dépenser d'énergie pour maintenir sa température constante : la « thermorégulation » est assurée par la circulation fœto-placentaire. D'autre part, toujours au contraire de l'adulte, le fœtus a des dépenses musculaires réduites (il fait peu d'efforts et il dépense peu d'énergie puisque ses mouvements se font dans l'eau) ; aussi, la majeure partie du sucre, le fœtus va l'utiliser de deux façons : transformation en protéines dont le besoin est très grand pour la croissance ; stockage en fin de grossesse pour constituer les réserves qui serviront, après la naissance, pendant la période d'adaptation à l'alimentation.

De même qu'il a ses propres enzymes, le fœtus a ses propres **hormones**, ces substances fabriquées par des glandes (dites glandes endocrines). Elles transmettent des ordres à certains organes (différents selon l'hormone) possédant des récepteurs sensibles à l'hormone en question et chargés d'exécuter les ordres transmis. Par exemple, l'hypophyse sécrète des hormones qui commandent l'activité de l'ovaire.

Chez le fœtus, un certain nombre d'hormones semble jouer un rôle dans la croissance. Ce sont : l'hormone de croissance sécrétée par l'hypophyse, les hormones sécrétées par la glande thyroïde et celles fabriquées par la glande surrénale qui est particulièrement volumineuse au cours de la vie intra-utérine (d'ailleurs cette glande surrénale fœtale paraît jouer un rôle important dans le déclenchement de l'accouchement). De même, c'est grâce à l'insuline fabriquée par le pancréas fœtal que le glucose peut être transformé en graisse. Les parathyroïdes président au métabolisme du calcium, important pour l'ossification du squelette.

Enfin, même s'il est encore vulnérable, comme en témoignent les agressions dont il peut être victime, qu'elles soient chimiques ou infectieuses, le fœtus commence à élaborer ses moyens de défense, son « système immunitaire ».

Pour résumer, produire ses enzymes et ses propres hormones, transformer du sucre en protéines et le stocker en partie pour l'après-naissance, élaborer son système immunitaire, voici le « travail » propre au fœtus.

Avant de conclure, nous voudrions vous faire remarquer les difficultés évidentes qu'il y a à étudier les différents métabolismes du fœtus dans l'espèce humaine. Dans ce complexe qui associe mère-enfant-placenta, il est souvent difficile de préciser ce qui revient à l'un ou aux autres. Ceci explique que nous sachions encore peu de choses dans ce domaine. Pourtant, nous en savons suffisamment pour affirmer que le fœtus ne subit pas sa croissance de façon passive. Parler d'autonomie serait exagéré, le fœtus est étroitement dépendant de sa mère pour l'apport de tous les matériaux nécessaires, et les difficultés rencontrées par certains prématurés prouvent que l'indépendance se paie cher quand elle survient trop tôt. En revanche, dire que le fœtus collabore à sa propre croissance selon un programme précis est tout à fait conforme à la réalité.

Nous venons de voir le cas le plus fréquent, celui où un spermatozoïde féconde un ovule, et où, de la fusion de leur noyau, résulte un œuf humain, première cellule d'un homme ou d'une femme. Mais parfois il arrive que deux ou plusieurs enfants se développent ensemble dans l'utérus. Au sujet des jumeaux et des naissances multiples, reportez-vous au chapitre 6.

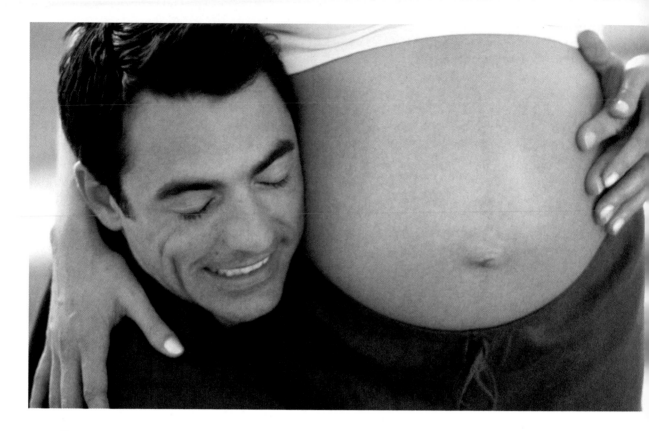

Comment votre corps devient maternel

Vous avez vu par quelles étapes un point invisible à l'œil nu devenait en neuf mois un enfant de plus de trois kilos. Vous allez lire maintenant comment, pendant ce temps, le corps de sa mère se transforme jour après jour.

Pour une femme, voir son ventre se tendre et se gonfler, et sentir sous sa main cette vie qui naît est émouvant. Mais découvrir ce qui se passe en elle est aussi impressionnant. D'abord se produit ce phénomène étonnant : non seulement la mère ne rejette pas cet œuf, mais elle va le protéger, le nourrir, fournir tous les matériaux nécessaires à son développement. Puis elle va organiser la vie à deux, faire face à la nécessité d'alimenter deux cœurs, etc.

Pour remplir ces tâches, le corps maternel subit des modifications : anatomiques, physiologiques ou chimiques, visibles et invisibles, majeures ou mineures. La grossesse a une répercussion sur tous les organes, toutes les fonctions, tous les tissus de la mère, sans parler des répercussions sur son état psychologique et sur son moral.

Cette adaptation de l'organisme se fait selon quatre grands axes :

• Tout d'abord l'enfant grandit, d'où augmentation du volume de l'utérus avec ses conséquences.

• En même temps les seins se développent : ils se préparent pour l'allaitement.

• La future mère assurant pendant la grossesse la nutrition de deux êtres, elle-même et le bébé, la plupart de ses fonctions physiologiques en sont modifiées.

• Puis, surtout en fin de grossesse, l'organisme maternel se prépare pour l'accouchement.

AUGMENTATION DU VOLUME DE L'UTÉRUS

Avant la conception, l'utérus, qu'on peut comparer à une figue fraîche, pèse 50 g, mesure 65 mm de haut, 45 mm de large et a une capacité de 2 à 3 cm^3.

Dès le début de la grossesse, l'utérus commence à augmenter de volume, mais cette augmentation ne devient visible de l'extérieur qu'entre le 4e et le 5e mois, selon les femmes. Au 2e mois, l'utérus a la grosseur d'une orange. Au 3e mois, on peut le sentir au-dessus du pubis. Au 4e mois, sa hauteur atteint le milieu de la distance qui sépare l'ombilic (ou nombril) du pubis. Au 5e mois 1/2, il atteint l'ombilic. Au 7e mois, il le dépasse de 4 ou 5 cm et monte de plus en plus dans la cavité abdominale. Au 8e mois, il est situé entre la pointe du sternum et l'ombilic (schéma ci-dessous).

L'utérus atteint son point culminant à terme. Parfois, cependant, vous pourrez avoir l'impression, deux à trois semaines avant l'accouchement, que l'utérus se met à redescendre. La pression abdominale est diminuée, la respiration plus facile, vous vous sentez comme allégée. C'est le signe que l'enfant « descend » et que la naissance approche.

À terme, l'utérus pèse 1 200 à 1 500 g. Il a une capacité de 4 à 5 l. Sa hauteur est de 32 à 33 cm et sa largeur de 24 à 25 cm. Ces chiffres sont évidemment des chiffres moyens qui peuvent varier suivant les femmes, et d'une grossesse à l'autre chez une même femme. Cependant ils servent de points de repère pour apprécier l'âge d'une grossesse et surveiller son évolution.

La place qu'il lui faut, l'utérus la gagne sur l'extérieur, comme c'est visible, mais en même temps sur l'intérieur, où, en augmentant de volume, il refoule et comprime les organes qui l'entourent : estomac, intestins, vessie, etc.

En général, l'augmentation du volume de l'utérus se poursuit sans inconvénient grâce à l'élasticité des parois abdominales qui se laissent distendre, et les organes s'adaptent bien à leur nouvelle situation. On a cru longtemps que beaucoup de troubles de la grossesse (difficulté à respirer, constipation, nausées et varices) étaient dus à la compression. Celle-ci n'explique pas tout car beaucoup de ces troubles apparaissent dès le début de la grossesse alors que l'utérus est encore peu développé.

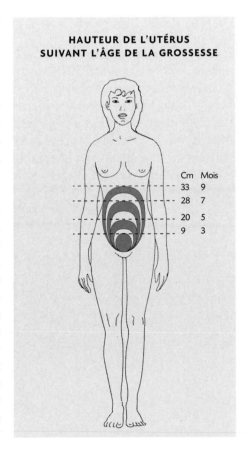

HAUTEUR DE L'UTÉRUS SUIVANT L'ÂGE DE LA GROSSESSE

Cm	Mois
33	9
28	7
20	5
9	3

Aussi pense-t-on aujourd'hui que ces troubles sont dus, en grande partie, à l'action des hormones de grossesse sur certains organes. Il faut mettre à part les envies fréquentes d'uriner (surtout à la fin de la grossesse) qui paraissent bien en rapport avec une compression de la vessie. De même, les malaises de type syncope qu'éprouvent certaines femmes quand elles se couchent sur le dos sont en rapport avec une compression de la veine cave. Il suffit alors de s'étendre sur le côté gauche (la veine cave est à droite) pour que le malaise disparaisse.

L'attitude de la future mère se modifie au fur et à mesure que l'utérus augmente de volume : ses reins se creusent, sa taille se cambre. Elle a tendance à se rejeter en arrière pour contrebalancer le poids qui la tire en avant. Sa silhouette est d'ailleurs différente suivant l'état de sa paroi abdominale : si ses muscles sont fermes, ils forment une bonne sangle qui soutient l'utérus et l'empêche de tomber en avant. Si au contraire ses muscles sont relâchés, la paroi abdominale distendue n'offre qu'une faible résistance à la pression de l'utérus qui tombe en avant. Vous avez certainement rencontré de ces femmes : on dit qu'elles portent leur enfant « en avant ». On peut lutter contre cette tendance en basculant le bassin (exercice p. 338) de façon à se tenir le moins cambrée possible. Cela soulagera les muscles abdominaux qui seront moins distendus ; cela soulagera aussi le dos à la hauteur des reins (p. 90).

PRÉPARATION À L'ALLAITEMENT

Tout au long de la grossesse, les seins se préparent à remplir leur fonction, qui est de sécréter le lait dont se nourrira le nouveau-né. Dès le premier mois, les seins se mettent à gonfler, ils augmentent de volume et deviennent plus lourds. Ils sont parfois le siège de picotements et d'élancements douloureux. Quelques semaines plus tard, le mamelon devient plus saillant : la région plus foncée, pigmentée, qui l'entoure – l'aréole primitive – est bombée comme un verre de montre. Sur cette aréole apparaissent, vers la 8e semaine, de petites saillies : les tubercules de Montgomery. Ce sont des glandes sébacées qui s'hypertrophient et constituent des glandes mammaires rudimentaires. Ces modifications des seins permettent d'étayer un diagnostic de grossesse.

SEIN ET ALLAITEMENT
• *Le lait est fabriqué dans les acini glandulaires*
• *Le lait est évacué par les canaux galactophores*

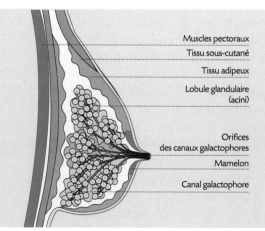

Muscles pectoraux
Tissu sous-cutané
Tissu adipeux
Lobule glandulaire (acini)
Orifices des canaux galactophores
Mamelon
Canal galactophore

À partir du 4e mois, on pourrait faire jaillir du mamelon un liquide jaunâtre et visqueux, précurseur du lait, le colostrum. Vers le 5e mois, autour de l'aréole primitive apparaissent quelquefois des taches brunes qui forment une aréole secondaire. À l'intérieur des seins, les glandes qui fabriquent le lait, qui sont presque inexistantes en dehors de la grossesse, se multiplient et augmentent de volume, de même que le réseau des canaux qui conduiront le lait des glandes vers le mamelon. Pour alimenter cette région en pleine activité, les vaisseaux sanguins s'élargissent : c'est pourquoi les veines sont parfois très apparentes au cours de la grossesse.

En même temps, les mamelons augmentent de volume. Les seins sont prêts à allaiter dès le début du deuxième trimestre. Dès la première tétée, le bébé profite du colostrum qui, en quelques jours, se transforme et devient du lait. La sécrétion du colostrum et du lait dépend d'une hormone hypophysaire, la prolactine.

MODIFICATIONS DES FONCTIONS DE L'ORGANISME

L'augmentation de volume de l'utérus et des seins est la modification la plus visible de l'organisme durant la grossesse. Il y en a d'autres qui, pour n'être pas aussi évidentes, n'en sont pas moins importantes. Ce sont celles qui concernent les fonctions essentielles de l'organisme : **digestion, circulation, respiration**.

Ces modifications sont dues à deux causes : pour former son squelette, sa peau, ses muscles, l'enfant puise dans le sang de sa mère les matériaux qui lui sont nécessaires : calcium, fer, sucre, graisse, sel, etc. C'est également dans le sang de sa mère que l'enfant rejette ses déchets. En même temps, comme on l'a vu, certaines parties du corps de la mère se développent, principalement l'utérus et les seins. L'édification de ces tissus nouveaux nécessite un apport supplémentaire de matières premières.

C'est pour faire face à ces besoins que tous les mécanismes du corps vont s'intensifier. C'est comme un moteur qui, soumis à un effort plus grand, consomme davantage et tourne plus vite.

Le cœur et la circulation sont les premiers concernés. Ils doivent faire face au travail supplémentaire créé par l'apparition de la circulation mère-enfant au niveau du placenta ; il y a ainsi une augmentation de 40 % de la quantité totale de sang circulant ; le cœur bat plus vite (15 pulsations en moyenne de plus par minute) ; il débite davantage : presque 5,5 l au lieu de 4 par minute. En un mot, le cœur travaille plus. Ceci explique que la grossesse puisse être moins bien supportée quand existe une maladie cardiaque, car un cœur malade a plus de peine à fournir l'effort supplémentaire qui lui est demandé.

Une femme enceinte ne respire pas plus vite qu'une autre mais elle fait passer, à chaque respiration, une quantité plus importante d'air dans ses poumons et elle consomme plus d'oxygène (10 à 15 %). Ceci, joint au déplacement du diaphragme, qui est repoussé progressivement vers le haut par l'utérus, peut expliquer la sensation d'essoufflement que ressentent certaines femmes à la fin de la grossesse. Les reins, dont le rôle est de filtrer le sang pour en éliminer dans les urines les éléments inutiles et certains déchets, voient leur travail s'accroître puisque la quantité de sang circulant chez la femme enceinte est notablement augmentée (voyez plus haut).

Par contre, les hormones de grossesse – notamment la progestérone – ont pour effet de ralentir certaines fonctions, ce qui est bénéfique au niveau de l'utérus, puisqu'ainsi elles l'empêchent de se contracter. C'est moins bénéfique quand il s'agit de l'appareil digestif, estomac, intestin, vésicule, mais cela explique des troubles fréquents : lenteurs et difficultés de digestion, constipation, etc. Il se passe la même chose au niveau de la vessie et des uretères, qui conduisent l'urine des reins à la vessie, ce qui explique en partie la relative fréquence des infections urinaires.

LE CORPS SE PRÉPARE À L'ACCOUCHEMENT

Pour que l'enfant puisse naître, il faudra que l'utérus, qui est un muscle, se contracte, et que l'enfant franchisse successivement le col de l'utérus qui, en temps normal, est un canal filiforme plus étroit qu'une paille à soda, puis le vagin.

Ce chemin que suivra le bébé pour naître traverse le bassin de part en part, bassin constitué par des os en apparence inextensibles. Vous lirez d'ailleurs au chapitre 10 le mécanisme de l'accouchement. Tout au long de la grossesse ces différents organes vont se préparer à l'accouchement.

Le bassin
Les articulations qui relient les os entre eux se relâchent, ce qui élargit le bassin de quelques millimètres ; cela peut être douloureux en fin de grossesse (dessins du bassin pp. 287 et suivantes).

L'utérus
Ses fibres deviennent quinze à vingt fois plus longues. En même temps, elles deviennent plus larges. Ces modifications rendront l'utérus plus élastique, elles lui permettront de se contracter plus facilement et donc de mieux jouer son rôle de « moteur » pour ouvrir le col et pousser l'enfant en avant. La circulation sanguine au niveau de l'utérus augmente considérablement. Le col de l'utérus, qui, avant la grossesse, était dur et fibreux, s'amollit et devient souple. À terme on dit qu'il est « mûr ». Il pourra ainsi s'ouvrir sans difficultés.

Le vagin
Au cours de la grossesse, il se transforme complètement ; et à la fin de la grossesse, il n'a rien à voir avec un vagin de femme qui n'est pas enceinte. Il s'allonge, s'élargit, ses parois deviennent de plus en plus souples et extensibles, plissées comme un accordéon. En fin de grossesse, le vagin est prêt à laisser passer la tête de l'enfant, alors qu'il n'en serait pas question neuf mois plus tôt. C'est un point important à signaler, il faut le répéter souvent, presque toutes les femmes craignent que la tête et le corps de l'enfant ne puissent pas passer par le vagin « qui est trop petit ». Cette inquiétude est bien normale.

En même temps, les sécrétions vaginales sont nettement augmentées ainsi que l'acidité du vagin. Les sécrétions favorisent le développement des champignons responsables de fréquentes vaginites chez la femme enceinte, mais cette hyperacidité représente un excellent barrage contre de nombreux microbes. Le bouchon muqueux qui apparaît en fin de grossesse au niveau du col en forme un second, les membranes de l'œuf un troisième.

LE RÔLE DES HORMONES

L'évolution de la grossesse est dominée par l'action des hormones qui, pendant neuf mois, ont une activité intense. Après avoir, comme chaque mois, provoqué l'ovulation et préparé l'utérus à accueillir l'œuf, les hormones ovariennes vont permettre le transport de l'œuf et son implantation ; elles empêcheront aussi l'utérus de l'expulser lorsqu'il sera nidé.

Au début de la grossesse, les hormones sont produites par le corps jaune. Ensuite, lorsque des quantités de plus en plus importantes deviennent nécessaires, elles sont fabriquées par le placenta, véritable usine hormonale de la grossesse, qui va la prendre en charge jusqu'à son terme.

Ce ne sont pas seulement les glandes endocrines sexuelles qui ont une activité accrue durant la grossesse : les autres, le pancréas, la thyroïde, les surrénales fonctionnent également davantage.

Enfin, au cours de la grossesse, de nouvelles hormones apparaissent : l'ocytocine, qui joue un rôle dans le déclenchement de l'accouchement, et la prolactine qui déterminera la lactation.

L'action conjuguée de ces différentes hormones, ordonnatrices des grands événements de la grossesse, règle la plupart des changements qui surviennent pendant ces neuf mois. En particulier, elles stimulent l'édification des tissus de l'utérus en pleine croissance, elles président à la mobilisation des réserves de la mère auxquelles fait appel le fœtus, elles règlent la délicate chimie des échanges nutritifs si importants pour la croissance de l'enfant, elles sont responsables de l'augmentation du poids de la mère, elles permettent aux glandes mammaires de se développer, etc. Et c'est pourquoi l'un des moyens de surveiller le bon déroulement de la grossesse est de doser les hormones.

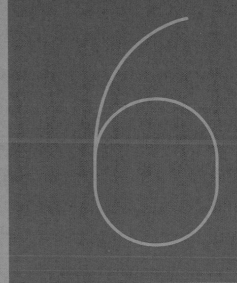

6

Si vous attendez des jumeaux

« Est-ce que j'attends des jumeaux ? »
C'est une des questions que la future mère pose
au médecin dès la première échographie car elle
sait que l'écran peut donner la réponse. Certains
parents redoutent l'éventualité d'attendre des
jumeaux, surtout s'ils ont déjà d'autres enfants.
Tandis que les couples ayant suivi un traitement
contre l'infertilité sont en général ravis de cette
nouvelle : ils ont tout fait pour attendre un enfant,
ils sont comblés d'en attendre deux.
Comment sont conçus les vrais et les faux
jumeaux ? Y-a-t-il des précautions particulières
à prendre pendant la grossesse ? Comment se
passe la naissance ? Ce chapitre va répondre à
toutes ces questions.

La conception des jumeaux

Bien que la réalité soit plus complexe, on peut dire schématiquement qu'il existe deux grandes variétés de jumeaux.

LES FAUX JUMEAUX

Ceux que l'on appelle les faux jumeaux proviennent de la fécondation de deux ovules différents par deux spermatozoïdes différents au cours d'un même cycle et habituellement au cours du même rapport sexuel. Exceptionnellement, deux ovules ont pu être fécondés par deux spermatozoïdes provenant d'hommes différents : on cite l'exemple classique de la femme blanche, mettant au monde un premier enfant blanc, fils d'un homme de race blanche ; et quelques heures plus tard un enfant métis, fils d'un homme de race noire.

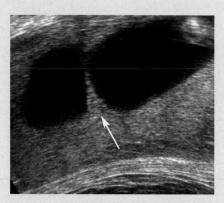

LE SIGNE DU LAMBDA
Lors de l'échographie de la 12ᵉ semaine, le signe du lambda permet d'affirmer que ce sont des faux jumeaux : on voit nettement (flèche blanche) un signe en forme de la lettre grecque lambda : λ.

À propos des faux jumeaux, on parle de grossesse gémellaire *dizygote* (*di* parce qu'il y a deux œufs). De nombreux facteurs, aussi bien génétiques que liés à l'environnement, peuvent être à l'origine des faux jumeaux. Les voici :

• La fréquence croît avec l'âge maternel mais décroît rapidement après 38 ans. Au-delà de 40 ans, la gémellité est plus rare.

• La fréquence augmente également avec le nombre de grossesses, et cela indépendamment de l'âge de la mère.

• Les jumelles ont deux fois plus de jumeaux que la population générale. On sait, de tout temps, que les jumeaux sont plus fréquents dans certaines familles que dans d'autres.

• L'origine ethnique joue un rôle. La gémellité est rare en Asie : 0,15 % chez les Chinois, 0,27 % chez les Japonais, 0,10 % en Asie du Sud. Au contraire, la gémellité est plus fréquente dans la population africaine : 2 %. Sur 2,8 millions de jumeaux nés dans le monde en 1999, 41 % sont nés en Afrique.

• En période de malnutrition, le taux des faux jumeaux décroît tandis que celui des vrais jumeaux reste stable.

• Les saisons ont certainement une influence, avec un pic en juillet/août et une baisse en janvier : l'ensoleillement joue probablement un rôle dans la sécrétion de l'hormone FSH, responsable de la maturation de l'ovule. C'est d'ailleurs vrai pour toutes les conceptions, simples comme gémellaires.

• De même, le climat et les conditions de vie semblent jouer un rôle. En Europe, il y a plus de jumeaux au Nord qu'au Sud : 1,5 % en Scandinavie ; 0,5 % sur le pourtour du Bassin Méditerranéen.

• Enfin et surtout, comme nous l'avons dit plus haut, le développement des traitements de la stérilité est responsable d'une très forte augmentation des grossesses multiples. Il s'agit presque toujours de faux jumeaux. En effet, ces traitements sont basés, le plus souvent, sur la maturation simultanée de plusieurs ovules. On comprend alors que deux ou trois ovules puissent être fécondés par des spermatozoïdes.

La nidation des grossesses gémellaires dizygotes ne diffère pas de ce qu'elle est pour une grossesse unique. Chaque œuf a ses propres annexes. Les membranes (annexes et chorion) et le placenta sont distincts. Il n'y a pas de communication entre les deux fœtus. Chacun a sa propre circulation. Les faux jumeaux vont ainsi se développer ensemble, mais séparément.

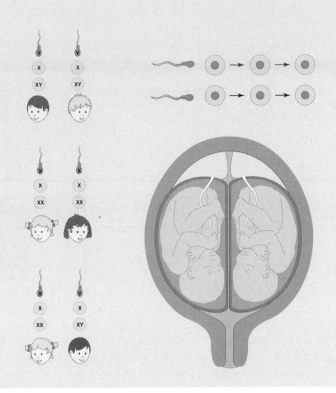

FAUX JUMEAUX
Deux spermatozoïdes fécondent deux ovules. Les « faux » jumeaux peuvent être soit deux garçons, soit deux filles, soit un garçon et une fille, mais dans les trois cas ils ne se ressemblent pas plus que des frères et sœurs.

À la naissance, les deux bébés peuvent se ressembler mais pas plus que les frères et sœurs habituels. Ils peuvent être de sexe différent. Ceci est tout à fait normal puisque ces faux jumeaux, issus de deux œufs distincts, ont reçu un patrimoine héréditaire (leur héritage chromosomique) aussi différent que celui de frères et sœurs nés à plusieurs années d'écart.

Il existe une particularité parmi les grossesses dizygotes (faux jumeaux), c'est ce que l'on appelle la *grossesse hétérotopique*. L'un des embryons s'est nidé dans l'utérus, l'autre dans la trompe. Il s'agit alors de l'association d'une grossesse intra-utérine et d'une grossesse extra-utérine ; cette dernière ne pourra pas se développer sans complication, elle devra être opérée, comme toute grossesse extra-utérine (p. 239). La grossesse intra-utérine se poursuivra sans problèmes. Cette éventualité n'est pas exceptionnelle depuis le développement de l'aide médicale à la procréation.

LES VRAIS JUMEAUX

En ce qui concerne les vrais jumeaux, le processus est totalement différent. Un seul ovule est fécondé par un seul spermatozoïde donnant un œuf unique. Cet œuf unique va se diviser ensuite en deux œufs qui vont se développer donnant deux fœtus génétiquement identiques : mêmes chromosomes, mêmes gènes. À la naissance, ces vrais jumeaux seront donc des sosies, toujours de même sexe, réplique exacte l'un de l'autre, ou encore, selon la formule classique, « le même individu tiré à deux exemplaires ».

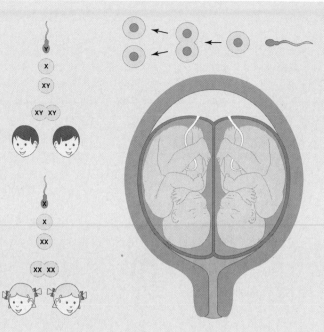

Leurs empreintes digitales, à quelques détails près, seront identiques. D'ailleurs, souvent cette extraordinaire ressemblance ne s'arrête pas à l'aspect physique, mais porte également sur certains traits intellectuels et psychologiques, et sur la prédisposition à certaines maladies.

À propos des vrais jumeaux, on parle de grossesse gémellaire *monozygote* (*mono* parce qu'il y a un seul œuf).

Pourquoi un œuf va-t-il ainsi se diviser en deux œufs distincts ? Ce phénomène semble lié à un vieillissement de l'ovule : dans ce cas, la femme présente un cycle prolongé, avec une ovulation retardée et une fécondation tardive. Cette particularité de cycles plutôt longs et irréguliers ne se retrouve pas chez les femmes attendant des faux jumeaux.

La fréquence des vrais jumeaux est remarquablement stable : 0,3 à 0,5 % des naissances. Elle ne varie ni avec l'origine ethnique, ni avec le nombre d'enfants. L'hérédité est sans influence dans la gémellité monozygote, bien que l'on ait observé plus de grossesses de ce type chez les vrais jumelles. La fréquence augmente avec l'âge : 0,3 % à 25 ans, 0,45 % après 40 ans.

En ce qui concerne la nidation et les annexes, la disposition varie selon que l'œuf initial s'est divisé plus ou moins tôt :

• Dans plus de 70 % des cas, chaque fœtus a ses annexes propres, son propre amnios, mais un seul placenta pour les deux.

• Dans près de 30 % des cas, chaque fœtus a ses annexes propres, son propre amnios et son placenta : c'est la même situation que pour les faux jumeaux.

• Enfin, dans 1 à 2 % des cas, il y a un seul amnios et un seul placenta : les deux fœtus sont dans le même sac amniotique, aucune membrane ne les sépare.

Dans ce dernier cas, et uniquement dans celui-là, il peut y avoir une communication entre les deux circulations placentaires. Ceci est parfois cause d'un déséquilibre, un des deux jumeaux recevant davantage de sang que l'autre. Le premier (dit « jumeau transfusé ») risque de souffrir de cet apport trop important de sang. L'autre (dit « jumeau transfuseur ») risque, au contraire, de souffrir d'un manque de sang. Dans le premier cas il existe une possibilité d'insuffisance cardiaque par excès de masse sanguine (le cœur à un travail trop important à accomplir). Dans le second, le risque est celui d'une anémie ou d'une insuffisance de développement (hypotrophie ou retard de croissance) par manque d'apport sanguin.

J'attends des jumeaux

Vous venez d'apprendre que vous attendez des jumeaux. Selon votre situation, cette nouvelle est une surprise… attendue ou une réelle surprise.

• Si vous avez bénéficié d'un traitement contre la stérilité, vous aviez été prévenue de la fréquence des grossesses gémellaires. L'aide médicale à la procréation est en effet à l'origine des deux-tiers des grossesses gémellaires.

Dans ce cas, l'échographie a lieu un mois après l'intervention (fécondation in vitro, ou insémination intra-utérine, ou stimulation ovarienne), c'est-à-dire 15 jours au plus tard après le retard des règles.

À cette période, la future maman sait qu'elle est enceinte. Des dosages hormonaux (βHCG) ont été faits et ont confirmé la grossesse, mais elle ne peut savoir s'il s'agit de jumeaux. Néanmoins, il peut arriver qu'un taux de βHCG particulièrement élevé mette sur la voie de ce que l'écran va révéler. On voit alors nettement deux cavités bien distinctes, bien séparées. Chacune contient un embryon d'environ 8-10 mm dont on perçoit déjà l'activité circulatoire sous forme de battements.

• Dans le cas d'une grossesse gémellaire « spontanée », pourrait-on dire, la surprise est totale pour les futurs parents, mais des petits signes évocateurs ont pu apparaître amenant à s'interroger. Les malaises et indispositions sont plus fréquents, en particulier les nausées, vraisemblablement liés à la sécrétion accrue de βHCG par le placenta des jumeaux. De même, l'utérus augmentant plus rapidement de volume, des « troubles mécaniques » dus à la compression de l'utérus, telle l'envie d'uriner, apparaissent plus tôt ; cette fréquence des mictions est également plus marquée. Il en est de même pour les seins qui paraissent rapidement plus volumineux. Mais c'est la première échographie de 11/12 semaines qui va faire le diagnostic des jumeaux (p. 215). Chaque embryon sera alors visualisé, observé et mesuré. À ce stade de développement, les dimensions de chaque fœtus sont toujours égales, alors que plus tard il pourra y avoir des différences.

QUELQUES PARTICULARITÉS DE LA GROSSESSE GÉMELLAIRE

• **Pour la maman**, la prise de poids est en moyenne de 30 % plus importante que dans une grossesse unique. Ceci est dû à l'augmentation de l'eau totale du corps liée à une rétention accrue de sel ; et à l'importance du volume intra-utérin : le volume total de l'utérus à 7 mois est à peu près celui d'une grossesse unique à terme ; de 5 l à 7 mois, l'utérus peut atteindre 10 l à terme.

Pendant quelques mois, une prise quotidienne de fer sera prescrite à la future maman car les deux bébés puisent dans ses réserves de fer et de folates. Et, il est recommandé à la maman d'augmenter sa ration calorique car les deux bébés consomment beaucoup d'énergie pour se développer et assurer leur croissance. Certains malaises courants peuvent être plus prononcés que dans une grossesse unique, mais là non plus ils n'ont pas de caractère de gravité. Ainsi le pouls est généralement plus rapide car le débit cardiaque est augmenté.

En passant de la position accroupie à la position debout, la future maman peut éprouver une sensation de malaise fugace, comme une sorte de voile devant les yeux. Cette baisse de tension (hypotension) est due à une moins bonne circulation du sang dans les membres inférieurs. Les varices peuvent être plus fréquentes et plus prononcées. Enfin, la future maman peut se sentir essoufflée, ceci est dû à une augmentation des mouvements respiratoires.

• **Pour les fœtus** : en cas de gémellité, certaines particularités de leur développement sont encore mal connues. Mais on sait que leur maturité est en avance d'environ 15 jours par rapport à un fœtus unique, notamment la maturité de leurs poumons. Comme si la nature avait prévu que les jumeaux allaient naître un peu plus tôt...

La surveillance médicale

Dès que vous saurez que vous attendez des jumeaux, choisissez le gynécologue-obstétricien qui va vous suivre, en collaboration avec votre médecin traitant, ou avec une sage-femme.

Bien surveillée, une grossesse gémellaire a toutes les chances de se développer aussi bien qu'une grossesse simple, avec seulement un peu plus de fatigue au troisième trimestre. Cette surveillance est importante car certaines complications sont plus fréquentes lorsqu'on attend des jumeaux, notamment la prématurité, la toxémie gravidique et le retard de croissance ; c'est pourquoi la grossesse gémellaire est considérée par les médecins comme une grossesse à risques. Nous allons vous parler de ces différents risques, mais aussi des moyens de les prévenir. Si vous attendez des jumeaux, ne vous faites donc pas un double souci, soyez seulement deux fois plus attentive aux recommandations qui vous seront faites par le médecin.

DIVERSES MESURES SOCIALES *sont à votre disposition. Renseignez-vous auprès de la PMI de votre Conseil général. Prévenez votre employeur que vous cesserez probablement votre activité professionnelle plus tôt que ce qui est normalement prévu.*

LA PRÉMATURITÉ

La durée d'une grossesse gémellaire est plus courte que celle d'une grossesse simple, de 15 jours à 3 semaines en moyenne. Mais la prématurité peut aussi être plus grande : dans 10 % des cas, elle est de 6 semaines ; la future maman accouche à 34 semaines, parfois même avant.

Pour que votre grossesse se poursuive le plus longtemps possible, le médecin vous fera un certain nombre de recommandations, surtout après le 6e mois. À partir de cette période, il pourra vous prescrire un arrêt de travail supplémentaire, en fonction de votre activité et du type de gémellité : la grossesse gémellaire est surveillée plus attentivement lorsqu'il s'agit de vrais jumeaux, en particulier à cause de l'éventualité transfuseur-transfusé ; et lorsqu'il s'agit d'une première grossesse, car c'est la première fois que l'utérus est soumis à un tel développement.

À partir du 6e mois, vous serez probablement examinée plus souvent, tous les 15 jours, par votre médecin ou la sage-femme. Une échographie du col permettra de vérifier la bonne tenue de celui-ci : elle pourra être répétée à intervalles réguliers.

De même, il conviendra de mener, toujours après le 6e mois, une vie la plus calme possible, avec des périodes de repos de plus en plus longues, au cours de la journée, au fur et à mesure que la date du terme se rapprochera. En cas de gros risque d'accouchement prématuré, notamment si le col se raccourcit, une hospitalisation de quelques jours pourra être nécessaire avec mise en place d'une perfusion contenant des produits destinés à calmer les contractions de l'utérus. Lorsque l'alerte sera passée, vous pourrez être suivie à domicile par une sage-femme de secteur. Sur la prématurité, lisez également les pages 271 et suivantes.

LA TOXÉMIE GRAVIDIQUE

Elle est presque 3 à 5 fois plus fréquente en cas de grossesse gémellaire que lors d'une grossesse unique. C'est la surdimension de l'utérus qui semble être responsable de la plus grande fréquence de ce syndrome qui associe : prise de poids rapide et excessive, œdème, albuminurie et élévation de la tension artérielle. C'est pourquoi il est important de surveiller les urines, le poids et la tension artérielle (p. 240).

LE RETARD DE CROISSANCE INTRA-UTÉRIN

Ce peut être une complication de la toxémie gravidique, mais aussi une conséquence du syndrome transfuseur-transfusé (p. 156) ou même parfois de l'existence d'une malformation. Une harmonie de croissance, et donc du poids, des deux fœtus est rare : le plus souvent un des deux jumeaux est moins gros que l'autre, c'est-à-dire qu'il a un retard de croissance par rapport à l'autre. Seuls de gros écarts sont pris en considération et c'est l'échographie répétée avec doppler qui permet de prendre la décision de provoquer la naissance, par césarienne le plus souvent.

La naissance des jumeaux

Dans la majorité des cas, l'accouchement aura lieu dans la maternité où exerce votre gynécologue obstétricien. Si l'accouchement est trop prématuré, votre médecin vous dirigera alors vers une maternité à laquelle est associée une unité de néonatalogie.

L'accouchement des jumeaux présente quelques particularités. Il est souvent, nous l'avons déjà dit, prématuré. Il est rare qu'une grossesse gémellaire atteigne le terme. En général, les naissances ont lieu vers 37-38 semaines.

Certains médecins préfèrent d'ailleurs déclencher l'accouchement à ce terme pour qu'il ait lieu de jour, lorsque toute l'équipe est présente. En plus, comme les deux tiers des grossesses gémellaires sont issues de procréation médicalement assistée, les médecins, qui ont traité leur patiente, aiment bien les suivre jusqu'à l'accouchement et être présents le jour de la naissance des bébés.

L'accouchement des jumeaux est un peu plus long qu'en cas de naissance unique car la surdistension de l'utérus rend les contractions moins efficaces, et la dilatation du col est plus lente. La position du premier jumeau qui se présente est importante. S'il est en siège, et que le deuxième est tête en bas, la plupart des médecins préfèrent programmer une césarienne pour éviter que les bébés « s'accrochent » entre eux. Si par contre le deuxième est aussi en siège, ce risque est exclu et l'accouchement peut se faire normalement, par les voies naturelles. Il en est de même lorsque le premier bébé est tête en bas, quelle que soit la position du deuxième.

En cas d'accouchement par voie basse (c'est-à-dire par les voies naturelles), l'enregistrement du cœur des bébés est fait par deux appareils distincts ou parfois par un seul appareil qui peut enregistrer les deux cœurs en même temps.

La naissance du premier jumeau est pratiquement la même que celle d'un bébé unique. Immédiatement après le médecin vérifie la position du deuxième bébé. Si la tête est en bas, le médecin rompt la deuxième poche des eaux (si elle existe), et le deuxième bébé naît aussitôt après car la route est déjà tracée. Il en est de même si le deuxième bébé se présente par le siège. Par contre, en cas de présentation transversale, le médecin doit, par des manœuvres intra-utérines, tourner le bébé et le mettre en bonne position.

POUR EN SAVOIR PLUS
Nous vous conseillons le livre de Jean-Claude Pons, Christiane Charlemaine, Emile Papiernik :
Le guide des jumeaux, la conception, la grossesse, l'enfance
(Éditions Odile Jacob).

Il s'écoule, en général, moins de 10 minutes entre la naissance des deux enfants. La délivrance survient en règle générale très rapidement après la naissance du deuxième bébé car cette délivrance est provoquée par l'injection d'ocytocique. Il n'est pas rare, néanmoins, qu'elle soit relativement hémorragique car l'utérus, surdistendu au cours de la grossesse, se contracte et se rétracte moins bien. Ceci conduit à pratiquer souvent une délivrance artificielle, ou une révision utérine (voir ces mots dans l'index).

Ces différentes interventions nécessitent théoriquement une anesthésie. Ceci rend souhaitable, pour ne pas dire indispensable, le recours à l'anesthésie péridurale, ou à tout le moins la présence, pendant toute la durée de l'accouchement, d'un anesthésiste capable d'endormir immédiatement la maman si nécessaire. Une remarque pour terminer : contrairement à l'opinion courante, l'aîné des jumeaux est celui qui naît le premier.

Après la naissance

Mettra-t-on vos nouveau-nés dans une couveuse ? Beaucoup de mamans posent la question. On met presque toujours les jumeaux dans une couveuse, ne fût-ce que quelques heures, mais ce n'est pas un signe de gravité. Il s'agit la plupart du temps d'une simple précaution liée à la naissance avant terme des bébés, et à leur poids en général inférieur à la moyenne. Le but est d'éviter le refroidissement et les troubles qui l'accompagnent (hypoglycémie, gêne respiratoire). Les grands prématurés, eux, bénéficient d'un traitement particulier (chapitre 11).

Après l'inquiétude au sujet de l'accouchement, ce qui préoccupe les mères, c'est l'organisation de la maison au retour de la maternité. C'est normal, mais des professionnels pourront vous aider. Dès maintenant renseignez-vous auprès de votre Caisse d'allocations familiales, et auprès d'une association « Naissances multiples » proche de votre domicile. Encore plus que pour une naissance simple, votre mari, une amie, une sœur, votre mère seront les bienvenus, au moins quelques heures dans la journée, pour que vous puissiez vous détendre, l'esprit tranquille.

Et, en attendant, profitez du séjour à la maternité pour vous reposer et vous sentir bien à l'aise dans les soins à donner à vos bébés. Vous ferez d'ailleurs une découverte charmante, c'est que très vite les enfants sont capables de comprendre que « c'est chacun son tour ».

Les mamans attendant des jumeaux se demandent souvent s'il est possible d'allaiter deux bébés. C'est tout à fait envisageable. Au début, les bébés tètent l'un après l'autre. Puis, lorsque l'allaitement a bien démarré, la maman peut nourrir les deux enfants à la fois.

Un cas exceptionnel : attendre des triplés

Il y a bien des années (c'était en 1934 !) une certaine madame Dionne mettait au monde cinq filles. C'étaient les premières quintuplées recensées dans l'histoire. Ce fut un événement international ; il fit la une de tous les journaux. En effet, la probabilité d'une grossesse quintuple spontanée est de 1 pour 40 000 000. Et celle d'une grossesse triple est de 1 pour 10 000.

Dans les années 1990, les grossesses multiples ne sont plus devenues exceptionnelles, notamment les grossesses triples. Cela était la conséquence possible des traitements dus à la l'Assistance Médicale à la Procréation (AMP, voir chapitre 5) : pour être sûr de la réussite du traitement, on réimplantait trois, voire quatre embryons. Mais aujourd'hui, attendre des triplés (ou plus) est redevenu exceptionnel. En effet, on maitrise mieux les techniques de l' AMP, et plus particulièrement la fécondation *in vitro* : on ne transfère jamais plus de deux embryons.

Les grossesses triples peuvent poser des problèmes. Le risque majeur est celui de l'accouchement prématuré. Aussi la nécessité de précautions particulières (repos, régime riche en calories et riche en protéines, prise de fer, de folates et de vitamines) et d'une surveillance médicale stricte (avec une échographie chaque mois) s'imposent-elles encore plus que pour les grossesses gémellaires.

JUMEAUX ET TRIPLÉS

Pour les parents de jumeaux et de triplés voici une adresse à connaître : **Fédération nationale jumeaux et plus**, *28, place Saint-Georges, 75009 Paris Tel. : 01 44 53 06 03 Fax : 01 44 53 06 23 www.jumeaux-et-plus.fr*

Pour l'accouchement, de nombreux médecins préfèrent la césarienne systématique à 35-36 semaines. Il est indispensable que l'accouchement ait lieu dans un établissement entraîné à ce type de naissance, c'est-à-dire une maternité de niveau 3.

Certains couples supportent mal psychologiquement les grossesses multiples (« deux c'est un succès, trois c'est un échec »). Les parents peuvent contacter une association « Naissances multiples » (adresse ci-dessus) et y trouver les conseils pratiques et le soutien psychologique qui pourraient leur être nécessaires.

Trois questions que vous vous posez

FILLE OU GARÇON ?

À QUI RESSEMBLERA NOTRE ENFANT ?

NOTRE ENFANT SERA-T-IL NORMAL ?

Depuis toujours, les parents se sont posés ces grandes questions : **Fille ou garçon ?**
À qui notre enfant ressemblera-t-il ?
Notre enfant sera-t-il normal ?
L'émotion qui accompagne chacune de ces questions n'est pas la même : en pensant aux deux premières, les parents aiment se laisser aller à des rêveries autour de leur bébé ; la troisième est teintée d'inquiétude. Quoiqu'il en soit, grâce aux progrès de la médecine, on peut aujourd'hui plus vite et mieux répondre à certaines de ces interrogations.

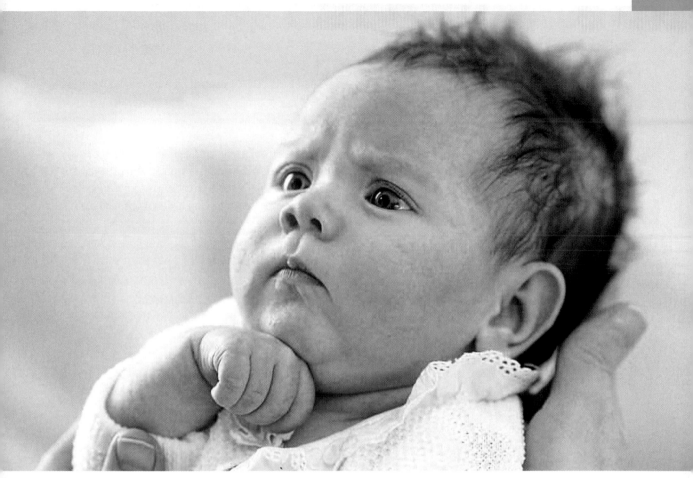

Fille ou garçon ?

Aujourd'hui, grâce à l'échographie, le mystère peut être levé plus tôt lorsque les parents ont demandé à connaître le sexe de leur bébé. Les autres parents, moins nombreux mais en sensible augmentation, découvriront à la naissance si c'est une petite fille ou un petit garçon.

Pour comprendre selon quels mécanismes, quelles lois de la biologie, le sexe d'un enfant est déterminé dès la conception, il convient de faire une incursion dans le domaine de l'infiniment petit, et de donner quelques explications un peu techniques qui vous rappelleront peut-être les cours du collège et du lycée.

La cellule

L'organisme est composé de différents tissus eux-mêmes faits de cellules. Chaque être humain en possède une dizaine de milliards environ. La cellule est l'élément de base de tout être vivant.

Chaque cellule, en fonction du rôle qu'elle joue dans l'organisme, a une forme ou un aspect particulier. Le globule rouge a la forme d'un disque, alors que les cellules des nerfs ou de la peau ont la forme d'une sorte de cube ou de parallélépipède aplati, et la cellule de l'os a la forme d'une étoile, etc.

Le noyau de la cellule

Chaque cellule comprend, entre autres, une partie plus dense que l'on appelle le noyau et qui est la plus importante, on serait tenté de dire : la plus noble.

Les chromosomes

Ce noyau est fait d'une substance appelée *chromatine* parce qu'elle a la faculté d'absorber certaines matières colorantes (du grec *chromos* : couleur). Quand les cellules se divisent pour se multiplier et se renouveler, la chromatine du noyau prend un aspect particulier. Elle se fragmente en corpuscules appelés chromosomes. L'aspect et le nombre des chromosomes varient selon les espèces animales.

Dans l'espèce humaine, il y a 46 chromosomes par cellule. Ils sont groupés en 23 paires ; dans chaque paire l'un des chromosomes est hérité du père et l'autre de la mère.

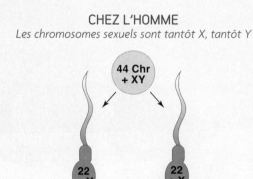

CHEZ LA FEMME
Tous les chromosomes sexuels sont X

44 Chr + XX
22 Chr + X
22 Chr + X

CHEZ L'HOMME
Les chromosomes sexuels sont tantôt X, tantôt Y

44 Chr + XY
22 + Y
22 + X

X et Y

22 paires de chromosomes sont identiques dans l'un et l'autre sexe. La 23e, au contraire, est différente chez l'homme et chez la femme. Il s'agit de la paire de chromosomes sexuels.

Chez la femme, cette paire est faite de 2 chromosomes semblables appelés chromosomes X. Chez l'homme, les 2 chromosomes sont différents : l'un est appelé X et l'autre Y. Dans le sexe féminin, les cellules sont donc composées de 22 paires + 1 paire XX. Dans le sexe masculin les cellules comportent 22 paires + 1 paire XY.

La division des cellules

À l'exception des cellules nerveuses, toutes les cellules de l'organisme se renouvellent : la durée de vie d'une cellule est en effet limitée et va de 4 jours à 4 mois. Cette reproduction se fait par simple division. Chaque cellule se divise en deux cellules filles contenant le même nombre de chromosomes que la cellule mère dont elles sont issues (soit 46 dans l'espèce humaine).

Les cellules sexuelles, ou germinales, ou gamètes

Les cellules sexuelles échappent à cette règle de la division. Lors de la fabrication des ovules chez la femme et des spermatozoïdes chez l'homme, la division des cellules prend un caractère un peu particulier et les cellules sexuelles adultes (ovule ou spermatozoïde) qui vont assurer la fécondation, ne contiennent plus que la moitié des chromosomes soit 23 au lieu de 46. Ainsi, lors de la fusion du spermatozoïde et de l'ovule, sera reconstituée une cellule (l'œuf) qui comportera 46 chromosomes, nombre caractéristique de l'espèce humaine.

Il est facile de comprendre que, s'il n'en était pas ainsi, l'œuf aurait 46 + 46 soit 92 chromosomes, ce qui n'est pas le nombre caractéristique des individus normaux. Vous verrez d'ailleurs plus loin que certains œufs ont un nombre anormal de chromosomes. Cela conduit soit à un avortement, soit à la naissance d'un enfant qui peut être anormal.

CE SERA UNE FILLE
Un ovule est fécondé par un spermatozoïde à chromosome X

22 +X ➕ 22 Chr +X

44 Chr +XX

CE SERA UN GARÇON
Un ovule est fécondé par un spermatozoïde à chromosome Y

22 +Y ➕ 22 Chr +X

44 Chr +XY

Pourquoi garçon ? Pourquoi fille ?

Jusqu'à nouvel ordre, il faut admettre qu'il s'agit là d'un pur hasard mais qui mérite une explication.

Lors de la fabrication des ovules dans l'ovaire, les deux chromosomes sexuels étant identiques chez la femme (X et X) tous les ovules recevront 22 chromosomes ordinaires + 1 chromosome X. Cela équivaut à dire que tous les ovules auront une formule chromosomique identique.

Chez l'homme, au contraire, la cellule mère qui donne naissance aux spermatozoïdes comprend 44 chromosomes + 2 chromosomes sexuels différents X et Y. Lors de la division, 50 % des spermatozoïdes recevront 22 chromosomes ordinaires + 1 chromosome X alors que 50 % recevront 22 chromosomes ordinaires + 1 chromosome Y. Cela revient par conséquent à dire que tous les spermatozoïdes n'ont pas la même formule chromosomique. Lors de la fécondation, c'est-à-dire lors de l'union d'un ovule et d'un spermatozoïde, deux possibilités apparaissent donc.

La fille

L'ovule est fécondé par un spermatozoïde à chromosome X : il va en résulter, par réunion des chromosomes, un œuf contenant 44 chromosomes + X + X (soit XX). Cette formule est celle du sexe féminin. Cet œuf donnera naissance à une fille.

Le garçon

L'ovule est fécondé par un spermatozoïde à chromosome Y : la reconstitution du capital chromosomique aboutira à la formule : 44 chromosomes + X + Y (soit XY). Cette formule est celle du sexe masculin. Cet œuf donnera naissance à un garçon.

C'est donc le spermatozoïde qui détermine le sexe de l'enfant : c'est une fille lorsqu'il est à chromosome X, c'est un garçon lorsqu'il est à chromosome Y.

Pas seulement le hasard

Certaines notions échappent d'ailleurs encore à nos connaissances dans ce domaine.

En effet, si le hasard seul intervenait, comme dans le jeu de pile ou face, il devrait y avoir statistiquement, autant de naissances de filles que de garçons. Or, il naît un peu plus de garçons que de filles (104 à 106 contre 100). D'autre part, dans certaines familles, on observe de façon frappante un bien plus grand nombre d'enfants de l'un ou l'autre sexe et l'on a pu parler de familles à filles et de familles à garçons. On a cité le cas d'une famille où, en trois générations, sont apparues soixante-douze filles sur soixante-douze grossesses. L'explication de tels phénomènes reste encore actuellement du domaine de l'hypothèse. Au fil des années cependant, de nombreux travaux faits dans le monde entier permettent de cerner de mieux en mieux la réalité.

On sait, par exemple, que les spermatozoïdes X et Y présentent des différences : les seconds ont une tête plus petite et se déplacent plus vite que les premiers. Il semble d'autre part que certaines anomalies du sperme se fassent surtout au détriment des spermatozoïdes X ou au contraire des spermatozoïdes Y. Cela expliquerait pourquoi certains hommes donnent naissance à plus de filles que de garçons par exemple.

Il reste vrai toutefois que de nombreuses inconnues persistent en ce domaine.

PEUT-ON CHOISIR LE SEXE DE L'ENFANT ?

La réponse est non. Pourtant, avoir à volonté une fille ou un garçon est un rêve vieux comme l'humanité. Comme la prédiction du sexe, il a donné lieu à des conseils et des remèdes tous plus fantaisistes et surtout inefficaces les uns que les autres. Depuis quelques années de nombreux travaux sont faits dans le monde entier sur ce sujet, non pas pour satisfaire le désir des parents d'avoir une fille ou un garçon, mais pour venir en aide aux familles dans lesquelles se transmet une maladie héréditaire liée au sexe. Comme vous le verrez plus loin (p. 178) certaines maladies n'affectent que les filles ou que les garçons.

Où en sont actuellement les recherches et les avancées médicales dans ce domaine ?

Une première série de travaux consiste à identifier, en laboratoire, les spermatozoïdes Y, ceux qui déterminent les garçons, et les spermatozoïdes X, ceux qui déterminent les filles. Ces techniques donnent des résultats variables ; elles nécessitent d'abord de recueillir le sperme, de séparer les spermatozoïdes X des spermatozoïdes Y, puis, pour assurer la fécondation, de procéder soit à une insémination par les voies naturelles avec les spermatozoïdes sélectionnés, soit de réaliser une fécondation *in vitro*.

La technique la plus efficace est de procéder non pas à une sélection des spermatozoïdes mais à une sélection des embryons dont on cherche à connaître le sexe. Cela n'est possible que dans un cadre légal, réservé à des cas précis et effectué uniquement par des laboratoires spécialisés et agréés dans le domaine de la reproduction et de la génétique. C'est ce que l'on appelle le **diagnostic pré-implantatoire** (DPI). Voici en quoi il consiste.

On procède tout d'abord à une fécondation *in vitro* pour obtenir des embryons, puis on prélève sur chaque embryon une cellule sur laquelle on va rechercher le sexe. Si un de ces embryons est d'un sexe qui n'est pas porteur de la maladie héréditaire considérée, il pourra alors être transféré sans risque.

Actuellement, le DPI va encore plus loin que l'établissement du caryotype et donc la détermination du sexe. Il peut rechercher si l'embryon possède ou non le gène de la maladie héréditaire.

Le diagnostic pré-implantatoire va probablement remplacer peu à peu le diagnostic prénatal dans les situations où les couples ont un haut risque de transmettre une maladie héréditaire gravement invalidante, et donc un haut risque d'avoir un recours à une interruption médicale de grossesse ; les conséquences médicales et psychologiques de celles-ci sont toujours dramatiques, comme on peut aisément l'imaginer (p. 184).

Vous le voyez, il n'existe pas de méthode simple pour choisir le sexe de l'enfant à naître. Nous aurions tendance à dire « Heureusement ! ». Si le choix était possible, il y aurait probablement plus de garçons que de filles. Cela entraînerait un déséquilibre entre les sexes, et une chute de la démographie, car pour le moment ce sont les femmes qui enfantent et accouchent...

CONNAÎTRE LE SEXE DE L'ENFANT AVANT LA NAISSANCE

Depuis les temps les plus anciens, on a cherché à connaître le sexe de l'enfant avant la naissance. Pour trouver une réponse, les Grecs, avec Hippocrate, tenaient compte de la coloration du visage ou de l'importance du développement utérin.

Au fil des siècles, on a tenté d'accorder une valeur :
• au rythme cardiaque de l'enfant : certaines femmes restent persuadées que le cœur bat plus ou moins vite selon qu'il s'agit d'un garçon ou d'une fille. Les enregistrements électroniques du cœur fœtal ont montré qu'il n'en était rien
• au déroulement de la grossesse et à l'importance des malaises ressentis
• à la manière de porter son enfant : on croyait que si l'enfant « montait » très haut ce serait un garçon, ou « descendait » très bas ce serait une fille
• à la date du rapport fécondant par rapport à l'ovulation, car les spermatozoïdes X et Y n'auraient pas la même durée de survie.

Aujourd'hui, c'est au cours de deux circonstances bien différentes que l'on peut connaître le sexe de l'enfant avant la naissance.
• La première, c'est lors de l'**échographie** de la 21/22e semaine (p. 215). À ce moment-là, il est possible de voir le sexe sans se tromper. La marge d'erreur est très faible. Il peut néanmoins exister des cas où la position du bébé gêne la vision de son anatomie. Dans cette hypothèse, l'échographiste donnera une réponse avec réserve. Pour avoir une certitude, il faudra attendre la prochaine échographie, vers la 31/32e semaine. On peut aussi décider d'attendre 7 semaines de plus, c'est-à-dire la naissance du bébé...

À ce propos, il faut signaler que les échographistes sont plutôt réticents à donner spontanément le sexe de l'enfant qu'ils examinent, à moins bien sûr que les parents ne le demandent expressément.

• On peut aussi connaître le sexe de l'enfant avant la naissance à l'occasion d'un **diagnostic pré-natal génétique**. Cet examen est beaucoup moins fréquent que l'échographie car il se fait dans des circonstances précises, celles où on a besoin d'étudier les chromosomes de l'enfant. Cette étude se fait selon deux méthodes : par prélèvement des villosités du placenta, vers la 10/11ᵉ semaine, c'est la **biopsie du throphoblaste** (p. 182) ; ou par l'examen du liquide amniotique, vers la 16/17ᵉ semaine, c'est l'**amniocentèse** (p. 181).

Avec ces deux techniques, on peut étudier les chromosomes sexuels et savoir s'il s'agit d'un garçon ou d'une fille. La méthode est sûre mais on ne l'utilise jamais pour connaître uniquement le sexe de l'enfant, sauf cas exceptionnel.

Les parents souhaitent-ils connaître le sexe de l'enfant avant la naissance ?

Pour certains, la réponse est oui, sans hésiter : cela permet de parler de l'enfant avec le prénom choisi, de faire des projets plus personnalisés, d'acheter une layette en conséquence.

D'autres parents souhaitent connaître le sexe du bébé à naître, ils ne veulent pas l'annoncer à l'entourage ; ils gardent le secret pour eux et réservent la surprise aux autres.

Certains parents veulent avoir le plaisir de la découverte au moment de la naissance. Mais, d'après notre enquête, la majorité des futurs pères aimerait connaître le sexe du bébé pendant la grossesse. Apprendre que c'est un petit garçon ou une petite fille donne plus de réalité à l'enfant attendu. Les futures mères sont plus ambivalentes. Elles connaissent déjà bien leur bébé puisqu'il est présent à chaque minute dans leur corps. Elles hésitent à en savoir plus. Elles veulent se laisser aller à imaginer leur bébé sans trop de précisions.

Parfois, les femmes cèdent à la pression de leur mari, de l'entourage, et aussi des aînés : « Dans ma classe, Gaspard, il sait qu'il va avoir une petite sœur. »

Si vous faites partie de ces parents qui n'ont pas envie de connaître le sexe de leur bébé, pensez à le préciser avant chaque échographie pour que le médecin respecte votre souhait.

À qui ressemblera notre enfant ?

Vous avez sûrement envie de savoir si votre enfant héritera des cheveux blonds et des yeux noirs de sa grand-mère, ou bien du nez droit et de la grande taille de son père. Et vous espérez aussi qu'il n'aura pas le caractère difficile de son grand-père, mais plutôt votre don musical. En un mot, vous vous demandez comment, d'une génération à l'autre, se transmettent les dons et caractéristiques physiques et intellectuels.

LES RESSEMBLANCES PHYSIQUES

Les agents de transmission de l'hérédité, ce sont les chromosomes, et surtout les gènes : les chromosomes transmettent le sexe ; ils portent les gènes qui, eux, transmettent les caractéristiques de l'individu.

Lors de la fécondation (p. 104), l'union des chromosomes maternels et paternels, et la combinaison des gènes entre eux, apportent au futur enfant des caractères physiques et psychologiques qu'il tiendra pour partie de son père, et pour partie de sa mère.

En ce qui concerne les caractères physiques, on pourrait logiquement s'attendre à ce que l'enfant ressemble pour moitié à son père et pour moitié à sa mère : avoir, par exemple, la couleur des yeux de l'un et la forme du nez de l'autre. Cela n'est pas le plus fréquent, l'enfant n'apparaît pas habituellement comme composé d'une mosaïque dont les éléments reproduiraient fidèlement pour moitié les traits du père et pour moitié ceux de la mère. Ces faits s'expliquent par ce que l'on appelle les lois de l'hérédité, infiniment complexes, et dont voici les grandes lignes.

Un demi-héritage seulement

Vous avez vu que lorsque se forment les cellules sexuelles, seuls 23 chromosomes (sur les 46 que comprend la cellule mère) passaient dans le spermatozoïde ou dans l'ovule. Lors de la fécondation, l'œuf ne reçoit donc que la moitié de l'héritage du père, et la moitié de celui de la mère, et non la totalité de ces héritages.

Plus important encore : quand les 23 paires de chromosomes se séparent en deux, cette séparation se fait complètement au hasard, chaque chromosome d'une paire pouvant aller dans l'une ou l'autre des 2 cellules filles. Un simple calcul montre que ceci représente 2^{23}, c'est-à-dire 8 388 608 possibilités.

Ceci veut dire que du point de vue de l'hérédité, un homme peut fabriquer 8 338 608 sortes de spermatozoïdes différents, dont le message héréditaire ne sera pas le même. Il en est de même pour les ovules de la femme.

Enfin, avant de se séparer, les chromosomes d'une même paire vont s'échanger des morceaux équivalents de leur substance, recombinant ainsi l'héritage génétique ; les généticiens parlent de *crossing over*. Si l'on tient compte de ce phénomène, ce ne sont plus 8 millions de possibilités qui existent, mais 10^{40}, c'est-à-dire beaucoup plus que le nombre d'êtres humains ayant jamais existé…

Ainsi s'explique que, bien que nés de la même mère et du même père, des frères et sœurs puissent n'avoir entre eux qu'un air de famille et que la ressemblance n'aille souvent pas plus loin. On peut dire qu'à l'exception des vrais jumeaux, chaque nouvel œuf va donner un individu nouveau, différent de ses parents et de ses frères et sœurs. Chaque nouvel embryon est dans l'histoire de l'humanité un individu unique, différent de ceux qui l'ont précédé, et différent de ceux qui le suivront.

Dominants et récessifs

Lors de sa conception, l'enfant va recevoir, pour chaque caractère physique, un gène de son père et un gène de sa mère. Prenons, par exemple, la couleur des yeux et supposons qu'il hérite sur le gène paternel de la couleur marron, et sur le gène maternel de la couleur bleue. Ses yeux ne seront pas moitié marron et moitié bleu, mais marron, car cette couleur l'emporte sur le bleu. On dit que le gène qui porte la couleur marron est « dominant » et que l'autre est « récessif ». On dit aussi que ce dernier est « réprimé » car empêché de transmettre son message, la couleur bleue.

Voici quelques exemples de caractères dominants : les longs cils, les narines larges, les grandes oreilles, les taches de rousseur ; et de caractères récessifs : les yeux bridés, les cheveux clairs, la myopie.

Mais il faut savoir également que cet enfant aux yeux marron garde dans son capital héréditaire, sur un gène de ses chromosomes, le caractère yeux bleus, bien que celui-ci n'apparaisse pas chez lui puisque dominé par le caractère yeux marron. Imaginons maintenant cet enfant aux yeux marron devenu adulte. Il peut transmettre à sa propre descendance le caractère yeux bleus puisqu'il l'a gardé sur un de ses gènes. S'il en est de même pour sa femme, leur enfant pourra avoir les yeux bleus bien que son père et sa mère aient les yeux marron.

Ainsi, bien que tenant de ses parents tout son patrimoine, un enfant peut parfaitement ne pas leur ressembler. En revanche, il tient forcément tous ses caractères des générations précédentes.

Les caractères physiques sont donc héréditaires et un individu ne peut posséder que ceux qu'avaient déjà les générations qui l'ont précédé. Il existe toutefois des exceptions à ces lois générales.

L'environnement

La première exception est représentée par l'influence éventuelle d'éléments extérieurs à l'hérédité. En voici quelques exemples.

• **Le poids :** la prédisposition à prendre du poids est héréditaire. Mais il est évident que le poids d'un individu dépendra aussi de ses conditions d'alimentation : abondance ou famine.

• **La taille :** on a constaté que les descendants des Asiatiques émigrés aux États-Unis (Chinois et Japonais généralement de petite taille) avaient une taille moyenne supérieure à celle de leurs ancêtres. On ne voit pas d'autre explication à ce phénomène que l'action du mode de vie et plus particulièrement de l'alimentation.

• **La couleur de la peau :** elle est aussi déterminée par l'hérédité ; toutefois la peau sera plus ou moins foncée selon que l'on sera souvent ou jamais exposé au soleil.

Cette action de l'environnement est toutefois limitée : un Noir qui ne s'exposera jamais au soleil n'en aura pas pour autant la peau blanche ; un albinos qui se mettra au soleil ne brunira pas. Mais il y a sans cesse une interaction entre ce que l'hérédité apporte, et ce qui provient de l'environnement.

Les mutations

Elles représentent la seconde exception aux lois de l'hérédité. En génétique, une mutation est une erreur dans la transmission des gènes, c'est comme une faute d'orthographe dans le vocabulaire des gènes. Il s'agit donc de modifications soudaines, transmissibles ou non, du matériel héréditaire.

Souvent les mutations sont « neutres », c'est-à-dire qu'elles se produisent et passent totalement inaperçues parce que le gène qui a muté est récessif, ou parce que, bien que dominant, sa fonction n'est pas assez perturbée par la mutation pour entraîner des manifestations ou des troubles que l'on puisse remarquer. Il faut de nombreuses mutations, combinées avec la reproduction de nombreux individus, et prolongées sur une longue période de temps, pour obtenir des différences appréciables. On pourrait dire, en quelque sorte, que la mutation agit plus au niveau d'un ensemble que d'un individu.

Il arrive aussi que des mutations aillent dans le sens d'une amélioration, d'un progrès ; elles participent à l'évolution des espèces.

On connaît mal chez l'homme les mutations de ce type alors qu'elles sont très nombreuses dans les espèces végétales ou animales. Toutefois, on a retrouvé chez certains individus une hémoglobine mutée (l'hémoglobine est le pigment qui donne au sang sa couleur rouge) qui fixe l'oxygène deux fois mieux que l'hémoglobine normale ; on a également découvert chez certains hommes des gènes, responsables de la fabrication des sucres, qui « travaillent » quatre fois mieux que les gènes habituels.

D'ailleurs, certains chercheurs se sont demandés si les sujets considérés comme des surdoués n'étaient pas les bénéficiaires de plusieurs mutations capables d'expliquer leurs performances exceptionnelles.

Parfois malheureusement la mutation a des conséquences néfastes. Elle conduit à un dysfonctionnement d'une protéine et peut être responsable d'une maladie héréditaire. Comme pour les caractéristiques normales, la transmission des mutations suit les lois de l'hérédité. Il existe ainsi des maladies récessives, dominantes, ou liées au sexe qui ne toucheront par exemple que les garçons. Bon nombre de mutations surviennent vraisemblablement spontanément, par hasard. D'autres sont la conséquence d'agents dits mutagènes : les rayons X, la radioactivité, les rayons cosmiques, de nombreux produits chimiques peuvent être mutagènes. Il est bien évidemment impossible de connaître le nombre de mutations dans l'espèce humaine.

LES RESSEMBLANCES PSYCHOLOGIQUES OU INTELLECTUELLES

Les caractères physiques ne sont pas les seuls à se transmettre selon les lois de l'hérédité. Il en est de même de certains traits intellectuels ou psychologiques.

La transmission héréditaire se fait de la même façon que pour les caractères physiques ; mais, dans la pratique, ses conséquences paraissent souvent moins apparentes. En effet, tout ce qui va constituer la structure intellectuelle et surtout psychologique d'un individu est soumis à des influences multiples : mode de vie et comportement de ses ascendants, mode d'éducation, appartenance sociale, etc. C'est d'ailleurs un des mérites de la psychologie d'aujourd'hui que d'avoir mis en évidence l'influence de l'entourage sur la structure psychologique d'un être. Ainsi, bien que l'enfant tienne de ses parents certains traits psychologiques et intellectuels, sa personnalité sera plus ou moins fortement modifiée par les influences extérieures. C'est d'ailleurs ce qu'a spontanément retenu la sagesse populaire en deux proverbes apparemment contradictoires mais qui contiennent chacun un fond de vérité : « Tel père, tel fils » et « À père avare, fils prodigue ».

Vous voyez que si votre enfant a des chances de vous ressembler, ou de ressembler à son père, il pourra tout aussi bien avoir la couleur des yeux de sa grand-mère ou la nature des cheveux de son arrière-grand-père. Mais en tous cas c'est vous qui aurez été le maillon indispensable dans la chaîne de l'hérédité.

Quant à son caractère et à ses goûts, l'enfant pourra certes hériter sur ses chromosomes de vos dispositions pour un art : la musique par exemple. Il pourra surtout aimer la musique parce que vous lui en aurez donné le goût. Il pourra aussi, par réaction, l'avoir en horreur.

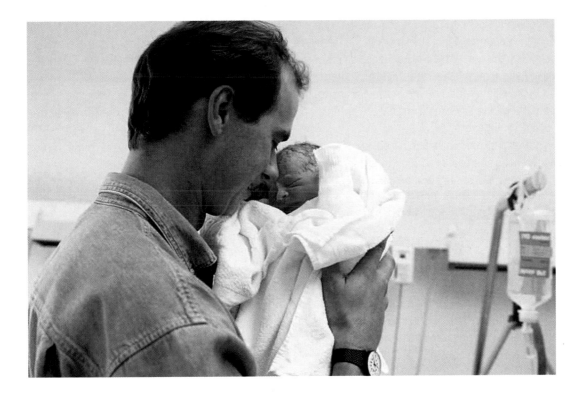

Notre enfant
sera-t-il normal ?

Notre enfant sera-t-il normal ? Parmi les questions que vous vous posez, c'est certainement celle qui vous tient le plus à cœur.

Nous pourrions vous répondre que le pourcentage d'enfants présentant une anomalie ne dépasse pas 3 %. Nous pourrions vous dire aussi que la nature fait elle-même sa sélection. Vous pouvez voir plus loin que plus de la moitié des avortements précoces, ceux qui surviennent au cours du 1er trimestre de la grossesse, sont en rapport avec une anomalie des chromosomes. Cela veut dire que la plupart des œufs mal formés sont rapidement éliminés. Nous y reviendrons plus loin. Mais sans doute demandez-vous autre chose à ce chapitre. Vous voulez être informés de tout ce qui peut causer une déficience ou une malformation, et vous voulez savoir ce que de futurs parents doivent faire pour mettre toutes les chances de leur côté. Nous allons essayer de répondre à vos interrogations. Nous disons « essayer », car bien des points restent encore obscurs dans ce domaine.

Auparavant, nous voudrions répondre à quelques questions fréquemment posées.

Quelle est la différence entre héréditaire et congénital ?
Au sens strict, ces deux termes ne sont pas synonymes, bien que la confusion soit fréquente.

On appelle *congénitale* une maladie (ou une malformation) qui se révèle à la naissance, mais dont l'origine remonte généralement à la vie intra-utérine. Par exemple, un enfant dont la mère a eu la rubéole peut présenter à la naissance diverses malformations. Elles sont congénitales mais non héréditaires : sa mère ne les avait pas, et l'enfant ne les transmettra pas à sa descendance.

On appelle *héréditaire* une maladie transmise par les gènes. Les parents l'ont dans leur patrimoine génétique et la transmettent à leurs enfants ; par exemple la mucoviscidose ou l'excès de cholestérol d'origine génétique.

La plupart des maladies héréditaires se manifestent dès la naissance mais certaines ne seront apparentes que beaucoup plus tard dans la vie.

D'autre part, s'il est vrai qu'une affection qui apparaît à plusieurs reprises dans une même famille a de grandes chances d'être héréditaire, il n'en est pas toujours ainsi. Elle peut être en rapport avec l'environnement.

Les maladies héréditaires sont-elles toujours graves et incurables ?

Ce n'est pas aussi tranché. Un certain nombre de maladies héréditaires ne s'accompagnent pas de malformations graves et sont compatibles avec une vie presque normale, au prix d'une prise en charge médicale adaptée. Certaines d'entre elles peuvent actuellement être traitées. En revanche, il est évident que l'on ne peut empêcher le sujet de rester porteur du gène responsable d'une maladie héréditaire et de le transmettre à sa descendance (voir plus loin : la consultation de génétique).

Et maintenant nous allons essayer de répondre à la question que les futurs parents se posent si souvent.

POURQUOI TEL ENFANT N'EST-IL PAS NORMAL ?

Pourquoi certains enfants naissent-ils « différents », avec un handicap physique ou intellectuel ? Devant un nouveau-né présentant un handicap, les médecins sont encore dans la plupart des cas incapables de trouver une explication. Lorsqu'il y en a une, trois causes sont possibles : une agression pendant la grossesse ou l'accouchement, une anomalie chromosomique, une anomalie génique.

Dans les deux premiers cas, l'enfant a souffert de l'environnement. Dans les autres, il a souffert de son hérédité.

L'ENVIRONNEMENT

Au cours de la grossesse, l'œuf peut souffrir pendant son développement, d'une atteinte qui peut être infectieuse, chimique ou physique. Vous verrez aux chapitres 9 et 10 qu'un certain nombre de facteurs peuvent perturber le développement normal de l'œuf, et produire des malformations.

C'est le cas de certaines maladies infectieuses maternelles comme la rubéole, le cytomégalovirus ou la toxoplasmose. Presque toutes les maladies infectieuses et parasitaires ont d'ailleurs été mises en cause mais, pour beaucoup d'entre elles, on ne possède aucune preuve de leur action néfaste. Selon la période d'atteinte de l'œuf, les conséquences seront différentes : au cours des trois premiers mois, période de formation de l'œuf, le risque est celui d'une malformation (plus ou moins grave selon l'organe qu'elle affecte), plus tard celui d'une maladie qui se révélera à la naissance (maladie congénitale), mais le risque de malformations aura disparu.

L'agression peut être chimique. Il s'agit rarement d'un traitement administré malencontreusement à la mère pendant la grossesse (p. 222) car le principe de précaution selon lequel « tout traitement qui n'est pas formellement indiqué en début de grossesse est contre-indiqué », est aujourd'hui bien connu des médecins. Il peut s'agir de catastrophes écologiques : intoxications par le mercure comme celle qui s'est produite à Minamata au Japon, ou par la dioxine, il y a quelques années à Seveso, en Italie. Ce peut être enfin l'action de certaines radiations ou produits radioactifs, comme l'ont montré les accidents de la centrale de Tchernobyl. Dans les chapitres 9 et 10, nous vous parlerons des précautions à prendre pour éviter, autant que faire se peut, de tels accidents.

Pendant l'accouchement, l'enfant peut souffrir d'un manque d'oxygène provoqué par une procidence du cordon ombilical, de contractions utérines trop intenses et trop rapprochées, d'un hématome rétro-placentaire, ou d'un cordon comprimé, etc. Ces facteurs peuvent être dépistés en surveillant l'activité cardiaque du bébé (monitoring). Mais une atteinte de l'enfant pendant l'accouchement n'est pas forcément responsable de la plupart des handicaps cérébraux comme on a eu tendance à le dire jusqu'à récemment. On admet aujourd'hui qu'environ seulement 10 % des souffrances cérébrales de l'enfant sont liées aux conditions de l'accouchement.

L'HÉRÉDITÉ

Ici l'œuf n'a pas souffert d'une agression, mais d'une anomalie qui porte sur les chromosomes ou sur les gènes.

Les anomalies portant sur les chromosomes

Ces anomalies, ou aberrations chromosomiques, peuvent porter sur le nombre ou la structure des chromosomes.

• **Les aberrations de nombre** sont dues le plus souvent à une erreur lors de la fabrication des spermatozoïdes ou des ovules : au lieu que chacun des deux spermatozoïdes nés de la cellule mère reçoive 23 chromosomes, l'un en reçoit un de plus, l'autre un de moins. Si ces spermatozoïdes « anormaux » assurent la fécondation, l'œuf aura dans le premier cas un chromosome de plus (soit 47) : on parle alors de trisomie. Dans le second cas, il aura un chromosome de moins (soit 45) : on parle de monosomie. Le même raisonnement vaut évidemment pour l'ovule. Ainsi, on sait que, dans la trisomie 21, c'est l'ovule qui est anormal dans 95 % des cas.

La trisomie 21 fut la première aberration chromosomique décrite (en 1959) : on l'appelle ainsi car la 21ᵉ paire de chromosomes (elles sont toutes numérotées) comporte trois chromosomes au lieu de deux. La trisomie 21 est responsable du mongolisme. Ces deux mots (trisomie 21) ont d'ailleurs remplacé celui de mongolisme.

Beaucoup plus rarement, les chromosomes ne se séparent pas. Le spermatozoïde (ou l'ovule) garde 46 chromosomes. Lors de la fécondation, il aboutira à un œuf de 46 + 23 = 69 chromosomes. On parle de triploïdie qui est incompatible avec le développement de l'œuf.

• **Les aberrations de structure.** Les chromosomes sont relativement fragiles et, notamment lors de la fabrication des ovules ou des spermatozoïdes, ils peuvent se casser en un ou plusieurs fragments. Selon les cas, ces fragments vont se recoller sur place, ou se recoller sur un autre chromosome, ou même se perdre avec des conséquences de gravité à chaque fois croissante.

• **Les conséquences des aberrations chromosomiques sont très variables.** Tout dépend s'il y a perte ou non du matériel chromosomique.

• **Il n'y a pas de perte.** On dit que *le caryotype est équilibré*. Le fragment de chromosome cassé n'est pas perdu ; il se recolle sur un autre chromosome que son chromosome d'origine. Dans ce cas, il n'y a habituellement aucune conséquence pour le porteur de l'aberration. On pense que c'est le cas d'un individu sur 800 environ. Le sujet est en parfaite santé et il est porteur de l'anomalie sans le savoir. Par contre il peut donner naissance à des enfants anormaux. Ainsi 2 à 3 % des trisomies 21 ne sont pas accidentelles, mais dues à une anomalie « équilibrée » du caryotype paternel ou maternel. C'est dire qu'une telle anomalie n'est généralement découverte que si l'on établit le caryotype des parents après la naissance d'un enfant anormal ou à la suite de plusieurs fausses couches spontanées précoces.

• **Il y a perte** d'un fragment de chromosome, ou bien il y a un ou plusieurs chromosomes en plus ou en moins. On dit que *le caryotype est déséquilibré*. Les conséquences sont variées. La première conséquence, pour de nombreuses aberrations, est de bouleverser le développement embryologique de façon très précoce et d'aboutir à un avortement dans les premières semaines. L'embryon présente des malformations importantes ou même, il n'y a pas d'embryon du tout (œuf clair). On sait maintenant que les aberrations chromosomiques sont la cause de la plupart des avortements spontanés précoces : ces aberrations représentent 90 % des avortements des cinq premières semaines et 60 à 70 % des avortements qui se produisent dans les trois premiers mois. C'est une des raisons pour lesquelles on ne traite plus les menaces de fausses couches précoces.

Parfois, un déséquilibre chromosomique sera responsable de la naissance d'un enfant présentant un handicap physique et / ou intellectuel.

LE CARYOTYPE

C'est la carte d'identité des chromosomes. Pour établir le caryotype, on recueille quelques cellules (habituellement en prélevant quelques gouttes de sang) et, grâce à des techniques complexes, on peut voir les chromosomes au microscope, les photographier et les classer. On s'est mis d'accord pour classer les chromosomes (par paires et par taille décroissante), en leur donnant des numéros. Sur cette carte d'identité apparaîtront d'éventuelles anomalies susceptibles d'être transmises aux descendants.

Les anomalies géniques

Ici, l'anomalie est plus localisée que dans le cas précédent puisqu'elle ne concerne qu'un gène, c'est-à-dire un fragment de chromosome. Ceci ne veut d'ailleurs pas dire que les conséquences soient moins graves.

La transmission de l'anomalie génique se fait, comme celle des caractères normaux, selon les lois de l'hérédité. Le risque est évidemment plus ou moins grand pour la descendance selon que le gène défaillant est dominant ou récessif, et selon qu'il est situé sur un chromosome autosome (non sexuel) ou sur un chromosome sexuel. Nous ne pouvons entrer ici dans le détail. Sachez seulement qu'en cas de gène récessif, un sujet peut être porteur du gène sans être malade. Mais il peut par contre le transmettre à sa descendance : on dit qu'il est « conducteur » du gène ou « porteur sain ».

L'exemple classique est celui de l'hémophilie, cette maladie du sang qui empêche sa coagulation ; elle a ceci de particulier qu'elle est transmise par les femmes, mais ne peut donner de troubles que chez les hommes ; autrement dit, la femme n'a pas la maladie, mais elle peut la transmettre à ses fils.

QUEL EST LE RISQUE D'AVOIR UN ENFANT ANORMAL ?

Quels que soient les progrès de la médecine, la peur d'avoir un enfant anormal reste présente à l'esprit des parents. Ceux-ci sont en général rassurés par les échographies. Quant à la découverte d'une anomalie grave à la naissance, elle reste exceptionnelle aujourd'hui. En effet, environ 97 % des grossesses qui évoluent favorablement au-delà du troisième mois aboutiront à la naissance d'un enfant en bonne santé. Voyons comment les choses peuvent se présenter :

LE RISQUE EST CONNU AVANT LA GROSSESSE

Il existe des situations qui évoquent un risque particulier et conduisent à mettre en œuvre un certain nombre d'examens complémentaires pendant la grossesse. Par exemple :

• **L'existence d'une maladie héréditaire.** Que ce soit dans votre famille ou dans celle de votre mari, l'existence d'une maladie héréditaire augmente les risques d'avoir un enfant anormal. Mais cela ne veut certainement pas dire qu'il est impossible d'avoir un enfant normal.

• **Les antécédents.** Il y a un risque lorsque certains événements se sont produits lors d'une grossesse précédente : la naissance d'un enfant porteur d'une anomalie ; une interruption médicale de grossesse (IMG) ; une fausse couche tardive, avec un enfant porteur d'une malformation.

• **L'âge des parents.** L'âge de la mère intervient sur la qualité de ses ovules, et plus la mère avance en âge, plus le risque d'aberrations chromosomiques augmente. En particulier pour la trisomie 21 dont voici la fréquence : 1/1 500 à 20 ans – 1/1 350 à 25 ans – 1/900 à 30 ans – 1/380 à 35 ans – 1/187 à 38 ans – 1/111 à 40 ans – 1/64 à 42 ans.

Il y a d'autres aberrations chromosomiques (trisomie 18, trisomie 13) responsables également de malformations diverses, mais elles sont, comme la précédente, dépistables par l'amniocentèse.

En ce qui concerne le père, on commence à penser que l'âge peut intervenir sur la qualité des spermatozoïdes. Des études récentes montrent en effet une très légère augmentation du nombre de malformations fœtales avec l'âge paternel. D'ailleurs les banques de sperme (CECOS) ont tendance à refuser les dons de sperme des hommes de plus de 40 ans.

• **Les mariages consanguins.** Ce sont les mariages dans lesquels les partenaires ont un ancêtre commun. La consanguinité ne crée pas l'anomalie, mais elle augmente les risques pour un enfant de voir apparaître cette anomalie jusque-là cachée parce que récessive. C'est le cas d'un enfant dont les parents sont tous les deux porteurs d'un gène récessif. Si l'enfant hérite le gène récessif de ses deux parents, il sera atteint de la maladie considérée.

Dans tous ces cas (existence d'une maladie héréditaire, antécédents, etc.), il sera fait appel à la consultation de génétique (p. 183).

UNE ANOMALIE EST DÉCOUVERTE PENDANT LA GROSSESSE

Tout d'abord, il peut s'agir non pas d'une anomalie, mais seulement d'un **risque** d'anomalie évoqué par le résultat des marqueurs sériques de la trisomie 21 (p. 180), ou par la mesure de la clarté nucale effectuée lors de la première échographie (p. 215). Dans ces cas, on conseillera à la future mère de faire pratiquer une amniocentèse.

La découverte d'une petite anomalie morphologique au cours des échographies est plus délicate à identifier par le médecin, et très angoissante pour les parents.

Dans ce cas, le médecin ne pourra donner, sur-le-champ, un diagnostic. Il prendra le temps d'expliquer aux parents ce qu'il constate et il leur proposera un second rendez-vous pour réaliser un examen de contrôle, si besoin auprès d'un centre échographique spécialisé, faisant office de référent échographique.

Si les échographies de contrôle confirment l'anomalie, le médecin, ou l'échographiste, prendra contact, après l'accord signé de la femme, avec l'équipe du Centre pluridisciplinaire du diagnostic pré-natal (**CPDPN**), qui se trouve en général dans un Centre hospitalier universitaire.

L'équipe du CPDPN est constituée de gynécologues-obstétriciens, pédiatres néonatologues, généticiens, psychologues, ainsi que de spécialistes des pathologies suspectées. Ces différentes personnes donneront des avis ou des conseils, en matière de diagnostics (amniocentèses, IRM), de thérapeutiques et de pronostics. Les différentes informations recueillies seront communiquées au gynécologue-obstétricien, qui reste le référent, c'est-à-dire l'interlocuteur permanent et privilégié. Grâce à ce lien, les parents ne se sentent pas abandonnés, culpabilisés, ou dévalorisés, comme cela arrive fréquemment en de pareilles circonstances.

Bien souvent, les anomalies suspectées ne sont pas confirmées. Les résultats de l'amniocentèse ne révèlent pas d'anomalie chromosomique et la grossesse poursuit normalement son cours. Malgré cela, l'inquiétude persiste souvent chez les parents jusqu'à la naissance. Ils ne seront rassurés que par la venue au monde d'un bel enfant, en bonne santé.

Malheureusement l'anomalie suspectée peut parfois être confirmée. Mais il faut dire que cette situation est très rare, à peine 0,8 % des grossesses selon les spécialistes. L'angoissante décision d'une interruption médicale de grossesse va alors se poser (p. 184).

LE DIAGNOSTIC PRÉNATAL : LES DIFFÉRENTES MÉTHODES

Le but du diagnostic prénatal est de dépister une anomalie, ou d'évaluer un risque, chez l'enfant à naître. La pratique du diagnostic prénatal s'est beaucoup développée ces dernières années, notamment grâce aux marqueurs sériques (voyez ci-dessous), à la mesure de la clarté nucale (p. 215) et à ce que les médecins appellent « les petits signes d'appels échographiques de la trisomie 21 » (p. 216).

L'ÉCHOGRAPHIE
Elle occupe bien sûr la première place car elle fait partie des examens dont bénéficient toutes les femmes enceintes (pp. 214 et suivantes).

LES MARQUEURS SÉRIQUES
Le test des marqueurs sériques cherche à évaluer un risque de trisomie 21 chez le bébé à naître. On appelle « marqueurs sériques » des hormones qu'on retrouve dans le sang. Ce test consiste à doser, entre autre, l'hormone βHCG dans le sang de la future mère.

On a en effet remarqué que le placenta des enfants ayant une trisomie 21 s'accompagnait fréquemment d'un taux anormalement élevé de l'hormone βHCG. C'est pourquoi on propose aux futures mamans un dosage de cette hormone, entre la 14e et la 18e semaine d'aménorrhée. Le dosage de la βHCG est associé à celui de l'alphafoetoprotéine (d'où le nom de double test des marqueurs sériques) et parfois même à celui d'une autre hormone, l'œstriol (c'est le triple test).

Ces dosages sont réalisés par des laboratoires agréés mais les prélèvements sanguins peuvent être effectués par votre laboratoire habituel, avec une ordonnance du médecin.

Cet examen n'est pas obligatoire. Si vous acceptez de le faire faire, vous devrez signer un document attestant qu'une information vous a été donnée, à la fois sur l'intérêt et les limites de ce test qui, en aucune manière, ne permet de faire le diagnostic de la trisomie 21. Cet examen évalue simplement un risque :

• si ce risque est considéré comme élevé, c'est-à-dire supérieur à 1/250 (comme par exemple 1/100, 1/50, etc.), une amniocentèse vous sera proposée

• si ce risque est considéré comme faible (par exemple 1/300, 1/500), on ne vous proposera pas d'amniocentèse.

Dans l'état actuel des données, on constate que la fiabilité de cet examen n'est pas très bonne : des « faux positifs » amènent à effectuer un nombre excessif d'amniocentèses. C'est pourquoi, aujourd'hui, les médecins essaient d'évaluer au mieux le **risque**, notamment en associant les données de la première échographie (celle qui **mesure la nuque**) et les données des **marqueurs sériques**. C'est ce que l'on appelle le **risque combiné**. La décision de pratiquer ou non une amniocentèse découlera de cette évaluation combinée des risques (marqueurs et clarté nucale).

Nous insistons sur le fait qu'un résultat positif des marqueurs sériques, ou qu'une mesure anormale de clarté nucale, ne signifient pas, pour autant, que l'enfant est trisomique. Seule, l'amniocentèse permettra une réponse fiable.

L'avenir

Il est probable que dans un avenir proche on utilisera de nouveaux marqueurs sériques qui, associés à la première échographie, pourront donner très rapidement l'évaluation du risque (pratiquement le jour même). Selon le résultat, une biopsie du trophoblaste sera ou non pratiquée. Avec cette méthode, le résultat de l'examen pourra être connu dès la 12e-13e semaine et la biopsie du trophoblaste pratiquée dans la foulée. Ainsi, en cas de résultat défavorable, la décision d'interrompre la grossesse pourra être prise très tôt.

L'AMNIOCENTÈSE

Elle se fait habituellement entre la 15e et la 18e semaine d'aménorrhée ; avant, il n'y a pas suffisamment de liquide amniotique pour un examen convenable et les risques de complications sont un peu plus importants. Elle peut par contre être réalisée plus tardivement, par exemple après la deuxième échographie. Lorsque cet examen est proposé à la future mère, elle est libre de l'accepter ou de le refuser.

L'amniocentèse consiste à prélever une petite quantité de liquide amniotique dans lequel baigne l'enfant, par une piqûre faite à travers la paroi abdominale maternelle, entre l'ombilic et le pubis. Pour guider l'aiguille, ce prélèvement se fait sous contrôle échographique ; il ne dure que quelques minutes et n'est pas plus douloureux qu'une prise de sang.

Le liquide recueilli est confié à un laboratoire spécialisé et les cellules fœtales contenues dans le liquide sont prélevées et mises en culture pour établir le caryotype, cette carte d'identité des chromosomes dont nous avons parlé plus haut.

L'amniocentèse va ainsi permettre le diagnostic des anomalies chromosomiques souvent associées à des malformations découvertes à l'échographie, et notamment la plus fréquente : la trisomie 21. D'autres anomalies chromosomiques peuvent être révélées mais elles ne s'accompagnent pas forcément d'un handicap cérébral.

L'amniocentèse se pratique de plus en plus souvent (plus d'une grossesse sur dix).

La réalisation de l'amniocentèse comporte un risque de fausse couche, de 0,5 à 1 %. Le risque est maximum dans les 8 à 10 jours qui suivent la ponction. La fausse couche peut se manifester par des douleurs, des saignements ou un écoulement de liquide. Devant ces signes, il faut bien sûr consulter très rapidement le médecin.

À qui l'amniocentèse est-elle proposée ?

Elle est proposée, toujours après avis du CPDPN (p. 180) :

• aux femmes de 38 ans et plus, en raison du plus grand risque à cet âge d'anomalies chromosomiques et notamment de trisomie 21 ; actuellement, on a tendance à conseiller aux femmes de cet âge de ne pas tenir compte uniquement de leur âge mais du résultat de la mesure de la clarté nucale couplé au résultat du marqueur sérique

• aux cas où l'échographie révèle des anomalies évoquant une malformation en rapport avec une anomalie chromosomique (p. 179)

• aux femmes « à risque », à la suite du dosage des marqueurs sériques (p. 180)

• à celles qui ont déjà eu un enfant porteur d'une malformation ou à celles qui ont fait plusieurs avortements par suite d'une anomalie chromosomique

• aux couples dont l'un des conjoints présente une anomalie du caryotype.

Dans toutes ces indications, l'amniocentèse est remboursée par la Sécurité sociale.

La réalisation d'une amniocentèse est encadrée par la loi. La femme doit d'abord être informée sur le but (la pathologie recherchée) et sur les conséquences des actes effectués. Après cette information, elle doit donner, par écrit, son accord à la réalisation de l'examen.

L'AMNIOCENTÈSE EN PRATIQUE
Présentez-vous le jour du prélèvement avec :
- votre carte de groupe sanguin (si vous êtes rhésus négatif, on vous fera une injection de gammaglobulines antirhésus)
- vos différentes échographies
- l'accord du laboratoire de génétique qui effectuera l'analyse.
Il est inutile d'être à jeun.
Un arrêt de travail pourra éventuellement vous être prescrit le jour de l'examen.
Les résultats de cet examen vous seront communiqués par votre médecin dans un délai de 3 semaines environ.

Après l'amniocentèse

La période qui suit l'amniocentèse est un moment difficile pour les femmes qui sont à la fois inquiètes du résultat de l'examen et inquiètes du risque de fausse couche. La future maman se sent comme entre parenthèses : bien que sa grossesse se voie et que son bébé bouge, elle n'ose se laisser aller à penser à l'avenir.

LA BIOPSIE DU TROPHOBLASTE (OU CHORIOCENTÈSE)

Il s'agit d'une autre méthode de diagnostic prénatal qui tend à se développer. Avec un fin cathéter rigide, en passant par le col de l'utérus, ou mieux à travers la paroi abdominale, sous anesthésie locale et sous contrôle échographique, on fait un prélèvement au niveau du chorion ou trophoblaste, qui est le nom du placenta pendant les trois premiers mois de la grossesse. Cette méthode a l'avantage d'être possible dès la 11e semaine d'aménorrhée (donc beaucoup plus tôt que l'amniocentèse) et de donner des résultats en quelques jours. On peut ainsi, s'il est nécessaire, interrompre la grossesse plus précocement. La biopsie du trophoblaste a des indications communes avec l'amniocentèse. Elle permet en plus de dépister certaines maladies sanguines, métaboliques ou génétiques (myopathie, mucoviscidose par exemple). Elle a par contre l'inconvénient d'augmenter très légèrement le risque de fausse couche.

LE PRÉLÈVEMENT DE SANG FŒTAL

Il peut se faire à partir de 22 semaines d'aménorrhée et jusqu'à la fin de la grossesse. On le fait au niveau du cordon ombilical avec une aiguille guidée par échographie. Cette technique, qui réclame une grande maîtrise, ne peut s'envisager que dans des maternités disposant d'équipes entraînées. Ce prélèvement permet le diagnostic de certaines maladies sanguines. Il permet également l'étude du caryotype (avec une réponse beaucoup plus rapide que celle de l'amniocentèse) pour confirmer ou non une anomalie découverte à l'échographie.

La ponction de sang fœtal permet aussi certains traitements du fœtus *in utero*.

LA CONSULTATION DE GÉNÉTIQUE

Les généticiens sont des médecins spécialistes des affections transmises par les gènes, affections qui peuvent toucher les enfants à naître. Il y a des consultations de génétique dans la plupart des grandes villes.

À qui la consultation de génétique est-elle utile ?
• Tout d'abord aux cas que nous venons d'évoquer (antécédents dans la famille, antécédents d'enfant porteur d'une anomalie, âge des parents, etc.).
• Aux femmes qui ont déjà eu plusieurs avortements spontanés successifs, au moins trois ou plus. En effet, si la plupart de ces avortements sont accidentels, quelques-uns peuvent se reproduire.
• Aux sujets porteurs d'une maladie ou malformation qui souhaitent savoir s'ils risquent de transmettre l'anomalie à leurs enfants.
• Aux candidats à un mariage consanguin.

Que va faire le généticien ?
Il va réunir le maximum d'informations sur les parents, établir éventuellement une généalogie ; et le plus souvent, il va faire réaliser un caryotype des parents (p. 178) pour repérer d'éventuelles anomalies susceptibles d'être transmises aux descendants.

Le médecin tiendra compte également du caractère héréditaire ou non de la maladie que l'on redoute ; de son caractère dominant ou récessif ; de sa transmission par les chromosomes ordinaires, ou par les chromosomes sexuels.

Munis de ces renseignements, les médecins tenteront de vous éclairer. Nous disons qu'ils tenteront, car la consultation de génétique a malheureusement ses limites.

Tout d'abord, on ne peut vous donner que des probabilités et non une certitude pour l'enfant à naître. Par exemple, quand il s'agit d'une maladie bien connue dans son mode de

> **MALADIES RARES**
> *Il existe un centre d'écoute, d'information et d'orientation sur les maladies rares :*
> *numéro Azur 08 10 63 19 20.*

transmission, on pourra vous dire que vous courez un risque sur deux, ou un risque sur quatre, d'avoir un enfant anormal. Dans d'autres cas, vos chances se répartiront entre la naissance d'enfants normaux, celle d'enfants normaux mais porteurs de l'anomalie (conducteurs), enfin celle d'enfants anormaux. Ailleurs, on pourra vous prédire que l'enfant sera normal ou non selon son sexe.

Un autre exemple : si des parents ont un enfant trisomique, le risque d'en avoir un autre est très faible car la trisomie 21 est le plus souvent un accident. En revanche, il existe de rares cas où il est en rapport avec une aberration chromosomique des parents. Il devient alors une maladie héréditaire et peut se reproduire. Dans d'autres cas, on ne peut vous donner que des renseignements beaucoup plus vagues, soit parce que le mode de transmission de la maladie est mal connu, soit parce que son caractère héréditaire n'est pas évident.

N'attendez donc pas du généticien une autorisation ou une interdiction (de vous marier, d'avoir un autre enfant...). Souvent, il ne pourra pas le faire et ce n'est d'ailleurs pas son rôle.

L'INTERRUPTION MÉDICALE DE GROSSESSE (IMG)

Lorsque l'enfant à naître est atteint « d'une infection grave, reconnue comme incurable au moment du diagnostic », comme le précisent les textes, il est possible d'envisager une interruption médicale de grossesse.

La peur d'une malformation de l'enfant traverse l'esprit de toute femme enceinte. Mais cette éventualité est peu à peu refoulée, oubliée au fil des semaines. Les parents sentent leur attachement s'approfondir, ils se laissent aller à des projets et des rêves autour de leur bébé.

L'annonce du résultat du diagnostic prénatal est un véritable choc, un cauchemar qui devient réalité. Les parents se trouvent confrontés à l'angoissante difficulté du choix : accepter l'interruption médicale de grossesse, ou laisser la grossesse se poursuivre jusqu'à son terme, avec les difficultés évoquées chez l'enfant à naître. « Que faire ? Et si les médecins se trompaient ? Avons-nous le droit de prendre une telle décision ? Mais quelle soit la décision, il faudra vivre avec ».

Une IMG n'est jamais réalisée dans l'urgence mais après un temps suffisant qui permet aux parents de réfléchir, d'exprimer ce qu'ils ressentent. Les équipes respectent le temps des parents, celui de la colère, de l'injustice, de l'angoisse, de la honte, de la culpabilité. Les femmes, profondément blessées, ont le sentiment de ne pas être capables de concevoir des enfants en bonne santé. Des discussions avec l'équipe de la maternité, des contacts avec des associations de parents ayant été confrontés au diagnostic prénatal, l'écoute attentive d'un psychologue, soutiennent et aident les parents dans leur réflexion.

La réalisation d'une IMG est encadrée par la loi. Une attestation comportant la signature de trois médecins est obligatoire : l'un pratiquant l'IMG (en général l'obstétricien), et deux médecins agréés du CPDPN.

Dans ce moment si difficile, la femme est prise en charge, accompagnée par l'équipe de la maternité où aura lieu « l'accouchement ». Il faut employer ce mot, car techniquement il s'agit bien d'un accouchement dont la particularité est d'être provoqué et prématuré. Quelques jours avant, on donne des comprimés pour préparer l'utérus à mieux répondre aux perfusions qui vont déclencher les contractions. Une consultation a lieu avec le médecin anesthésiste qui pratiquera la péridurale. Au moment de l'accouchement, en général plus long qu'à terme, des produits pourront être injectés au bébé afin qu'il ne souffre pas.

Certains parents souhaitent voir leur bébé, d'autres ne s'en sentent pas capables. L'équipe respecte toujours leur volonté.

À partir du moment où le sexe de l'enfant peut être identifié (en général au-delà de la 15e semaine d'aménorrhée), l'enfant peut sur la demande des parents être enregistré à l'état civil.

Selon leurs croyances religieuses, leur culture ou leurs habitudes familiales, les parents peuvent trouver dans les rites funéraires une façon d'offrir un dernier hommage à leur enfant et, pour eux-mêmes, un certain réconfort.

Une autopsie de l'enfant, ne sera réalisée qu'après l'accord des parents. Elle ne sera pas faite s'ils ne le veulent pas. Dans toutes ces démarches, les parents sont entourés, conseillés, soutenus par toute l'équipe médicale dont c'est l'honneur de « bien faire », surtout dans ces circonstances.

Le séjour en maternité sera de courte durée. En général, la femme est installée dans le service de gynécologie, loin des mères et des enfants.

Une visite post-natale est importante pour la femme mais également pour le médecin. Elle a lieu environ un mois et demi après l'accouchement. Elle va permettre de faire le point, de prendre connaissance des examens pratiqués sur l'enfant et d'essayer de voir plus clair dans un moment si sombre.

Nous avons hésité longtemps avant de parler du douloureux sujet de l'interruption médicale de grossesse, comme nous avions hésité à parler de la perte de l'enfant attendu (p. 378). De nombreux lecteurs nous ont encouragés à le faire. Nous remercions les parents de nous avoir fait part de leurs témoignages si personnels.

SCIENCE ET CONSCIENCE

Le diagnostic prénatal est aujourd'hui un acte médical courant. En effet, sans en avoir réellement conscience, toutes les femmes enceintes en bénéficient avec les échographies et éventuellement avec d'autres tests ou examens.

En donnant des informations sur la normalité de l'enfant, le diagnostic prénatal peut rassurer les parents. Il permet aussi aux couples ayant un risque génétique d'espérer avoir un enfant en bonne santé : sans la possibilité de faire un diagnostic, certains couples ne se seraient peut-être jamais autorisés à avoir un enfant. Enfin, lorsque la malformation dont souffre le bébé à naître peut être soignée (comme une fente labiopalatine ou une hernie du diaphragme), le diagnostic fait avant la naissance permet d'organiser une prise en charge précoce et adaptée.

Mais, dans certains cas, le diagnostic prénatal amène à se poser des questions difficiles. Envisager une interruption de la grossesse peut heurter les convictions éthiques ou religieuses du couple. Les progrès de la science croisent souvent la conscience. En plus, la question de cette interruption se pose en général à un stade avancé de la grossesse, ce qui la rend d'autant plus difficile à envisager et à vivre.

Quant aux médecins, ils se trouvent confrontés aux limites d'une médecine qui ne sait pas soigner les anomalies qu'elle découvre, et qui n'a que l'élimination du malade à proposer. Comme le dit le Professeur Jean-François Mattei : « Il faut bien mesurer tous les enjeux du diagnostic prénatal pour tenter d'assumer cette technique en conscience, en respectant tout à la fois le libre choix de chacun, mais aussi l'idée que l'homme se fait de lui-même et de la société qu'il veut construire. »

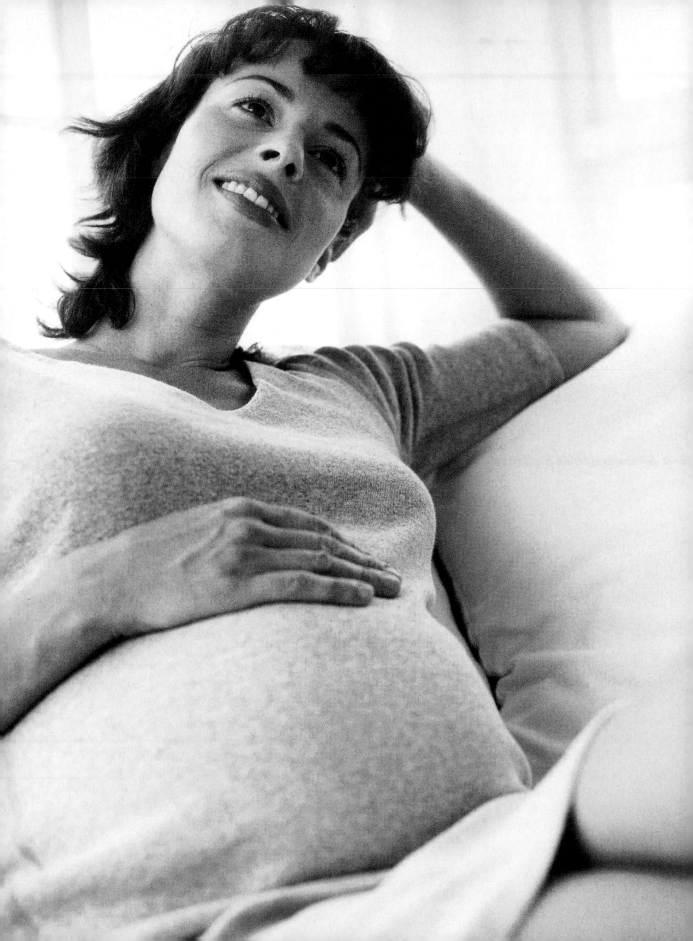

8

Les malaises courants

Il y a des femmes qui disent ne jamais si bien se porter que lorsqu'elles attendent un enfant ; elles découvrent qu'elles sont enceintes seulement parce que leurs règles s'arrêtent, et leur grossesse se poursuit sans trouble ni malaise jusqu'à l'accouchement. Mais dans d'autres cas, **les modifications que la grossesse impose à l'organisme s'accompagnent d'ennuis ou de malaises divers**. Il est préférable d'en être avertie d'avance pour ne pas s'alarmer.

Les malaises varient en nature et en intensité avec le stade de la grossesse : ils apparaissent surtout au début et à la fin.

De ce point de vue, la grossesse se divise en trois trimestres qui correspondent à ceux de l'évolution psychologique. La première est celle de l'adaptation. Cette période dure les trois premiers mois : la grossesse « s'installe », l'organisme s'adapte. Il réagit plus ou moins vivement. Des troubles peuvent apparaître, qui disparaîtront complètement vers le 3e mois dans la plupart des cas, mais ces troubles rendent parfois le début de la grossesse un peu pénible. Les nausées et les vomissements en sont l'exemple le plus fréquent.

La deuxième période est celle de l'équilibre. Elle s'étend jusqu'au 7e mois : les corps de la mère et de l'enfant semblent parfaitement adaptés l'un à l'autre. Les troubles ont généralement cessé. L'utérus n'est pas encore assez volumineux pour être gênant. C'est la période la plus agréable de la grossesse.

La troisième période de la grossesse, qui correspond au troisième trimestre, voit apparaître des troubles dus à deux causes : d'abord au fait que l'enfant en se développant prend de plus en plus de place dans l'utérus, ce qui peut entraîner, par exemple, fatigue et varices ; ensuite au fait que l'organisme se prépare à l'accouchement : ainsi, par exemple, les modifications du bassin sont souvent douloureuses. Cette troisième période est celle de la lassitude, celle où l'on éprouve vraiment le besoin de se reposer.

Certaines mères voudraient savoir d'une manière précise à quel moment peuvent commencer et finir les vomissements, les nausées, les crampes, etc. Ces précisions sont impossibles à donner. D'une femme à l'autre tout peut être différent. C'est pourquoi nous n'avons pas voulu fournir un calendrier précis des malaises et maladies. Nous préférons les étudier les uns après les autres. Cela nous semble plus utile pour les lectrices.

NAUSÉES ET VOMISSEMENTS

Bien des futures mamans croient que grossesse et nausées sont synonymes. Or, si les nausées, parfois accompagnées de vomissements, sont fréquentes, elles ne se produisent quand même que dans 50 % des cas. Vous pouvez très bien être enceinte et n'avoir jamais mal au cœur. Les nausées apparaissent en général vers la 3e semaine, elles persistent rarement au-delà du 4e mois.

Les nausées surviennent souvent le matin à jeun, et disparaissent après le petit déjeuner ; mais elles peuvent persister pendant la matinée, ou même toute la journée. Parfois les nausées surviennent sans raison ; parfois, au contraire, elles sont dues à des odeurs précises (tabac ou certains aliments), odeurs qui deviennent insupportables. Il arrive aussi que certains aliments, sans provoquer de nausées, inspirent seulement du dégoût.

Les nausées s'en vont souvent comme elles sont venues ; dans d'autres cas, elles ne s'arrêtent qu'après un vomissement, qui soulage : vomissement facile, sans effort, fait d'eau, de bile ou d'aliments, suivant l'heure de la journée.

Que faire lorsqu'on a des nausées ? Plusieurs précautions peuvent se révéler efficaces :
- faire des repas moins abondants, plus fréquents, manger lentement
- manger quelques biscottes au lever
- dans la mesure du possible, ne pas faire soi-même les courses ni la cuisine
- privilégier une alimentation riche en glucides (toast, banane, muesli et autres céréales complètes pour le petit déjeuner, du riz, des pâtes)
- manger des yaourts
- boire du thé à la menthe, au citron, au gingembre
- boire de l'eau citronnée
- limiter la consommation de café
- éviter les fritures et la cuisine à base d'aliments gras, épicés ou d'ail
- éviter les odeurs fortes
- ne pas fumer ni boire d'alcool.

Le Donormyl®, médicament utilisé pour traiter les insomnies pendant la grossesse, est souvent efficace sur les nausées et vomissements. Il est largement utilisé au Canada dans ce cas. Ce médicament est disponible en pharmacie sans ordonnance.

Si, malgré ces précautions, les nausées et vomissements persistent, il faut voir le médecin. Il existe d'autres médicaments efficaces, mais qu'il ne faut pas prendre sans prescription.

Les nausées et vomissements disparaissent spontanément vers la fin du 3e mois. Lorsqu'ils persistent au-delà de cette date, ce n'est pas normal et il faut consulter le médecin : il cherchera alors une cause indépendante de la grossesse. En fin de grossesse, nausées et vomissements peuvent réapparaître, mais pas plus qu'au début, ils ne doivent vous inquiéter.

Bien que le cas soit exceptionnel, signalons que parfois les vomissements deviennent très fréquents et très abondants, et la future mère ne peut plus avaler aucun aliment, ni solide ni liquide. Elle perd du poids et se déshydrate (elle a la langue et la peau sèche). Il est important de consulter le médecin. Celui-ci peut prescrire une mesure qui surprend : la mise en observation à la maternité. Cette hospitalisation permet d'appliquer des traitements efficaces, tels que perfusions diverses par voie intraveineuse, pour soulager la maman. Cet isolement permet d'autre part d'éloigner momentanément la future mère de son environnement habituel et de limiter les éventuelles relations conflictuelles avec l'entourage.

Les examens biologiques peuvent parfois révéler une hyperthyroïdie. Mais les médecins s'interrogent sur la cause de ces vomissements. S'agit-il d'une perturbation du fonctionnement du foie par l'hormone ßHCG (p. 139) ? Ou est-ce l'expression d'un trouble psychologique, la future maman éprouvant des contrariétés qu'elle ne peut contenir, des sentiments contradictoires vis-à-vis de sa grossesse ? Quoiqu'il en soit, un soutien psychologique peut aider la femme à traverser ces moments difficiles.

AÉROPHAGIE, DOULEURS ET BRÛLURES D'ESTOMAC

La grossesse entraîne une certaine paresse de tous les muscles de l'appareil digestif, qu'il s'agisse de l'estomac, de l'intestin ou de la vésicule biliaire. En même temps, les sécrétions de certaines glandes dont le rôle est important dans la digestion (foie et pancréas) sont modifiées. Le résultat, c'est que très souvent la future mère a des digestions lentes et difficiles, qu'elle se sent lourde après les repas, qu'elle a des ballonnements, l'impression d'avoir le tube digestif plein d'air. À ces malaises s'ajoutent souvent des sensations d'aigreurs, de brûlures, de douleurs au niveau de l'estomac.

Tout cela est évidemment peu confortable, souvent même désagréable, mais il y a certaines précautions efficaces à prendre pour atténuer ces différents malaises.

D'abord, il ne faut pas trop manger (très important). Puis, il faut éviter :
• les aliments trop gras
• les aliments acides ou pimentés
• les aliments qui fermentent (chou-fleur, chou, légumes secs, haricots, asperges, fritures)
• les aliments difficiles à digérer, comme tous les plats en sauce.

Alors que manger ? Des grillades, des légumes verts bouillis assaisonnés de beurre ou d'huile non cuits, des laitages et des fruits. Faire plusieurs petits repas plutôt que les deux repas traditionnels, et manger lentement.

Si ces brûlures d'estomac vous font vraiment souffrir, demandez conseil au médecin qui vous prescrira un médicament approprié.

Il arrive que certaines femmes se plaignent de régurgitations acides, de brûlures qui remontent de l'estomac vers la gorge et la bouche, le long de l'œsophage. Nous vous signalons que, dans ce cas, certaines positions sont défavorables : se pencher en avant ou être complètement allongée ; il faut donc éviter de s'allonger après les repas. Lorsque vous êtes au lit, mettez deux oreillers supplémentaires, pour dormir presque assise.

CONSTIPATION

Au cours de la grossesse, la constipation est très fréquente, même chez les femmes qui n'en ont jamais souffert auparavant. Contrairement à ce qu'on croit en général, elle n'est pas due au fait que l'utérus, en augmentant de volume, comprime l'intestin ; la meilleure preuve en est que la constipation apparaît souvent très tôt, avant que l'utérus ne soit assez développé pour exercer une compression quelconque. La constipation est vraisemblablement due à une paresse des intestins. Il est nécessaire de lutter contre la constipation : outre l'inconfort qu'elle entraîne, elle peut parfois provoquer une infection urinaire.

Il y a plusieurs moyens de la combattre :

• d'abord, faire de l'exercice physique ; souvent, une demi-heure de marche par jour suffit à régulariser les fonctions intestinales.

• Ensuite, veiller à l'alimentation, manger suffisamment de légumes verts, de fruits (en particulier prunes, raisins et poires), prendre des laitages (tels que fromage blanc et yaourts), manger du pain de son ou complet (il y a aussi des biscottes au son vendues en pharmacie), des céréales complètes, remplacer le sucre par du miel ; les pruneaux crus, ou cuits sans ajouter de sucre, sont aussi très recommandés.

• Aller à la selle régulièrement, sans attendre d'en avoir envie.

• **Ce qui est souvent efficace**, c'est simplement de boire le matin au réveil un verre de jus de fruit frais – orange en hiver, raisin en été –, ou simplement un verre d'eau, et un quart d'heure après, de prendre au petit-déjeuner un mélange de café et de chicorée.

• L'All-Bran, céréale d'avoine, que l'on peut mélanger à du miel, donne souvent d'excellents résultats.

• Enfin, buvez plusieurs fois par jour de grands verres d'eau : en particulier le matin à jeun, et entre les repas. Essayez une eau minérale riche en magnésium (supérieure à 50 mg/l).

• Un massage abdominal, accompagné ou précédé de respirations amples et de contractions du périnée, peut être efficace.

Et les médicaments ? Vous pouvez essayer les suppositoires à la glycérine ou le Microlax, également en usage externe, souvent plus efficace que les suppositoires à la glycérine. Quant aux laxatifs, n'en prenez pas sans prescription : certains sont très puissants et risquent d'irriter l'intestin, notamment ceux qui contiennent une plante, la bourdaine.

Le meilleur traitement, c'est d'associer des mucilages (extraits de végétaux vendus en pharmacie), donnés au repas du soir, et une huile minérale (du type paraffine) prise au coucher. Ce traitement, prescrit par le médecin, peut être prolongé autant que nécessaire.

HÉMORROÏDES

Ce sont des varices des veines du rectum et de l'anus. Elles forment des excroissances douloureuses, plus ou moins tendues, qui peuvent donner une pénible impression de démangeaison. Elles apparaissent surtout pendant la deuxième moitié de la grossesse. Lors de l'émission des selles, il est possible que les hémorroïdes saignent.

Si vous avez des hémorroïdes, il faut les signaler au médecin : il vous donnera un traitement simple qui évitera qu'elles ne s'aggravent. Et si nécessaire, il vous enverra chez un spécialiste, soit un proctologue, soit un gastro-entérologue.

Ce traitement comprend habituellement :

• la lutte contre la constipation qui aggrave les hémorroïdes

• des soins locaux pouvant comprendre des bains de siège avec un produit désinfectant

• des applications locales de pommade et des suppositoires à base de rutine, d'héparine et d'hydrocortisone

• des médicaments à base de vitamine P et d'extrait de marron d'Inde (veinotoniques).

Nous vous signalons que, même avec un bon traitement, les hémorroïdes risquent de s'aggraver dans les jours qui suivent l'accouchement. Puis elles disparaissent, du moins en grande partie.

VARICES

Les varices sont la conséquence d'une dilatation anormale des parois des veines. Elles apparaissent surtout dans la deuxième moitié de la grossesse, et elles ont, hélas ! tendance à s'aggraver à chaque grossesse.

À l'origine des varices, on retrouve essentiellement trois causes :
• d'abord, une mauvaise qualité du tissu qui constitue la paroi des veines ; cette mauvaise qualité est souvent héréditaire
• puis, le fait de rester longtemps debout, ce qui est le cas dans certaines professions
• enfin, la grossesse elle-même joue un rôle en distendant anormalement les parois des veines.

Les varices peuvent s'accompagner de troubles variés : sensation de pesanteur, de chaleur, de gonflement, de tension plus ou moins douloureuse des jambes. Parfois, les varices donnent des fourmillements ou des crampes. Ces troubles sont accentués par la station debout, par la fatigue, par la chaleur. Et ils sont évidemment plus importants en fin de journée. Il est très rare que les varices se compliquent au cours de la grossesse. Les modifications de la pigmentation (couleur) de la peau, de même que le classique ulcère variqueux, ne se voient que dans les varices très anciennes et sont exceptionnelles chez les femmes en âge d'être enceintes. La phlébite superficielle, au niveau d'une varice, est également très rare. Elle est caractérisée par l'apparition assez brutale de douleurs et de modifications de la varice (gonflement, rougeur, chaleur).

En règle générale, on peut donc dire que, hormis le souci esthétique immédiat – et plus encore lointain –, les varices n'ont pas de caractère de gravité. Après l'accouchement, elles disparaissent, au moins en partie. Mais elles ont tendance à réapparaître, et surtout à disparaître de moins en moins lors des grossesses suivantes.

PEUT-ON PRÉVENIR LES VARICES ?

Dans une certaine mesure, on peut prévenir l'apparition des varices en prenant diverses précautions, qui ont toutes le même but : **faciliter la circulation du sang dans les veines des jambes**.
• Évitez de rester debout trop longtemps : certains travaux professionnels et les travaux de ménage sont donc en cause. Avec un certificat médical, il faut que vous obteniez de pouvoir vous asseoir de temps en temps. Chez vous, dans toute la mesure du possible, faites assise les travaux que vous aviez l'habitude de faire debout. Si vous ne pouvez éviter la station debout, il est recommandé de porter, à titre préventif, des collants de contention.
• Prenez l'habitude de marcher souvent, bien chaussée, en évitant les talons trop hauts. D'ailleurs, même sans penser au risque de varices, la marche est de toute façon le meilleur exercice pendant la grossesse. La natation est également recommandée.
• Évitez ce qui peut comprimer les veines, chaussettes ou bottes trop serrées par exemple.
• Dormez les jambes un peu surélevées, en mettant sous les pieds du lit deux cales en bois. Vous pouvez aussi mettre sous les pieds un oreiller ou un coussin.
• Évidemment, si vous en avez la possibilité, il est conseillé également de vous étendre dans la journée quand vous avez un moment, avec les jambes surélevées.

COLLANTS DE CONTENTION
En pharmacie, vous trouverez chaussettes, bas et collants de contention (il existe différents degrés de maintien), remboursés partiellement par la Sécurité sociale sur prescription médicale.

• Enfin, les massages énergiques des jambes sont contre-indiqués ; de même les douches au jet.

   Toutes ces précautions sont destinées à prévenir les varices. Elles deviennent d'autant plus nécessaires si des varices sont déjà apparues. En ce cas, il est recommandé, en plus :

• d'éviter de se tenir près d'une source de chaleur, radiateur, poêle ou cheminée, car la chaleur gonfle les veines ; pour la même raison, les bains de soleil sont contre-indiqués ainsi que les épilations à la cire chaude

• d'éviter les bains trop chauds ou trop froids : l'idéal est l'eau à la température du corps (37°)

• de porter des collants ou des bas de contention.

   Détail pratique mais qui a son importance : il est recommandé de mettre ses collants – et de les ôter – en étant allongée, car dans cette position, les veines sont moins gonflées. Et si vous vous reposez dans la journée, il vaut mieux que vous ôtiez les bas ou collants tant que vous restez étendue.

   Et les médicaments ? Ils ont peu d'action sur la constitution des varices elles-mêmes. En revanche, ils peuvent être efficaces contre les troubles entraînés par les varices : pesanteur, chaleur, lourdeur, etc. Ces médicaments sont à base de vitamine P et d'extrait de marron d'Inde.

   Quant aux traitements plus actifs, destinés à supprimer les varices (par injections locales ou intervention chirurgicale), il ne saurait en être question pendant la grossesse. D'abord parce que ces traitements risquent d'être dangereux. Ensuite, parce que, spontanément, les varices disparaissent plus ou moins complètement après l'accouchement. C'est à ce moment-là que vous verrez avec le médecin ce qu'il y a lieu de faire. Les interventions se font en général entre trois et six mois après le retour de couches.

   Au cours de la grossesse, il n'est pas rare de voir, associées aux varices ou précédant leur venue, des dilatations beaucoup plus fines, rosées, rouges, ou bleu-violet, dues à la dilatation de vaisseaux capillaires. Ces dilatations qui forment, ou un fin réseau, ou même une véritable plaque, disparaîtront au moins en grande partie après l'accouchement.

VARICES VULVAIRES

Chez certaines femmes, des varices peuvent apparaître au niveau des organes génitaux externes. Souvent très importantes, ces varices vulvaires peuvent être cause de douleurs à la marche ou lors des rapports sexuels. Ces varices disparaissent complètement après l'accouchement sans jamais laisser de séquelles. En attendant, il n'y a pas de traitement à suivre, seuls des soins locaux peuvent apporter un certain soulagement :

• bains de siège froids (sécher en tapotant et sans frotter, puis talquer modérément à sec)

• application de crème à l'oxyde de zinc.

GONFLEMENT DES MAINS ET DES PIEDS

Dans la seconde moitié de la grossesse, il est fréquent d'avoir les mains gonflées, surtout le matin au réveil. Ce gonflement serait dû à une mauvaise circulation liée à la position allongée pendant le sommeil. Certains médecins conseillent de dormir sur le côté, allongée à moitié assise sur deux oreillers. Quant au gonflement des pieds, il peut être lié à des problèmes veineux car il est plus fréquent chez les femmes souffrant de varices. Il peut aussi être le signe d'un mauvais fonctionnement rénal : il serait dû à une rétention d'eau, ou œdème. Ce gonflement serait alors le premier signe d'une complication de la grossesse, la toxémie gravidique (p. 240). N'hésitez pas à en parler à votre médecin.

TROUBLES URINAIRES

Le fonctionnement des reins n'est guère modifié pendant la grossesse, mais la présence de l'enfant leur impose un surcroît de travail. C'est pourquoi une insuffisance rénale ignorée avant la grossesse peut se révéler à ce moment-là. C'est dire combien il est important de faire à intervalles réguliers et répétés des analyses d'urines.

Quant à la vessie, souvent elle manifeste sa présence d'une manière tyrannique, surtout au début et à la fin de la grossesse : la femme enceinte ressent une envie fréquente d'uriner, beaucoup plus souvent qu'en dehors de la grossesse. Ce phénomène s'explique au début parce que la vessie subit l'influence des hormones sécrétées en quantité importante ; à la fin, parce que la tête de l'enfant appuie sur la vessie.

Pour éviter ces envies fréquentes d'uriner, la future mère a tendance à boire moins, surtout le soir pour ne pas être dérangée la nuit. C'est une réaction naturelle, mais en fait il faut boire au moins 1,5 l d'eau (ou de liquide) par jour ; en effet, boire beaucoup est la meilleure prévention des infections urinaires que l'on voit si souvent pendant la grossesse (p. 250).

Si vraiment l'envie fréquente d'uriner devenait trop gênante, parlez-en au médecin : il vous donnera des médicaments antispasmodiques, souvent efficaces.

Incontinence urinaire

Elle apparaît parfois pendant la grossesse. Elle peut être modérée : difficulté à retenir les urines ; ou plus importante : impossibilité de se retenir dès que l'envie survient, ou lors d'une toux, d'un éternuement, d'un effort.

Si cette incontinence apparaît pendant les six premiers mois, une rééducation du périnée, dite rééducation périnéale peut être commencée sans attendre. Cette rééducation est faite par un kiné-sithérapeute, une sage-femme ou un médecin. Demandez conseil à l'accoucheur ou à la sage-femme.

Si cette incontinence apparaît pendant les trois derniers mois, c'est simplement que le bébé comprime très fort la vessie, et cela ne veut pas dire que vous aurez nécessairement besoin d'une rééducation. Il vous suffira probablement de faire les exercices recommandés pour raffermir le périnée et le sphincter urinaire (pp. 337 et 397).

L'incontinence urinaire après l'accouchement est traitée page 391.

DÉMANGEAISONS OU PRURIT GRAVIDIQUE

Certaines femmes souffrent dans la deuxième moitié de la grossesse, et surtout à partir du 8e mois, de démangeaisons. Parfois sur tout le corps, mais plus souvent au niveau de l'abdomen. En général, elles ne sont pas accompagnées d'éruptions, mais peuvent être très intenses, et entraîner des lésions dues au grattage quand la femme ne peut pas s'empêcher de se gratter. Si ces démangeaisons sont trop impor-tantes et s'accompagnent de lésions de grattage, il est vivement conseillé de consulter un médecin. Dans certains cas, il s'agit simplement d'une affection dermatologique liée à la grossesse pour laquelle un traitement approprié sera prescrit. Dans d'autres cas, il peut s'agir d'une anomalie du fonctionne-ment hépatique et ces démangeaisons sont un des symptômes de ce que l'on nomme la cholestase gra-vidique. Des mesures appropriées doivent être prises (p. 250).

PERTES BLANCHES

La peau est faite de cellules disposées en couches et, sans cesse, tout au long de la vie, les cellules de la surface vieillissent, meurent et sont éliminées puis remplacées par des cellules jeunes. Ce phénomène continu, qu'on appelle la desquamation, n'est pas visible à l'œil nu (sauf, par exemple, après un coup de soleil).

La muqueuse du vagin est faite comme la peau : sans cesse, des cellules se détachent et sont éliminées. Mais pendant la grossesse, sous l'influence des hormones sécrétées en grande quantité par les ovaires et le placenta, la desquamation des cellules devient beaucoup plus importante. Elles forment un enduit blanchâtre, sans odeur déplaisante, grumeleux, qui est tout à fait normal, et ne doit donc pas vous inquiéter. Il arrive même, chez certaines femmes, que ces pertes blanches, ou sécrétions vaginales, soient particulièrement abondantes pour mouiller leur slip ou leurs protections hygiéniques Cette hypersécrétion vaginale est sans danger. Elle témoigne simplement d'une exagération d'un processus normal.

Ces pertes blanches banales ne doivent pas être confondues avec les pertes généralement plus abondantes, souvent de couleur différente (jaunâtres ou verdâtres), et accompagnées de démangeaisons ou de brûlures locales : celles-ci sont les témoins d'une **infection** (*vaginite* ou *vulvo-vaginite*). Le diagnostic sera fait par le médecin qui s'aidera parfois d'un prélèvement. Celui-ci montrera habituellement la présence d'un champignon (*Candida albicans*) ou d'un parasite (*Trichomonas* ou *Gardnerella*).

Le traitement de ces vaginites, assez fréquentes et sans gravité, est essentiellement local (ovules ou comprimés gynécologiques). Les récidives ne sont malheureusement pas rares au cours de la grossesse.

L'infection vaginale à streptocoque B est d'un tout autre ordre, car elle peut être source de complications (méningite-septicémie) pour le nouveau-né qui risque d'être contaminé au moment de l'accouchement. Le diagnostic est difficile à faire car cette infection ne donne que peu ou pas de symptômes maternels. C'est pourquoi de plus en plus de médecins font pratiquer un examen systématique des sécrétions cervico-vaginales au 8e mois de grossesse, pour rechercher le streptocoque B. Un résultat positif conduit à administrer des antibiotiques au cours de l'accouchement et à surveiller particulièrement le bébé.

TENDANCE AUX SYNCOPES ET AUX MALAISES

La circulation du sang est modifiée pendant la grossesse : la quantité totale de sang augmente, un nouveau circuit est créé pour alimenter le placenta, les battements du cœur s'accélèrent.

Normalement le cœur fournit sans peine ce travail supplémentaire. Mais il arrive que se produisent certains malaises que les futures mères croient d'origine cardiaque. Cela va de la simple sensation de « tête qui tourne », au grand malaise profond et très désagréable : sensation de perte imminente de connaissance, accompagnée de sueurs froides.

Ces troubles n'ont pas de caractère de gravité. Ils ne sont pas d'origine cardiaque, ils seraient plutôt d'origine vasculaire car la grossesse retentit toujours plus ou moins sur l'état du système vasculaire (le sang remonte alors en moindre quantité vers le cœur). Ce genre de malaise survient souvent après une station debout prolongée et immobile (par exemple une attente à la caisse d'un magasin). Si vous ressentez la venue d'un malaise, asseyez-vous. Si vous êtes chez vous, allongez-vous, les pieds surélevés de manière que le sang afflue vers la tête.

Pour éviter ce genre de troubles, ne restez pas à jeun le matin, évitez de rester longtemps debout sans bouger, évitez les brusques variations de température, ou le séjour dans un local trop chauffé. Si ces malaises sont fréquents et que vous conduisiez une voiture, arrêtez-vous dès que vous les sentez venir, c'est plus prudent.

À la fin de la grossesse, certaines femmes lorsqu'elles sont couchées sur le dos, se sentent au bord de la syncope. Pour faire disparaître ce malaise impressionnant, mais sans gravité, il suffit de se coucher sur le côté gauche, ou de s'asseoir à moitié en se calant par des oreillers. Ce malaise très particulier est dû à la compression par l'utérus de la veine cave inférieure, gros vaisseau qui ramène au cœur le sang veineux de toute la partie inférieure du corps.

On peut aussi placer un coussin sous les genoux : le bassin bascule vers l'arrière, les reins reposent sur le sol, et la veine cave n'est plus comprimée. Pour désagréables et impressionnants qu'ils soient parfois, ces troubles n'ont aucune conséquence ; mais, s'ils se reproduisent trop souvent, il faut en parler au médecin.

Le malaise hypoglycémique

Il survient presque toujours en fin de matinée. Il se traduit par des nausées et une sensation de faim accompagnées de transpiration. Ce malaise se produit si on a pris un petit déjeuner peu consistant : simple tasse de café ou de thé ; ou si on a mangé surtout des sucres à absorption rapide : sucre, confiture, miel. Ces sucres provoquent une sécrétion d'insuline, et cette sécrétion d'insuline va à son tour, environ deux heures plus tard, provoquer une hypoglycémie, c'est-à-dire une diminution du taux de glucose sanguin. Les femmes sensibles à ce malaise ont intérêt à fractionner leurs repas, à prendre au petit déjeuner un peu de pain, un œuf, du fromage maigre ou un peu de viande ; éventuellement à manger vers 10 h une pomme ou un yaourt. De même, il est bon de manger à nouveau quelque chose vers 16-17 h.

LES TROUBLES OCULAIRES

De petits troubles de la vision peuvent apparaître au cours de la grossesse : baisse de l'acuité visuelle, aggravation d'une myopie préexistante. Ils sont en règle générale sans gravité et transitoires. Il n'est pas rare que les lentilles de contact ne soient plus supportées en raison des modifications d'hydratation de la cornée. Il faut alors les remplacer par des lunettes. Chez les femmes ayant une très forte myopie, il est conseillé d'éviter les efforts expulsifs lors de l'accouchement (risque de décollement de la rétine). L'anesthésie péridurale, et éventuellement une application de forceps, éviteront ce risque.

L'ESSOUFFLEMENT

Souvent dans la deuxième moitié de la grossesse, la future mère est vite essoufflée. Monter un étage est une épreuve. Cette difficulté à respirer s'explique par le fait que l'utérus, en augmentant de volume, repousse la masse abdominale vers le haut et diminue ainsi le volume de la cage thoracique : la future mère a donc moins de place pour respirer. Elle a l'impression d'étouffer. Cette sensation disparaîtra d'ailleurs lorsque l'enfant descendra pour s'engager dans le bassin.

Pour ne pas souffrir de ce malaise, qui s'accentue surtout au cours des deux derniers mois, il faut réduire le plus possible les efforts physiques. Si cette difficulté à respirer devenait trop grande, il faudrait consulter le médecin. Il examinerait votre cœur et vous prescrirait peut-être un calmant qui, par son action sédative, vous permettrait de mieux respirer.

SI VOUS AVEZ LA SENSATION D'ÉTOUFFER
voici un bon exercice à faire : couchée sur le dos, jambes pliées, inspirez en levant les bras au-dessus de la tête. Ce mouvement amène une extension de la cage thoracique. Puis expirez en ramenant les bras le long du corps. Faites ainsi plusieurs respirations lentes et régulières jusqu'à ce que vous ayez retrouvé votre souffle.

LES DOULEURS

La grossesse, par les modifications qu'elle entraîne dans tout l'organisme, peut provoquer des douleurs, douleurs se situant à différents niveaux, et se produisant à différents moments suivant le stade de développement du bébé, l'âge de la grossesse, le nombre d'enfants, les antécédents chirurgicaux (appendicite, occlusion, coliques néphrétiques, etc.). Il est normal que, le corps s'adaptant à la grossesse, puis se préparant à l'accouchement, tout ce travail ne puisse se faire en silence, et que vous en ressentiez souvent les effets.

PARLONS D'ABORD DU VENTRE ET DU BASSIN

Au début de la grossesse, certaines femmes éprouvent une sensation de tiraillement ou de pesanteur au niveau du bassin et du bas-ventre, sensations qu'elles comparent à celles des règles, et qui sont plus intenses lorsque l'utérus est rétroversé (c'est-à-dire lorsqu'il est basculé en arrière vers le rectum). Ces douleurs inquiètent souvent les femmes parce qu'elles craignent une fausse couche ; en fait, ces douleurs correspondent au début de l'adaptation de l'utérus, à la « mise en place », elles sont très fréquentes.

En revanche, des douleurs très violentes situées dans la même région, et se produisant également au début de la grossesse, peuvent être le signe d'une menace d'avortement ou d'une grossesse extra-utérine : les signaler au médecin aussitôt **surtout si elles s'accompagnent de pertes de sang**.

Par la suite, le développement de l'utérus peut entraîner des douleurs dues à la distension des ligaments ; c'est ce qu'on appelle le syndrome ostéo-musculo-ligamentaire ; les douleurs sont situées au niveau de l'aine et elles irradient vers la cuisse.

À la fin de la grossesse, lorsque le bassin se prépare à l'accouchement, ses articulations se relâchent peu à peu. Ce relâchement est parfois douloureux. La femme le ressent surtout lorsqu'elle fait des efforts, ou lorsqu'elle marche. La douleur peut s'étendre de façon désagréable jusqu'à la vessie et au rectum. Pour la soulager, il n'y a guère que le repos, ou un antalgique prescrit par le médecin.

Des douleurs peuvent être ressenties au niveau du thorax : soit en arrière, le long de la colonne vertébrale, soit entre les côtes, comme des névralgies, soit enfin dans la région du foie. Quelle en est la raison ? Une distension de la cage thoracique ? Rien n'est sûr.

La future maman peut aussi ressentir des douleurs :
• au niveau de l'estomac : à cause de la compression provoquée par le développement du bébé
• au niveau du côté droit, sous les côtes, à cause de la compression de la vésicule biliaire.

Toutes ces douleurs peuvent être atténuées avec des antalgiques.

« MAL AUX REINS »?

De nombreuses femmes enceintes se plaignent d'avoir « mal aux reins ». En fait, il s'agit de douleurs de la colonne vertébrale qui sont habituellement en rapport avec une exagération de sa courbure normale (vous avez pu remarquer que, surtout à la fin de la grossesse, les femmes enceintes sont très cambrées). Pour la même raison, il peut y avoir des douleurs de type sciatique. Ces douleurs sont plus intenses le soir, ou lorsque la femme est fatiguée, ou, enfin, après une station debout prolongée, d'où leur plus grande fréquence dans certaines professions. Ces douleurs sont sans gravité ; elles peuvent être atténuées par les exercices indiqués au chapitre 14 (p. 338) ; également par les activités aquatiques prénatales – en particulier la nage sur le dos – et par l'haptonomie. On peut aussi consulter un kinésithérapeute. Parlez-en quand même au médecin car ces douleurs peuvent être des contractions utérines (dans ce cas, le ventre devient dur).

PARLONS MAINTENANT DES JAMBES

Là, les douleurs sont fréquentes. Elles sont évidemment plus importantes lorsqu'il y a des varices. Parfois, la douleur est ressentie comme une sciatique, c'est-à-dire qu'elle se manifeste à la face postérieure des jambes et des cuisses. Cette douleur est souvent tenace, elle est difficile à soulager. Un traitement à base de vitamine B et aussi de magnésium est parfois efficace.

• Des **crampes** peuvent survenir à partir du 5e mois, dans les jambes et les cuisses, mais presque exclusivement la nuit. Ces crampes sont parfois si intenses qu'elles réveillent la future mère. Que faire ? Lorsque vous souffrez d'une crampe, levez-vous et massez votre jambe. Si vous avez quelqu'un auprès de vous, demandez-lui de soulever votre jambe et de la lever assez haut. Vous essaierez de tendre votre pied dans le prolongement de la jambe, pendant que la personne qui vous tient la jambe forcera en sens inverse pour maintenir le pied perpendiculaire à la jambe. La crampe passée, faites quelques pas.

Les crampes sont souvent dues à un manque de vitamine B. Voyez au chapitre 3 quels aliments en contiennent. Le médecin pourra également vous prescrire une préparation à base de magnésium.

• Les femmes éprouvent parfois des sensations bizarres d'inconfort qui provoquent un besoin de bouger les jambes. C'est le syndrome des « jambes sans repos ». Il peut être source d'insomnie et il se traite comme les crampes.

PASSONS AUX BRAS

Là aussi, mais en fin de grossesse, des douleurs peuvent être ressenties : le bras semble lourd et contracté, ou plein de fourmillements. Ces douleurs apparaissent surtout à la fin de la nuit, lorsqu'on dort les bras sous la tête ou sous l'oreiller.

Voici deux mesures efficaces pour soulager les douleurs dans les bras :

• la nuit, dormez les épaules surélevées par deux oreillers
• le jour, évitez les gestes qui tirent sur les épaules, tel que porter des objets très lourds.

Ces douleurs sont la conséquence de compressions nerveuses dues aux modifications de la colonne vertébrale qu'entraîne la grossesse. Un traitement anti-inflamatoire ou un antalgique indiqué par le médecin peut soulager les douleurs trop fortes.

LE SYNDROME DU CANAL CARPIEN

Il s'agit des fourmillements de la paume de la main qui surviennent souvent la nuit et peuvent être intenses. Ils sont dus à une compression des nerfs au niveau d'un canal qui se trouve au poignet, et s'arrêtent après l'accouchement. Lorsque ces fourmillements sont trop intenses, le rhumatologue peut faire une injection locale de corticoïdes.

TROUBLES DU SOMMEIL

Le sommeil peut être perturbé par la grossesse. Au début, la future mère ressent souvent un irrésistible besoin de dormir qui peut même la gêner pendant la journée. À la fin, au contraire, elle perd le sommeil durant la seconde partie de la nuit. Cette insomnie de la fin de la grossesse est due au fait que le bébé remue de plus en plus, et à l'augmentation des crampes et douleurs variées fréquentes à cette époque.

Comment lutter contre cette insomnie qui risque d'accentuer la fatigue ressentie à la fin de la grossesse ? Quelques moyens simples sont souvent efficaces :
• faire le soir un repas léger
• éviter les excitants tels que thé et café
• prendre un bain tiède avant de se coucher
• boire au moment de se mettre au lit une tasse de lait sucré ou de tilleul, ou prendre un verre d'eau sucrée auquel vous ajouterez trois cuillerées d'eau de fleur d'oranger
• vous pouvez essayer aussi des sédatifs légers à base de plantes.

Si vous dormez mal et si aucun des moyens indiqués ci-dessus n'est efficace, demandez au médecin un médicament pour dormir. Quant aux tranquillisants, dont certains agissent dans les cas de troubles du sommeil, n'en prenez pas sans avis médical, ils ne sont pas tous compatibles avec la grossesse. L'insomnie est parfois due à la crainte de l'accouchement qui approche. Parlez-en avec ceux qui vous entourent. Parler c'est toujours bon, garder pour soi ses craintes ne fait que les renforcer. Alors que la tranquillité d'esprit, le calme, c'est ce qui permet d'arriver détendue à l'accouchement.

CHANGEMENTS D'HUMEUR

De nombreuses femmes voient leur caractère changer pendant la grossesse : elles deviennent irritables, anxieuses ou très émotives. Même lorsqu'elles sont heureuses d'attendre un enfant, elles ont parfois des idées moroses qui les étonnent. Il peut y avoir de nombreuses raisons à ces modifications du caractère : peur des changements qu'entraîne dans toute famille une naissance, angoisse d'avoir un enfant anormal, peur de l'accouchement.

Sachez, si vous éprouvez de telles craintes, qu'elles sont compréhensibles, surtout si c'est la première fois que vous attendez un enfant. Tout est encore inconnu pour vous, tout vous semble mystérieux dans ce qui se passe et dans votre corps et dans votre esprit.

Parlez-en avec votre mari, ensemble vous surmonterez vos craintes. On ne se rend pas toujours compte du bienfait d'une conversation, surtout avec quelqu'un qui vous est proche. Si votre mari n'est pas là, vous parlerez à une amie ou une sœur, et vous découvrirez d'ailleurs avec soulagement que vos craintes ont été les leurs. Si vos angoisses persistent, n'hésitez pas à en parler au médecin, à la sage-femme.

EN CONCLUSION

Voici terminée la liste des malaises courants que peut provoquer une grossesse. Cette liste vous semblera peut-être longue, mais rien ne dit que vous éprouviez un ou plusieurs de ces troubles. Il y a des femmes qui traversent leur grossesse sans la moindre gêne, pendant que d'autres vont de vomissements en nausées, et de nausées en douleurs variées. Ces différences correspondent d'ailleurs souvent à des différences de tempérament.

Quoi qu'il en soit, avertie de ce qui peut vous arriver, vous saurez au moins dans quels cas le médecin peut vous soulager, et dans quels cas il n'y a rien d'autre à faire que d'attendre que le temps passe.
Je ne dis pas cela pour vous pousser à la résignation ou au fatalisme, mais vous l'avez vu dans les pages qui précèdent, certains troubles sont liés à un certain stade de la grossesse et disparaissent sans autre intervention lorsque ce stade est dépassé.

Ajoutons une remarque plus générale. Nombre de ces malaises peuvent être réduits simplement par une meilleure manière de vivre. Vous avez peut-être vu d'ailleurs tout au long de ce chapitre que nous vous suggérons une nourriture bien adaptée aux circonstances, des exercices réguliers, un sommeil suffisant. Pensez-y avant de demander un médicament pour la digestion, un autre pour la circulation, etc.

Une dernière remarque intéressera celles qui ont déjà été enceintes : les malaises éprouvés lors d'une grossesse précédente ne se reproduisent pas nécessairement. Chaque grossesse est différente.

9

La surveillance médicale de la grossesse

La grossesse est un événement naturel dans la vie d'une femme. Mais que la nature ait prévu que l'ovule rencontre un spermatozoïde, qu'un œuf en naisse, et qu'au bout de neuf mois l'enfant paraisse, cela ne veut pas dire que ce processus naturel se déroule toujours sans heurt ; la nature fait parfois des erreurs : une fausse couche, une naissance prématurée, une naissance qui tarde. C'est dire l'importance de la surveillance médicale de la grossesse. Tout ce chapitre lui est consacré : la surveillance habituelle de toutes les futures mères ; celle, plus particulière, des mamans après 38-40 ans ; et celle, plus étroite, des grossesses à risques.
Un grand tableau pages 230-231 rassemble tous les examens, formalités, préparatifs.

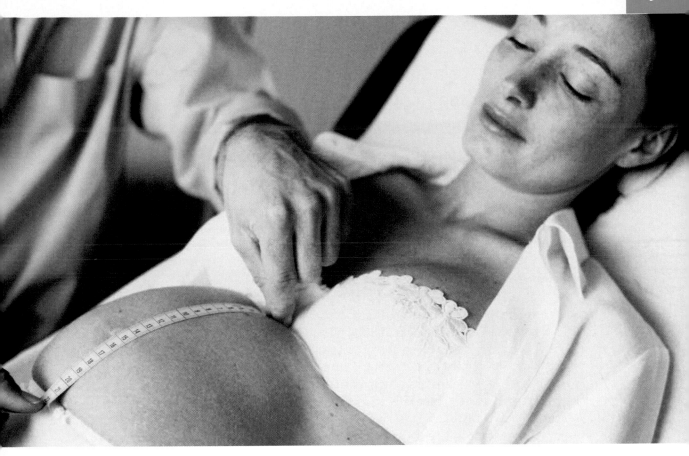

Qui va suivre votre grossesse ?

Un médecin (gynécologue, obstétricien, généraliste) ou une sage-femme ? Tous ces professionnels sont habilités à suivre une grossesse.

Le premier examen prénatal, au cours duquel la déclaration de grossesse est effectuée, peut désormais être réalisé non seulement par un médecin mais aussi par une sage-femme. Il est important que l'équipe qui sera en charge de l'accouchement effectue les examens du 8e et du 9e mois pour que votre dossier médical soit complet.

La préparation à la naissance n'est pas obligatoire mais elle fait partie de la surveillance de la grossesse. La première séance est individuelle ; les sept autres peuvent être en groupe.

Où auront lieu les consultations ?

Cela dépend de l'endroit où vous souhaitez accoucher. Il est d'ailleurs important que dès la première visite prénatale vous décidiez, avec le praticien que vous verrez, du lieu de l'accouchement : n'hésitez pas à lui en parler s'il oubliait de le faire. C'est important car s'il y avait un problème pendant la grossesse et que votre médecin soit absent, vous devez savoir vers quelle maternité vous diriger en cas d'urgence.

En général, les consultations prénatales ont lieu au cabinet du médecin, qu'il soit spécialiste ou généraliste. Elles peuvent avoir lieu dans la maternité que vous aurez choisie, cela dépend de leur mode de fonctionnement. Les maternités publiques ont toutes un service de consultation sur place, assuré par un médecin ou une sage-femme. Il est d'ailleurs possible que ce ne soit pas toujours la même personne qui vous examine. Certaines maternités privées ont un service de consultations sur place, comme les maternités publiques. En général, c'est toujours la même personne qui vous recevra.

En cas d'urgence, la nuit, le week-end et les jours fériés, présentez-vous à la maternité où votre accouchement est prévu. Il y a toujours un médecin spécialiste et une sage-femme de garde pour vous accueillir.

Les sages-femmes

Il y a en France 15 000 sages-femmes (13 000 salariées et 2 000 libérales). Mais leur rôle n'est pas toujours bien connu, c'est pourquoi nous souhaitons vous dire quelques mots sur leur travail.

Les sages-femmes exercent une profession médicale. Leur rôle comporte : le diagnostic, la surveillance de la grossesse et la préparation à l'accouchement ; la surveillance de l'accouchement ; les soins postnatals de la mère et de l'enfant. Tant que tout est normal, les sages-femmes peuvent suivre du début à la fin la grossesse, l'accouchement et ses suites. Elles peuvent prescrire tous les examens nécessaires à leur pratique. Si un problème se pose, elles font appel à un médecin.

Au cours d'une grossesse, les occasions d'être en contact avec une sage-femme sont nombreuses, les voici : en consultations, à l'échographie, en surveillance anténatale, à domicile pour le suivi d'une grossesse à problèmes (sur prescription d'un médecin), pour la préparation à la naissance, en gymnastique aquatique, en suite de couches, au planning familial, pour les soins des nourrissons et pour la rééducation périnéale. Et surtout lors de l'accouchement : les sages-femmes assurent seules près de 70 % des accouchements. Si ce n'est pas elles-mêmes qui assurent l'accouchement, elles veillent sur la mère et sur le bébé, avant et après l'intervention de l'accoucheur.

En conclusion, que les sages-femmes soient salariées ou qu'elles soient installées à leur compte, vous serez à un moment ou à un autre en contact avec ces « professionnelles » de la naissance.

Naître en France

Quel est le premier critère pour choisir une maternité ? Combien de femmes suivent-elles une préparation à la naissance ? Les césariennes continuent-elles à augmenter ? Et les péridurales ? Régulièrement, tous les cinq-six ans, l'INSERM fait des enquêtes qui répondent à ces questions et à bien d'autres. En lisant la plus récente, on voit se dessiner un vrai tableau de la naissance en France aujourd'hui. Des progrès sont là : la surveillance de la grossesse s'améliore, la consommation de tabac diminue légèrement chez les futures mères, les hospitalisations avant la naissance sont moins nombreuses. Mais l'âge des mères augmente et les bébés prématurés et les enfants de moins de 2 500 g sont plus nombreux. Tout au long de ce livre, nous faisons référence à cette enquête qui compare les chiffres de 2003 à ceux de 1998. Ce sont donc les chiffres les plus récents dont nous disposions aujourd'hui.

Entrons maintenant dans le détail des examens prénatals. Nous parlerons d'abord de la surveillance habituelle de la future mère. Ensuite, nous envisagerons les cas particuliers où des examens spéciaux sont nécessaires.

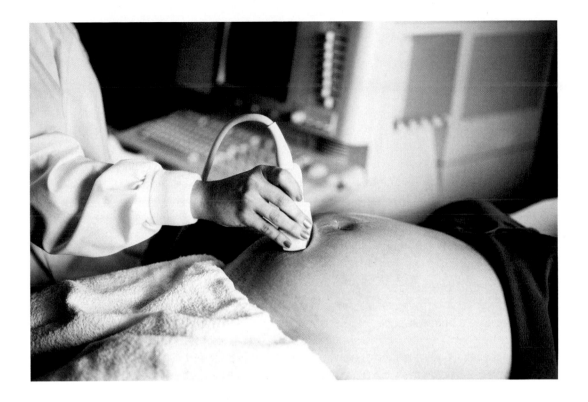

La surveillance habituelle de la femme enceinte

En France, il y a sept consultations obligatoires. La première se situe avant la fin du 3e mois de grossesse. Les autres sont passées chaque mois à partir du 4e et jusqu'à l'accouchement. En présence d'un symptôme anormal apparaissant entre les examens, vous aurez intérêt à consulter le médecin sans attendre la prochaine consultation obligatoire.

VOTRE GROSSESSE MOIS APRÈS MOIS
VOYEZ LE TABLEAU PP. 230-231

LA PREMIÈRE CONSULTATION

Elle est faite habituellement par un médecin mais elle peut l'être également par une sage-femme. Ce premier examen, qui est probablement le plus important, a pour but :
• de confirmer l'état de grossesse, comme nous l'avons vu dans le premier chapitre, en précisant son début et son terme probable

• d'en vérifier le caractère normal (absence de perte de sang, développement de l'utérus)

• d'évaluer l'existence de facteurs de risques susceptibles de modifier la surveillance. Aussi le médecin commencera-t-il par vous interroger pour recueillir un certain nombre de renseignements.

L'âge d'une future mère a son importance

Il existe un moment favorable pour être enceinte. Cet âge, on peut le situer approximativement entre 20 et 35 ans. Les très jeunes femmes, en dessous de 18 ans, sembleraient plus exposées que d'autres à certains accidents tels que l'accouchement prématuré. À partir de 38 ans, certains risques augmentent (p. 220). Heureusement, aujourd'hui les femmes très jeunes, ou au contraire plus âgées, peuvent bénéficier d'une surveillance de qualité.

Les antécédents médicaux sont importants à préciser

N'omettez pas de signaler toutes les maladies que vous avez eues, surtout si elles ont été graves ou si vous êtes encore sous traitement. Signalez également l'existence de maladies héréditaires familiales. Signalez enfin, le cas échéant, que votre mère a pris du Distilbène pendant sa grossesse (p. 227). Ces antécédents pourront également, dans certains cas, inciter à une surveillance plus attentive de la grossesse.

N'hésitez pas à dire si vous avez eu un avortement et à quel stade de la grossesse il a eu lieu. Le médecin sera particulièrement attentif en cas d'avortement tardif ou d'accouchement prématuré. Si vous avez eu une IVG, ou même plusieurs, ne soyez pas inquiète, votre grossesse se déroulera, habituellement, tout à fait normalement.

Si votre couple a été longtemps stérile, et cette stérilité traitée avec succès, pensez que cette grossesse sera aussi précieuse pour le médecin que pour vous. Cela ne signifie pas pour autant que la surveillance sera bien différente de celle d'une grossesse survenue naturellement.

Des accidents ou des complications lors des grossesses ou des accouchements précédents peuvent entraîner une surveillance et des examens particuliers (voir plus loin *Les grossesses à risques*). En revanche, si vos grossesses et vos accouchements ont été normaux, tout permet de penser qu'il en sera de même pour cette nouvelle grossesse.

Les conditions sociales, économiques et psychologiques

Elles jouent indiscutablement un rôle dans l'évolution de la grossesse. Le médecin vous questionnera sur vos conditions de travail (fonction, horaires, éloignement, modes de transport...). Si vous-même, ou votre couple, rencontrez des difficultés particulières, il vous dirigera vers un lieu d'écoute et d'aide (voir plus loin *L'entretien prénatal précoce*) ; ces lieux sont en train de s'organiser au sein du réseau périnatal de chaque région.

Les habitudes de vie

Le médecin vous posera des questions sur vos habitudes alimentaires et sur votre façon de vivre. Si vous fumez, il vous conseillera formellement de cesser, et il vous aidera par la prescription de patchs à la nicotine, ou bien il vous adressera à la consultation de tabacologie de votre maternité.

Les examens

Puis vont succéder :

• Un **examen général** qui comprend la mesure de la taille, du poids, de la tension artérielle ; l'auscultation du cœur, l'examen des seins, etc.

• Un **examen gynécologique**. Le toucher vaginal, en début de grossesse, renseigne sur le volume de l'utérus. Il n'est cependant pas fait systématiquement. Un frottis de dépistage du cancer du col sera effectué si votre dernier frottis date de plus d'un an.

• Des **examens de laboratoire**. Le médecin vous prescrira pour maintenant, et pour toute la durée de la grossesse, les examens biologiques à faire pratiquer. Ces examens comportent essentiellement une prise de sang et un examen des urines à la recherche d'albumine.

La prise de sang va permettre :

• de vérifier l'absence de syphilis

• de préciser le groupe sanguin : même lorsque celui-ci est déjà connu, il est prévu de le vérifier. Deux déterminations sont obligatoires et doivent être faites par le même laboratoire, avec un résultat informatisé inscrit sur la carte (une inscription manuelle n'est pas valable) ; si vous êtes rhésus négatif, il est nécessaire de rechercher dans votre sang la présence d'agglutines antirhésus (p. 262)

• de savoir si vous êtes ou non immunisée contre la toxoplasmose et la rubéole (pp. 246-248)

• de vérifier l'absence de sida (recherche d'anticorps anti HIV). Cet examen est indispensable quand la femme se situe dans un groupe à risques (toxicomanes, femmes transfusées avant 1991). Chez les autres, l'examen est simplement recommandé (cependant accepté la plupart du temps)

• un dépistage de l'anémie, par une numération sanguine, sera pratiqué en cas de facteur de risque.

D'autres informations et recommandations

Dès la première consultation, le médecin ou la sage-femme vous donnera une information la plus large possible, écrite ou orale, sur l'importance d'un suivi régulier pour vous et votre bébé.

Vous serez également informée sur :

• Les différentes possibilités du suivi de la grossesse, la préparation à la naissance et à la parentalité, et notamment l'intérêt de **l'entretien précoce** (p. 211)

• Les différents dispositifs d'accompagnement psychosocial, en particulier les droits liés à la maternité (par exemple le congé de maternité) et la manière de les faire valoir

• Les bienfaits d'une alimentation et d'un mode de vie équilibré (chapitre 3) et les dangers d'une automédication (p. 222).

• L'intérêt, dans certaines situations, de l'aide que peut apporter un diététicien, un médecin nutritionniste, un kinésithérapeute, une sage femme orientée en sophrologie ou en haptonomie.

Le médecin organisera avec vous les rendez-vous échographiques, qui sont au nombre de trois, le premier ayant lieu à 12 semaines d'aménorrhée. Il vous informera de la possibilité du test des marqueurs sériques. Une attention particulière sera apportée à la femme, ou au couple, dans l'éventualité d'un résultat anormal, qu'il soit biologique (marqueur de la trisomie 21) ou échographique.

Enfin, vous ferez, avec le médecin, le choix de la maternité où vous accoucherez. C'est à cette maternité que vous vous rendrez si vous avez un problème pendant la grossesse. De plus, le médecin vous informera de la place de la maternité choisie dans l'ensemble du réseau périnatal de votre département (voir *Comment choisir la maternité* p. 277).

À l'issue de cette consultation, le médecin, ou la sage femme, aura recueilli, par ses questions et par l'examen qu'il aura fait, un certain nombre de renseignements. Ils vont lui permettre, dans une certaine mesure, de prévoir si votre grossesse nécessitera ou non une surveillance particulière. Dans la plupart des cas (neuf fois sur dix au moins) tout est favorable. Vous êtes en bonne santé et votre grossesse commence normalement. Tout permet de penser qu'elle se déroulera sans histoire pour se terminer par un accouchement normal. Sa surveillance ne nécessitera pas de mesure particulière. Une fois sur dix environ, la grossesse nécessite des mesures spéciales dont nous vous parlerons plus loin : ce sont les « grossesses à risques ».

• La **déclaration de grossesse** sera faite soit lors de cette première consultation soit après la première échographie. Elle doit être faite avant la fin des 14 premières semaines. Le médecin ou la sage femme vous remettra les feuillets signés à transmettre à votre centre de Sécurité sociale et à votre caisse d'Allocations familiales (chapitre 18).

• Si vous êtes suivie par un professionnel en dehors de la maternité où vous devez accoucher, celui-ci pourra vous remettre un **dossier périnatal** où seront consignés les éléments les plus importants de votre dossier médical. C'est vous qui le conserverez et il servira de lien entre les différents intervenants que vous serez amenée à rencontrer. A l'avenir, un dossier périnatal informatisé, identique dans toute la France, devrait voir le jour.

• Dès le premier trimestre, vous pouvez vous inscrire à la **préparation à l'accouchement** qui est maintenant prise en charge à partir de la déclaration de grossesse. Les séances de préparation sont complémentaires des consultations médicales. Les consultations sont là pour vérifier le bon déroulement de la grossesse, elles sont en général assez courtes. Les séances de préparation sont plus longues, elles se passent dans un climat détendu, loin de tout dépistage plus ou moins angoissant. La future maman a le temps de poser des questions. Elle peut partager son expérience avec d'autres femmes enceintes (p. 327).

LA DEUXIÈME CONSULTATION (4e MOIS)

Elle comporte un examen général avec : prise de la tension artérielle, mesure du poids, mesure de la hauteur utérine, recherche des bruits du cœur.

C'est au cours de cette consultation que vous sera proposé le **test des marqueurs sériques** (p. 180) pour le dépistage du risque de trisomie 21.

UN PEU D'APPRÉHENSION

Aller à une consultation c'est inévitablement poser la question : « Est-ce que tout va bien ? » Et donc envisager par là même que la réponse puisse être, sinon négative, du moins ambiguë ; c'est être impressionnée par la blouse blanche (certains médecins n'en portent plus pour dédramatiser l'acte, mais en fait cela ne change rien) ; c'est se préparer à poser beaucoup de questions et en abandonner la moitié par… timidité ; c'est se trouver devant quelqu'un pour qui attendre un enfant est un événement habituel, alors qu'on le considère soi-même comme exceptionnel ; c'est aussi subir un examen intime que l'on appréhende souvent. C'est vrai que parfois certains médecins n'ont pas assez de temps à vous consacrer, qu'ils peuvent être maladroits en paroles. Heureusement aujourd'hui, avec la plupart des médecins et des sages femmes, l'accueil est chaleureux et les contacts sont faciles.

L'examen sérologique de la toxoplasmose sera prescrit en cas de sérodiagnostic négatif, ainsi qu'un examen des urines à la recherche d'albumine.

L'entretien prénatal précoce

Comme son nom l'indique, cet entretien peut avoir lieu dès la déclaration de grossesse et il est pris en charge par l'assurance maternité. Si on ne vous l'a pas proposé, demandez à la maternité, au médecin ou à la sage femme comment en bénéficier.

L'entretien précoce, créé récemment, permet une rencontre plus longue qu'une consultation (au moins 45 minutes) et en dehors du contexte strictement médical. Il peut être individuel, ou en couple, selon votre souhait. Son but est de vous laisser parler de votre grossesse, de vos éventuelles préoccupations, difficultés socioprofessionnelles, familiales ou psychologiques. Si vous avez besoin d'aide pour arrêter de fumer par exemple, ou si votre situation nécessite que vous rencontriez une assistante sociale, la sage-femme ou le médecin vous donnera les coordonnées des professionnels les plus appropriés appartenant au réseau périnatal de votre région.

Cet entretien peut se faire dans le cadre de la première séance de préparation à la naissance et il s'orientera alors vers d'autres besoins : quel type de préparation recherchez-vous ? Souhaitez-vous allaiter au sein ? Comment accueillir au mieux votre bébé et prendre soin de lui ?...

Plus cet entretien a lieu tôt dans la grossesse, plus il vous sera utile. Mais il reste important même au troisième trimestre. Il peut aussi faire le lien entre le suivi et la préparation en ville et l'équipe qui vous accueillera à l'accouchement.

En principe cet entretien donne lieu à la rédaction d'un document à mettre dans votre dossier médical.

ATTENTION

Devant la découverte d'un problème médical en début ou en cours de grossesse, il est possible qu'on vous oriente vers un gynécologue-obstétricien attaché à une maternité de niveau II ou III (p. 278). Vous et votre bébé pourrez ainsi être pris en charge de la meilleure façon possible.

LA TROISIÈME CONSULTATION (5e MOIS)

Elle comporte le même examen général et les mêmes examens biologiques (toxoplasmose et albumine) que ceux pratiqués lors de la consultation du 4e mois.

Il vous sera rappelé le rendez-vous d'échographie de la 22e semaine qui a lieu au milieu du 5e mois.

Enfin, si vous n'avez pas encore commencé à suivre des cours de préparation à la naissance, le médecin, ou la sage-femme, vous dira l'intérêt de participer à de telles séances.

LA QUATRIÈME CONSULTATION (6ᵉ MOIS)

Cette consultation se déroule selon le même schéma que l'examen précédent, avec cependant une attention toute particulière à l'examen du col, surtout s'il existe des facteurs de risques d'accouchement prématuré. Au besoin, le médecin mesure le col par échographie ou le fera faire par un échographiste.

Ensuite, le médecin vérifie que l'utérus est normalement développé. Pour cela, il mesure la hauteur utérine et la compare aux chiffres habituels. Mesurer la hauteur de l'utérus, ce n'est pas mesurer la taille du fœtus, ce qui serait d'ailleurs impossible puisqu'il est tout ramassé sur lui-même, mais plutôt son volume (c'est-à-dire la place qu'il prend). Cette mesure permet de vérifier s'il a bien le développement correspondant à l'âge théorique de la grossesse.

Le médecin vérifie également que l'on entend bien les bruits du cœur. Cette auscultation peut se faire soit avec un stéthoscope ordinaire, soit avec un appareil spécial (stéthoscope à ultrasons), grâce auquel vous pourrez vous-même entendre battre le cœur de votre enfant.

L'examen général a essentiellement pour but de surveiller la tension artérielle, le poids. Au cours de cette consultation, le médecin va prendre connaissance de l'échographie de la 22ᵉ semaine. En cas d'anomalie ou de doute, il vous conseillera sur les dispositions à prendre : contrôle échographique supplémentaire ou avis d'un centre obstétrical spécialisé du réseau périnatal de votre région.

Certains examens biologiques sont prescrits à cette consultation :
• sérologie de la toxoplasmose si les résultats étaient auparavant négatifs
• recherche de l'albumine dans les urines
• numération pour rechercher une anémie si elle n'a pas été faite lors de la première consultation
• recherche des antigènes HBS pour vérifier votre immunité vis-à-vis de l'hépatite B
• recherche d'agglutines irrégulières si vous êtes est rhésus négatif et votre mari rhésus positif (p. 262)
• enfin, éventuellement, recherche d'un diabète par un dosage de la glycémie à jeun ou par le test de O'Sullivan (absorption de 50 g de glucose à jeun et dosage répété de la glycémie).

LA CINQUIÈME CONSULTATION (7ᵉ MOIS)

Elle comporte le même examen général que celui pratiqué lors de la consultation précédente, avec une attention toute particulière à la tension artérielle car la toxémie se manifeste souvent à cette période de la grossesse.

La sérologie de la toxoplasmose est à contrôler, si nécessaire. Une recherche plus fréquente (tous les 15 jours) d'albumine dans les urines est conseillée.

Si vous êtes rhésus négatif, une vaccination vous sera proposée pour prévenir tout risque (p. 262).

Enfin, le médecin vous rappellera le rendez-vous de la troisième échographie de la 32ᵉ semaine.

LA SIXIÈME CONSULTATION (8ᵉ MOIS)

Cette consultation a plus spécialement pour objet de prévoir autant que faire se peut la façon dont se déroulera l'accouchement : appréciation du volume du fœtus ; appréciation de la manière dont se présentera l'enfant : par la tête – c'est la présentation habituelle –, par le siège, etc. ; caractéristiques du bassin. L'examen du bassin se fait dans les dernières semaines, car c'est alors seulement qu'il atteint les dimensions qu'il aura à l'accouchement.

Si le médecin soupçonne une anomalie, ou si votre bébé se présente par le siège, il vous demandera de faire faire une radiopelvimétrie ou un scanner du bassin. Tout ceci est sans risque pour votre enfant. Au cours de cette consultation, sont recherchés :

• la sérologie de la toxoplasmose, en cas de négativité
• les agglutines irrégulières, en cas de rhésus négatif
• l'albumine : la recherche se fait désormais tous les 10 jours
• enfin, un prélèvement vaginal à la recherche de streptocoque sera prescrit. Le streptocoque B est sans danger pour la mère ; mais sa présence nécessite de prendre des antibiotiques pendant l'accouchement pour protéger le bébé.

Pour terminer, il vous sera demandé de prendre rendez-vous avec un anesthésiste. Cette consultation est obligatoire, que vous souhaitiez une péridurale ou non.

LA SEPTIÈME CONSULTATION (9e MOIS)

C'est la dernière consultation avec le médecin ou la sage-femme. Les examens biologiques sont les mêmes qu'au 8e mois et c'est au cours de cette consultation que vous aurez probablement envie de poser des questions à propos de l'accouchement : la péridurale est-elle possible ? L'épisiotomie se fait-elle systématiquement, peut-on l'éviter ? Vous aurez peut-être également envie de savoir si une sage-femme restera près de vous pendant le travail. Vous pourrez demander, si vous ne l'avez déjà fait, qui vous assistera lors de votre accouchement : le médecin ou l'équipe ayant suivi votre grossesse, ou bien un praticien de garde. Vous aimerez aussi savoir comment sera accueilli votre bébé après la naissance : pourrez-vous le garder près de vous ? Et à propos de l'allaitement : y-a-t-il une association d'aide à l'allaitement dans le secteur ? La maternité est-elle en relation avec elle ?

Enfin, le médecin, ou la sage-femme, vous rappellera que, si vous n'avez pas accouché à la date prévue, vous devrez vous présenter à la maternité à cette date pour faire différents examens.

EXAMENS, FORMALITÉS, PRÉPARATIFS…
Un grand tableau rassemble, pages 230-231, les consultations et les examens à passer, les formalités à accomplir, les préparatifs à faire. Il vous permettra également de suivre les grandes étapes du développement de votre bébé.

Les échographies

LES 3 ÉCHOGRAPHIES DE LA GROSSESSE
• *La 1ère se fait vers la 12e semaine d'aménorrhée (SA)*
• *La 2e se fait vers la 22e SA*
• *La 3e se fait vers la 32e SA*
Elles ont pour but de :
• *préciser l'âge de la grossesse*
• *faire un éventuel diagnostic de jumeaux*
• *surveiller la croissance et la vitalité du bébé*
• *observer le placenta et le liquide amniotique*
• *dépister d'éventuelles anomalies.*

Les trois échographies dont bénéficient les futures mères tiennent une place privilégiée dans la surveillance médicale de la grossesse. En permettant de visualiser, dès les premiers stades, l'embryon, puis le fœtus, puis l'enfant, l'échographie a transformé l'exercice de l'obstétrique ; elle a également modifié le « regard » de la maman sur l'enfant qu'elle porte en elle. Avant, elle le sentait, elle le touchait, elle pouvait écouter son cœur ; avec l'échographie, elle le « voit ». Et pour le père, c'est la grande découverte.

QU'EST-CE QUE L'ÉCHOGRAPHIE ?

Vous le savez peut-être, on appelle ultrasons des sons qui ne peuvent pas être perçus par l'oreille humaine. Ils ont la propriété, lorsqu'ils sont émis par une source quelconque, de se réfléchir sur un obstacle, et de revenir à la source comme un écho. D'où le nom de cette méthode, l'échographie.

Voici comment les ultrasons sont utilisés en médecine. Lorsqu'un cristal de quartz est soumis à des impulsions électriques, il vibre et envoie des ultrasons qui sont captés à leur retour, puis transformés par des systèmes informatiques ; ces systèmes reconstruisent point par point, sur un écran, l'image du fœtus et de ses organes. Ces images peuvent être enregistrées sur une cassette vidéo, si le médecin le juge nécessaire. En général, ces images sont photographiées, et mises, avec le compte rendu de l'examen, dans le dossier de la future mère ; cela permet des comparaisons d'un examen à l'autre.

Les échographistes sont souvent réticents à enregistrer des images à la demande des parents. L'échographie est un acte médical à haute responsabilité et non une séance photo, vidéo pour l'album de famille. C'est d'ailleurs une notion que les parents comprennent très bien lorsqu'elle leur est expliquée.

EN PRATIQUE

• L'échographie peut être réalisée soit par le gynécologue-obstétricien, soit par un échographiste, indiqué par le médecin. Prenez votre rendez-vous à temps, car le moment des échographies au cours de la grossesse est important : elles ont lieu habituellement à 12, 22 et 32 semaines d'aménorrhée (voyez plus loin).
• Ne mettez aucune crème, huile, gel sur le ventre pendant toute la semaine qui précède l'examen.
• Tenez-vous en aux instructions du secrétariat d'échographie en ce qui concerne l'absorption d'eau avant l'examen ; le plus souvent, elle est inutile.
• Pour obtenir de bonnes images, le médecin met du gel sur la peau, puis il passe sur le ventre une sonde émettrice/réceptrice d'ultrasons qui se présente sous forme d'une large barrette courbe.

LES TROIS ÉCHOGRAPHIES

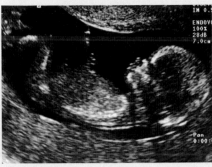

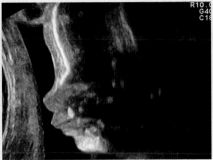

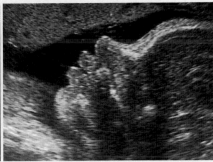

1. À 12 SEMAINES

2. À 22 SEMAINES

3. À 32 SEMAINES

• Pour la première échographie, le médecin utilise parfois une sonde vaginale, recouverte d'une sorte de préservatif à usage unique, enduit de gel. Cette technique permet souvent, surtout en début de grossesse, d'obtenir des images plus précises. Cet examen n'est ni douloureux ni dangereux pour la grossesse.

• Trois échographies sont pratiquées au cours d'une grossesse normale, et remboursées (à 70% les deux premières et 100% la troisième). Au-delà, il est nécessaire de demander une entente préalable auprès de la Sécurité sociale. Le médecin se charge de remplir le formulaire.

• Cet examen nécessite de la part de l'échographiste un maximum de concentration et de vigilance. Ne soyez pas surprise de son éventuel mutisme. Il sera plus à même de vous faire part de ses conclusions lorsque l'examen sera terminé. De plus, venez seule ou en couple, mais pas avec une amie ou des enfants.

LA PREMIÈRE ÉCHOGRAPHIE

Les échographistes recommandent de la réaliser entre 11 semaines d'aménorrhée et 13 semaines + 6 jours. Cette première échographie permet d'apprécier la vitalité de l'enfant et de faire un éventuel diagnostic de jumeaux. Grâce à la mesure de la longueur de l'embryon, cette échographie est capable de préciser l'âge de la grossesse, et donc d'évaluer le terme théorique à 4 jours près.

Elle permet également de mesurer la **clarté nucale**, c'est-à-dire l'épaisseur de la nuque (p. 128). Cette mesure représente un des moyens de dépister la trisomie 21. En fait, il ne s'agit pas d'un dépistage mais d'un moyen d'évaluer un risque (p. 181). La seule certitude du diagnostic de la trisomie 21 sera fournie par la réalisation d'une amniocentèse ou d'une biopsie du trophoblaste.

> **UN PEU D'INQUIÉTUDE**
> *Aujourd'hui les parents connaissent l'importance de cette mesure de la nuque et ce qu'elle peut impliquer.*
> *C'est pourquoi ils se rendent souvent à ce premier examen avec une petite inquiétude.*

• Certaines situations peuvent conduire le médecin à pratiquer une échographie plus tôt, notamment chez les femmes très mal réglées, ou en cas de saignement, ou si la grossesse fait suite à une procréation médicalement assistée. Cette échographie précoce confirmera la bonne évolution de la grossesse, ou montrera l'arrêt de celle-ci. La fausse couche est alors prévisible à plus ou moins brève échéance. Cette échographie permet également de diagnostiquer une grossesse extra-utérine.

LA DEUXIÈME ÉCHOGRAPHIE

Elle est faite entre 20 et 22 semaines d'aménorrhée. À cette période, le fœtus est complètement formé. On peut donc l'observer en détail et déceler d'éventuels troubles et anomalies de la croissance. C'est lors de cette échographie que l'on peut faire le diagnostic du sexe de l'enfant, bien évidemment si la position du fœtus le permet.

LA TROISIÈME ÉCHOGRAPHIE

Elle est faite vers 32 semaines d'aménorrhée et elle permet de vérifier si tout se présente normalement en vue de l'accouchement (position et volume de l'enfant, insertion du placenta par exemple). Cette échographie permet également de confirmer la bonne santé de l'enfant et sa croissance.

QUELQUES PRÉCISIONS

Entrons maintenant dans le détail de ces échographies. Chaque examen échographique comporte quatre parties dont l'importance varie selon l'âge de la grossesse.

• L'examen général du bébé et de ses organes : c'est l'examen **morphologique**. Des organes, ou parties d'organes, sont connus pour leur utilité dans le dépistage de certaines pathologies et notamment de certaines anomalies chromosomiques, comme la trisomie 21. C'est ainsi qu'il est prêté une attention particulière à l'analyse des reins, du cerveau, de l'intestin, de la longueur des membres et de la longueur des os du nez. Les médecins parlent de « petits signes d'appels échographiques de la trisomie 21 ». En cas d'anomalie, il sera proposé un contrôle et éventuellement une amniocentèse, après avis du CPDPN (p. 180).

• La mesure de certaines parties du bébé, c'est l'étude **biométrique**. Les mesures du crâne, de la longueur du fémur, du diamètre de l'abdomen, permettent de surveiller la croissance.

• On apprécie aussi la **vitalité** de l'enfant : activité cardiaque, mouvements des membres, mouvements « respiratoires », déglutition.

• Enfin on observe le **milieu** dans lequel vit le bébé : quantité de liquide amniotique, étude et localisation du placenta (p. 243).

Dans certains cas, le médecin peut décider de faire une écho-doppler (pp. 135 et 228). Cet examen permet d'analyser la circulation dans les vaisseaux de la mère (artère utérine) et de l'enfant (vaisseaux du cordon ombilical, artère cérébrale), et d'examiner plus précisément certains mouvements du fœtus, comme la déglutition.

La réunion de tous ces éléments, au cours des trois échographies, constitue une sorte de **bilan de santé** de l'enfant. Ce bilan est impossible à faire par une autre méthode. Il renseigne sur l'état immédiat, mais aussi sur des pathologies pouvant se manifester plus tard.

Si le médecin évoque un problème mineur pour leur enfant, sans conséquence pour son avenir, les parents ne peuvent s'empêcher d'être inquiets et d'attendre avec impatience la naissance. Ils ne seront complètement rassurés que lorsque le bébé aura été examiné par le pédiatre.

LES ÉCHOGRAPHIES SOUVENIR
Toute échographie à visée non médicale est déconseillée aux femmes enceintes. Certaines sociétés proposent aux parents de réaliser des « échographies souvenir », avec de belles images. De tels clichés exposent inutilement, et longuement, le bébé aux ultrasons.

LE COMPTE RENDU D'EXAMEN

À l'issue de chaque échographie, le médecin remet aux parents un compte rendu de l'examen qu'il a réalisé. Ce document comporte, en règle générale, une description de l'enfant, ainsi que les différentes mesures des organes examinés. Ces mesures sont reportées sur des courbes de référence pour chaque période de la grossesse, ce qui permet d'en déterminer la normalité.

Le médecin joint à ce document les documents échographiques les plus significatifs sur le plan médical. Enfin, il termine son compte rendu par une conclusion signifiant qu'au cours de son examen, il n'a pas noté d'anomalie particulière, ce qui ne veut pas dire pour autant qu'il puisse garantir que tout est normal. La technique d'échographie, comme toute technique, ne le lui permet pas.

Vous le voyez, l'échographie n'échappe pas à la finalité de tout examen médical qui est de rechercher d'éventuelles anomalies. Les parents, eux, ont une autre attente, une autre vision de l'échographie : celle-ci est pour eux une façon de découvrir leur bébé, de le voir grandir et se développer. C'est sous ce double regard, l'un médical et objectif, l'autre attendri et ému, que se déroulent les échographies.

Les signes d'alerte
Est-ce normal? Est-ce inquiétant?

Dans la surveillance médicale de la grossesse, ce qu'observe et ressent la future mère est aussi très important. C'est elle, en effet, qui est la mieux placée pour en apprécier le déroulement et pour noter l'apparition d'un symptôme d'alerte. Heureusement, le plus souvent, tout est rassurant. Le ventre reste souple lorsque vous-même, ou votre mari, posez vos mains sur lui ; vous percevez les mouvements de votre bébé ; vous mangez avec appétit ; vous dormez bien.

Voyons plus en détail quelques éléments importants à surveiller.

Les contractions

Le travail de l'accouchement se fait essentiellement par les contractions de l'utérus qui ouvrent le col, poussent l'enfant et lui permettent de sortir ; nous vous parlerons de tout cela en détail au moment de l'accouchement. Mais déjà pendant la grossesse, ce muscle, l'utérus, se contracte un peu tous les jours ; on pourrait dire que c'est l'occasion pour lui de s'exercer, de se préparer. Les contractions sont un phénomène normal qui existe tout au long de la grossesse. Elles commencent à être perçues à partir du 6e mois et cela va s'accentuer jusqu'à l'accouchement. Parfois ce sont les mouvements du bébé qui déclenchent des contractions. Lorsque l'utérus se contracte, vous le sentez se durcir sous vos mains, comme si « le bébé se mettait en boule ». En fait, c'est l'utérus qui se resserre, le bébé, lui, est bien protégé par le liquide amniotique.

Lorsque survient une contraction, si vous en avez la possibilité, allongez-vous une bonne demi-heure, les jambes repliées, la tête soutenue par un coussin, pour relâcher les muscles abdominaux. Posez les mains sur le ventre, votre bébé sentira votre présence.

Ces contractions sont en général indolores, et courtes. Le ventre est dur pendant 30 à 40 secondes. Elles sont réparties inégalement pendant la journée ou la nuit. Il peut y avoir deux ou trois contractions de suite, puis plus rien pendant quelques heures, voire plusieurs jours. Dès que vous vous allongez, ces contractions cessent. Vous les signalerez à la prochaine consultation.

Si vous sentez que l'utérus reste dur plus longtemps que d'habitude, ou que les contractions sont plus fréquentes, plus intenses, et ne cessent pas si vous vous allongez, vous consulterez sans tarder. Le médecin, ou la sage-femme, vérifieront, au besoin par l'échographie du col, si celui-ci est modifié ; cela pourrait signifier un risque d'accouchement prématuré (p. 271) ; une hospitalisation pourrait être envisagée.

La fatigue

Tout excès d'activité physique, ou de stress, ou de sport, trop d'allées et venues, peuvent provoquer des douleurs ou des sensations de lourdeur dans le ventre, dans les reins, qui sont en fait des contractions. Il est important de tenir compte de ces signes et de se reposer. N'hésitez pas à vous

INTERNET
On trouve tous les renseignements possibles sur Internet et l'information médicale est souvent de qualité. Mais comment se retrouver devant l'abondance des données ? Et surtout, comment ne pas être inquiète en face de toutes les éventualités évoquées ? Votre médecin, qui est votre interlocuteur privilégié, fera la part des choses et vous rassurera.

allonger en rentrant de votre travail, ou dans la journée lorsque cela est possible. Et si vous vous sentez vraiment fatiguée, n'attendez pas la prochaine consultation prévue, allez voir le médecin ou la sage-femme.

L'albumine

L'analyse des urines pour rechercher le taux d'albumine est indispensable. Elle est faite régulièrement à la maternité à l'occasion des consultations. Sinon, comme on vous l'indiquera, vous pourrez faire cette recherche vous-même, à l'aide de papiers-index colorés (vendus en pharmacie). Certains de ces papiers-index permettent également le dépistage des infections urinaires. On conseille de faire cette recherche toutes les 3 semaines jusqu'à 6 mois, puis tous les 10 jours ensuite. S'il existe de l'albumine, ne serait-ce qu'à l'état de traces, recommencez l'examen le lendemain après une toilette locale ; s'il y a encore des traces, allez à la consultation, ou allez voir le médecin. La présence d'albumine peut être le premier signe d'une toxémie gravidique qui se révèle souvent de façon très brutale (p. 240).

Le poids

La surveillance du poids n'est pas moins indispensable. Pesez-vous toutes les semaines. Si l'on note une prise de poids anormale – surtout si elle est brutale – il sera nécessaire de consulter le médecin ou la sage-femme. Il y a des femmes qui prennent peu de poids pendant leur grossesse, d'autres qui en prennent beaucoup, mais les deux ont des courbes régulières. Ce qui doit alerter c'est une cassure de la courbe.

**QUAND FAUT-IL S'INQUIÉTER ET TÉLÉPHONER AU MÉDECIN OU À LA SAGE-FEMME, OU SE RENDRE À LA MATERNITÉ ?
VOICI LES SYMPTÔMES À SIGNALER**
- *les pertes de sang*
- *la présence d'albumine dans les urines*
- *une prise de poids trop rapide*
- *des troubles de la vue avec des céphalées s'accompagnant d'une barre au creux de l'estomac*
- *des brûlures en urinant ou en fin de miction*
- *de la fièvre en dehors d'un épisode grippal*
- *la perte d'eau par le vagin*
- *des démangeaisons sur tout le corps*
- *une nette et durable diminution de l'intensité des mouvements du bébé*
- *des contractions utérines régulières, de plus en plus douloureuses*
Vous trouverez p. 263 le détail de ces symptômes et les complications possibles.
Par ailleurs, vous devrez vous rendre à la maternité le jour du terme prévu par le médecin.

• Avant d'aller à la consultation, nous vous suggérons de faire une **liste des questions**, petites ou grandes, que vous voulez poser, pour ne pas les oublier. Et n'ayez pas peur de paraître ridicule, dites au médecin tout ce qui vous paraît anormal ou vous pose des problèmes. Bien des mamans n'osent pas parler de ce qui les préoccupent : « Quelle frustration d'arriver à ces rendez-vous mensuels tant attendus, la tête pleine de questions, et de repartir un quart d'heure plus tard avec les mêmes interrogations, une vague image échographique et une ordonnance pour une nouvelle prise de sang », nous a écrit Caroline.

Enceinte
après 38-40 ans

On pense souvent qu'attendre un enfant après 38-40 ans est caractéristique de notre époque. Il est vrai que le recours à l'AMP est plus fréquent à cette période de la vie où la fécondité est moindre. Mais, en fait, les grossesses tardives ont toujours existé, ce sont plutôt les circonstances qui ont changé.

Autrefois, attendre un enfant à cet âge était souvent subi avec une certaine fatalité, et parfois même avec crainte, car les mères connaissaient les risques de malformations et de mortalité. Et ce nouvel enfant, s'annonçait souvent après plusieurs frères et sœurs.

Aujourd'hui, ces grossesses sont désirées, espérées. Certaines femmes pensent d'abord à organiser leur vie professionnelle et à assurer leur indépendance. Puis elles souhaitent avoir un enfant avant qu'il ne soit trop tard. Pour d'autres femmes, l'enfant des 40 ans naît quelquefois le second, 15 ou 20 ans après le premier : c'est l'enfant de l'épanouissement. C'est aussi celui de la maturité. A cet âge, les femmes n'ont plus les mêmes rapports de dépendance affective, voire de rivalité, avec leur mère. Les enjeux de savoir et de possessivité autour du bébé n'ont pas la même intensité. Enfin, l'enfant peut être celui d'un nouveau couple, d'un nouvel amour, avec lequel on espère que tout peut recommencer.

> **18,3 %**
> DES FEMMES ONT PLUS DE 35 ANS AU MOMENT DE LA NAISSANCE (ENQUÊTE INSERM).

On dit les mères de 40 ans moins possessives, plus détendues avec leur enfant. Mais en l'attendant, souvent elles s'inquiètent. Y a-t-il des précautions particulières à prendre pour que « tout se passe bien » ?

Il est généralement admis qu'après 38 ans les femmes sont plus que d'autres menacées par certains risques. Certains sont incontestables, d'autres le sont moins, parce qu'évitables, ou pouvant bénéficier d'un traitement.

Les vrais risques

Les avortements du premier trimestre sont plus fréquents et dépassent 30 % après 40 ans. Ces avortements, qui sont le plus souvent dus à des anomalies chromosomiques, ou constitutionnelles, de l'embryon, se manifestent en général avant le 3e mois. Grâce aux échographies précoces, et notamment celle de la 12e semaine, la future maman peut être rapidement informée que la grossesse n'évolue pas favorablement.

Les anomalies, et en particulier la trisomie 21, augmentent avec l'âge de la maman. De ce fait, les interruptions médicales de grossesse (IMG) sont plus fréquentes avec des implications psychologiques souvent douloureuses, surtout si c'était le premier et très probablement le dernier enfant. La césarienne est fréquente notamment lorsqu'il s'agit d'un premier enfant.

Les risques évitables

Il est bien évident que si une pathologie préexistait à la grossesse, hypertension ou diabète par exemple, l'âge sera important, le corps ne réagit pas de la même façon à 40 ans qu'à 20 ans. Et la toxémie gravidique, le retard de croissance intra-utérin, le diabète sont plus fréquents chez une femme qui attend un enfant après 38-40 ans.

Mais, en réalité, les grossesses à cet âge ne se passent pas si mal que cela, d'autant que ces grossesses sont mieux et plus fréquemment surveillées, et que si traitement il doit y avoir, il est plus précocement et plus rapidement instauré. Finalement, grâce à toutes les précautions prises (diagnostic anténatal, surveillance rigoureuse), il est possible pour la femme de 40 ans d'aborder avec sérénité la grossesse et l'accouchement, et de profiter pleinement de la venue de son enfant dont elle sait intimement qu'il peut être le dernier, un cadeau de la vie.

Médicaments, vaccins, radios

Au cours de la surveillance de la grossesse, il est bien rare qu'une femme n'interroge pas le médecin sur les risques éventuels, pour l'enfant, des médicaments, des vaccinations et des examens radiologiques. La peur d'avoir un enfant mal formé est en effet fréquente. Poussée à son paroxysme, cette crainte empêche des futures mères d'absorber tout médicament, même le plus anodin et même après avis médical.

D'une façon schématique, on peut dire que :

• le risque maximal se situe entre le 15e jour et la fin du 3e mois de grossesse

• dans les 15 premiers jours, l'agent nocif extérieur, un médicament, par exemple, reste sans effet ou provoque la mort de l'œuf

• après le 3e mois, les malformations deviennent rarissimes.

LES MÉDICAMENTS

Il ne saurait être question de passer en revue les centaines de médicaments vendus sous une forme ou sous une autre, mais quelques grands principes doivent cependant être connus ou respectés pour éviter tout souci.

• **Pas d'automédication**, surtout en début et en fin de grossesse. Ouvrir sa pharmacie et choisir un médicament en fonction des maux dont on souffre est peut-être facile, mais peut ne pas être dénué de conséquences.

• D'une façon générale, et surtout dans les premiers mois de la grossesse, **tout médicament qui n'est pas indiqué est contre-indiqué**. C'est le médecin qui vous prescrira les médicaments dont vous avez besoin. D'ailleurs, lorsque vous lisez l'information contenue dans les boîtes de vos médicaments, vous constaterez le plus souvent qu'il est précisé : « médicaments contre-indiqués pendant la grossesse ou l'allaitement ». Ceci ne veut pas dire pour autant que prendre ce médicament entraîne un risque particulier pour votre enfant. C'est seulement une précaution que prennent les laboratoires pour dégager leurs responsabilités en cas de problèmes. C'est le fameux « principe de précaution » qui est appliqué ici, et qui est valable dans d'autres domaines de la vie courante.

• Cela étant, certains médicaments d'usage courant, prescrits depuis de très nombreuses années et dont l'innocuité est prouvée, peuvent être utilisés sans risque pour soulager les petits maux. Par exemple le Donormyl®, le Primperan®, le Vogalène® pour les nausées, le Doliprane® pour les courbatures et autres petits malaises passagers tels que la rhinopharyngite, le Spasfon® en cas de douleurs abdominales. De même, l'homéopathie peut apporter des soulagements sans risque particulier.

PHARMACOVIGILANCE

Si vous avez une inquiétude à propos d'un médicament, vous pouvez téléphoner à un centre de pharmacovigilance. Ces centres (une vingtaine en France) sont installés dans certains CHU. Ils sont capables de donner une information sur les médicaments et les risques qu'ils présentent en cas de grossesse. Ils répondent directement aux personnes qui les appellent, mais ils transmettent, en même temps, l'information à leur médecin. Vous pouvez aussi consulter le site internet du CRAT (Centre de Référence sur les Agents Tératogènes) www.lecrat.org . Ce site est accessible à tous mais destiné aux professionnels de santé. C'est pourquoi en cas de difficulté de compréhension de l'information donnée, il faut vous adresser à votre médecin qui pourra, si nécessaire, contacter le CRAT.

• Peu de médicaments sont susceptibles d'entraîner un risque de malformation qui justifierait une interruption thérapeutique de la grossesse, mis à part le Roaccutane® (qui est un médicament à visée dermatologique). Quant aux antiépileptiques, dont on sait qu'ils peuvent provoquer des malformations, leurs risques seront évalués par le médecin.

Il peut arriver qu'une maladie chronique (diabète, par exemple) préexiste à la grossesse et nécessite un traitement, qu'il faudra adapter pendant que vous êtes enceinte. Par ailleurs, une maladie aiguë peut survenir à un moment quelconque de la grossesse (grippe, par exemple) ou une autre maladie infectieuse. Là aussi, faites confiance au médecin qui connaît les médicaments contre-indiqués pendant la grossesse.

Des lectrices nous ont interrogés sur les médicaments pris par leur mari. Le risque est nul pour les médicaments pris *après* le début de la grossesse. Pour des traitements suivis avant cette date, la plupart des médicaments sont sans effets néfastes.

LES VACCINATIONS

Les risques des vaccinations au cours de la grossesse sont souvent mal connus et semblent variables avec chaque vaccination. Voici la liste des vaccinations possibles, ou non, chez la femme enceinte.

Vaccin	Administration pendant la grossesse	Commentaires
BCG	Non	Sauf forme inactivée
Choléra	Non	Innocuité non déterminée
Hépatite A	Non	Innocuité non déterminée
Hépatite B	Oui	Si risque infectieux
Grippe	Oui	
Encéphalite japonaise	Non	
Méningocoque	Oui	Si risque infectieux
Rougeole	Non	
Oreillons	Non	
Poliomyélite inactivée	Oui	Si indication
Rage	Oui	Si indication
Rubéole	Non	Vaccination après l'accouchement, contraception conseillée
Diphtérie	Non	Entraîne des réactions fébriles importantes
Tétanos	Oui	Possible si indication
Typhoïde	Non	Innocuité non déterminée
Variole	Non	
Varicelle	Non	
Coqueluche	Non	Après l'accouchement
Fièvre jaune	Oui	Eviter sauf en cas de risque élevé

Ces informations sur les vaccins proviennent des dernières recommandations fournies par l'Institut de Veille sanitaire (www.invs.sante.fr/beh)

RADIOS ET RADIATIONS

Les radiations ont été accusées de provoquer des mutations (chapitre 7), d'entraîner l'apparition chez l'enfant de processus néoplasiques, c'est-à-dire cancéreux (leucémie, cancer de la thyroïde notamment), enfin de favoriser l'apparition de malformations.

L'existence de ces différents risques paraît incontestable après des irradiations massives. C'est ce qu'ont prouvé les observations faites après les explosions atomiques. Par contre, leur réalité apparaît beaucoup plus discutable pour les rayons X employés comme moyen de diagnostic, au moins si l'on prend certaines précautions.

D'autant plus qu'aujourd'hui, avec le développement de l'imagerie par échographie, il est devenu exceptionnel de prescrire un examen radiographique à une femme enceinte. Toutefois si l'examen était nécessaire - par exemple à la suite d'un accident de la circulation, ou pour une radio du thorax, ou même pour chercher un calcul dans les voies urinaires - des précautions particulières seraient prises par le radiologue (port d'un tablier de plomb par la future maman) pour éviter toute irradiation du bébé.

Il peut arriver qu'une radio de l'abdomen, ou même une urographie intraveineuse, soit pratiquée chez une jeune femme en début de grossesse, alors qu'elle ignore encore qu'elle est enceinte. Il a été prouvé que c'est sans conséquence, ne serait-ce que parce que l'irradiation émise par ces radios est peu différente de l'irradiation en montagne, à une certaine altitude.

Sachez qu'une radiopelvimétrie peut être demandée en fin de grossesse pour apprécier si nécessaire les dimensions du bassin. Cet examen ne comporte pas de danger pour l'enfant ; il a d'ailleurs tendance à être remplacé de plus en plus fréquemment par un scanner, qui émet moins de rayonnement.

Enfin, dans certaines situations plutôt exceptionnelles, un examen par IRM (Imagerie par résonance magnétique) peut être demandé afin de préciser certaines anomalies détectées lors des échographies habituelles sur le bébé. Cet examen est sans danger car il ne fait pas appel aux rayons X.

LES FEMMES ENCEINTES QUI TRAVAILLENT DANS UN CABINET DE RADIOLOGIE
Elles sont particulièrement bien surveillées. En effet il existe des dispositions réglementaires qui concernent aussi bien les professions de l'industrie atomique que le corps médical ou le personnel des services de radiologie : toute femme enceinte, dès qu'elle aura connaissance de sa grossesse, doit en informer le médecin. Ce médecin sera le médecin du service de médecine préventive pour le personnel employé dans un établissement public, le médecin du travail dans les établissements privés. Les femmes pourront obtenir un changement de poste pour toute la durée de la grossesse, ou pour un temps seulement.

Les grossesses à risques

Si votre grossesse était appelée ainsi, l'expression ne devrait pas vous inquiéter.
Elle ne signifie pas que vous-même ou votre enfant couriez un risque considérable pendant la grossesse. L'expression a été adoptée par les médecins pour faire la différence entre les grossesses qui évoluent de la façon la plus normale – on serait tenté de dire la plus banale – et celles qui, pour une raison ou une autre, doivent faire l'objet d'une surveillance plus attentive et parfois d'examens spéciaux.

POURQUOI UNE GROSSESSE EST-ELLE DITE « À RISQUES » ?

Les raisons qui peuvent faire classer une grossesse dans cette catégorie sont très diverses.

Une maladie présente avant la grossesse

C'est la principale cause des grossesses à risques. Il peut s'agir d'hypertension, de diabète, d'une maladie cardiaque, mais également d'affections moins fréquentes comme l'épilepsie, le lupus, l'obésité, la maladie thrombo-embolique, etc. Tous ces cas sont traités pages 252 et suivantes.

Les grossesses gémellaires

Elles résultent le plus souvent d'un traitement de la stérilité (chapitre 6). Mais si après un tel traitement la grossesse obtenue est unique, elle ne présente pas plus de risques qu'une grossesse survenue naturellement.

Les accidents des grossesses antérieures

Il est évident que si des accidents sont survenus lors des grossesses ou accouchements antérieurs, le médecin effectuera une surveillance plus grande. Il en est ainsi des avortements à répétition, des accouchements prématurés, des complications pendant la grossesse (toxémie, hémorragies par exemple), des accouchements difficiles ou terminés par une césarienne, des enfants mort-nés ou mal formés, et également des enfants nés avec un retard de croissance intra-utérin, c'est-à-dire avec un poids de naissance inférieur à la normale.

Les conditions socio-économiques

Elles jouent un rôle incontestable. C'est le cas des futures mères ayant une situation économique précaire (revenus très modestes ou inexistants), ou des conditions de vie difficiles (femmes en situation irrégulière, ou consommatrices d'alcool, de drogue, etc). Si, grâce à des structures sociales, comme la PMI par exemple, ces femmes peuvent être identifiées et prises en charge, certains risques pourront être évités : la prématurité, l'anémie, les troubles de croissance de l'enfant.

Malheureusement, 1 % des femmes enceintes ne bénéficient pas de toutes les consultations prénatales et de l'aide auxquelles elles pourraient avoir droit. C'est dommage car la CMU leur permettrait d'être suivies gratuitement.

Il existe d'autres situations moins dramatiques, mais plus fréquentes, notamment les femmes ayant un travail pénible, ou des horaires importants, ou des conditions de transport fatigantes. L'équipe médicale qui va les suivre verra au cas par cas comment les aider à vivre cette grossesse dans les meilleures conditions.

Le nombre des grossesses précédentes

Avoir eu plusieurs enfants peut également vous faire classer dans les grossesses à surveiller spécialement. À partir du quatrième accouchement, il y a risque de présentations anormales et d'accouchement plus difficile, car l'utérus peut avoir perdu une partie de son tonus et de sa contractilité. De même, les hémorragies de la délivrance sont plus fréquentes. À ces risques peuvent s'ajouter ceux dus à un âge relativement plus élevé. Enfin, et surtout si ses précédentes grossesses se sont déroulées normalement, la future mère qui attend son quatrième ou cinquième enfant a tendance à être moins attentive dans ses précautions d'hygiène de vie et dans la surveillance de sa grossesse.

L'âge de la femme enceinte

C'est un élément important à considérer. Après 38-40 ans, la grossesse implique une surveillance particulière (p. 220).

La grossesse des très jeunes femmes, au-dessous de 18 ans, peut évoluer de deux manières. L'évolution la plus favorable suppose que la jeune femme soit soutenue par sa famille : la future maman se sent comprise, aidée, encouragée, aimée. La surveillance médicale est régulière, elle commence suffisamment tôt. Une bonne alimentation est nécessaire (p. 68). Il est important que la scolarité soit poursuivie. Dans cet environnement, la grossesse a toute chance d'évoluer normalement et l'accouchement de se dérouler sans problème.

Quand il n'y a pas ce contexte familial favorable, et *a fortiori*, quand la grossesse survient dans un milieu socio-économique défavorisé, des complications peuvent surgir. Elles sont liées, la plupart du temps, à la surveillance insuffisante de la grossesse qui reste plus ou moins longtemps cachée. Le plus souvent, les conditions générales de vie sont mauvaises et la sous-nutrition fréquente. Anémie, toxémie, infections urinaires, retard de croissance intra-utérin et accouchement prématuré risquent alors de se produire.

En fait, la grande difficulté pour ces jeunes femmes est leur isolement. Heureusement, lorsque quelqu'un de leur entourage peut les soutenir affectivement, cela les aide à vivre au mieux leur grossesse.

Les grossesses après Distilbène

Entre les années 1948 et 1977, le Distilbène (qui est une hormone) a été prescrit à des femmes enceintes comme traitement préventif des fausses couches spontanées. On sait maintenant que ce traitement était non seulement inefficace, mais dangereux, car susceptible de provoquer des malformations de l'appareil génital chez les fœtus féminins. On estime qu'il y a aujourd'hui en France 80 000 femmes dont les mères ont pris du Distilbène. Heureusement, le plus souvent le traitement n'a eu aucune conséquence néfaste sur les enfants qui sont nés. Mais chez certaines femmes (dont les mères avaient pris du Distilbène), il existe des problèmes de fécondité, un risque de fausses couches, de grossesses extra-utérines, d'accouchements prématurés ou de difficultés lors de l'accouchement.

Ainsi une surveillance particulièrement stricte s'impose. La nécessité d'un cerclage du col, d'une réduction de l'activité, voire d'un repos au lit, peut se discuter.

> **ADRESSE**
> *Association s'occupant des femmes dont les mères ont pris du Distilbène :* **Réseau DES France. Tel : 05 58 75 50 04** *reseaudesfrance@wanadoo.fr*

La survenue d'une maladie pendant la grossesse

Il peut s'agir de la toxoplasmose, de la listériose, ou d'une autre maladie infectieuse (p. 245 et suivantes).

Les anomalies du bassin

Elles peuvent être constitutionnelles (par suite d'une malformation du bassin, ou, plus simplement, femmes petites mesurant moins de 1,50 m) ou conséquences d'un accident (fracture du bassin). En effet un bassin anormal peut gêner le déroulement normal de l'accouchement.

Vous voyez que les causes qui peuvent faire entrer une grossesse dans le groupe des grossesses « à risques » sont diverses. Les risques peuvent s'associer chez une même femme, par exemple une femme de 40 ans attendant son premier enfant après des avortements à répétition ou une longue stérilité. L'appréciation du risque est d'ailleurs difficile et varie selon les équipes médicales. Enfin, une complication peut survenir inopinément au cours d'une grossesse normale qui devient alors une grossesse à risques.

LA SURVEILLANCE DE LA GROSSESSE À RISQUES

Sur le plan pratique, qu'implique une grossesse dite à risques ? Tout d'abord une surveillance médicale plus étroite, avec des examens plus fréquents que dans la moyenne des cas. Si vous êtes suivie par un médecin généraliste, celui-ci vous adressera probablement à un gynécologue-obstétricien, ou bien à la maternité où vous avez prévu d'accoucher. Selon les cas, le généraliste pourra surveiller votre grossesse, en collaboration avec le spécialiste.

D'une façon générale, une grossesse à risques implique plus de consultations et plus d'échographies. Il est vraisemblable que le nombre de consultations augmentera, notamment à partir du troisième trimestre de la grossesse : vous serez vue par exemple tous les 15 jours, parfois même toutes les semaines. Le médecin pourra vous adresser à une sage-femme pour une surveillance régulière à votre domicile, si vous ne pouvez vous déplacer ou si le déplacement est contre-indiqué ; enfin il peut vous conseiller un court séjour dans une maternité pour des examens complémentaires.

Voici en quoi consistent la plupart de ces examens.

L'échographie

Vous l'avez vu, dans les grossesses à risques on est amené à faire des échographies plus fréquemment que dans les grossesses normales. En outre, lorsqu'on craint un accouchement prématuré, il est possible de surveiller par échographie l'état du col. Cette surveillance est plus objective que celle faite par le toucher vaginal.

Le doppler

Couplé à l'échographie, il permet de mesurer le flux sanguin dans les vaisseaux (p. 135). On peut ainsi apprécier si la quantité qui passe dans les artères utérines, les vaisseaux du cordon et les artères cérébrales du fœtus est normale ou insuffisante.

On utilise le doppler dans diverses circonstances :

• Le plus souvent au cours d'une grossesse à risques quand on soupçonne, quelle qu'en soit la cause, soit un retard de croissance *in utero*, soit une atteinte fœtale. L'examen permet alors d'en confirmer l'existence et d'en préciser la gravité, donc de prendre une décision thérapeutique : faire naître l'enfant avant terme par exemple.

• Plus rarement, l'examen est fait au cours d'une grossesse normale en apparence mais qui a été précédée d'une ou, *a fortiori*, de plusieurs grossesses anormales. L'examen est pratiqué de façon systématique à partir de la 22ᵉ semaine, puis répété en fonction des données ou de l'examen clinique.

On parle d'**atteinte fœtale** quand le bébé va moins bien et ne reçoit plus les quantités normales d'aliments et/ou d'oxygène. On distingue *l'atteinte fœtale chronique* qui survient pendant la grossesse (et est généralement la conséquence d'une maladie maternelle : diabète, toxémie, etc.) et *l'atteinte fœtale aiguë* qui peut apparaître au cours d'un accident de la grossesse (hématome rétroplacentaire par exemple), mais plus souvent au cours de l'accouchement.

HYPERMÉDICALISATION

*Aujourd'hui, il y a une tendance à considérer toutes les grossesses comme « à risque » et à faire bénéficier toutes les femmes des mêmes examens. Cette hypermédicalisation commence à être remise en question par des professionnels : il est important de faire **plus et mieux** pour les situations à haut risque et, au contraire, de faire **moins et mieux** pour les situations à faible risque qui représentent plus de 90 % des grossesses. Des parents remettent aussi en cause cette hypermédicalisation de toutes les grossesses : elle les empêche, disent-ils, de profiter pleinement de l'attente de leur bébé et les fait douter de leurs capacités à mener à bien la grossesse et l'accouchement.*

L'enregistrement du rythme cardiaque du fœtus ou monitoring

Cet enregistrement est possible grâce à un appareil qui permet d'apprécier le caractère normal ou non de l'activité cardiaque du fœtus. C'est un peu comme lorsqu'on fait un électrocardiogramme à un adulte. Le rythme est considéré comme normal lorsqu'on voit de bonnes oscillations du rythme cardiaque avec de fréquentes phases d'accélération, ce qui témoigne de la bonne vitalité de l'enfant. Lorsque l'enfant dort, le rythme oscille moins et est moins variable.

Au cours de la grossesse, les enregistrements ont pour but d'apprécier le bien-être du bébé ou, au contraire, de dépister une atteinte fœtale, qui se traduit par des altérations diverses de son rythme cardiaque. Pendant l'accouchement, les enregistrements ont le même but. En cas d'atteinte fœtale plus ou moins aiguë, le médecin peut prendre la décision de pratiquer une césarienne.

La surveillance à domicile

Dans certains cas (grossesse gemellaire, risque d'accouchement prématuré, hypertension, diabète), le repos peut être nécessaire. La surveillance médicale est alors assurée par une sage-femme : elle passe au domicile de la future maman pour vérifier que tout va bien et faire les soins nécessaires. En général, une ou deux visites par semaine sont suffisantes. Si besoin, les visites sont plus fréquentes, une ou même plusieurs fois par jour. La sage-femme tient le médecin informé de l'évolution de la grossesse. Elle peut aussi faire faire à la maman des séances de préparation et de relaxation.

Dans des cas plus rares de grossesse très à risques, la surveillance peut être assurée par une sage-femme de l'hôpital, dans le cadre de ce qu'on appelle l'hospitalisation à domicile (HAD).

L'amniocentèse

Nous en parlons page 181.

L'échographie en 3D (ou 3 dimensions)

Cette technique consiste à traiter des images échographiques par ordinateur : on reconstitue un volume virtuel en associant plusieurs plans de coupes. L'effet produit est parfois spectaculaire car il peut suggérer une photographie dont l'impact émotionnel est certain. Mais faut-il considérer cette technique comme un progrès dans le dépistage prénatal ? Beaucoup de professionnels n'en sont pas convaincus.

Vous venez de lire ce chapitre des grossesses à risques, et peut-être vous demandez-vous si vous ne devez pas vous classer dans cette catégorie. Le médecin vous indiquera si votre cas nécessite une surveillance spéciale et des examens particuliers. Ce chapitre n'est pas fait pour vous inquiéter inutilement, mais pour vous informer et pour que vous sachiez qu'une surveillance médicale est d'autant plus nécessaire que la grossesse s'écarte de la normale pour telle ou telle raison.

Dans la double page suivante, un grand tableau fait le point sur votre santé, les examens à passer et formalités à accomplir, le développement de votre bébé, les préparatifs à faire.

VOTRE GROSSESSE MOIS APRÈS MOIS : L'ESSENTIEL

MOIS DE GROSSESSE OU SEMAINES D'AMÉNORRHÉE (SA)	VOTRE SANTÉ	CONSULTATIONS ET ÉCHOGRAPHIES
1er mois de 2 à 6 1/2 SA	• Après quelques jours de retard, un test de grossesse permet de faire le diagnostic	• La 1ère consultation prénatale a lieu dans les 3 premiers mois de la grossesse - interrogatoire médical et examen général - évaluation des facteurs de risques - information sur la grossesse et son suivi - prescription pour toute la grossesse des examens de laboratoire obligatoires - dépistage de l'anémie (NFS) en cas de facteur de risque - choix de la maternité dès maintenant en cas de problèmes pendant la grossesse • La 1ère échographie est en général faite à 12 SA. Évaluation du risque de trisomie 21 par la mesure de la clarté nucale • Un carnet de maternité vous sera envoyé par la Sécurité sociale
2e mois de 6 1/2 à 10 1/2SA	• Dès que vous savez que vous êtes enceinte, il est important de cesser de fumer et de boire de l'alcool • Mettez-vous au régime alimentaire future maman • Gardez votre activité physique : marche, natation, etc	
3e mois de 10 1/2 à 15 SA	• Prenez l'habitude de vous peser régulièrement • Observez un régime alimentaire équilibré. Attention si vous avez un sérodiagnostic négatif de toxoplasmose	
4e mois de 15 à 19 1/2 SA	• Surveillez votre poids • Continuez votre activité physique d'entretien : marche, natation, relaxation musculaire	• 2e consultation prénatale - examen général et obstétrical - toxoplasmose* - albuminurie - proposition de pratiquer le test des marqueurs sériques en vue du dépistage du risque de trisomie 21 - proposition d'une consultation psycho-sociale, dite "entretien prénatal précoce"
5e mois de 19 1/2 à 23 1/2 SA	• Mêmes conseils que le mois précédent	• 3e consultation prénatale - examen général et obstétrical - toxoplasmose* - albuminurie • La 2e échographie est en général faite vers 22 SA
6e mois de 23 1/2 à 28 SA	• Vous ne devez pas grossir plus de 350 à 400 g par semaine • Ne négligez pas la gymnastique prénatale	• 4e consultation prénatale - examen général et obstétrical - toxoplasmose* - albuminurie - dépistage de l'antigène HBS de l'hépatite - dépistage du diabète - recherche d'agglutinines irrégulières chez les femmes rhésus négatif. Une vaccination vous sera proposée si vous êtes rhésus négatif et votre conjoint rhésus positif
7e mois de 28 à 32 1/2 SA	• Contrôlez régulièrement votre poids	• 5e consultation prénatale - examen général et obstétrical - toxoplasmose* - albuminurie • La 3e échographie est faite vers 32 SA
8e mois de 32 1/2 à 36 1/2 SA	• Votre congé de maternité commence 6 semaines avant la date prévue pour l'accouchement (parfois plus tôt). Profitez-en pour vous reposer	• 6e consultation prénatale Elle est faite en général par l'obstétricien - examen du bassin et pronostic de l'accouchement - toujours les mêmes examens biologiques (toxoplasmose*, rhésus) - contrôle plus fréquent de l'albumine dans les urines (tous les 10 jours) pour dépistage de la toxémie gravidique ou d'une infection urinaire - recherche du streptocoque B par prélèvement vaginal
9e mois de 36 1/2 à 41 SA	• Le plus important au cours de ce dernier mois est de vous reposer	• 7e consultation prénatale - consultation avec l'obstétricien et décision du mode d'accouchement notamment si le bébé est en siège - consultation avec l'anesthésiste * En cas de négativité

FORMALITÉS	VOTRE BÉBÉ	VOS PRÉPARATIFS
• Déclaration de la grossesse par le médecin ou la sage-femme - envoyez le feuillet rose à la Sécurité sociale - envoyez les 2 feuillets bleus à la CAF avant la fin de la 14ᵉ semaine • Pensez à prevenir votre employeur	• À la fin de ce premier mois il mesure 5 mm et pèse environ 1 g	
	• Il mesure entre 2 et 3 cm et pèse environ 11 g • À 8 SA l'ébauche de tous les organes est formée. Le cœur est bien visible à l'échographie et l'on peut entendre ses battements cardiaques	• Pensez à vous inscrire dans une maternnité dès la déclaration de grossesse • Si vous avez l'intention de mettre votre enfant dans une crèche, inscrivez-le dès maintenant, les places sont rares
	• Le bébé tient tout entier sur l'écran. Tous les organes sont visibles • Il mesure 10 cm et pèse environ 45 g	
A l'issue de chaque consultation - envoyez à la Sécurité sociale la feuille de maladie si vous n'avez pas la carte vitale - envoyez à la CAF l'attestation qu'elle vous a transmise, complétée par le medecin ou la sage femme	• Ses cheveux poussent. • Il mesure 18 cm et pèse environ 225 g	
	• Ses ongles sont maintenant visibles • Il mesure 25 cm et pèse environ 500 g • Au cours de ce mois, ses mouvements deviennent perceptibles • En cas de naissance après 22 SA ou au-delà de 500 g, l'enfant peut être déclaré à l'état civil	• Pensez à vous inscrire aux séances de préparation à l'accouchement, qu'elles soient individuelles ou collectives
	• Il bouge de plus en plus. • Il mesure 31 cm et pèse environ 1 kg	• Notez les achats que vous voulez faire : établissez une liste • Si vous avez choisi de faire garder votre enfant par une assistante maternelle, il est grand temps de commencer votre recherche
	• Il entend • Il mesure 40 cm et pèse entre 1 300 et 1 700 g • En cas de naissance, il sera admis ou transféré vers une maternité de niveau III disposant d'une unité de réanimation néonatale	• Pensez au berceau de votre bébé • Préparez la chambre
• Envoyez à la Sécurité sociale l'attestation d'arrêt de travail	• C'est le mois du "fignolage" • Il mesure 45 cm et pèse plus de 2 000 g • En cas de naissance, il sera transféré vers une maternité de niveau II disposant d'une unité de néonatalogie	• Préparez votre valise et celle de votre bébé
	• Votre bébé est prêt à naître : il mesure environ 50 cm et pèse plus de 3 000 g (cela dépend du sexe)	

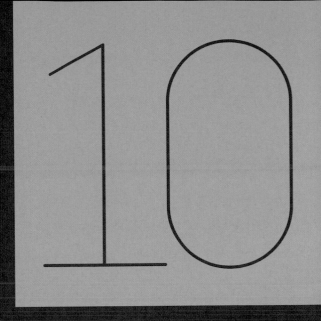

10

Et si une complication survient

Dans la grande majorité des cas, la grossesse est un événement naturel, qui se déroule sans problème, et se termine de façon heureuse par la naissance, à terme, d'un enfant en bonne santé. **Cependant, dans un petit nombre de cas, surgissent des complications** qui peuvent avoir un retentissement sur la santé de la mère ou sur celle de l'enfant.
 En vous décrivant ces complications, notre but n'est pas de vous alarmer inutilement, mais seulement de vous alerter pour qu'en présence de tel ou tel symptôme vous pensiez à prévenir aussitôt le médecin qui pourra prendre les mesures qui s'imposent.
Si vous n'avez pas le temps, ou l'envie de lire dès maintenant ce chapitre, reportez-vous à la page 263. Vous y trouverez la liste des symptômes à signaler au médecin dès leur apparition car ceux-ci sont des signaux d'alerte, des signes avant-coureurs de complications qui peuvent survenir.

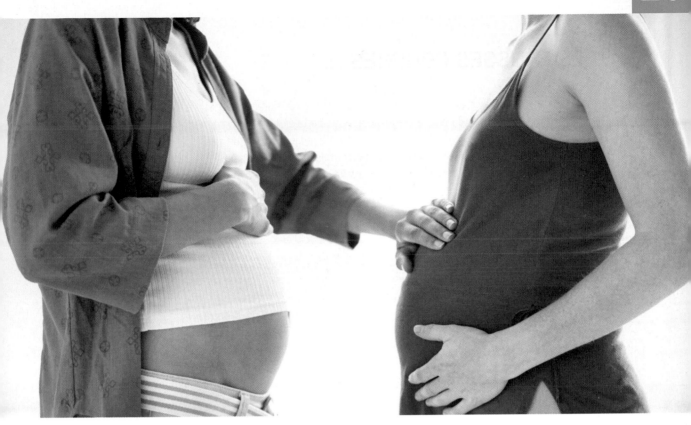

En schématisant, on peut distinguer trois groupes de complications.

Dans le premier, on classe les complications dues au fait même de la grossesse. Exemple : l'avortement spontané ou fausse couche ; évidemment seule une femme enceinte risque cet accident.

Dans le deuxième groupe, on classe les complications qui peuvent résulter de maladies survenant au cours de la grossesse. Exemples : la toxoplasmose ou la listériose.

Le troisième groupe comprend les complications qui sont la conséquence d'une maladie que la future mère avait avant d'être enceinte, sans s'en douter parfois. Il y a, en effet, des maladies qui entrent en conflit avec la grossesse, par exemple le diabète ou l'hypertension.

Les complications tenant à la grossesse elle-même

Ces complications sont très différentes selon qu'elles surviennent au début ou à la fin de la grossesse. Les complications du début sont essentiellement la fausse couche, la grossesse extra-utérine et la môle hydatiforme.

LES FAUSSES COUCHES

Dans le langage courant, la *fausse couche* désigne l'interruption spontanée de la grossesse : « Elle a fait une fausse couche ». Dans le langage médical, on parle plutôt d'*avortement spontané*. C'est pourquoi nous emploierons l'une ou l'autre expression avec quand même une préférence pour *fausse couche* qui est l'expression la plus fréquemment utilisée par les femmes.

C'est pendant les trois premiers mois que les fausses couches sont les plus fréquentes.

Comment se manifeste une menace de fausse couche ?

Votre grossesse semblait débuter normalement et vous observez soudain quelques pertes de sang, parfois accompagnées de douleurs au bas-ventre.

Avant de vous affoler, demandez-vous d'abord si vous n'êtes pas à la date théorique de vos règles. Il arrive en effet qu'une femme enceinte perde un peu de sang à cette période, pendant les deux ou trois premiers mois de la grossesse. Ces pertes n'ont aucun caractère de gravité. Hormis ce cas, toute perte de sang doit être considérée comme un signal d'alarme et vous conduire chez le médecin sans tarder. Lui seul pourra, en vous examinant, essayer de trouver la signification de cette perte de sang. C'est souvent difficile dans l'immédiat et, dans la plupart des cas, le médecin demandera un dosage sanguin de l'hormone de grossesse (appelée βHCG) ainsi qu'une échographie. En fonction des résultats de ces deux examens, il sera possible de préciser si la grossesse évolue favorablement ou non.

Que faut-il faire ?

Une menace de fausse couche est généralement imprévisible dans l'immédiat. Que faire en attendant ? Il n'y a pas grand-chose d'autre à faire que… d'attendre, pour voir comment les événements vont tourner : fausse couche ou non. Et cette situation inconfortable peut durer quelques jours, le temps de refaire une échographie.

Il y a quelques années, en présence d'une menace de fausse couche, on prescrivait automatiquement à la future mère un traitement hormonal. Cette attitude est maintenant abandonnée, car on a constaté que les traitements hormonaux ne servaient à rien, sauf parfois à prolonger la rétention dans l'utérus d'un œuf qui ne se développait plus. En cas de pertes de sang, et tant qu'un diagnostic précis n'est pas posé, il est préférable d'interrompre son activité, et d'aller voir le médecin au rythme qu'il jugera nécessaire pour faire face à la situation.

15 % DES GROSSESSES, EN MOYENNE, SE TERMINENT PAR UNE FAUSSE COUCHE. CE CHIFFRE MONTRE QUE DE NOMBREUSES FEMMES PEUVENT ÊTRE CONFRONTÉES À CET ÉVÉNEMENT. LA FRÉQUENCE AUGMENTE AVEC L'ÂGE DE LA MÈRE : ELLE EST DE 40 % AU-DELÀ DE 40 ANS.

En revanche, si la menace d'interruption de la grossesse est en rapport avec une cause connue, une malformation utérine, une béance du col par exemple, un traitement peut être justifié.

Que va-t-il se passer ?

Dans certains cas, tout se déroule favorablement. Les pertes de sang diminuent, le col reste fermé, l'utérus continue de se développer. L'échographie confirme que l'évolution de la grossesse se poursuit.

Ces cas correspondent habituellement à des difficultés d'adhérence de l'œuf à l'utérus, appelées souvent *décollement placentaire partiel*. Ce décollement guérit habituellement sans traitement. (Parfois, au contraire, il s'aggrave progressivement et aboutit à une fausse couche spontanée).

Vous ne pourrez cependant reprendre vos activités habituelles que lorsque le médecin jugera que la menace d'avortement est écartée.

Bien des femmes ont alors, après cette menace de fausse couche, la crainte de mettre au monde un enfant mal formé. Cette crainte est injustifiée car, si l'avortement ne se produit pas et si la grossesse se poursuit, elle a autant de chances d'aboutir à une naissance normale qu'une autre grossesse.

Dans d'autres cas, la menace se précise peu à peu : les pertes de sang augmentent progressivement, l'utérus ne se développe plus, l'échographie confirme l'interruption de la grossesse qui se traduit par des pertes de sang assez abondantes accompagnées de « coliques » ressenties dans le bas-ventre : ce sont les contractions de l'utérus qui expulsent l'œuf et qui peuvent être douloureuses.

• **S'il n'y a pas d'hémorragie importante**, vous n'êtes pas obligée de vous rendre aussitôt à la maternité : une fausse couche ne nécessite pas automatiquement une intervention médicale. Mais, bien sûr, mettez-vous rapidement en rapport avec le médecin ou l'équipe de garde de la maternité où vous avez prévu d'accoucher.

Celle-ci vérifiera, sous échographie, que l'œuf a été complètement rejeté. Si ce n'est pas le cas, l'œuf sera évacué par aspiration (il est aspiré par une sorte de pompe à vide électrique). Il est rare aujourd'hui de pratiquer un curetage (l'œuf est retiré avec une curette). L'aspiration se fait sous anesthésie locale ou générale et nécessite une courte hospitalisation. En général, les éléments de l'œuf sont confiés au laboratoire pour une analyse anatomo-pathologique afin de s'assurer que c'est bien l'œuf qui a été retiré et non pas de la muqueuse utérine (il faudrait alors recommencer l'aspiration). Aujourd'hui, grâce à un médicament, il est possible de provoquer des contractions de l'utérus qui feront expulser l'œuf défectueux. Le médecin vous proposera probablement de choisir l'une ou l'autre méthode (intervention ou médicament).

• **S'il y a une hémorragie importante**, faites-vous transporter d'urgence à la maternité.

Dans les jours qui suivent

Combien de temps faut-il se reposer après une fausse couche ? Normalement en quelques jours vous serez remise sur pied. Si vous êtes d'un groupe sanguin rhésus négatif, le médecin vous fera faire une *vaccination antirhésus +*. Vous comprendrez pourquoi en lisant ce qui concerne le facteur rhésus (p. 262).

Il est normal de se sentir triste et bouleversée après l'interruption d'une grossesse désirée. La fausse couche met fin aux premières interactions entre la mère et l'enfant et aux premiers rêves et projets autour du bébé. Le sentiment de perte est bel et bien présent, laissant un vide dans l'existence des parents. Après une fausse couche, la femme peut se sentir dévalorisée, inapte à devenir mère. Elle se sent souvent coupable de ce qui vient d'arriver et cherche une explication pour comprendre et se rassurer. « J'ai été trop active, trop stressée », « Je ne désirais pas assez ce bébé », « Je n'étais probablement pas prête. »

Ne vous accusez pas de la situation, car elle n'est presque certainement pas causée par quelque chose que vous ou votre conjoint auriez fait. D'ailleurs il n'y a en général rien à faire pour prévenir une fausse couche. Mais c'est une réaction fréquente de se sentir coupable, cela aide à avoir prise sur la douleur ; essayer de trouver une explication permet de mieux supporter l'épreuve.

L'entourage ne comprend pas toujours qu'on puisse être affecté par la perte d'un bébé qui n'avait pas vraiment vécu et a tendance à banaliser l'événement : « Ce n'est pas grave » « C'est très fréquent. »

Plutôt que de se sentir pressée d'oublier, la femme a besoin de compréhension et de respect pour son chagrin. Il lui est nécessaire de prendre son temps pour surmonter l'épreuve et faire le deuil à son rythme de cet enfant perdu (voir *La perte du bébé qu'on attendait*, p. 378).

Un décret paru en 2008 permet d'enregistrer l'enfant à l'état civil si la fausse couche a lieu à une période où l'on peut identifier le sexe, en général au-delà de 15 semaines d'aménorrhée.

Pourquoi cette fausse couche ?

Après une fausse couche, vous vous posez des questions pour l'avenir. Vous voudriez en connaître la cause et les mesures à prendre pour éviter qu'elle ne se renouvelle à la grossesse suivante.

D'abord, un point important : le plus souvent la fausse couche est accidentelle ; après, la femme mène à bien ses autres grossesses.

• Dans la majorité des cas, ces avortements spontanés précoces sont dus à une **anomalie chromosomique**. Vous avez vu au chapitre 7 la définition des chromosomes. Une anomalie du nombre, de la forme ou de la répartition des chromosomes aboutit à un œuf défectueux qui, le plus souvent, n'a pas d'avenir. L'arrêt de la grossesse provient en quelque sorte d'une erreur de la nature qu'elle corrige elle-même en expulsant l'œuf. Parmi ces œufs défectueux, on trouve souvent ce que l'on appelle un *œuf clair* où n'existe pas (ou plus) d'embryon. Seule s'est développée la partie destinée à former les annexes de l'œuf (p. 136). Sauf exception, un avortement par anomalie chromosomique ne doit pas faire craindre pour les grossesses ultérieures.

Dans d'autres cas, au contraire, il y a à l'origine de l'avortement une cause permanente qui, faute d'être reconnue, risque de provoquer des avortements à répétition.

Les avortements à répétition

Parmi les nombreuses causes pouvant provoquer des avortements à répétition, on peut distinguer plusieurs groupes : les causes locales qui siègent au niveau de l'utérus ; les maladies maternelles ; les causes immunitaires.

• **Les causes locales utérines** sont parmi les plus fréquentes.
Ainsi l'*utérus* peut être mal formé de façon congénitale, insuffisamment développé (utérus infantile – comme on peut en voir chez les femmes dont la mère a pris du Distilbène, p. 227).

La *muqueuse* ou *endomètre* peut être le siège de cicatrices (après curetage), ou d'une infection qui peuvent agir en perturbant la nidation, en compromettant la nutrition correcte de l'œuf, ou en empêchant sa croissance normale.

La *partie supérieure du col*, celle qui touche l'utérus, est normalement fermée pendant toute la durée de la grossesse. Ainsi, l'œuf ne peut pas être rejeté à l'extérieur sous l'influence de la pesanteur. Mais il arrive que « l'isthme » – c'est le nom de cette partie du col – ne joue plus son rôle de verrou et qu'il s'ouvre plus ou moins. Cette « béance » peut être congénitale, ou elle peut être la conséquence d'un traumatisme : accouchement difficile, avortement provoqué, curetage.

• **Les maladies maternelles**. Il est rare qu'une infection soit à l'origine d'avortements à répétition.
• **Les causes immunitaires** (p. 107). Il arrive que les mécanismes permettant normalement à cette « greffe » très particulière de prendre et à l'œuf de se développer, ne se mettent pas en place et provoquent ainsi un avortement. Le diagnostic en est malheureusement difficile et les traitements aléatoires.

L'avenir

Vous le voyez, un avortement spontané peut être dû à des causes variées. Après une première fausse-couche, il est rare que le médecin fasse faire des examens complémentaires.

S'il s'agit au contraire de plusieurs fausses couches successives, à répétition, le médecin fera faire d'autres examens plus sophistiqués : échographie, radiographie de l'utérus, hystéroscopie pour rechercher une anomalie locale (utérine) ; spermogramme pour rechercher d'éventuelles anomalies ; examens de sang à la recherche d'une infection ou d'une parasitose ; caryotype des parents, etc. Ce bilan, pour complet qu'il soit, ne donne pas toujours les résultats escomptés. En effet, dans 20 à 25 % des cas, aucune cause n'est retrouvée.

Quelques semaines seront nécessaires pour faire ces examens. Il faudra également du temps pour pratiquer un traitement médical ou chirurgical, suivant la cause que ces examens auront éventuellement permis de dépister. Ne vous impatientez pas si vous êtes pressée d'être à nouveau enceinte. Il est, de toute façon, recommandé, après une fausse couche, d'éviter une nouvelle grossesse dans les deux à trois mois qui suivent. Ce temps est en effet nécessaire pour retrouver un équilibre physique et psychologique.

LA GROSSESSE EXTRA-UTÉRINE (GEU)

Au lieu de se nider dans l'utérus, l'œuf peut se fixer, de façon anormale, dans une trompe (schéma p. 100). N'ayant pas la place de se développer il meurt, en général avant le 3e mois. Mais avant, il va, peu à peu, éroder la paroi de la trompe, et la fissurer, voire même la faire éclater, réalisant alors un accident très grave. Il est donc indispensable de faire le plus tôt possible le diagnostic de la grossesse extra-utérine pour pouvoir aussitôt intervenir. En effet, il n'y a pas d'autre solution : une grossesse extra-utérine ne peut pas évoluer. Sa fréquence est de 1 à 2 %.

Dans la pratique, une grossesse extra-utérine se signale par des pertes de sang noirâtres qui peuvent même survenir avant la date prévue pour les règles, et induire la femme en erreur. Plus ou moins rapidement, surviennent également des douleurs dans le bas-ventre, parfois très intenses. Deux examens orientent le diagnostic : le dosage de βHCG (qui montre l'existence d'une grossesse), et l'échographie qui montre que l'utérus est vide et qu'il existe une image anormale dans une trompe. Un examen confirme ce diagnostic : la cœlioscopie. On introduit, sous anesthésie générale, par une petite incision au niveau de l'ombilic, un tube muni d'un système d'éclairage et d'une mini-caméra vidéo. On peut visionner sur une télévision l'intérieur de l'abdomen et confirmer l'existence d'une grossesse extra-utérine ; dans ce cas on l'opère en même temps : soit on incise la trompe atteinte et on enlève l'œuf, soit on enlève toute la trompe si elle est trop lésée. En cas d'hémorragie interne grave, on a recours à une intervention classique (en incisant la paroi abdominale).

Dans certains cas, il arrive que le diagnostic de grossesse extra-utérine soit possible sans cœlioscopie, uniquement par échographie. Si on a la certitude de ce diagnostic, un traitement médical à base d'un médicament (le méthotréxate®) est possible. C'est au chirurgien d'en décider avec l'accord de sa patiente. Une injection de ce produit peut suffire pour détruire l'œuf implanté dans la trompe. Une surveillance très stricte est indispensable pendant plusieurs semaines, notamment par des dosages répétés de βHCG.

Vous comprenez donc qu'il est nécessaire de faire le diagnostic aussi vite que possible. Si au début de votre grossesse vous avez des pertes de sang accompagnées de douleurs, il est très important de consulter le médecin sans tarder, *a fortiori* si vous avez déjà fait une grossesse extra-utérine (car la tendance à la récidive est indiscutable) ou si vous portez un stérilet (que l'on a accusé de favoriser la GEU).

Après une grossesse extra-utérine, comme après une fausse couche (p. 237), la femme peut se sentir déprimée : « Outre l'inquiétude pour l'avenir (pourrai-je à nouveau être enceinte ?), je me sens atteinte physiquement et moralement. Mon corps est vide et inutile. Je suis tellement fragile que j'ai été obligée de cacher votre livre car sa vue me faisait pleurer », nous a écrit Delphine.

Après une grossesse extra-utérine

Il est possible de mener à bien ensuite une ou plusieurs grossesses. Il est vrai cependant que cette affection a tendance à se reproduire. Si vous avez déjà eu une grossesse extra-utérine, n'hésitez pas à consulter rapidement dès le moindre retard de règles et, de même, lorsque vous aurez la certitude d'être enceinte, au moindre symptôme anormal.

LA MÔLE HYDATIFORME

Cette complication est rare sous nos climats (1 pour 2 000 grossesses) alors qu'elle est beaucoup plus fréquente dans d'autres régions (1 % en Asie du Sud-Est). Due à une anomalie chromosomique, elle est caractérisée par une dégénérescence kystique du placenta avec, 9 fois sur 10, un œuf sans embryon. Elle se traduit par des pertes de sang apparaissant dès le début de la grossesse, un utérus plus gros que la normale et surtout une élévation tout à fait anormale de l'hormone de grossesse (βHCG). Elle n'évolue jamais normalement et, dès le diagnostic fait, on procède aussitôt à une aspiration du contenu de l'utérus et à un curetage. Une surveillance est nécessaire ensuite car 10 à 20 % des môles évoluent vers une tumeur maligne appelée chorio-carcinome. Cette surveillance repose essentiellement sur des dosages répétés de βHCG. En cas d'évolution maligne, une chimiothérapie s'impose.

La fausse couche, la grossesse extra-utérine, la môle hydatiforme : ces trois complications interrompent la grossesse. Mais les complications dont nous allons vous parler maintenant, lorsqu'elles sont bien diagnostiquées, bien prises en charge, permettent à la grossesse de se poursuivre et d'évoluer habituellement d'une manière satisfaisante.

LA TOXÉMIE GRAVIDIQUE

La toxémie gravidique, ou prééclampsie, est une affection causée par une anomalie dans la formation du placenta (p. 137), donc dès le tout début de la grossesse. Mais les symptômes apparaissent bien plus tard et de façon variable selon les femmes : exceptionnellement avant la 20e semaine d'aménorrhée (5e mois), souvent après le 7e mois, parfois seulement dans les dernières semaines, voire les derniers jours. C'est une des rares complications que vous pouvez, au moins en partie, diagnostiquer vous-même. La toxémie gravidique se caractérise en effet par la présence d'albumine dans les urines, par des œdèmes d'apparition rapide et par l'élévation de la tension artérielle

La présence d'albumine (ou protéinurie) dans les urines

Cette présence n'est jamais normale et peut témoigner, au cours de la grossesse, soit d'une infection urinaire, soit d'une toxémie débutante. C'est pourquoi il est nécessaire de surveiller régulièrement les urines par des analyses : toutes les 3 semaines jusqu'à 6 mois, puis tous les **10 jours** ensuite. Nous insistons sur cette fréquence car de nombreuses femmes croient qu'un contrôle mensuel est suffisant. Les analyses doivent être plus fréquentes en cas d'albuminurie constatée.

Comme vous l'avez vu (p. 219), vous pouvez facilement faire vous-même cet examen à l'aide de papiers index colorés qui changent de couleur quand il y a présence d'albumine dans les urines. Lorsque l'index coloré marque +, prévenez sans tarder votre médecin ou votre sage-femme. Vous remarquerez peut-être que les urines sont plus foncées, plus concentrées, moins abondantes.

Des œdèmes

Les chevilles gonflent, les doigts deviennent « boudinés », avec impossibilité de retirer ses bagues, le visage lui-même peut enfler. Ces œdèmes ne traduisent pas toujours l'apparition d'une toxémie. C'est ainsi que les chevilles peuvent gonfler même au cours d'une grossesse normale, par exemple quand il fait très chaud. Mais si les œdèmes apparaissent brutalement et augmentent rapidement, ou s'ils s'accompagnent d'une prise brutale et excessive de poids, vous devez les considérer comme un symptôme d'alarme et consulter sans tarder votre médecin.

Une élévation anormale de la tension artérielle

Celle-ci est souvent révélée par des maux de tête persistants, une sensation de bourdonnement, un malaise général avec le sentiment que « quelque chose ne va pas ». C'est le médecin qui constate l'élévation de la tension lors de la consultation. On considère comme anormaux des chiffres atteignant ou dépassant 14/9. C'est surtout le chiffre de la minima qui est important.

La toxémie gravidique est plus fréquente :

• lors d'une première grossesse
• chez les femmes après 40 ans
• chez les femmes ayant déjà eu une toxémie gravidique ou un retard de croissance intra-utérin lors d'une grossesse précédente, même si la récidive est loin d'être la règle
• lors d'une grossesse gémellaire
• chez les femmes diabétiques, ayant un diabète insulino-dépendant
• chez les femmes souffrant d'une affection rénale s'accompagnant d'une hypertension artérielle et à vrai dire toutes les hypertensions antérieures à la grossesse quelle qu'en soit l'origine.

LES RISQUES DE LA TOXÉMIE GRAVIDIQUE

Ils concernent le bébé et la mère.
• Pour le bébé : puisque la toxémie gravidique est la conséquence d'un défaut de fonctionnement du placenta, celui-ci ne transporte plus tous les éléments dont le bébé à besoin. La croissance fœtale peut être ralentie (risque d'hypotrophie), le placenta peut se décoller (hématome retroplacentaire) et l'enfant peut même décéder *in utero*. Une prise en charge précoce de la toxémie gravidique permet de faire naître le bébé avant que son placenta n'assure plus les besoins vitaux.
• Pour la mère, les reins sont atteints et fonctionnent mal, avec les conséquences sur la tension qui

devient difficile à contrôler; les facteurs de la coagulation sanguine peuvent être altérés avec comme conséquence des risques d'hémorragie au moment de l'accouchement. De plus une hypertension mal contrôlée peut entraîner des convulsions cérébrales : c'est la **crise d'éclampsie**.

Grâce une surveillance médicale régulière et plus rapprochée en fin de grossesse, ces complications gravissimes de la toxémie peuvent être prévenues et sont aujourd'hui rares mais pas exceptionnelles.

LORSQU'UNE FUTURE MÈRE PRÉSENTE UNE TOXÉMIE GRAVIDIQUE, QUE VA-T-IL SE PASSER ?

Il n'y a pas véritablement de traitement de la toxémie gravidique, en dehors de faire naître l'enfant. L'apparition des ces anomalies (albuminurie, œdèmes, hypertension artérielle) amènera à faire un bilan qui sera plus facile à réaliser au cours d'une hospitalisation de quelques jours, afin de préciser au mieux le retentissement éventuel de ces troubles sur la santé de la mère et de l'enfant. Ce bilan comprend différents examens de sang, une échographie avec Doppler et l'enregistrement régulier du rythme cardiaque fœtal (monitoring).

• Si la femme enceinte n'est pas trop éloignée du terme, l'accouchement sera déclenché sans délai si cela est possible, ou bien une césarienne sera pratiquée.

• Si la maman est très loin du terme, elle restera hospitalisée ; avec le repos allongé sur le côté (qui favorise un meilleur fonctionnement rénal), la prise de médicament visant à stabiliser l'hypertension artérielle, on peut espérer une stabilisation et espérer atteindre ainsi une période où la naissance, souvent très prématurée, de l'enfant ne pose pas de problème vital.

Tout cela peut vous paraître brutal mais la toxémie gravidique est une complication très sérieuse de la grossesse. C'est pourquoi, dans certains cas, la maman peut être transférée dans une autre maternité, de niveau II ou III, selon le terme de la grossesse (p. 278). Sachez que cette décision n'est jamais prise à la légère et toujours dans votre intérêt et dans celui du bébé.

Apres l'accouchement, il est indispensable de faire le point de la situation. En effet le risque de récidive lors d'une nouvelle grossesse est toujours possible. Les médecins pensent d'ailleurs que la prise de petites quantités d'aspirine entre la 15e et la 37e semaine pourrait jouer un rôle préventif chez les femmes ayant eu une toxémie gravidique lors d'une première grossesse.

Nous rappelons qu'il est essentiel pour une femme enceinte de surveiller très régulièrement ses urines, surtout dans les deux derniers mois. C'est le meilleur moyen de dépister soi même et aisément la survenue d'une toxémie gravidique.

• Lorsqu'elles sont confrontées à une complication grave de la grossesse, comme la toxémie ou l'éclampsie, les mères se sentent envahies de **sentiments douloureux** : l'inquiétude pour la santé de leur bébé et la leur, la culpabilité (« Qu'est-ce que j'ai fait de mal ? »), l'échec (« J'ai raté ma grossesse »). Il y a en plus le stress provoqué par l'urgence de la situation. Et la solitude face au milieu médical qui ne mesure pas toujours ce que ressentent les mères, et face à l'entourage, notamment le père : lui aussi est angoissé et ne sait comment aider. N'hésitez pas à parler de ce qui vous préoccupe en interrogeant le médecin ou les sages-femmes de l'équipe. Ils sont là également pour vous soutenir dans ces moments difficiles.

LE RETARD DE CROISSANCE INTRA-UTÉRIN (RCIU) ET L'HYPOTROPHIE FŒTALE

Il arrive que le bébé ne se développe pas suffisamment au cours de la grossesse. On dit qu'il est hypotrophique, ce qui signifie insuffisamment nourri. Ce poids au-dessous de la moyenne peut être normal. En effet, les examens successifs montrent que, même avec des chiffres inférieurs à la moyenne, la croissance se poursuit régulièrement. À la naissance, le bébé aura simplement un poids (et parfois une taille) inférieur à la moyenne. C'est un problème génétique. Il y a des familles à enfants petits, et d'autres à enfants gros.

Mais le vrai retard de croissance est anormal. Plusieurs causes peuvent intervenir :
• elles peuvent venir de la mère : hypertension artérielle et toxémie ; malnutrition sévère et prolongée et surmenage ; intoxications chroniques (tabagisme, alcoolisme)
• elles peuvent venir de l'œuf ou du fœtus : anomalie du cordon ombilical ; malformations fœtales.

La cause peut exceptionnellement venir d'une carence psychologique ou sociale. Dans ce cas, il est important que la vulnérabilité de la maman soit reconnue pour qu'elle puisse être aidée par une équipe médico-psycho-sociale.

Mais dans 30 % des cas, aucune cause n'est retrouvée. Parfois le retard de croissance intra-utérin est passager : même avant de naître, les enfants ne grossissent pas tous à la même vitesse.

Le diagnostic de l'insuffisance de développement du bébé dans l'utérus est fait plus ou moins tôt au cours de la grossesse et il est confirmé par l'échographie. Une surveillance très stricte du fœtus s'impose alors (examens cliniques, échographie, doppler, enregistrement du rythme cardiaque fœtal) car l'évolution du retard de croissance intra-utérin peut être grave.

Dans les meilleurs cas l'enfant naît à terme et pèse simplement moins que la moyenne. Il ne pose généralement pas de problèmes particuliers. Dans les cas moins favorables, une atteinte fœtale risque d'apparaître ; elle entraîne la surveillance particulière décrite ci-dessus ; mais parfois on ne peut éviter une mort *in utero*.

Le traitement comprend bien sûr celui de la cause, quand elle est connue (traitement de la toxémie, par exemple). Le repos sera le plus absolu possible (avec parfois hospitalisation) sur le côté gauche, car cela permet une meilleure irrigation du placenta. De nombreux médecins y ajoutent de petites quantités quotidiennes d'aspirine. Les cas très graves d'atteinte fœtale peuvent conduire à interrompre la grossesse, généralement par césarienne.

L'INSERTION BASSE DU PLACENTA

Normalement, l'œuf se nide dans le fond de l'utérus. Mais il arrive parfois qu'il s'insère à la partie basse de l'utérus, plus ou moins près du col qu'il peut même recouvrir complètement (placenta dit recouvrant). C'est ce qu'on appelle le placenta *prævia* (étymologiquement, ce mot veut dire « sur le chemin » : *præ-via*).

Habituellement, cette insertion anormale ne gêne pas le développement de l'enfant. Par contre, sous l'influence notamment des contractions de fin de grossesse, elle peut aboutir à un décollement partiel du placenta. Ce décollement provoque des hémorragies d'abondance variable, mais qui peuvent se répéter, et surtout s'aggraver brutalement. En cas d'hémorragie en fin de grossesse, il faut voir immédiatement le médecin et se conformer à ses instructions. Il fera faire une échographie qui permettra de préciser l'insertion exacte du placenta.

Le repos absolu, en milieu hospitalier le plus souvent, est indispensable jusqu'à l'accouchement. Celui-ci pourra nécessiter une césarienne si le placenta recouvre totalement le col, ou si l'hémorragie est importante.

L'HÉMATOME RÉTROPLACENTAIRE

L'hématome rétroplacentaire se produit lorsque le placenta se décolle de l'utérus **avant** la délivrance. On ne connaît pas la raison de ce décollement prématuré. On pense qu'il peut s'agir d'un défaut de vascularisation du placenta. Il semblerait que le décollement soit plus fréquent lorsque le placenta est bas inséré.

L'hématome rétroplacentaire survient presque uniquement au cours des trois derniers mois de la grossesse. Et cette complication se produit plus facilement en cas de toxémie gravidique, d'hypertension artérielle, si la mère a déjà eu plusieurs enfants, si elle est âgée de plus de 38-40 ans. Dans le cas où une femme a déjà eu un hématome rétroplacentaire lors d'une précédente grossesse, elle est alors particulièrement suivie (échographies et doppler répétés).

Le diagnostic est en général rapide : c'est l'association d'une hémorragie à une douleur liée à la contraction de l'utérus qui donne l'alerte. L'hospitalisation en urgence est indispensable car les risques de souffrance fœtale sont grands. La césarienne est le traitement le plus souvent mis en œuvre, à moins que le décollement ne soit très discret et n'ait pas de retentissement sur l'enfant.

LES ANÉMIES

Les besoins en fer sont nettement augmentés au cours de la grossesse. Une partie du fer nécessaire est fournie par l'alimentation, une autre est puisée dans les réserves de l'organisme maternel. Si ces réserves sont insuffisantes (ce qui peut être le cas dans certaines grossesses rapprochées), le déficit en fer va entraîner une anémie. Celle-ci peut se traduire par des symptômes tels que fatigue anormale, essoufflement, pâleur, mais l'anémie peut aussi être entièrement cachée et révélée seulement par un examen du sang. Ces anémies sont le plus souvent sans conséquence lorsqu'elles sont traitées par du fer que certains médecins préconisent d'ailleurs systématiquement. Elles n'ont pas de retentissement sur l'enfant. Aujourd'hui la recherche d'anémie (c'est-à-dire la numération globulaire) fait partie des examens obligatoires.

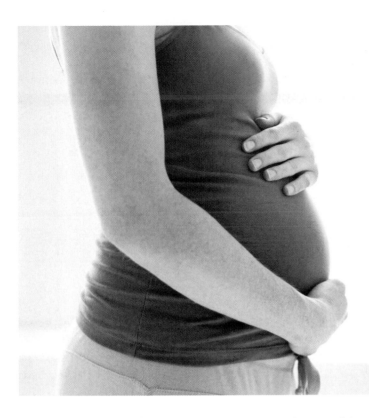

Quand une maladie survient

La survenue d'une maladie pendant la grossesse inquiète : les maladies ont alors mauvaise presse. En effet, s'il n'est pas douteux que, dans la majorité des cas, ces maladies soient sans conséquences particulières, il reste vrai qu'elles peuvent parfois entraîner des complications graves : avortement, accouchement prématuré, malformations fœtales. Nous n'allons, bien sûr, pas parler de toutes les maladies, mais de celles qui risquent d'avoir des conséquences pour le bébé. Quoi qu'il en soit, même si vous ne constatez aucun autre symptôme, le seul fait d'avoir de la fièvre, même passagère, doit vous conduire à consulter le médecin.

VOUS AVEZ DE LA FIÈVRE

Ce symptôme, souvent anodin lorsqu'il est fugace, ne doit pas être pris à la légère pendant la grossesse. Si vous avez de la fièvre, vous devez consulter le médecin, surtout si elle est isolée, sans autre symptôme pouvant la relier à une infection virale saisonnière, type grippe ou gastro-entérite. Il n'est pas question de passer en revue toute la pathologie infectieuse susceptible de provoquer de la fièvre (voir plus loin) mais d'insister sur le fait qu'en cas de fièvre le risque est avant tout pour le bébé et qu'un bilan complet s'impose pour rechercher la cause de cette fièvre.

Si vous êtes au-delà du 6ᵉ mois de grossesse, une hospitalisation en maternité peut être conseillée afin de prendre les mesures qui s'imposent : mise en route d'un éventuel traitement antibiotique sans attendre les résultats des examens complémentaires demandés. Tout cela sera décidé par l'équipe médicale de la maternité où vous avez prévu d'accoucher. N'hésitez pas à la consulter ; c'est leur métier de prendre soin de vous et de votre bébé.

LA TOXOPLASMOSE

Cette maladie est due à un parasite, le toxoplasme, présent dans les viandes, surtout le mouton et le porc, mais pas exclusivement. Consommer de la viande saignante risque de transmettre le parasite : il est donc important de bien cuire la viande que l'on mange. En outre, le chat est un vecteur du toxoplasme que l'on peut retrouver dans ses selles. C'est pourquoi il faut respecter certaines règles d'hygiène à cet égard.

Les symptômes de la toxoplasmose sont en général très discrets : ganglions du cou enflés, légère fièvre, fatigue et douleurs musculaires et articulaires. La banalité de ces symptômes fait que de nombreuses futures mères (55 à 65 %) sont immunisées sans le savoir. Les autres, qui ne le sont pas, risquent d'attraper la maladie pendant la grossesse et de contaminer leur bébé, ce qui peut avoir de sérieuses conséquences pour sa santé.

Comment savoir si je suis immunisée contre la toxoplasmose ?

En France, le sérodiagnostic de la toxoplasmose fait partie des examens prénataux obligatoires.
• Si le sérodiagnostic est positif (il montre un taux d'anticorps dans votre sang), cela signifie que vous avez déjà eu la maladie et que vous êtes donc immunisée : vous ne courez aucun risque.
• Si le sérodiagnostic est négatif (vous n'avez pas d'anticorps contre la maladie), vous n'avez pas eu la maladie et vous n'êtes pas immunisée. Il faudra alors faire pratiquer chaque mois un sérodiagnostic pour dépister une éventuelle infection et mettre en route un traitement.

Je ne suis pas immunisée, quelles précautions dois-je prendre ?

• Les précautions alimentaires sont importantes : pas de viande crue ni saignante (p. 82) mais au contraire bien cuite. Si vous avez un jardin potager, lavez-bien les légumes et les fruits qui ont pu être souillés par un chat. Si vous jardinez, n'oubliez pas que la terre a pu être également souillée : faites-le avec des gants et lavez-vous bien les mains.
• Prudence si vous avez un chat à la maison : voyez ce que nous disons p. 51. Si vous le caressez, pensez à vous laver les mains avant de passer à table.

Je ne suis pas immunisée, quels sont les risques ?

Il n'y a de risque que si vous contractez la toxoplasmose pendant votre grossesse ce qui, avec les précautions conseillées, est aujourd'hui tout à fait exceptionnel. La gravité du risque dépend du « moment » de la grossesse où la maladie est contractée.
• Au premier trimestre, il est rare que le toxoplasme traverse le placenta, mais la contamination à

cette période est grave : avortement, mort ou graves malformations neurologiques.

• Au second trimestre, le placenta est plus facile à traverser par le toxoplasme. L'atteinte du fœtus est grave car tout le système digestif est touché, ainsi que le foie et la rate.

• En fin de grossesse, la contamination est plus fréquente et moins grave avec des atteintes neurologiques ou oculaires. En général, l'enfant naît indemne et c'est plus tard que l'on évoque la maladie en raison de symptômes anormaux. C'est pourquoi, aujourd'hui, la tendance actuelle est de faire pratiquer à la maman un sérodiagnostic de toxoplasmose un mois **après** la naissance pour ne pas passer à côté d'une contamination tardive.

En cas de toxoplasmose survenant au cours de la grossesse

On donne d'emblée à la future mère un traitement antibiotique (en général plusieurs sont utilisés). En même temps, on essaie de préciser l'importance du risque fœtal par échographie, éventuellement par amniocentèse. En cas d'atteinte fœtale, une interruption médicale de grossesse pourra être envisagée. S'il n'y a pas de signe évident d'atteinte du fœtus, le traitement sera poursuivi jusqu'à l'accouchement.

LA LISTÉRIOSE

Comme la rubéole et la toxoplasmose, la listériose est une maladie bénigne ou même inapparente chez la mère, alors qu'elle est souvent redoutable pour le fœtus. Elle concerne 0,1 à 0,2 naissance pour 1000.

Elle est transmise soit par des aliments d'origine animale (viande, œufs, lait, fromage), soit par contact avec un animal infecté, soit enfin si des aliments ont pu être, d'une manière ou d'une autre, en contact avec des sécrétions ou excréments animaux. Le bacille responsable traverse le placenta et atteint l'enfant. Celui-ci peut mourir dans l'utérus. Mais le plus souvent la maladie provoque un accouchement prématuré donnant naissance à un enfant qui mourra en quelques jours dans plus de la moitié des cas.

Il est important de dépister la maladie chez la femme enceinte, car le bacille est très sensible aux antibiotiques. Malheureusement, ce dépistage est difficile car l'affection se cache souvent sous le masque d'une maladie banale : grippe, infection urinaire, etc. Chez une femme enceinte, tout épisode de fièvre qui ne peut être rapidement rattaché à une cause évidente doit faire rechercher le bacille dans le sang, la gorge, l'urine et les pertes vaginales. C'est le seul moyen de faire le diagnostic et d'instaurer un traitement. Si celui-ci est suffisamment précoce, l'enfant sera indemne.

La **prévention** la plus efficace consiste à s'abstenir de manger des aliments qui peuvent être dangereux : fromages au lait cru, fromage vendu râpé, mais aussi poissons fumés, coquillages crus, surimi, tarama. Evitez les rillettes, pâtés, foie gras, aliments en gelée. Pour le jambon, préférez les produits préemballés. Enlevez la croûte des fromages. Les plats cuisinés et restes alimentaires seront bien réchauffés avant d'être consommés. Les légumes consommés crus et les herbes aromatiques doivent être soigneusement lavés. Viandes et poissons doivent être suffisamment cuits.

Il est également nécessaire de nettoyer fréquemment le réfrigérateur, de le désinfecter ensuite à l'eau de javel, et de surveiller la température qui doit être en permanence entre 3 et 7° maximum. Voyez aussi page 81.

LE PARVOVIRUS B19

L'infection par le parvovirus B19 (appelée également 5ᵉ maladie) se manifeste de façon discrète, en général au printemps et par petites épidémies, plutôt en milieu scolaire.

Les symptômes sont semblables à ceux de la grippe, avec un peu de fièvre, des douleurs articulaires, des « rash » cutanés (aspect de coup de soleil au visage). Dans 1/3 des cas, il n'y a pas de symptôme.

Le risque d'atteinte fœtal est d'environ 10 %. Le virus attaque les globules rouges du fœtus entraînant chez celui-ci une anémie, d'où l'aspect d'*anasarque* (œdème généralisé de tous les tissus) à l'échographie du 2ᵉ ou 3ᵉ trimestre. Au 1ᵉʳ trimestre, le risque est celui d'une fausse couche (moins de 5%).

Lorsque l'atteinte par le parvovirus est soupçonnée, le diagnostic se fait par une sérologie maternelle (prise de sang). La surveillance se fera ensuite par échographie. Dans 1/3 des cas, la disparition de cet œdème est possible ; s'il s'aggrave, le traitement consiste à faire des transfusions au fœtus. La guérison est le plus souvent obtenue.

A noter que l'infection par le parvovirus B19 ne provoque pas de malformations.

LA RUBÉOLE

Lorsqu'elle touche une femme enceinte, la rubéole représente un risque de malformation grave pour le nouveau-né (cataracte, surdité, malformation cardiaque, etc.), surtout lorsque l'infection survient dans les trois premiers mois de la grossesse. Heureusement, plus de 95% des femmes enceintes sont immunisées contre la rubéole, soit parce qu'elles ont été vaccinées, soit parce qu'elles ont contracté la rubéole pendant l'enfance.

· Comment savoir si l'on est immunisé ?

En faisant un sérodiagnostic, d'ailleurs systématiquement demandé en début de grossesse. Le sérodiagnostic recherche dans le sang la présence d'anticorps antirubéoleux. Ainsi la future maman peut-elle savoir si elle est immunisée.

• Si c'est le cas, il n'y a rien à craindre.

• Si elle ne l'est pas, ce qui est très rare, il conviendra pour certaines professions plus exposées que d'autres à la contagion (enseignante, puéricultrice, infirmière...) de refaire le sérodiagnostic tous les 15 jours jusqu'à la fin du troisième mois. Au delà, le risque de malformation est minime.

Après l'accouchement, il est conseillé aux femmes non-immunisées de se faire vacciner et d'éviter toute grossesse, pendant les trois mois suivant la vaccination, par une contraception efficace. A priori, le vaccin ne comporte pas de risque mais il s'agit d'une mesure de prudence.

LES AUTRES MALADIES INFECTIEUSES

Une future mère n'est pas à l'abri des autres maladies infectieuses, surtout s'il y a de jeunes enfants dans la famille. La question est de savoir, pour les plus fréquentes, si elles peuvent atteindre l'enfant à naître.

• La **varicelle** survient exceptionnellement pendant la grossesse (presque toutes les futures mères l'ayant eue pendant l'enfance) : 1 cas pour 10 000 femmes enceintes.

Le risque éventuel pour la maman, qui aurait véritablement contracté la maladie pendant la grossesse, est celui d'une pneumonie souvent grave. Le risque de transmission du virus de la mère à l'enfant est faible en début de grossesse (inférieur à 5 %). Il est de 20 % pendant la grossesse et de 80 % après l'accouchement. La possibilité d'atteinte fœtale est maximum entre 8 et 20 semaines d'aménorrhée, avec risque de fausse couche ou de malformation. En cas de maladie contractée le dernier jour de la grossesse, il existe un risque exceptionnel mais réel de varicelle néonatale, parfois très sévère.

La varicelle est suspectée chez la maman s'il y a eu un risque de contagion et en cas d'une éruption de vésicules. Le diagnostic est confirmé par l'augmentation des anticorps, retrouvée par deux contrôles successifs. En cas de varicelle avant 20 semaines, il faudra rechercher, par des examens échographiques très spécialisés ou par IRM, une atteinte fœtale.

Il n'y a pas de traitement pour éviter la transmission mère - enfant. Le traitement de la mère par antiviraux a seulement a pour but de diminuer l'intensité de l'éruption et le risque de pneumonie.

• La **grippe** n'a généralement pas de conséquences sauf exceptionnellement au cours d'épidémies de grippe particulièrement sévères. Il est malgré tout conseillé aux femmes enceintes de se faire vacciner, surtout en période épidémique.

• L'**infection à cytomégalovirus** est due à un virus proche de celui de l'herpès. 40 à 50 % des femmes enceintes ne sont pas immunisées naturellement, et 1 à 3 % d'entre elles pourront être infectées au cours de la grossesse.

Pour l'instant, les médecins sont malheureusement assez démunis devant cette maladie. Le diagnostic d'infection maternelle pendant la grossesse est difficile car les formes inapparentes sont les plus fréquentes. L'accord n'est pas fait sur l'utilité d'un dépistage systématique, comme on le fait pour la toxoplasmose. Actuellement, on a tendance à réserver ce dépistage aux femmes à risques, celles qui sont au contact de jeunes enfants : mères d'enfants allant à la crèche, personnels des crèches (puéricultrices, infirmières et médecins), institutrices de maternelles, etc. En effet la contamination se fait par la salive, les larmes, les urines et les selles des jeunes enfants.

Quand on a pu faire le diagnostic de la maladie en cours de grossesse, on juge de l'état du fœtus grâce à l'amniocentèse, à la ponction de sang fœtal, à l'échographie et à l'IRM. Et, après la naissance, on peut déceler la présence du virus chez l'enfant.

Aujourd'hui, on ne peut proposer que des mesures préventives concernant essentiellement l'hygiène : ne pas partager les mêmes couverts que les enfants, ne pas « finir » leur assiette, sucer leur cuillère ou goûter le biberon ; éviter d'embrasser l'enfant sur la bouche, éviter le contact avec les larmes et le nez qui coule ; penser à se laver les mains après la manipulation des jouets, après le change des couches, avoir du linge de toilette séparé, etc. Il n'existe aucune vaccination préventive pour les femmes. Pour l'enfant, après la naissance, on dispose d'un médicament efficace mais très toxique ; le médecin décidera de son utilisation éventuelle au cas par cas.

• La **rougeole** ne semble pas susceptible de donner de malformation. Par contre, quand elle est contractée dans les jours précédant l'accouchement, l'enfant peut naître avec une rougeole congénitale capable de donner des complications pulmonaires graves. Aussi, toute femme enceinte non immunisée contre la maladie doit recevoir des gamma-globulines dans les 72 heures suivant le contact suspect.

• La **scarlatine** ne présente pas de gravité pour l'enfant si elle est précocement et correctement traitée chez la mère.

• Le **zona** est rare au cours de la grossesse. Il n'a en général aucune conséquence ni pour la mère, ni pour l'enfant.

LES INFECTIONS URINAIRES

En dehors des troubles urinaires « mécaniques » dont vous avez vu la fréquence (p. 196), il est possible que la future mère éprouve, outre des envies fréquentes d'uriner, des douleurs à la vessie et lorsqu'elle urine, une sensation de brûlure. Parfois, les douleurs se situent plus haut que la vessie, à la hauteur de l'abdomen ou des reins. Certaines femmes prennent même ces douleurs pour des contractions de l'utérus.

La cause de cette cystite est une infection urinaire. Elle peut s'accompagner d'urines anormalement troubles, parfois teintées de sang. Bien entendu il faut consulter le médecin qui demandera un examen cytobactériologique des urines (ECBU). Celui-ci montrera la présence de microbes, en général de la famille du colibacille ou de l'entérocoque. Il existe des bandelettes vous permettant de dépister vous-même ces infections urinaires.

Traitées rapidement, ces infections guérissent facilement mais elles ont souvent tendance à réapparaître. Aussi, après une infection urinaire, faut-il exercer une surveillance plus attentive des urines car, non ou insuffisamment traitées, ces infections risquent de s'étendre aux reins (pyélonéphrites), mais surtout semblent pouvoir retentir sur l'évolution de la grossesse et déterminer une hypotrophie de l'enfant et un accouchement prématuré (p. 271).

LA CHOLESTASE GRAVIDIQUE

Il s'agit d'un mauvais fonctionnement du foie, provoqué par la grossesse, qui se manifeste le plus souvent au troisième trimestre. Le premier symptôme en est le prurit gravidique (p. 195). Ces démangeaisons vont progressivement se généraliser et entraîner des lésions de grattage, ainsi que des troubles du sommeil si elles sont intenses. Un bilan sanguin montrera le disfonctionnement hépatique. Ce bilan sera refait et en fonction de l'importance des symptômes (prurit, troubles du sommeil et anomalies biologiques), un accouchement provoqué pourra être envisagé, d'autant qu'il y a de grands risques pour le bébé.

L'HÉPATITE VIRALE

Cette maladie se manifeste par une jaunisse accompagnée de démangeaisons intenses sur tout le corps mais elle peut aussi s'accompagner d'un minimum de symptômes, voire passer complètement inaperçue. Il existe plusieurs sortes d'hépatites virales. L'hépatite A survient surtout après ingestion d'aliments porteurs du virus (les crustacés et coquillages en particulier). L'hépatite B s'attrape surtout par voie sanguine.

L'hépatite peut avoir des conséquences sérieuses si elle survient au cours de la deuxième moitié de la grossesse car, dans certains cas, elle peut entraîner un accouchement prématuré. L'enfant lui-même peut avoir une hépatite soit par passage du virus à travers le placenta, soit par contamination maternelle directe à la naissance.

Depuis peu, on sait qu'une hépatite maternelle, même guérie depuis longtemps, risque d'être dangereuse pour l'enfant, notamment pour l'hépatite B. En effet, dans 10 % des cas, même après guérisson apparente, le virus reste dans le sang. Cette situation concernerait environ 1 % des femmes enceintes. Il existe alors un risque de contamination de l'enfant au moment de la naissance. Mais ce risque est annulé par l'injection à l'enfant, immédiatement après la naissance, de gamma-globulines antihépatite et par une vaccination. C'est la raison pour laquelle, la recherche dans le sang maternel d'anticorps antihépatite (dits antigènes Hbs et Hbe) se fait systématiquement entre 24 et 28 semaines. En cas de réaction positive, l'enfant sera vacciné après la naissance.

Il existe d'autres hépatites. L'hépatite D n'existe qu'associée à une hépatite B dont elle partage les caractéristiques et la prévention. L'hépatite E est exceptionnelle en France. L'hépatite C se transmet par voie sanguine. Les transfusions n'en sont plus responsables depuis 1991 en raison d'un dépistage systématique. L'hépatite C concerne donc essentiellement les toxicomanes qui utilisent des drogues injectées. Son risque de transmission à l'enfant est très faible, sauf si elle est associée au sida.

LES TRAUMATISMES

Les conséquences des traumatismes sont évidemment variables selon l'intensité du choc et l'âge de la grossesse. Dans les quatre premiers mois, l'utérus est encore protégé dans le bassin. Au contraire d'une idée reçue, les avortements après traumatisme sont exceptionnels. L'utérus devient beaucoup plus vulnérable en se développant : décollement du placenta, accouchement prématuré.

Les chutes simples sont fréquentes : 80 % surviennent après la 32e semaine car le développement de l'utérus entraîne un déplacement du centre de gravité du corps. Mais les lésions les plus graves surviennent après les accidents de la circulation, d'où l'importance de la ceinture de sécurité. Quoi qu'il en soit, après une chute importante ou un accident, allez immédiatement à la maternité. Si vous êtes RH-, on vous fera une injection de gamma-globulines au cas où le choc aurait entraîné le passage de globules rouges du bébé dans votre circulation (p. 262).

> **INTERVENTIONS CHIRURGICALES**
> *Peut-on se faire opérer quand on est enceinte ? Oui, c'est possible, et l'anesthésie ne comporte aucun risque pour l'enfant. Par contre, pendant la grossesse, on ne pratique une intervention que si cela est nécessaire, une appendicite aiguë par exemple.*

ET LE STRESS ?

Pendant longtemps, on a cru que le stress ne pouvait avoir d'action néfaste sur la grossesse ; des travaux récents semblent prouver le contraire. Ainsi, l'anxiété maternelle chronique, ou un stress important (généralement en rapport avec un choc affectif comme celui qu'entraîne la perte d'un proche) seraient susceptibles de provoquer des naissances prématurées. Plus rarement, les enfants risquent d'être hyperactifs et irritables.

Il est difficile d'oublier ses soucis, ses chagrins, et d'effacer les causes du stress. Si vous ne trouvez pas d'aide dans votre entourage, ne restez pas seule, envahie par vos difficultés : parlez-en à votre médecin, il vous indiquera, si nécessaire, un spécialiste avec qui vous pourriez vous entretenir de vos inquiétudes, qui vous soutiendra psychologiquement. Quant aux médicaments contre le stress, l'anxiété, ou la dépression, il ne faut pas en prendre sans avis médical.

Si vous étiez malade avant d'être enceinte

Chez une femme atteinte d'une maladie, la survenue d'une grossesse peut poser certains problèmes. Certains médicaments sont contre-indiqués au début, lorsque l'embryon est le plus fragile, et il convient alors de modifier le traitement dès que la grossesse a commencé.

Il arrive que, sous l'influence de l'effort supplémentaire que la grossesse demande à l'organisme, la maladie se complique et s'aggrave. À l'inverse, il arrive que la maladie menace la grossesse dans son évolution, perturbe l'accouchement et retentisse sur l'état de l'enfant.

Pour illustrer les problèmes que peut poser la coexistence d'une maladie antérieure à la grossesse et la grossesse présente, voici quelques exemples choisis parmi les plus courants.

LE DIABÈTE

Cette maladie du métabolisme (c'est-à-dire de la transformation des sucres apportés par l'alimentation) est due à une insuffisance d'une hormone sécrétée par le pancréas et appelée insuline. Elle se traduit par la présence de sucre dans les urines, et par une glycémie (taux du sucre sanguin) au-dessus de la normale. Autrefois, le diabète rendait la grossesse très dangereuse et pour la mère et pour l'enfant. Aujourd'hui, les progrès de la médecine ont considérablement réduit les risques. La mortalité périnatale a beaucoup chuté depuis quelques années pour se rapprocher des chiffres observés dans la population générale. Certaines complications restent cependant plus fréquentes : l'hypertension artérielle, l'hydramnios et des signes de souffrance fœtale en fin de grossesse. D'autres complications risquent de survenir si le diabète est mal contrôlé : fréquence accrue des fausses couches, des malformations fœtales, voire même des morts fœtales dans les dernières semaines de la grossesse.

On distingue deux variétés de diabète :

- le type 1 qui nécessite toujours un traitement par insuline. Il est dit « insulino dépendant ». Il est relativement rare chez les femmes enceintes

- le type 2 qui est beaucoup plus fréquent et peut être contrôlé par le seul régime alimentaire, ou par des médicaments efficaces (par voie buccale). Mais ces derniers sont contre-indiqués pendant la grossesse où seule l'insuline est autorisée.

Quand le diabète est connu avant la grossesse, celle-ci peut se dérouler sans encombre à condition :

• D'avoir « préparé » la grossesse avec le diabétologue : il vous proposera un régime rigoureux, un fractionnement des doses quotidiennes d'insuline en trois injections au minimum, ainsi que des examens d'auto-surveillance glycémique très fréquents (6 fois par jour) car c'est dans les toutes premières semaines de la vie embryonnaire que se produisent les malformations fœtales qui peuvent être la conséquence d'un mauvais équilibre du diabète de la mère ; on compte seulement 1,2 % d'anomalies congénitales chez les femmes « préparées » contre 11 % chez les autres.

• De suivre très strictement le traitement et le régime qui auront été prescrits.

• D'être surveillée très régulièrement (toutes les deux semaines) par le diabétologue et l'accoucheur.

• D'accepter, si elle est nécessaire, une hospitalisation avant la conception ou en début de grossesse, pour équilibrer le diabète si ça n'a pas été fait auparavant ; plus rarement en fin de grossesse si apparaît la moindre complication.

Grâce à cette surveillance attentive tout au long de la grossesse, le pronostic s'est considérablement amélioré. L'accouchement s'effectue le plus souvent à terme, mais il n'est pas rare qu'on le déclenche à 38-39 semaines. La césarienne n'est pas obligatoire, mais reste plus fréquente que chez les non-diabétiques. Le nouveau-né – qui est souvent gros – doit être surveillé pendant les premiers jours de sa vie, car il est souvent hypoglycémique. Un apport de sucre – par voie intraveineuse ou par l'alimentation plus ou moins continue – est donc en général nécessaire.

Le diabète gestationnel

Le diabète peut apparaître au cours de la grossesse. On l'appelle « diabète gestationnel ». Certaines femmes risquent plus que d'autres d'en être atteintes :
• celles qui ont un surpoids important
• celles qui ont des diabétiques dans leur famille proche (parents, frères et sœurs)
• celles qui ont déjà mis au monde de gros enfants ou des enfants morts-nés
• celles qui ont déjà eu des glycémies élevées au cours de la prise de la pilule.

Chez toutes ces femmes, mais aussi pour toutes les futures mères, un dépistage systématique sera fait entre la 24e et la 28e semaine par des prises de sang : dosage de la glycémie à jeun et/ou après absorption de sucre. Le diabète gestationnel doit être surveillé avec le même sérieux qu'un diabète habituel. Le régime permettra le plus souvent d'obtenir un contrôle de la glycémie. Plus rarement, il faudra lui adjoindre un traitement insulinique. Des conseils médicaux, souvent donnés par un diabétologue, seront nécessaires pour la mise en route de l'insuline et l'apprentissage technique (injections, auto-contrôle glycémique, adaptation des doses) qui permettra d'acquérir une autonomie complète pour les soins quotidiens. Dans ce cas le traitement par l'insuline sera arrêté tout de suite après l'accouchement. Le diabète gestationnel peut disparaître après l'accouchement mais il a tendance à réapparaître lors d'une future grossesse, ou à partir de 40-50 ans.

À noter. Au cours de la grossesse, il arrive assez souvent qu'on retrouve la présence de sucre dans les urines (glycosurie). En général, il s'agit d'une simple anomalie de filtrage du sucre par le rein. La présence de sucre dans les urines n'a donc pas de valeur pour dépister un diabète gestationnel. Aussi, la recherche de sucre dans les urines n'est pas recommandée.

L'HYPERTENSION ARTÉRIELLE

L'association hypertension artérielle et grossesse n'est pas rare (10 % environ). Il est fréquent que ces deux états ne fassent pas bon ménage et aboutissent à une grossesse à risques. C'est dire l'importance de la prise régulière de la tension au cours des consultations.
• Si cette hypertension est connue avant la grossesse, elle est en général traitée et surveillée.
• Si elle se révèle pendant la grossesse, et lorsqu'elle s'associe à une albuminurie et des oedèmes, il s'agit vraisemblablement d'une toxémie gravidique. Cette situation nécessite une attention particulière. Si cette hypertension se confirme , elle impose une hospitalisation avec un bilan plus complet (voir p. 240).

LES MALADIES CARDIAQUES

Toutes les maladies cardiaques n'ont pas la même gravité, mais toutes imposent les mêmes mesures de prudence en raison du travail supplémentaire que la grossesse impose au cœur : repos le plus complet possible, régime pauvre en sel, vie calme sans émotions ni fatigue, surveillance médicale régulière et fréquente. Certains médicaments, notamment les anticoagulants, sont interdits au début de la grossesse (risques de malformations) et à la fin de celle-ci (risques d'hémorragies). Quant aux interventions de chirurgie cardiaque, elles sont plus ou moins bien tolérées selon leur type.

L'OBÉSITÉ

On apprécie l'existence et l'importance d'un surpoids en calculant ce que l'on appelle **l'indice de masse corporelle** (poids divisé par le carré de la taille exprimée en mètres, voir p. 79). La normale se situe entre 18 et 25. De 25 à 30 on parle de surpoids. Au-dessus de 30, il s'agit d'obésité ; vous trouverez des exemples dans l'encadré ci-dessous.

Les femmes qui ont un surpoids et, *a fortiori* les femmes obèses, ont tendance à avoir plus de complications : hypertension artérielle, diabète gestationnel, toxémie. C'est dire la nécessité d'une surveillance médicale régulière.

Par ailleurs, les femmes déjà obèses avant d'être enceintes ont tendance à prendre plus de poids que les autres pendant la grossesse. C'est une raison de plus pour suivre un régime alimentaire strict. Mais la ration quotidienne ne doit pas être inférieure à 1 500-1 800 kcal car il faut assurer la croissance de l'enfant. La restriction doit porter principalement sur les graisses (pas plus de 30 g par jour répartis entre le beurre et les huiles). Les glucides – les sucres – doivent être absorbés en quantité modérée. L'alimentation sera composée surtout de protides (viandes grillées, œufs, poissons), de légumes verts, de fromage non gras, de laitages et de fruits. Plus le régime est pauvre en calories, plus il est indispensable de prendre, en supplément, du fer, des vitamines, du calcium.

POIDS NORMAL, SURPOIDS, OBÉSITÉ
Une femme de 1,60 m pèse 55 kg. Pour trouver l'indice de masse corporelle, il faut diviser le poids (55 dans l'exemple choisi) par le carré de la taille (1,60 x 1,60 = 2,56). Ce qui donne 21,48. Cette femme a un indice de masse corporelle normal. Si une femme de 1,60 m pèse 70 kgs, l'indice de masse corporelle est de 27,34, il est donc trop important, il y a surpoids. Si une femme de 1,60 pèse 80 kgs, l'indice de masse corporelle est de 31,25, il y a obésité.

Certaines études montrent également que le surpoids peut rendre difficile l'allaitement maternel. En revanche, celui-ci favorise la perte de poids qui se produit après la grossesse. Les enfants sont souvent (comme ceux des femmes diabétiques) de poids élevé, d'où des difficultés possibles au moment de l'accouchement et un plus grand nombre de césariennes.

Pour bien faire, il faudrait qu'une femme obèse désirant un enfant fasse un traitement pour perdre du poids avant le début de sa grossesse et qu'elle ne prenne pas plus de 6 à 7 kg durant celle-ci. Ce dernier objectif peut sembler difficile à atteindre par la future maman. Mais elle peut y arriver car le bébé, en puisant dans ses réserves, va l'aider à stabiliser son poids.

LES ALLERGIES

On estime que l'allergie touche 10 à 15 % de la population. Elle n'est donc pas exceptionnelle au cours de la grossesse. Elle se traduit surtout par des manifestations respiratoires et cutanées.

L'asthme

Il représente le trouble respiratoire le plus fréquent au cours de la grossesse. Presque tous les médicaments utilisés habituellement sont autorisés pendant la grossesse, y compris les dérivés de la cortisone. Il est en revanche déconseillé de commencer une désensibilisation en cours de grossesse.

La rhinite allergique

Elle est relativement fréquente. Elle se traduit par une sensation de « nez bouché » et par des écoulements. Le traitement local à base de pulvérisations donne habituellement de bons résultats. Cette rhinite est le plus souvent liée à un déséquilibre hormonal, avec congestion des muqueuses.

Les troubles dermatologiques (urticaire, eczéma, prurit, etc.)

Ils peuvent être traités comme d'habitude. Toutefois, en ce qui concerne les médicaments antihistaminiques, il n'y a pas encore assez de recul pour être certain de leur innocuité. Les antihistaminiques locaux sont habituellement autorisés sans problème. De toute façon, consultez votre médecin qui, selon les cas, pourra prescrire certains antihistaminiques.

L'allergie alimentaire

En France, les allergies alimentaires concernent environ 8 % des enfants. Afin de diminuer les risques d'allergie chez l'enfant à naître, en particulier chez celui dont un des parents proches (père, mère, frère, sœur) est déjà allergique, il est recommandé à la maman de supprimer l'arachide de son alimentation pendant la grossesse et l'allaitement. L'arachide est en effet l'un des allergènes les plus dangereux ; par ailleurs, sa suppression n'entraîne pas de déséquilibre nutritionnel. Après la naissance, la meilleure prévention est l'allaitement maternel exclusif pendant les 6 premiers mois de l'enfant.

MALFORMATIONS UTÉRINES

2 à 4 % des femmes présentent des malformations congénitales de l'utérus, par exemple utérus bicornes vrai ou avec cloison, utérus unicorne. Ces malformations sont parfois inconnues et passent totalement inaperçues. Lorsqu'elles sont connues, elles ont fréquemment été dépistées à l'occasion d'une fausse couche ou d'un bilan de stérilité. Certaines peuvent avoir été traitées chirurgicalement par voie naturelle, sous hystéroscopie ; certaines ne peuvent pas être traitées, comme l'utérus unicorne. De toute manière, traitées ou non traitées, ces malformations sont un risque de provoquer un accouchement très prématuré. Des mesures de prévention de ce risque seront alors mises en place (p. 272).

FIBROMES ET KYSTES

Fibromes utérins et grossesse

Les fibromes, ou myomes, sont des tumeurs bénignes développées dans le muscle utérin. Leur association à la grossesse n'est pas très fréquente et concerne surtout les femmes de plus de 35 ans, et les femmes noires. Ces fibromes sont le plus souvent bien tolérés, provoquant simplement des contractions utérines un peu plus fréquentes. Il est rare qu'ils entraînent des fausses couches tardives, un retard de croissance, un accouchement prématuré ou une hémorragie de la délivrance. De façon exceptionnelle, le fibrome se complique (augmentation importante de volume par exemple) et peut nécessiter une ablation chirurgicale pendant la grossesse.

Kystes ovariens et grossesse

L'échographie systématique en début de grossesse a montré que les kystes ovariens étaient plus fréquents qu'on ne le croyait (1 à 5 %). Il s'agit le plus souvent de kystes dits « fonctionnels » qui disparaissent spontanément avant la fin du 3e mois. Les autres kystes (dits « organiques ») ne disparaissent pas mais sont habituellement sans conséquence pour la grossesse. Il arrive cependant qu'ils se compliquent (hémorragie intrakystique, rupture, torsion) obligeant à une intervention d'urgence.

L'ÉPILEPSIE

Chaque année, 2 000 enfants naissent en France de mère épileptique (0,3 à 0,5 % des naissances). Ces grossesses posent le double problème de l'aggravation éventuelle de l'épilepsie, et du rôle malformatif possible de certains médicaments anti-épileptiques. Pour donner à ces grossesses le maximum de chances d'évoluer favorablement (c'est heureusement ce qui se produit dans 90 % des cas) **certaines précautions doivent être prises :**
• essayer, dans les deux mois précédant la grossesse, d'équilibrer l'épilepsie avec un seul médicament, et prescrire de l'acide folique dont la prise sera poursuivie au moins jusqu'à 12-14 semaines de grossesse
• prise de vitamine D pendant toute la grossesse, et de vitamine K pendant le 9e mois
• surveillance échographique régulière pour dépister une éventuelle malformation.

LA TUBERCULOSE

La tuberculose, qui était en voie de disparition, a malheureusement tendance à refaire surface, en France comme dans de nombreux autres pays. En cas de tuberculose extrapulmonaire (ganglionnaire ou osseuse par exemple), l'évolution de la grossesse et de l'accouchement est généralement normale. En cas de tuberculose pulmonaire confirmée, la prématurité avec les complications respiratoires pour le nouveau-né est plus fréquente. La contamination *in utero* est exceptionnelle (tuberculose congénitale). En revanche, si cruel que cela puisse paraître, l'enfant devra être séparé de sa mère si celle-ci est, ou risque d'être, encore contagieuse. En ce qui concerne l'allaitement maternel, la plupart des médecins le déconseillent. Le nouveau-né sera vacciné par le BCG dès la première semaine.

LES MALADIES SEXUELLEMENT TRANSMISSIBLES

LE SIDA

On sait maintenant qu'à côté des malades présentant un sida déclaré et en évolution, un grand nombre de personnes sont porteuses du virus de l'immunodéficience humaine (VIH) et ne présentent aucun signe de la maladie (elles sont dites séropositives). L'évolution vers l'apparition des signes cliniques et le sida déclaré est retardée par des médicaments antiviraux (trithérapie) qui se sont révélés très efficaces. Par contre, il n'existe pas actuellement de traitement permettant de guérir du sida. On trouve dans le sang des personnes contaminées des anticorps anti VIH (ou anti HIV).

Une femme enceinte peut évidemment être séropositive. Le pourcentage de femmes enceintes séropositives varie en fonction de l'origine géographique. Il est de 1,7 ‰ pour les femmes d'origine métropolitaine et 5,1 ‰ pour celles d'origine africaine. Globalement, on estime en France à 2000 par an le nombre de grossesses chez les femmes séropositives.

Un certain nombre de femmes ignorent leur séropositivité et ne la découvrent qu'au moment de la grossesse. En effet, la loi de 1993 oblige les médecins à proposer (la femme peut refuser) un dépistage systématique. Ce dépistage du virus du sida est accepté par la plupart des femmes enceintes.

Les risques de l'association VIH et grossesse concernent à la fois la femme et l'enfant.

Pour la femme, en cas de simple séropositivité sans aucun trouble, la grossesse n'aggrave pas l'évolution de la maladie VIH. Dans les autres cas (sida déclaré), le risque d'aggravation est bien réel.

Pour l'enfant, la majorité des enfants contaminés le sont en fin de grossesse, notamment au moment de l'accouchement. On estime que deux tiers des transmissions ont lieu le jour de l'accouchement par le biais d'échanges sanguins entre la mère et le fœtus, avant et durant le travail. La contamination de l'enfant est aussi susceptible de s'effectuer au contact du col et de la filière génitale. On a mis en évidence la présence du VIH au niveau des sécrétions génitales chez les femmes séropositives.

L'accouchement prématuré, la rupture prématurée des membranes et certains actes médicaux (amniocentèse, cerclage du col, rupture artificielle des membranes, électrodes sur le crâne du bébé) peuvent avoir un rôle néfaste et sont contre-indiqués pendant le travail.

Cependant le pronostic fœtal s'est considérablement amélioré : le taux de transmission du virus VIH de la mère à l'enfant passe de 20 % à 8 % si l'on traite la mère pendant la grossesse et l'accouchement par AZT (Rétrovir®). On s'est aperçu que ce traitement, associé à une césarienne faite avant la rupture des membranes et le début du travail, permet d'abaisser ces chiffres au dessous de 1 %. Et même, plus récemment, on vient d'observer que lorsqu'une femme montre une présence importante du virus, même sous traitement, le risque est également inférieur à 1 % et il est possible qu'elle accouche par voies naturelles.

> **SIDA**
> SI VOUS VOUS POSEZ D'AUTRES QUESTIONS SUR LE SIDA, ADRESSEZ-VOUS À SIDA-INFO SERVICE, 190 BD DE CHARONNE, 75020 PARIS.
> TÉL. : 0 800 840 800

Tous les enfants nés de mère séropositive sont séropositifs à la naissance car les anticorps de la mère sont transmis à l'enfant à travers le placenta. Il s'agit bien des anticorps de la mère et cela ne signifie pas que les enfants sont infectés. La difficulté est de pouvoir rassurer au plus vite les parents sans avoir à attendre pendant plusieurs mois la disparition des anticorps de la mère dans la circulation de l'enfant. On dispose actuellement de tests permettant de répondre précocement à cette question.

Le sida est plus grave chez le bébé que chez l'adulte. Un tiers environ des nouveau-nés infectés présente un déficit immunitaire grave avec un délai de survie ne dépassant pas 3 à 4 ans. Pour les deux autres tiers l'évolution sera plus lente et ressemble à celle de l'adulte.

L'allaitement maternel est contre-indiqué chez les femmes séropositives car il augmente le risque de transmission du VIH à l'enfant.

L'HERPÈS

L'herpès est une maladie virale qui concerne environ 10 millions de personnes en France. C'est une maladie contagieuse, sexuellement transmissible et qui a tendance à récidiver car le virus de l'herpès reste à vie dans l'organisme.

Cette maladie se traduit par l'apparition de petites vésicules, comme celles de la varicelle, groupées sur une plaque rouge. L'herpès peut se situer au niveau du visage, surtout sur les lèvres, ou au niveau de l'appareil génital (vulve, vagin et col). Au cours de la grossesse, seul l'herpès génital est dangereux pour l'enfant : celui-ci peut être contaminé au passage des voies génitales lors de l'accouchement, et risque une encéphalite d'une très grande gravité. Aussi quand existe une poussée d'herpès génital au moment de l'accouchement, la césarienne s'impose absolument. Ainsi l'enfant sera indemne. Mais, alors que l'herpès vulvaire est facilement visible, celui du col est impossible à diagnostiquer cliniquement. Aussi peut-on proposer dans ce cas une recherche de cellules herpétiques au niveau du col au cours du mois qui précède l'accouchement. Si cette recherche est positive, la césarienne peut s'imposer.

Si vous, ou votre mari, avez déjà fait des poussées d'herpès, il est indispensable de n'avoir, pendant la grossesse, que des rapports protégés (préservatifs).

Après la naissance, et quelle que soit la localisation de l'herpès, des précautions très strictes d'hygiène sont nécessaires pour ne pas contaminer le nouveau-né qui a de la peine à se défendre contre les infections virales ; en cas d'herpès labial, il est malheureusement déconseillé d'embrasser le bébé.

GONOCOCCIE ET INFECTIONS À « CHLAMYDIÆ »

La gonococcie (ou blennorragie) entraîne habituellement des pertes et une irritation vulvo-vaginale importantes. Le risque est, d'une part, l'infection des membranes de l'œuf avec rupture prématurée de la poche des eaux ; d'autre part, la contamination de l'enfant au moment de l'accouchement (avec notamment des conjonctivites parfois graves). Des pertes ou une irritation doivent conduire à consulter sans attendre.

Les infections à *chlamydiæ* sont très fréquentes et passent volontiers inaperçues (simples pertes blanches avec irritation locale peu importante) au point que certains médecins ont proposé leur dépistage systématique au cours de la grossesse. Le risque pour l'enfant est, là encore, celui d'une infection des membranes avec accouchement prématuré ; d'autre part celui d'une infection par

LES CONDYLOMES VÉNÉRIENS
Appelés encore crêtes de coq, ce sont des sortes de petites verrues qui se situent au niveau de la vulve. Ces verrues guérissent habituellement par de simples applications de différentes crèmes ou pommades, mais lorsqu'elles sont très nombreuses, il peut être nécessaire de les enlever par électrocoagulation.

contact direct avec le col et le vagin au cours de l'accouchement. Cette infection peut provoquer conjonctivites et pneumonies. Là aussi, devant de tels symptômes, il faudra consulter sans attendre.

LA SYPHILIS

Cette maladie vénérienne existe encore. Mais comme nous l'avons vu au chapitre 7, c'est la syphilis maternelle qui est importante. Une syphilis paternelle ne peut intervenir que comme source de contamination éventuelle de la mère.

C'est à partir du 5e mois que la syphilis peut se transmettre à l'enfant dans l'utérus. C'est pourquoi il est essentiel de faire un dépistage en début de grossesse. Ce test est obligatoire, il est automatiquement fait (prise de sang) au moment de la déclaration de grossesse.

Si le test est négatif, il est important de ne prendre aucun risque de contamination après.

Si le test est positif, la future maman est soignée (surtout avec de la pénicilline), et l'enfant vient au monde en bonne santé. L'important est donc d'être soignée à temps, c'est-à-dire avant le 5e mois. Non soignée, une femme n'a que 35 % de chances de mettre au monde un enfant normal et sain.

De toute manière, lorsque la mère a été malade, on fait par prudence, à la naissance, des analyses du sang du bébé, pour savoir s'il n'a pas été atteint, et s'il est nécessaire ou non de lui faire un traitement.

LES MALADIES PLUS RARES

LE LUPUS

C'est une infection auto-immune (anomalie du système immunitaire). Elle est caractérisée par un défaut de contrôle des lymphocytes B ; cela provoque une forte production d'anticorps qui peuvent obstruer des petits vaisseaux du rein en particulier, mais aussi du cerveau et du système cardiovasculaire.

La grossesse constitue une période particulièrement délicate où la maladie peut s'aggraver chez la future maman et entraîner des complications, notamment l'accouchement prématuré. C'est pourquoi, avant la grossesse, le médecin informera la femme des risques très importants et des contraintes de la surveillance et du traitement avant, pendant et après la grossesse.

LA THROMBOPHILIE

Il s'agit d'une prédisposition accrue, le plus souvent héréditaire, à développer des thromboses, c'est-à-dire des caillots qui vont obstruer les vaisseaux du système veineux mais parfois artériels. Or la grossesse constitue en elle-même un état d'hyper-coagulabilité, c'est-à-dire qui facilite la formation de caillots. Il est donc important de dépister, essentiellement par l'interrogatoire médical, les femmes qui ont des antécédents de thrombophilie dans la famille. Cela permet de mettre en œuvre une prévention efficace qui comporte de l'aspirine à très faible dose en début de grossesse, et de l'héparine vers la fin de la grossesse.

ET L'ALCOOL ? ET LA DROGUE ?

Alcoolisme et grossesse

En cas d'alcoolisme maternel, à la naissance, l'enfant a un aspect particulier. Sa taille, son poids, son périmètre crânien sont inférieurs à la normale. Le front est bombé, le menton fuyant, le nez écrasé. À ce faciès bien particulier peuvent s'ajouter des malformations, notamment cardiaques. C'est le **syndrome de l'alcoolisme fœtal**. Le nouveau-né est particulièrement agité dans les jours qui suivent la naissance. Ultérieurement, ce handicap de départ n'a pas tendance à s'améliorer. Il existe un retard du développement physique et intellectuel s'accompagnant de troubles caractériels.

Cette description dramatique est celle d'un enfant dont la mère a bu régulièrement deux litres de vin par jour, ce qui hélas n'est pas rare dans certains milieux et régions ; ou plusieurs litres de bière ; ou encore six whiskies.

Le rôle de l'alcool semble double. D'une part il traverse directement le placenta et se retrouve dans la circulation de l'enfant. Là, il perturbe le métabolisme et le développement des cellules embryonnaires, d'autant que le foie de l'embryon – ou du fœtus – n'est pas aussi bien équipé que celui de l'adulte pour détruire l'alcool. D'autre part, l'alcool entraîne des carences et une malnutrition maternelles qui perturbent les échanges avec l'enfant. Même en quantité modérée, l'alcool favorise la prématurité et le risque de faible poids à la naissance. Vous comprendrez que la consommation d'alcool, même occasionnelle, est très fortement déconseillée.

L'alcoolisme n'est pas héréditaire. Si une femme, même alcoolique chronique, cesse de boire avant le début de la grossesse, son enfant sera aussi normal que n'importe quel autre.

Drogue et grossesse

Les conséquences de l'usage de la drogue pendant la grossesse sont diverses selon le type d'intoxication.

• Les opiacés (morphine et surtout héroïne qui est plus souvent utilisée) sont responsables d'une augmentation des infections maternelles de tout genre, et de toutes les complications qui peuvent surgir au cours de l'évolution d'une grossesse. Il n'y a pas plus d'enfants malformés ; en revanche le nouveau-né est de poids inférieur à la normale ; il est souvent prématuré, il peut présenter un syndrome de manque, parfois mortel. C'est parmi les utilisatrices de ces drogues dures que l'on trouve le plus de cas de sida associé à la grossesse.

• Les substances hallucinogènes, comme le LSD, provoquent des avortements – la fréquence est multipliée par 2 – et des malformations congénitales – la fréquence est multipliée par 3.

• La cocaïne. Quelle que soit la forme sous laquelle elle est absorbée, la cocaïne est source d'avortements, de retard de croissance intra-utérin, d'hématome rétroplacentaire, d'accouchements prématurés et de malformations diverses.

Les problèmes posés par la consommation de drogue (surtout lorsqu'il s'agit d'une drogue dure) sont en général aggravés par : l'usage de drogues multiples ; l'association au tabagisme ou à l'alcoolisme ; les conditions socio-économiques défavorables qui provoquent une marginalisation sociale et qui sont source d'une mauvaise prise en charge de la grossesse.

• Sur le cannabis, voyez page 55.

Tabac et grossesse

Dans le chapitre sur la vie quotidienne (p. 55), nous avons déjà parlé des cigarettes. Mais, ici, après l'alcoolisme et la drogue, nous ne pouvons pas ne pas en redire un mot. En France, malgré les recommandations, il y a encore trop de femmes qui fument pendant la grossesse. Celle-ci est le meilleur moment pour s'arrêter, lorsqu'on sait combien le tabac peut nuire au bébé.

• Nous vous signalons l'existence du Centre Horizons, qui est un centre de prévention et de soins ouvert à tous, spécialisé dans la prise en charge des futurs parents et parents ayant un problème d'addiction (drogue, alcool, tabac). 10, rue Perdonnet, 75010 Paris, Tel. 01 42 09 84 84 et www.horizons.asso.fr

ANOREXIE ET GROSSESSE

L'anorexie est un trouble psychique qui s'exprime par le corps et se manifeste par le refus de s'alimenter. Elle se révèle le plus souvent à l'adolescence et peut être une vraie maladie ou bien prendre l'aspect d'un malaise plus léger.

Quand des jeunes femmes, qui ont été anorexiques, découvrent qu'elles sont enceintes, elles sont d'abord déstabilisées : elles ne s'y attendaient pas car elles n'ont en général pas de règles. Puis elles expriment leurs craintes de ne pas pouvoir accepter la transformation de leur corps. Mais les équipes médicales qui suivent ces femmes constatent que la grossesse a souvent un effet bénéfique sur leurs troubles alimentaires. Ces futures mères semblent s'autoriser à moins contrôler leur poids et leur alimentation. Le temps de la grossesse les pousse à reconsidérer l'image qu'elles portent sur leur corps. Il leur permet d'accepter leur féminité, d'accepter de devenir mère. La mise entre parenthèses des symptômes de l'anorexie, cette maîtrise permanente du poids et de la nourriture, procure à certaines femmes un fort sentiment de plénitude.

Malgré tout ce que la grossesse peut procurer d'apaisement, il est nécessaire que la future maman parle à son médecin des troubles alimentaires dont elle a souffert. Celui-ci pourra décider de la nécessité d'un suivi particulier avec l'équipe de la maternité. L'entretien prénatal précoce, qui a souvent lieu au 4e mois (p. 211), semble un bon moment pour évoquer ses troubles anorexiques, que ceux-ci aient été non traités, ou bien traités mais résolus seulement en apparence. En effet, même si le comportement vis-à-vis de la nourriture change, ou s'atténue, certains traits peuvent persister et être à l'origine de vraies difficultés pour les relations futures avec l'enfant. Cela montre l'importance d'un soutien psychologique pour ces mamans.

LE FACTEUR RHÉSUS

Hier particulièrement redoutées, les complications dues au facteur rhésus ont aujourd'hui pratiquement disparu. Voici pourquoi.

Chacun d'entre nous appartient à un groupe sanguin désigné par les lettres A, B, O, AB. À ces quatre groupes dits « classiques » parce que les plus anciennement connus, sont venus s'ajouter d'autres groupes tout aussi importants : ainsi le facteur rhésus. 85 % des humains possèdent ce facteur dans leur sang et sont dits *Rhésus positif* ; les 15 % restant ne le possèdent pas et sont dits *Rhésus négatif*. Lors des transfusions la compatibilité entre le sang du receveur et celui du donneur doit être respectée, faute de quoi peuvent survenir des accidents plus ou moins graves. Ainsi quand le sang d'un sujet rhésus négatif entre en contact avec du sang rhésus positif, il réagit en fabriquant des anticorps (ou agglutinines) antirhésus. On dit que le sujet rhésus négatif *s'immunise*.

Le seul cas où une immunisation antirhésus peut survenir au cours de la grossesse est celui d'une femme rhésus négatif ayant conçu un enfant avec un homme rhésus positif.

Comment une femme rhésus négatif peut-elle s'immuniser ?

• **En-dehors de la grossesse** : en recevant par erreur une transfusion de sang rhésus positif. Cette erreur est aujourd'hui impossible du fait de la sécurité des transfusions.

• **Au cours de la grossesse** : si elle attend un enfant rhésus positif comme le père (une possibilité sur deux). Dans certaines circonstances (saignement, fausse couche, amniocentèse, cerclage, choc sur l'abdomen, version par manœuvre externe), les globules rouges du fœtus peuvent passer dans l'organisme maternel. Au contact de ces globules rouges rhésus positif, qui lui sont étrangers, la mère rhésus négatif va développer des anticorps antirhésus qui, à leur tour, au cours d'une autre grossesse, vont passer à travers le placenta ; ils vont alors détruire les globules rouges du fœtus, entraînant une anémie ou un ictère plus ou moins grave à la naissance. Dans la réalité, ce passage de globules rouges vers le sang maternel se fait essentiellement au moment de l'accouchement et de la délivrance.

Aujourd'hui, grâce à la vaccination de la maman rhésus négatif, qui a accouché d'un enfant rhésus positif, les anticorps qu'elle peut avoir fabriqués, vont être détruits. Une nouvelle grossesse avec un enfant rhésus positif ne posera, alors, aucun problème.

Que faire si vous êtes rhésus négatif ?

• Si le père est rhésus négatif : vous ne courez aucun risque puisque l'enfant est obligatoirement rhésus négatif.

• Si le père est rhésus positif : la surveillance par la recherche des anticorps antirhésus ou agglutinines irrégulières (ou RAI) doit être systématique à la déclaration de grossesse, puis au 6e, 8e et 9e mois.

La prévention des accidents

Le principe en est simple : détruire les globules rouges du fœtus passés dans la circulation de la mère avant que celle-ci n'ait eu le temps de fabriquer des anticorps. Pour cela, on fait à la mère une injection de gammaglobulines préparées spécialement pour détruire les globules rouges rhésus positif. C'est la **vaccination antirhésus**.

Pendant la grossesse, la vaccination est pratiquée lorsqu'il y a un risque de passage de globules rouges de l'enfant dans la circulation maternelle comme : fausse couche, saignement, grossesse extra-utérine, cerclage, ponction de trophoblaste, amniocentèse, placenta prævia, version par manœuvre externe du bébé, etc… Elle est également proposée à 28 semaines chez toutes les femmes rhésus négatif dont le conjoint est rhésus positif (injection de Rophylac®).

A l'accouchement, la vaccination par gammaglobulines se fait dans les 72 heures qui suivent la naissance chez les femmes rhésus négatif ayant accouché d'un bébé rhésus positif.

Ces différentes mesures permettent aujourd'hui à une femme rhésus négatif dont le conjoint est rhésus positif de mener à bien autant de grossesses qu'elle le souhaite.

ATTENTION DANGER ! LES SYMPTÔMES À SIGNALER SANS TARDER

VOICI LES SYMPTÔMES QUE VOUS DEVEZ SIGNALER AU MÉDECIN DÈS LEUR APPARITION. ILS NE TRADUISENT PAS FORCÉMENT LA SURVENUE D'UNE COMPLICATION GRAVE, MAIS SEUL LE MÉDECIN POURRA LES INTERPRÉTER (1).

SYMPTÔMES	COMPLICATIONS POSSIBLES
Vous avez des pertes de sang, même légères (surtout si elles se répètent), avec ou sans douleur	Au début : menace de fausse couche, grossesse extra-utérine À la fin : menace d'accouchement prématuré, placenta prævia, hématome rétroplacentaire
Vous avez pris trop de poids trop vite (plus de 400 g par semaine) Vos pieds, vos chevilles, vos mains enflent Il y a de l'albumine dans vos urines	Toxémie gravidique Infection urinaire
Vous avez des troubles de la vue (taches devant les yeux, vue brouillée), surtout si ces troubles s'accompagnent d'une barre au creux de l'estomac et de maux de tête	Prééclampsie éclampsie
Vous urinez fréquemment, avec des brûlures en urinant, accompagnées parfois de douleurs dans le ventre et les reins, et de fièvre	Infection urinaire
Vous avez de la fièvre, qu'elle soit ou non accompagnée d'un autre symptôme Vous sentez des ganglions au niveau du cou Vous avez une éruption en un point quelconque du corps	Maladie infectieuse Toxoplasmose Listériose
À partir du 6e mois, vous avez des contractions utérines répétées, régulières et/ou douloureuses	Menace d'accouchement prématuré
Vous avez une perte d'eau par le vagin (assurez-vous qu'il ne s'agit pas d'une émission involontaire d'urine, ce que vous reconnaîtrez à l'odeur)	Rupture des membranes Risque d'accouchement prématuré
Vous êtes anormalement fatiguée, essoufflée, avec tendance à perdre connaissance	Anémie
Vous vous grattez sur tout le corps	Cholestase gravidique
Vous avez subi un traumatisme important (chute, accident de la voie publique ou de la route)	Risque d'accouchement prématuré Hématome rétroplacentaire
Dans les derniers mois, vous notez une très nette et durable diminution de l'intensité et de la vivacité des mouvements du bébé	Menace sur la santé du bébé

1. Ces symptômes et les complications qui peuvent s'ensuivre sont traités dans ce chapitre.

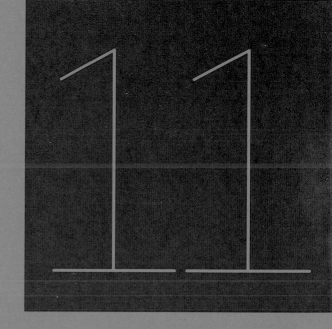

Quand accoucherai-je ?

Quand accoucherai-je ? À peine sait-elle qu'elle est
enceinte qu'une future mère se pose la question.
Et pas seulement elle mais son mari, l'entourage,
les amis : « **C'est pour quand ?** »
Bébé naît à la date prévue, ou presque :
c'est la situation la plus fréquente.
Mais la naissance peut survenir avant cette date :
c'est l'accouchement prématuré.
D'autres fois, le terme est dépassé :
c'est la grossesse prolongée.

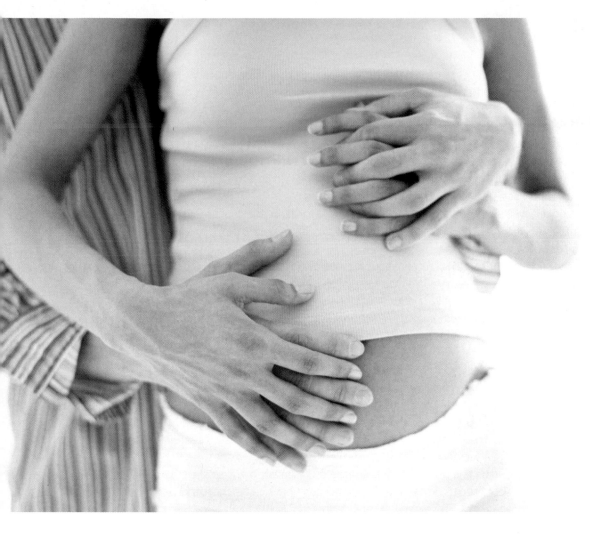

La date prévue

Maintenant que vous êtes enceinte, vous souhaitez des précisions sur la durée de la grossesse : est-ce 9 mois tout juste, et à partir de quelle date faut-il faire le calcul ?

Il serait facile de répondre à cette question si l'on connaissait avec précision la date de la conception – c'est-à-dire celle du premier jour de la grossesse – et la durée exacte de la grossesse. Mais ces deux éléments sont variables.

LA DATE DE LA CONCEPTION

Elle correspond à celle de l'ovulation puisque l'ovule ne vit que quelques heures s'il n'est pas fécondé. Or, pour une femme régulièrement réglée tous les 28 jours, l'ovulation se situe entre le 13ᵉ et le 15ᵉ jour du cycle, avec un maximum de fréquence au 14ᵉ jour.

Dans d'autres cas, la date de la conception fait encore moins de doute :
• soit que la femme ait pris sa température au cours du cycle où elle est devenue enceinte (p. 25)
• soit que la grossesse survienne après un rapport unique ; soit qu'elle arrive après une insémination artificielle, une fécondation *in vitro* ou une induction d'ovulation.

Dans tous ces cas où la date de la conception est connue, il suffit de lui ajouter 9 mois du calendrier pour connaître la date théorique de l'accouchement (par exemple : date des dernières règles : 1er janvier ; conception : 14 janvier ; accouchement : 14 octobre). On compte alors en **mois de grossesse**.

Mais les choses sont moins claires dans de nombreux cas :
• Quand les cycles ne sont pas de 28 jours : avec un cycle inférieur à 28 jours, l'ovulation survient avant le 14e jour ; c'est le contraire avec un cycle plus long. Quand les cycles sont irréguliers, l'imprécision est encore plus grande.
• Quand surviennent certains facteurs pouvant modifier la date de l'ovulation : changement de climat – vous l'avez peut-être remarqué en vacances –, choc affectif, maladies, etc.
• Quand la future mère a oublié la date de ses dernières règles.
• Quand la grossesse survient immédiatement après l'arrêt de la pilule (la date de l'ovulation qui suit est habituellement retardée) ou après un accouchement récent sans même que soit survenu le retour de couches.

Pour tenter de pallier ces fréquentes difficultés, on a décidé pour calculer la date de l'accouchement, de partir d'une date généralement mieux connue que celle de la conception : le premier jour des dernières règles. On compte alors la grossesse en **semaines d'aménorrhée** (absence de règles) et non plus en mois. C'est d'ailleurs la manière de compter des médecins. Ainsi vous entendrez fréquemment le médecin ou la sage-femme parler de tel examen qui se fait « à 15 semaines d'aménorrhée », en abréviation 15 SA (voir aussi p. 113).

Avec cette façon de compter, la date théorique de l'accouchement se situe 41 semaines après le 1er jour des dernières règles. Vous vous étonnerez peut-être de ce chiffre, pensant que 9 mois de grossesse devraient faire 36 semaines. En fait voici comment est fait le calcul. Deux semaines supplémentaires sont comptées (ce sont celles entre le 1er jour des règles et le 14e jour, celui de l'ovulation) et les mois du calendrier n'ont pas 4 semaines pile mais, selon les mois, 4 semaines plus 2 ou 3 jours (sauf février).

CORRESPONDANCE MOIS DE GROSSESSE-SEMAINES D'AMÉNORRHÉE

Par exemple, la 1ère échographie est pratiquée vers 12 semaines d'aménorrhée (SA), c'est-à dire au cours du 3e mois.

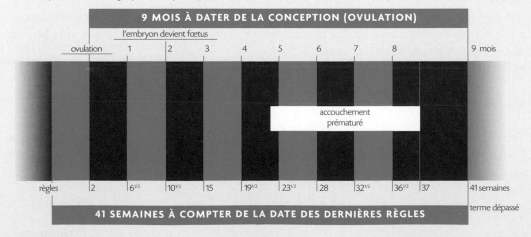

LA DURÉE DE LA GROSSESSE

Même s'il était possible de connaître toujours avec précision la date de la conception – et vous venez de voir que c'est loin d'être le cas –, il serait impossible de prévoir exactement la date de l'accouchement. Pourquoi ? Parce que la grossesse n'a pas une durée fixe mais une durée statistique moyenne : de 266 à 273 jours à partir de la conception, ou de 280 à 287 jours à partir de la date des dernières règles.

D'ailleurs l'expérience montre que :
• 50 à 60 % des femmes accouchent (à quelques jours près) à la date prévue
• 20 à 25 % 10 à 15 jours avant
• 20 à 25 % 4 à 8 jours après.

En résumé, vous voyez qu'il est difficile de fixer avec précision la date théorique de l'accouchement. En pratique, les deux moyens les plus sûrs sont :
• soit d'ajouter 9 mois du calendrier à la date de la conception
• soit d'ajouter 41 semaines à la date des dernières règles ; c'est ce qu'indique le tableau de la page suivante.

La lune a-t-elle une influence sur le moment de la naissance ? Cette croyance populaire est le sujet d'une étude scientifique parue dans une revue très sérieuse, *Le Journal de gynécologie-obstétrique et de biologie de la reproduction*. Voici ses conclusions : on observe en effet un plus grand nombre de naissances pendant les périodes comprises entre le dernier quartier et la nouvelle lune, et moins d'accouchements autour du premier quartier. Cette étude a également mis en évidence deux rythmes : l'un est hebdomadaire, caractérisé par un nombre de naissances minimum le dimanche et maximum le mardi ; l'autre est annuel, avec un pic de naissances en mai et un creux en septembre-octobre.

D'après les observations de Monique Bydlowski, qui a collaboré avec de nombreux obstétriciens, cette date prévue pour la naissance peut être commémorative d'un événement du passé : événements douloureux, comme la perte d'un enfant avant la naissance, ou le décès d'un être proche ; ou encore d'événements heureux : l'anniversaire de la mère elle-même, ou celui d'un être aimé. Ce calcul inconscient de la date de naissance fait partie des observations rapportées dans le livre cité page 31.

DURÉE LÉGALE DE LA GROSSESSE
Cette durée a été fixée en France à 300 jours. Le Code civil dispose en effet que « la légitimité d'un enfant né à 300 jours après la dissolution du mariage pourra être contestée ». La durée légale la plus longue est prévue par la loi américaine : 317 jours.

QUAND ACCOUCHERAI-JE ? LE CALENDRIER DE VOTRE ATTENTE

COMMENT LIRE CE TABLEAU

Partez d'une colonne verte correspondant au premier jour des dernières règles, et lisez à droite (colonne blanche ou parme) le chiffre correspondant à la date probable de l'accouchement.

JANVIER	OCTOBRE / NOVEMBRE	FÉVRIER	NOVEMBRE / DÉCEMBRE	MARS	DÉCEMBRE / JANVIER	AVRIL	JANVIER / FÉVRIER	MAI	FÉVRIER / MARS	JUIN	MARS / AVRIL	JUILLET	AVRIL / MAI	AOÛT	MAI / JUIN	SEPTEMBRE	JUIN / JUILLET	OCTOBRE	JUILLET / AOÛT	NOVEMBRE	AOÛT / SEPTEMBRE	DÉCEMBRE	SEPTEMBRE / OCTOBRE
1	14	1	14	1	12	1	12	1	11	1	14	1	13	1	14	1	14	1	14	1	14	1	13
2	15	2	15	2	13	2	13	2	12	2	15	2	14	2	15	2	15	2	15	2	15	2	14
3	16	3	16	3	14	3	14	3	13	3	16	3	15	3	16	3	16	3	16	3	16	3	15
4	17	4	17	4	15	4	15	4	14	4	17	4	16	4	17	4	17	4	17	4	17	4	16
5	18	5	18	5	16	5	16	5	15	5	18	5	17	5	18	5	18	5	18	5	18	5	17
6	19	6	19	6	17	6	17	6	16	6	19	6	18	6	19	6	19	6	19	6	19	6	18
7	20	7	20	7	18	7	18	7	17	7	20	7	19	7	20	7	20	7	20	7	20	7	19
8	21	8	21	8	19	8	19	8	18	8	21	8	20	8	21	8	21	8	21	8	21	8	20
9	22	9	22	9	20	9	20	9	19	9	22	9	21	9	22	9	22	9	22	9	22	9	21
10	23	10	23	10	21	10	21	10	20	10	23	10	22	10	23	10	23	10	23	10	23	10	22
11	24	11	24	11	22	11	22	11	21	11	24	11	23	11	24	11	24	11	24	11	24	11	23
12	25	12	25	12	23	12	23	12	22	12	25	12	24	12	25	12	25	12	25	12	25	12	24
13	26	13	26	13	24	13	24	13	23	13	26	13	25	13	26	13	26	13	26	13	26	13	25
14	27	14	27	14	25	14	25	14	24	14	27	14	26	14	27	14	27	14	27	14	27	14	26
15	28	15	28	15	26	15	26	15	25	15	28	15	27	15	28	15	28	15	28	15	28	15	27
16	29	16	29	16	27	16	27	16	26	16	29	16	28	16	29	16	29	16	29	16	29	16	28
17	30	17	30	17	28	17	28	17	27	17	30	17	29	17	30	17	30	17	30	17	30	17	29
18	31	18	1	18	29	18	29	18	28	18	31	18	30	18	31	18	1	18	31	18	31	18	30
19	1	19	2	19	30	19	30	19	1	19	1	19	1	19	1	19	2	19	1	19	1	19	
20	2	20	3	20	31	20	31	20	2	20	2	20	2	20	2	20	3	20	2	20	2	20	
21	3	21	4	21	1	21	1	21	3	21	3	21	3	21	3	21	4	21	3	21	3	21	
22	4	22	5	22	2	22	2	22	4	22	4	22	4	22	4	22	5	22	4	22	4	22	
23	5	23	6	23	3	23	3	23	5	23	5	23	5	23	5	23	6	23	5	23	5	23	
24	6	24	7	24	4	24	4	24	6	24	6	24	6	24	6	24	7	24	6	24	6	24	
25	7	25	8	25	5	25	5	25	7	25	7	25	7	25	7	25	8	25	7	25	7	25	
26	8	26	9	26	6	26	6	26	8	26	8	26	8	26	8	26	9	26	8	26	8	26	
27	9	27	10	27	7	27	7	27	9	27	9	27	9	27	9	27	10	27	9	27	9	27	
28	10	28	11	28	8	28	8	28	10	28	10	28	10	28	10	28	11	28	10	28	10	28	
29	11			29	9	29	9	29	11	29	11	29	11	29	11	29	12	29	11	29	11	29	
30	12			30	10	30	10	30	12	30	12	30	12	30	12	30	13	30	12	30	12	30	
31	13			31	11			31	13			31	13	31	13			31	13			31	

JANVIER — NOVEMBRE — FÉVRIER — MARS — JANVIER — AVRIL — MAI — MARS — JUIN — JUILLET — MAI — AOÛT — SEPTEMBRE — JUILLET — OCTOBRE — NOVEMBRE — SEPTEMBRE — DÉCEMBRE

Plus tôt : l'accouchement prématuré

On appelle « prématuré » un enfant né avant 37 semaines d'aménorrhée comptées à partir du premier jour des dernières règles.

La prématurité a nettement augmenté ces dernières années, passant de 6,8 % à 7,2 % entre 1998 et 2003. Ces chiffres en hausse sont dus en grande partie à une augmentation du nombre de jumeaux qui sont souvent des bébés prématurés. Parmi ces naissances de jumeaux, près de la moitié sont la conséquence de traitements de la stérilité, ou AMP (p. 108). Mais les grossesses gémellaires ne sont pas les seules causes d'accouchement prématuré, voyons ce qu'il en est.

POURQUOI L'ACCOUCHEMENT A-T-IL LIEU PRÉMATURÉMENT ?

Les causes médicales

• Les infections du col et du vagin peuvent provoquer une fragilisation des membranes et entraîner l'ouverture de la « poche des eaux ». Cette **rupture des membranes** est une des causes les plus fréquentes de l'accouchement prématuré.

• L'insertion anormale du placenta ou placenta *praevia* (p. 243) est également une cause d'accouchement prématuré. Il en est de même pour tout saignement en fin de grossesse, quelle qu'en soit l'origine.

• Les infections en fin de grossesse peuvent entraîner un accouchement prématuré, en particulier l'infection urinaire qui est souvent inapparente. C'est pourquoi au moindre doute le médecin fait faire un examen cytobactériologique des urines (ECBU).

• Les malformations utérines (p. 255) et les anomalies du col (béance du col p. 238) peuvent provoquer un accouchement prématuré. L'utérus se contracte trop tôt, ou bien le col ne joue plus son rôle de verrou.

• Les maladies maternelles liées à la grossesse, en particulier le diabète, la toxémie, peuvent amener le médecin à prendre la décision de faire naître le bébé prématurément, avant qu'il ne souffre. Cette décision est difficile à prendre puisque l'on oscille entre les risques de la prématurité et ceux de la souffrance de l'enfant *in utero*. On dispose actuellement de moyens (échographie, doppler, enregistrement du rythme cardiaque de l'enfant, etc.) qui permettent d'apprécier le degré de souffrance *in utero*.

• Une autre cause joue un rôle de mieux en mieux connu : le tabagisme qui multiplie par deux ou trois le risque de prématurité.

• Enfin, un traumatisme accidentel (accident de voiture) ou une opération chirurgicale (appendicite) sont capables de provoquer un accouchement prématuré. Heureusement ces causes sont plutôt exceptionnelles.

Les facteurs socio-économiques jouent un rôle incontestable

Il est certain que la fatigue de la femme enceinte augmente le risque d'un accouchement prématuré (mais il est rare qu'il s'agisse alors d'une grande prématurité). C'est dire le rôle des conditions de travail, lorsque celui-ci est pénible physiquement, et des travaux ménagers fatigants. Toutes les statistiques prouvent que l'accouchement prématuré est d'autant plus fréquent que le niveau socio-économique de la femme est moins élevé. C'est pourquoi le repos légal de six semaines avant l'accouchement doit être respecté. En cas de travail pénible, le médecin pourra conseiller un repos plus long.

• Avant d'en terminer sur ce chapitre des causes, nous voudrions vous préciser deux choses. Tout d'abord, si toutes les causes envisagées peuvent déclencher l'accouchement prématurément, il n'en est pas toujours ainsi. Ne vous inquiétez pas si vous êtes dans un de ces cas. Il est tout à fait possible que votre grossesse aille à son terme. D'autre part, toutes les causes d'accouchement prématuré ne sont pas connues. Elles nous échappent dans 30 % des cas au moins. Il n'est donc pas possible, dans près d'un tiers des cas, de prévenir un accouchement prématuré.

RAPPELEZ-VOUS CECI
Si l'accouchement prématuré est une crainte bien légitime pour un grand nombre de mamans et pour les médecins, la très grande majorité des femmes vont jusqu'au terme, et seulement 5 à 7 % accouchent prématurément. Pour être plus sereine, essayez de penser surtout à la première éventualité qui concerne le plus grand nombre d'entre vous.

LA MENACE D'ACCOUCHEMENT PRÉMATURÉ

Pour la future mère, la menace d'accouchement prématuré se traduit essentiellement par l'apparition anormale de contractions utérines. Elle sent son ventre « se durcir » et cette contraction peut être douloureuse. Si c'est votre cas, mettez-vous immédiatement au repos, placez (si vous en avez) un suppositoire d'antispasmodique et prévenez le médecin aussitôt, ou rendez-vous à la maternité sans tarder.

Le médecin recherchera si votre col s'est modifié, en particulier s'il a raccourci, ou s'il a tendance à s'ouvrir. Actuellement, on utilise de plus en plus souvent l'**échographie du col** qui montre bien sa longueur, ainsi que l'ouverture de l'orifice interne. Cet examen échographique du col peut être répété, ce qui permet de se rendre compte d'une éventuelle modification. Le raccourcissement et le début d'ouverture du col sont en effet les deux signes qui traduisent que l'accouchement risque d'avoir lieu plus tôt que prévu.

Dans ce cas, le médecin prescrira :
• le repos complet au lit jusqu'à l'accouchement, ou au moins jusqu'à ce que l'enfant ne risque pas une trop grande prématurité
• l'administration de médicaments destinés à mettre l'utérus au repos et à stopper les contractions utérines
• une analyse d'urines et un prélèvement vaginal pour dépister une éventuelle infection et pouvoir la traiter si elle existe
• il est possible qu'une hospitalisation soit nécessaire si le risque d'accouchement semble sérieux ; elle permet une meilleure surveillance et un traitement plus intensif.

Dans certains cas malheureusement ces mesures n'empêchent pas la survenue de l'accouchement prématuré.

LES RISQUES DE L'ACCOUCHEMENT PRÉMATURÉ POUR L'ENFANT

Un enfant qui naît prématurément n'a pas le même aspect qu'un enfant qui naît à terme. En général, il a la peau plus rouge et plus fine. Ses veines sont très visibles. Le duvet est encore abondant et il est couvert de *vernix* (enduit crémeux qui protège son corps). En revanche, les cheveux sont rares, les ongles peu développés, les fontanelles larges et peu tendues.

Mais ce qui différencie surtout le prématuré de l'enfant né à terme, c'est qu'il n'a pas atteint le même degré de développement ; on le constate dans toutes les fonctions de son organisme ; et c'est d'ailleurs là que réside la difficulté de son « élevage ». Un prématuré peut se développer très bien, mais il peut aussi souffrir gravement d'être né avant terme.

ON PEUT CLASSER LES PRÉMATURÉS EN TROIS CATÉGORIES.

Le prématuré de 35 à 37 semaines
Il est généralement peu exposé. Dans un grand nombre de cas, il est simplement plus fragile mais il peut rester sur place, sous la surveillance du pédiatre de la maternité.

Le prématuré de 33 à 35 semaines
Il doit bénéficier de soins particuliers en néonatalogie où il est le plus souvent transféré après sa naissance. S'il est né dans une maternité de niveau II, il est soigné sur place.

Le prématuré né à moins de 33 semaines
Il doit absolument être transféré dans un service de réanimation néonatale (à moins qu'il ne soit né dans une maternité de niveau III). Il a de la peine à respirer et doit donc parfois être ventilé artificiellement. En effet, l'anoxie, ou manque d'oxygène, risque d'entraîner de graves conséquences pour le cerveau.
• Il est incapable de régler sa température, et donc peut se refroidir. C'est pourquoi, dans l'incubateur, la température est constamment surveillée.
• Il est souvent incapable de téter et son estomac a de petites capacités. On est fréquemment obligé de le nourrir par sonde ou par perfusion. Il ne digère pas bien certains aliments, les graisses en particulier (d'où l'importance du lait maternel).
• Il est sensible aux infections.
• Il est incapable de fabriquer suffisamment de sang, d'où la nécessité parfois de le transfuser.
• Il manque de vitamines et de fer.
• Il ne transpire pas car il n'a pas les glandes nécessaires. Il faut donc le mettre dans une atmosphère humide.

QUE FAUT-IL FAIRE SI L'ON REDOUTE UN ACCOUCHEMENT PRÉMATURÉ ?

La première chose, c'est de demander conseil à la personne qui vous suit, médecin ou sage-femme. Et, selon sa réponse, n'hésitez pas à changer vos projets. Il est possible qu'on vous recommande d'accoucher dans une maternité qui possède un centre de néonatalogie, capable d'assurer une réanimation néo-natale, si le risque d'accouchement prématuré survient à moins de 32 semaines.

Si le déplacement n'est pas possible, et que vous accouchiez dans la maternité initialement prévue, c'est à la naissance que le médecin décidera si l'enfant peut rester dans cet établissement, ou s'il doit être transféré dans un centre de prématurés.

Le médecin prendra cette décision en présence d'un grand prématuré : celui-ci nécessite en effet une surveillance intensive, et des soins particuliers, notamment d'alimentation. Selon son état initial, l'enfant restera dans ce centre quelques jours ou quelques semaines. Heureusement, aujourd'hui, ce séjour forcé ne signifie pas une coupure avec les parents. Les parents sont engagés à venir régulièrement voir leur bébé, le toucher, lui parler, et qu'ainsi, et pour lui et pour eux, le lien ne soit pas rompu. Lors de la naissance d'un enfant prématuré, les parents se sentent toujours plus ou moins responsables. Garder un contact avec l'enfant, lui rendre visite, cela aide à surmonter cette culpabilité.

À propos des grands prématurés (nés à moins de 32 semaines) : dans ces cas, rares il est vrai (environ 1 % des accouchements), il est préférable que la maman accouche dans une maternité possédant un centre de réanimation néo-natale (maternité de niveau III, p. 278), plutôt que de transférer l'enfant après la naissance dans un tel centre. C'est ce qu'on appelle le « transfert *in utero* ». Il permet d'éviter le risque de refroidissement et la fragilisation du bébé pendant le transport.

PEUT-ON ÉVITER L'ACCOUCHEMENT PRÉMATURÉ ?

Prévenir l'accouchement prématuré reste aujourd'hui un des grands soucis des médecins. En effet, la grande prématurité (moins de 32 semaines) et la très grande prématurité (moins de 28 semaines) sont responsables de la majorité des morts qui surviennent dans la période qui suit l'accouchement. Il en est de même pour les handicaps.

Certes, la médecine a fait de grands progrès, et les soins donnés dans les centres de réanimation néonatale permettent la survie d'enfants qui autrefois étaient condamnés. Malheureusement, cela peut être au prix de séquelles plus ou moins graves. C'est pourquoi le meilleur traitement de la prématurité consiste encore actuellement dans la poursuite de la grossesse le plus longtemps possible près du terme : le meilleur incubateur pour le bébé, c'est sa mère. Grâce à une meilleure surveillance de la grossesse, et à une bonne hygiène de vie, il est possible d'espérer améliorer la situation.

Comme vous l'avez vu plus haut, la prématurité est aujourd'hui directement liée à l'augmentation des grossesses gémellaires qui proviennent elles-mêmes de l'aide médicale à la procréation. C'est pourquoi les médecins tentent d'éviter le plus possible les grossesses multiples.

Il y a aussi des cas précis où l'on peut prévenir l'accouchement prématuré par une intervention ; par exemple une malformation utérine que l'on corrige par la chirurgie ; et la béance du col qui, elle, est corrigée par un cerclage.

Le cerclage du col

Il est destiné à traiter ce que l'on appelle une « béance » du col : le col se ferme mal et joue insuffisamment son rôle de verrou à la partie inférieure de l'utérus. Cette béance peut être congénitale, ou avoir été provoquée par des dilatations du col (curetages par exemple). Le cerclage est pratiqué entre deux mois et demi et trois mois, et consiste à fermer l'ouverture du col en passant un fil solide, comme pour fermer une bourse. Le cerclage est fait sous anesthésie générale. Il nécessite une hospitalisation de quelques jours. Malgré le cerclage, il est souvent nécessaire de prendre des précautions jusqu'à la fin de la grossesse, essentiellement en se reposant. Au-de là du 9ᵉ mois, ou au début de l'accouchement lui-même, le médecin ôte le fil. Si la maman est rhésus négatif, on lui injectera des gammaglobulines (p. 262).

Cela dit, puisque dans 30 % des cas on ne sait pas pourquoi un enfant naît prématurément, vous n'avez pas de raison de vous culpabiliser si votre enfant naissait plus tôt que prévu, et si vous avez fait ce qui était raisonnable pour l'éviter.

Plus tard : la grossesse prolongée

C'est une complication plus rare que la précédente (2 à 3 % des cas), mais elle peut aussi être grave et poser des problèmes délicats. En effet, l'enfant risque une grave atteinte – et même de mourir *in utero* – quand la grossesse se prolonge anormalement.

Le placenta, véritable usine d'échanges entre la mère et l'enfant, fournit jusqu'à terme les aliments et surtout l'oxygène nécessaires au fœtus. Le terme dépassé, le placenta vieillit et fonctionne moins bien ; les apports au fœtus deviennent insuffisants, d'où le risque de souffrance fœtale.

Sur le plan pratique, il est difficile de savoir si une grossesse est véritablement prolongée. Vous avez vu au début de ce chapitre qu'il était presque impossible de calculer le terme exact avec précision, et que des variations de quelques jours étaient courantes dans un sens ou dans l'autre. En vérité, la situation ne devient préoccupante que si la grossesse se prolonge de quelques jours au-delà de 42 semaines d'aménorrhée.

Le dépassement de terme peut se traduire, pour vous, par une nette diminution des mouvements actifs du bébé. Le médecin, lui, cherchera à savoir si l'enfant est menacé, grâce à l'examen du rythme cardiaque fœtal (ou monitoring) fait tous les jours ou, au maximum, tous les deux jours.

L'échographie, pratiquée tous les deux jours environ, peut montrer une diminution du volume du liquide amniotique, ce qui indique un début d'hypoxie fœtale (manque d'oxygène).

Muni de ces renseignements, le médecin pourra alors prendre la décision de déclencher l'accouchement. À la naissance, l'enfant (que l'on qualifie alors de « postmature ») a souvent un aspect un peu particulier : sa peau est plus fripée que chez l'enfant né à terme et elle ne porte plus aucune trace de couche graisseuse (appelée « vernix »). Elle élimine ses couches superficielles : on dit qu'elle desquame. Enfin, les ongles sont très longs. Mais habituellement, l'enfant postmature ne nécessite pas de soins particuliers.

Peut-on programmer la date de l'accouchement ?

Oui, c'est possible de déclencher artificiellement le travail avant la date prévue pour l'accouchement. Certaines futures mères sont tentées par l'accouchement « programmé », pour des raisons personnelles ou professionnelles. Certains médecins y sont favorables aussi pour une meilleure organisation du travail : ils pensent qu'il vaut mieux que les accouchements aient lieu de jour, lorsque toute l'équipe est présente et fraîche, plutôt que la nuit.

Tout déclenchement artificiel du travail implique l'acceptation de certains risques :

• Celui de se solder par un échec si les conditions locales nécessaires ne sont pas réunies, notamment le col doit être suffisamment ramolli et déjà entrouvert. On dit qu'il doit être « mûr ».

• Le risque, bien qu'ayant déclenché le travail, de provoquer un accouchement plus long, plus difficile, donc plus traumatisant pour l'enfant et pour la mère. Il arrive même que l'on soit amené à des situations dont la seule issue est la césarienne, intervention dont on aurait pu se dispenser.

• Quant au risque de faire naître un enfant prématuré, il a diminué grâce à l'échographie précoce qui permet de dater le début de la grossesse. Mais il n'a pas complètement disparu.

Il est donc possible de programmer la date de l'accouchement. Faut-il le faire pour autant ? En dehors de raisons médicales, il semble raisonnable de n'envisager cet accouchement avant terme que si un minimum de conditions sont réunies et que vous ayez de bonnes raisons pour cela (proximité du terme, maturité du col appréciée par sa souplesse et son début d'ouverture). Faute de ces conditions, on court le risque d'un échec du déclenchement et l'accouchement prévu par les voies naturelles se terminera par césarienne.

Aussi vaut-il mieux le plus souvent laisser le bébé choisir l'heure, le jour et le quartier de lune qui lui plairont le plus. Pourquoi ne pas laisser agir la nature, ce que font, d'ailleurs, la plupart d'entre vous ?

> **LE DÉCLENCHEMENT DE L'ACCOUCHEMENT**
> TOUTES CAUSES CONFONDUES, LE NOMBRE DE DÉCLENCHEMENTS EST RESTÉ STABLE ENTRE 1998 ET 2003 : IL EST DE 20 % (ENQUÊTE INSERM).

LE DÉCLENCHEMENT DU TRAVAIL EN PRATIQUE

Le déclenchement du travail peut être « d'indication médicale ». Sa date et sa réalisation sont le fruit d'une décision médicale en fonction de l'état de santé du bébé ou de la maman.

Le déclenchement peut être dit « de convenance ». Il s'agit alors d'un « accouchement programmé ». Il est d'ailleurs rarement proposé, et plutôt déconseillé, pour un premier accouchement.

Pour l'accouchement « de convenance », quelques conditions doivent être réunies :

- grossesse au-delà de 39 semaines ou 8 mois et demi

- « col favorable », c'est à dire mou et largement perméable au doigt.

L'entrée à la maternité se fait la veille ou le matin même, toujours après accord téléphonique car les salles d'accouchement peuvent être surchargées.

Le déclenchement se fait par une perfusion d'ocytocine précédée ou non de l'application dans le col ou le vagin d'un produit (prostaglandine) qui favorise la venue des contractions utérines.

Une rupture de la poche des eaux facilite le bon déroulement du travail dès qu'il a réellement débuté.

Comment choisir la maternité ?

Lorsqu'on demande aux parents quelles sont les principales raisons de choix d'une maternité, ils répondent : la proximité, la connaissance du médecin, la sécurité médicale, la qualité de l'accompagnement. C'est ce que révèle la récente enquête de l'INSERM.

Une nouvelle organisation des maternités

Au cours de ces dernières années, des normes ont été établies concernant la qualité des soins, l'équipement médical, la compétence du personnel, ce qui a obligé à fermer certaines maternités qui n'avaient pas les critères de sécurité requis. Et une réforme récente et importante a classé les maternités en trois niveaux selon leur équipement pédiatrique, c'est-à-dire unité de néonatalogie et unité de réanimation néonatale.

• **Les maternités de niveau I** disposent d'une unité d'obstétrique et pratiquent les actes pédiatriques courants. Ces maternités prennent en charge les femmes ayant une grossesse que l'on considère sans facteur de risque particulier, c'est-à-dire 90 % des grossesses.

• **Les maternités de niveau II** accueillent les femmes dont les enfants auront vraisemblablement besoin d'une surveillance particulière. Ces maternités disposent à cet effet d'une unité de néonatalogie.

• **Les maternités de niveau III** disposent, en plus d'une unité d'obstétrique et d'une unité de néonatalogie, d'une unité de réanimation néonatale. Ces maternités accueillent les femmes chez lesquelles de grandes difficultés sont redoutées ; elles peuvent prendre en charge, en particulier des nouveau-nés très prématurés, de moins de 32 semaines, ou présentant un risque important, et notamment une prise en charge chirurgicale en cas de malformation décelée. Ces maternités sont généralement situées dans les CHU (Centres hospitaliers universitaires).

Vouloir à tout prix accoucher dans une maternité de niveau III, selon le principe « Qui peut le plus, peut le moins », n'est pas forcément un bon choix. Vous risquez d'être déçue car ces maternités sont souvent encombrées et les sorties sont très précoces.

Des critères personnels

Au-delà des questions de sécurité, vous avez peut-être des désirs personnels dans le choix de la maternité. Voici quelques questions que vous pouvez avoir envie de poser au moment de votre inscription : quel type de préparation à la naissance fait-on ? Peut-on, si on le désire, accoucher sans péridurale ? Quelles sont les alternatives pour soulager la douleur ? À la naissance, pourrez-vous garder votre bébé, bien au chaud sur vous, pour qu'il découvre, entre ses parents, le monde qui l'entoure ? Comment est accueilli le père : peut-il être présent à l'accouchement ? Peut-il être là en cas de césarienne ? Au cours des premiers soins pour le bébé ? Peut-il rester dormir s'il le désire ? S'il ne souhaite pas assister à l'accouchement, la sage-femme sera-t-elle plus présente pendant les contractions ? Comment sont organisées les visites : les aînés peuvent-ils venir ? Combien de jours reste-t-on après la naissance ? Si la maman désire allaiter, l'allaitement au sein est-il encouragé ? etc.

Vous aurez peut-être envie de poser des questions concernant directement l'accouchement : pendant la dilatation, peut-on aller et venir ? Y a-t-il une baignoire permettant, si on le souhaite, de se relaxer ? L'expulsion se passe-t-elle nécessairement en position gynécologique ou peut-on choisir sa position ? etc.

En pratique

Avec ces différents éléments, comment choisir une maternité ?

• **Vous êtes suivie par un médecin.** C'est lui qui vous conseillera les maternités où vous pourrez accoucher. Vous en discuterez et vous choisirez ensemble l'établissement qui vous convient le mieux, selon votre état de santé et selon vos désirs personnels. De même, si vous êtes suivie par une sage-femme.

• **Vous désirez accoucher dans une maternité précise** ; dans ce cas, inscrivez-vous le plus rapidement possible. Selon l'équipement technique de cette maternité, et selon la manière dont votre grossesse évoluera, vous serez suivie dans cet établissement, ou bien l'équipe médicale vous dirigera vers un autre établissement, une maternité de niveau II ou III, si votre état de santé ou celui du bébé le justifient.

Reste la question budget

Pensez-y au moment de votre inscription car il peut y avoir de grandes différences dans les frais à régler à la sortie :
• à l'hôpital ou dans une clinique conventionnée, vous pouvez accoucher sans avoir rien à débourser
• dans une clinique non conventionnée, la somme peut être plus ou moins importante (chap. 18).

Au moment de votre inscription, il est donc nécessaire de bien vous renseigner. Demandez ce que vous aurez exactement à régler ; si les honoraires du médecin accoucheur et de l'anesthésiste sont compris dans le prix qui vous sera indiqué (car cela dépend des cas), etc. Cette précaution vous permettra d'établir votre budget et vous épargnera la surprise d'une note plus élevée que prévue. Et pensez que pourront s'ajouter à cette note tous les suppléments (boissons, communications téléphoniques, télévision, chambre seule, etc.). Certaines cliniques luxueuses ont des tarifs élevés, il vaut mieux les connaître avant de s'inscrire. Mais il y a des mutuelles qui, après entente préalable, peuvent couvrir une partie des frais. Renseignez-vous avant l'accouchement.

Préparez votre retour à la maison

La tendance est au retour précoce à la maison, mais ce retour a besoin d'être préparé, sinon, il peut être éprouvant pour vous et pour toute la famille. Aussi, bien avant la naissance, renseignez-vous auprès de la maternité, pour connaître les habitudes de l'établissement, et notamment la possibilité d'un suivi à domicile après la naissance, soit par une sage-femme libérale, soit par une sage-femme de PMI, soit dans le cadre de l'hospitalisation à domicile.

> **QU'EMPORTER À LA MATERNITÉ ?**
> *Vous trouverez chapitre 18 une liste de suggestions, pour vous-même et pour votre bébé.*

Il existe en effet des forfaits spécifiques de surveillance de suites de couches à domicile, à partir du jour de l'accouchement jusqu'au septième jour. La sage-femme vient à la maison, elle vérifie que les saignements sont normaux, que l'utérus reprend sa place ; elle peut faire les soins nécessaires après une épisiotomie. Elle s'assure que la lactation s'établit bien, que la maman est confortablement installée pour allaiter, que le bébé tète correctement s'il est au sein et que, s'il est au biberon, la glande mammaire reste au repos. La sage-femme peut aussi aider à reconnaître les rythmes du bébé : la faim, le sommeil, et s'assurer qu'il s'adapte bien à sa nouvelle vie. Dans les jours qui suivent la naissance, les mamans se sentent parfois désemparées, avec une sensibilité exacerbée ; elles disent apprécier la présence et la compétence d'une professionnelle.

Au-delà de cette période du forfait, il est bien sûr possible de consulter le médecin ou la sage-femme. Et l'infirmière de PMI peut aussi passer à la maison pour vous guider dans les soins du bébé. Enfin, vous pouvez peut-être bénéficier des services d'une travailleuse familiale, voyez le service social de la mairie. En ayant organisé votre retour à la maison, vous pourrez bien profiter de vos premiers jours avec bébé.

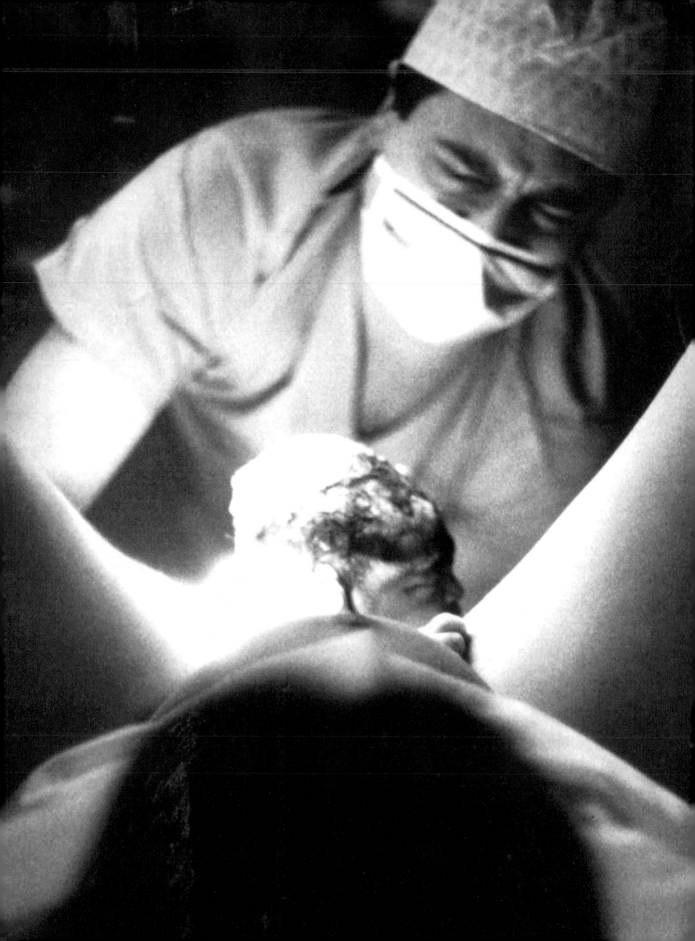

L'accouchement et la naissance

Le neuvième mois est celui de la lassitude,
les futures mamans sont fatiguées, essoufflées,
elles dorment mal, elles ont envie d'accoucher.
Elles se sentent prêtes à se séparer de leur bébé
pour enfin le prendre dans les bras. Avec des
nuances, la plupart des mères éprouvent
ce sentiment d'une étape qui se termine,
à la fois physique et psychologique.
Voici venu le temps de l'accouchement. La future
maman veut tout savoir de lui : comment il
s'annonce, comment il débute, combien de temps
il dure, s'il fera souffrir, quand il faut partir pour
la maternité, etc.
Ce chapitre va s'efforcer de répondre à toutes ces
questions, en commençant par quelques
explications d'ordre anatomique qui permettent
de comprendre le mécanisme de l'accouchement :
les contractions utérines poussent l'enfant vers
le bas, et celui-ci doit franchir plusieurs passages.

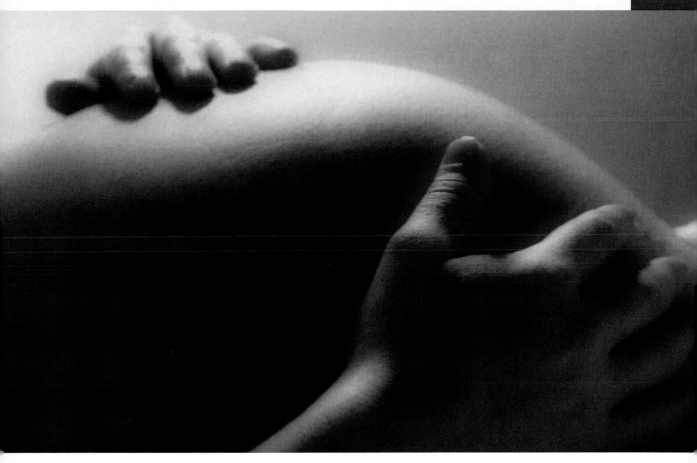

D'abord quelques explications

Voyez, page 287, la situation de l'enfant à la veille de la naissance. À l'intérieur de l'utérus, l'enfant est entouré comme dans un sac par deux fines membranes : l'amnios et le chorion. À l'intérieur de ce sac, le liquide amniotique est représenté par la partie bleutée qui entoure l'enfant.

À la partie inférieure de l'utérus se trouve le col qui, pendant toute la durée de la grossesse, reste fermé comme un verrou. L'accouchement sera la sortie de l'enfant hors de l'utérus, hors des voies génitales de la mère. Cette sortie ne peut se faire sans un moteur qui pousse l'enfant vers le bas. Ce moteur, ce sont les contractions de l'utérus qui vont avoir deux effets :
• elles vont ouvrir le col de l'utérus
• elles vont faire franchir à l'enfant le tunnel (la filière pelvigénitale) formé par le bassin osseux et les parties molles du périnée et de la vulve.

On peut considérer l'accouchement comme la résultante de deux forces opposées : l'une active, c'est la contraction utérine qui cherche à pousser l'enfant dehors, l'autre passive, c'est le tunnel qui résiste à cette poussée. Voyons les forces en présence : le moteur utérin, l'enfant, puis le tunnel à franchir.

LE MOTEUR : L'UTÉRUS

L'utérus est un muscle formé de fibres musculaires lisses, comme celles de l'intestin ou du cœur par exemple. Ces fibres ont le pouvoir de se contracter de façon autonome, automatique, c'est-à-dire qu'elles échappent à la volonté : vous ne pouvez ni les diminuer, ni les augmenter. Cela ne veut pas dire que vous allez rester passive pendant votre accouchement, nous vous en reparlerons.

Les contractions apparaissent en général à partir du 6e mois de la grossesse et parfois plus tôt. Ces contractions sont ressenties par la future maman mais ne sont pas douloureuses. C'est seulement au moment de l'accouchement qu'elles entrent véritablement en scène, qu'elles agissent pour de bon.

UN JOUR LE MOTEUR SE MET EN MARCHE

Qu'est-ce qui, un beau jour, déclenche les contractions ? Pour l'instant, il est impossible de répondre d'une manière précise à cette question, mais il est vraisemblable que plusieurs facteurs entrent en jeu.

Le **fœtus** lui-même joue probablement un rôle important. Dans les jours et les heures qui précèdent l'accouchement, ses glandes surrénales deviennent hyperactives. Mais nous ne savons pas comment s'exerce cette influence. Une autre hormone est connue pour déclencher et entretenir les contractions : c'est l'*ocytocine* sécrétée par l'hypophyse. C'est elle que l'on emploie en perfusion intraveineuse au cours de l'accouchement pour renforcer et régulariser les contractions. À la fin de la grossesse, elle est sécrétée à la fois par l'hypophyse de la mère et par celle du fœtus.

Certains facteurs sont purement mécaniques : la **distension utérine**, qui existe en fin de grossesse, agit sur le col pour le forcer progressivement à s'ouvrir. Elle peut aussi agir sur le muscle utérin pour lui faire sécréter des substances actives sur la contraction : les prostaglandines. Fabriquées par l'utérus, le taux des prostaglandines augmente nettement en fin de grossesse.

Des **facteurs nerveux** interviennent également – comme des réflexes – dont le point de départ serait le col utérin. Il est fréquent que le simple toucher vaginal d'une femme à terme déclenche l'accouchement dans les 24 heures qui suivent. On ignore toutefois la nature exacte de ces réflexes.

En conclusion, on peut dire qu'aucun de ces différents facteurs ne paraît suffisant à lui seul pour déclencher l'accouchement. Mais il est possible qu'ils s'associent selon un mécanisme qui nous est encore inconnu, pour provoquer, puis entretenir et renforcer les contractions.

EFFET DES CONTRACTIONS

L'utérus commence donc à se contracter. Les contractions vont exercer leur force de haut en bas, c'est-à-dire du fond de l'utérus vers le col. Ce faisant, elles vont avoir une action sur le col : en effet,

EFFET DES CONTRACTIONS UTÉRINES
Les contractions utérines tendent à diminuer la longueur de l'utérus. Il se ramasse sur lui-même comme l'indiquent les flèches. Le fond de l'utérus est poussé du haut vers le bas, le col est tiré du bas vers le haut, la tête de l'enfant servant d'appui contre le col. Ainsi le col est-il amené à s'ouvrir et l'enfant à sortir.

à chaque contraction, les parois de l'utérus tirent le col vers le haut. Et c'est ainsi que peu à peu le col va s'ouvrir. Il est en effet indispensable, pour que l'enfant puisse sortir de l'utérus, que s'ouvre le col comme vous pouvez vous en rendre compte sur les schémas a, b, c, d, ci-dessous. Certes, au cours de la grossesse, le col a subi un ramollissement progressif qui rend son ouverture plus aisée, mais **il ne peut s'ouvrir que grâce à l'action des contractions utérines**.

... Dilater le col

Dans un premier temps, le col se raccourcit progressivement jusqu'à disparaître et se confondre avec le reste de l'utérus. On dit qu'il **s'efface**. Mais au début, il est encore fermé (schéma b). C'est dans un second temps que le col s'ouvre, et toujours sous l'influence des contractions. On dit alors qu'il **se dilate** (schéma c).

Cette dilatation est exprimée en centimètres. La dilatation complète du col correspond à une ouverture de 10 cm de diamètre. Les modifications du col s'évaluent par le toucher vaginal, pratiqué régulièrement au cours de la dilatation.

Au cours du premier accouchement, chez la primipare – la femme qui met au monde son premier enfant –, l'effacement et la dilatation du col constituent deux phénomènes bien distincts qui se suivent dans le temps. Chez la multipare – la femme qui a déjà eu des enfants – ils vont souvent de pair : le col s'efface et se dilate en même temps. L'enfant ne peut sortir de l'utérus tant que la dilatation du col n'est pas complète, et ce sont les contractions utérines seules qui produisent cette dilatation.

... Pousser l'enfant vers le bas

Les contractions agissent sur le col pour l'ouvrir, mais elles agissent également sur l'enfant : elles le poussent peu à peu vers le bas.

Cette descente progressive de l'enfant se fait simultanément à la dilatation du col. L'enfant ne pourra donc sortir de l'utérus que lorsque la dilatation sera complète.

L'EFFACEMENT ET LA DILATATION DU COL
On voit, dessinés schématiquement, la tête de l'enfant, le liquide amniotique (en bleu), les membranes de l'œuf (trait sombre), le tout à l'intérieur de l'utérus dont le col, en bas, s'ouvre dans le vagin.

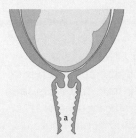 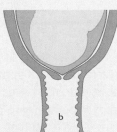 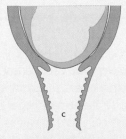 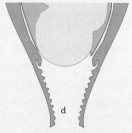

Au début de l'accouchement, le col de l'utérus est fermé.

Peu à peu, sous l'effet des contractions, le col perd sa longueur : on dit qu'il s'est effacé. Mais il reste encore fermé.

Le col en train de s'ouvrir : il se dilate. Les membranes retiennent le liquide amniotique qui forme une poche plus ou moins tendue contre le col : c'est la poche des eaux.

Col ouvert, poche rompue, la tête de l'enfant va maintenant pouvoir descendre pour sortir de l'utérus. Puis elle va traverser le vagin et la vulve dilatés au maximum.

Toujours sous l'effet des contractions, un peu de liquide amniotique s'accumule entre la tête du bébé et le pôle inférieur de l'œuf : c'est la poche des eaux (schéma c, page précédente). Son rôle est de répartir la pression des contractions utérines autour du col de l'utérus. Ainsi la douleur de la mère est atténuée et la tête du bébé est protégée.

Les contractions, après avoir ouvert le col, vont faire franchir à l'enfant le bassin maternel qui forme comme un tunnel.

LE TUNNEL À FRANCHIR : LE BASSIN MATERNEL

Le tunnel à franchir constitue ce qu'on appelle la *filière pelvigénitale*. C'est en la traversant que l'enfant rencontrera sur sa route divers obstacles.

Cette filière est d'abord formée d'abord par le **bassin osseux** (schéma 2 ci-contre) qui n'est pas extensible car il est constitué de quatre os solidaires et articulés les uns aux autres : le sacrum et le coccyx en arrière, les os iliaques droit et gauche sur les côtés et en avant, là où ces deux os se rejoignent pour former le pubis (ou *symphyse pubienne*).

Pendant la grossesse, l'enfant est situé au-dessus du pubis. Au cours de l'accouchement, il va devoir traverser le bassin, puis en sortir. L'orifice d'entrée du bassin, par où entre l'enfant, est encore appelé *détroit supérieur*. Il a un peu la forme d'un cœur de carte à jouer. L'orifice de sortie du bassin est appelé *détroit inférieur*. Cette filière est également formée de muscles et de tissus extensibles qui tapissent et s'insèrent sur les bords du bassin osseux : c'est ce que l'on appelle le **périnée** ou **bassin mou**, par opposition au bassin osseux qui est dur et inextensible.

Ce sont ces deux obstacles (bassin osseux et bassin mou) que l'enfant devra franchir simultanément au cours de sa descente (schéma 3).

A noter que les muscles du périnée (schéma 4) vont être soumis pendant l'accouchement à des tensions considérables, notamment lors de l'expulsion. Ce qui explique l'utilité des exercices proposés après l'accouchement pour renforcer le périnée (voir p. 337 et 397). Pour les accouchements suivants, le bassin mou sera franchi plus aisément, le chemin ayant été tracé, si l'on peut dire, par le premier enfant.

L'ENFANT

Au terme de la grossesse, au moment où va se déclencher l'accouchement, l'enfant est prêt à effectuer sa sortie. Vous l'avez vu, il est habituellement en position verticale, tête en bas, siège en haut, c'est-à-dire dans le fond de l'utérus, entouré par les membranes et par le liquide amniotique, qui le protègent (schéma 1).

Pour franchir les différents obstacles que nous venons de voir, l'enfant va effectuer toute une série d'évolutions qui vont lui permettre de s'adapter aux formes et aux dimensions du tunnel. La tête commence par franchir l'orifice supérieur du bassin, ou détroit supérieur. On dit qu'elle **s'engage**.

En même temps qu'elle s'engage, la tête s'oriente obliquement : c'est que l'orifice supérieur du bassin lui offre plus de place pour passer en oblique ; disons qu'il est plus facile d'entrer dans le bassin la tête tournée du côté droit ou du côté gauche, et fléchie vers le bas, que la tête droite ; c'est pourquoi l'enfant fait ce double mouvement : rotation oblique et flexion vers le bas. L'exemple classique pour comprendre

1. LA SITUATION DE L'ENFANT AVANT LA NAISSANCE

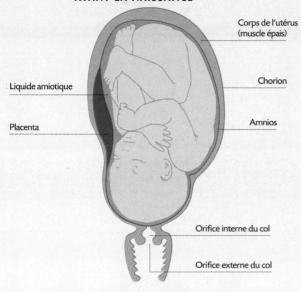

Corps de l'utérus (muscle épais)

Chorion

Amnios

Liquide amiotique

Placenta

Orifice interne du col

Orifice externe du col

Vous voyez sur ce schéma que le col de l'utérus a deux orifices : celui qui est vers le vagin (orifice externe) et celui qui est vers le bébé (orifice interne). En fin de grossesse, il est normal chez une femme ayant déjà eu un ou plusieurs enfants que l'orifice externe soit ouvert. L'orifice interne s'ouvrira au début du travail.

2. VU D'EN HAUT LE BASSIN OSSEUX DE LA FEMME

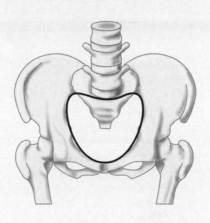

Nous voyons le détroit supérieur, les vertèbres lombaires, les os iliaques droit et gauche (larges surfaces), la symphyse du pubis (devant), le sacrum (bas de la colonne vertébrale) et le coccyx (bout du sacrum).

3. LES DIFFÉRENTS PASSAGES À FRANCHIR

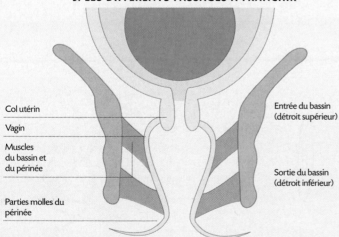

Col utérin

Vagin

Muscles du bassin et du périnée

Parties molles du périnée

Entrée du bassin (détroit supérieur)

Sortie du bassin (détroit inférieur)

4. LE PÉRINÉE

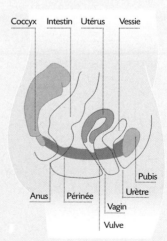

Coccyx Intestin Utérus Vessie

Pubis

Anus Périnée

Urètre

Vagin

Vulve

PRÉLUDE À L'ACCOUCHEMENT

Dans quelques heures, cet enfant sera né. Sur l'image de gauche, on voit la position de l'enfant et la place qu'il occupe dans le corps maternel. Sur l'image de droite, bien que l'utérus soit fermé, la tête de l'enfant va s'engager dans le bassin. C'est le prélude à l'accouchement - ressenti par la mère comme un poids au bas du ventre - quelques jours, parfois quelques heures avant les premières contractions.

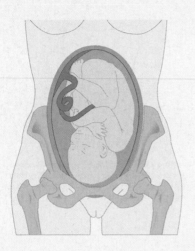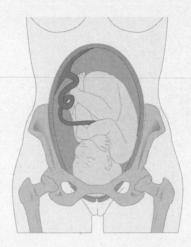

ORIENTATION ET ENGAGEMENT DU BÉBÉ

Comme vous le voyez sur ces schémas du canal osseux, l'enfant qui naît ne sort pas « tout droit » : il change deux fois d'orientation.
À gauche, la femme est représentée couchée, à droite le schéma la représente debout.

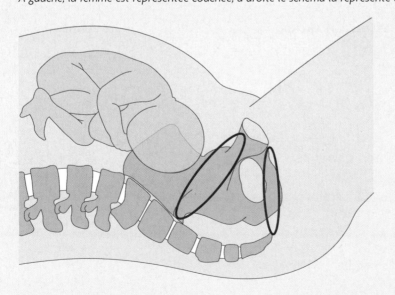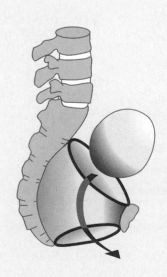

ce mécanisme est celui de l'œuf que l'on doit faire passer dans un anneau : l'œuf présenté dans son grand axe vertical franchit l'anneau ; présenté dans l'axe transversal, il ne peut pas passer (schéma 5). Cet engagement, surtout pour un premier enfant, peut se produire à la fin de la grossesse, dans les semaines qui précèdent l'accouchement. (Il est parfois ressenti douloureusement par la future mère.) Une fois le détroit supérieur franchi, la tête de l'enfant descend progressivement dans le bassin. Lorsqu'elle rencontre les muscles du périnée, au niveau du détroit inférieur, elle effectue une seconde rotation qui va l'amener dans un grand axe antéro-postérieur. En effet, au niveau de l'orifice de sortie du bassin, ou détroit inférieur, l'ouverture la plus grande est, non plus dans un diamètre oblique, comme au niveau de l'orifice supérieur, mais dans le sens antéro-postérieur. Là encore, la tête s'oriente pour profiter au mieux des dimensions maximales de l'orifice.

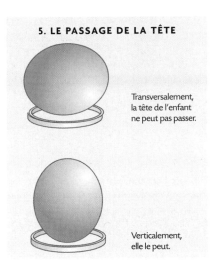

5. LE PASSAGE DE LA TÊTE

Transversalement, la tête de l'enfant ne peut pas passer.

Verticalement, elle le peut.

Ainsi, au cours de la traversée du bassin, l'enfant aura modifié deux fois l'orientation de sa tête, ce que vous pourrez constater sur les dessins ci-contre à gauche. En d'autres termes, l'enfant est entré dans le bassin en regardant son épaule (la droite ou la gauche), et il sort en regardant le sol.

Pour sortir du détroit inférieur, la tête de l'enfant, en appuyant, va étirer le périnée et la vulve (qui sont suffisamment élastiques pour permettre au bébé de naître). C'est la période d'expulsion. Elle correspond à « l'envie de pousser ». En effet, la pression de la tête sur les muscles du périnée déclenche le réflexe de pousser. Cet étirement est parfois associé à des sensations de plaisir sexuel, mais plus souvent à de la douleur. La sensation est parfois si surprenante, ou douloureuse, que la mère tente de résister, et contracte involontairement ses muscles.

La durée de cette période est toujours courte comparée à la phase de dilatation, au maximum 30 minutes. Et moins la mère résiste, plus la durée de l'expulsion est courte.

L'enfant est aidé

La descente progressive de la tête, cette traversée du tunnel, est facilitée par trois éléments.

• Les os du bassin sont soudés entre eux par des articulations. Or, à la fin de la grossesse – et c'est parfois assez douloureux – ces articulations se relâchent, relâchement qui élargit le bassin de quelques millimètres.

• Les os du crâne de l'enfant ne sont pas complètement soudés, leur soudure ne sera définitive que plusieurs mois après la naissance. Ainsi le crâne de l'enfant garde-t-il une certaine malléabilité qui lui permet de se façonner à la taille du passage étroit qu'il doit franchir.

• Enfin, les parties molles – vagin et périnée – ont une élasticité naturelle.

Pour terminer, deux remarques.

• Nous avons constamment parlé de la tête comme si elle seule importait : c'est ce qui se passe en pratique, car elle représente la partie la plus volumineuse de l'enfant. Quand la tête a franchi un obstacle, le reste du corps suit sans difficulté.

• Les différents mouvements effectués par l'enfant au cours de l'accouchement sont le résultat des contractions de l'utérus mais aussi de la façon dont le bébé s'adapte dans le bassin.

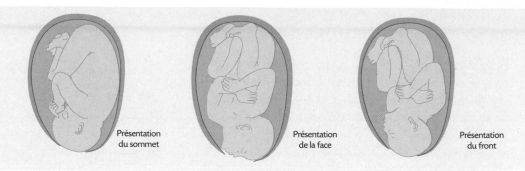

Présentation du sommet   Présentation de la face   Présentation du front

En résumé, il est important de comprendre que la contraction utérine constitue le moteur essentiel de l'accouchement. C'est elle qui permet la dilatation progressive du col et la descente de l'enfant, phénomènes qui se déroulent simultanément. Il n'y a pas d'accouchement normal sans contractions utérines régulières et efficaces.

L'accouchement comprend donc deux phases successives, et de durée inégale :
• la première (c'est la plus longue), la **dilatation** du col de l'utérus
• la deuxième (beaucoup plus courte), l'**expulsion** de l'enfant.

Vous retrouverez ces deux phases dans le film de l'accouchement que nous décrirons un peu plus loin (pp. 293 et suivantes). Après la naissance de l'enfant, une troisième phase terminera l'accouchement, phase au cours de laquelle sera rejeté le placenta, et qu'on appelle la **délivrance** (p. 310).

LES DIFFÉRENTES « PRÉSENTATIONS »

Le plus souvent – 95 fois sur 100 – l'enfant a la tête en bas au moment de l'accouchement. On appelle *présentation* la partie de l'enfant qui pénètre (qui s'engage) la première dans le bassin. Habituellement, la tête s'engage complètement fléchie, le menton sur le thorax, et présente le sommet du crâne (l'occiput) à l'entrée du bassin.

La présentation du sommet
Elle est la plus fréquente, c'est celle qui correspond à ce que vous lirez dans la description de l'accouchement.

La présentation de la face
Dans ce cas, la tête est complètement défléchie, rejetée en arrière. L'accouchement naturel est possible, mais il est souvent difficile, surtout chez la femme qui a son premier enfant. On a le plus souvent recours à une césarienne.

La présentation du front
La tête est en position intermédiaire entre la face et le sommet. L'accouchement par la voie naturelle est impossible (la tête présente à l'engagement un diamètre trop grand). La césarienne est nécessaire.

La présentation transversale
Elle est également appelée présentation de l'épaule. L'enfant se présente horizontalement, dos en haut ou en bas. La césarienne s'impose.

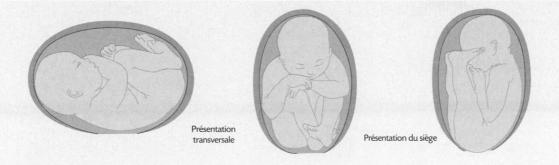

Présentation
transversale

Présentation du siège

La présentation du siège

Ici l'enfant se présente le siège en bas, la tête se situant dans le fond de l'utérus. Ce sont soit les fesses (deux-tiers des cas), soit les pieds (un tiers des cas) – voir les schémas – qui se présentent en premier.

Le diagnostic de la présentation se fait en fin de grossesse, en palpant l'abdomen vers 7 mois 1/2 - 8 mois ; ce n'est en effet qu'au cours de cette période que l'enfant prend sa position définitive dans l'utérus. On peut confirmer le diagnostic par une échographie.

Si votre enfant se présente par le siège, ne vous étonnez pas de voir le médecin prendre certaines précautions. En effet, la difficulté, au moment de l'accouchement peut tenir au fait que la tête – qui sort la dernière du bassin – peut, selon son orientation et son volume, se bloquer dans le bassin, situation dangereuse pour le bébé. Aussi faut-il distinguer :

• les sièges de femmes ayant déjà accouché d'enfant de poids normal (ou *a fortiori* élevé) dont le bassin est normal. L'accouchement ici ne diffère guère de celui d'un accouchement habituel.

• Les sièges de femmes ayant leur premier enfant et pour lesquelles il est indispensable de réunir le maximum d'éléments de pronostic avant l'accouchement ; il faudra en particulier préciser le volume du fœtus par une échographie et les dimensions du bassin par une radiopelvimétrie, ou par une mesure par scanner.

Quand l'enfant est encore en présentation du siège quatre à cinq semaines avant l'accouchement, le médecin, par manipulation du ventre de la mère, peut aider l'enfant à basculer pour l'amener la tête en bas ; c'est ce que l'on appelle « la version par manœuvres externes », qui réussit plus souvent chez la femme qui a déjà eu des enfants. En cas d'échec de la version, le médecin évaluera les possibilités d'un accouchement par les voies naturelles ou la nécessité de programmer une césarienne.

En cas d'accouchement par la voie naturelle, comme la poussée est plus longue, l'anesthésie péridurale est fréquemment proposée dès le début de la dilatation. Enfin, il est possible que la présentation du siège provoque une luxation de la hanche. Elle sera recherchée dès la naissance par l'examen du bébé. Au moindre doute, une échographie des hanches sera pratiquée.

LA VERSION PAR MANŒUVRES EXTERNES EN PRATIQUE
- *Elle se fait à la maternité, sur rendez-vous*
- *un traitement visant à relâcher l'utérus est donné à la future maman*
- *le médecin contrôle par échographie la présentation, puis fait éventuellement un enregistrement du rythme cardiaque de l'enfant*
- *la version ne dure que quelques minutes*
- *un nouvel enregistrement du rythme cardiaque fœtal est parfois effectué*
- *si vous êtes rhésus négatif, et le père rhésus positif, une injection de gammaglobulines anti D vous sera faite*
- *vous quitterez la maternité après un peu de repos et vous pourrez regagner votre domicile.*

LE CHEMIN DU BÉBÉ

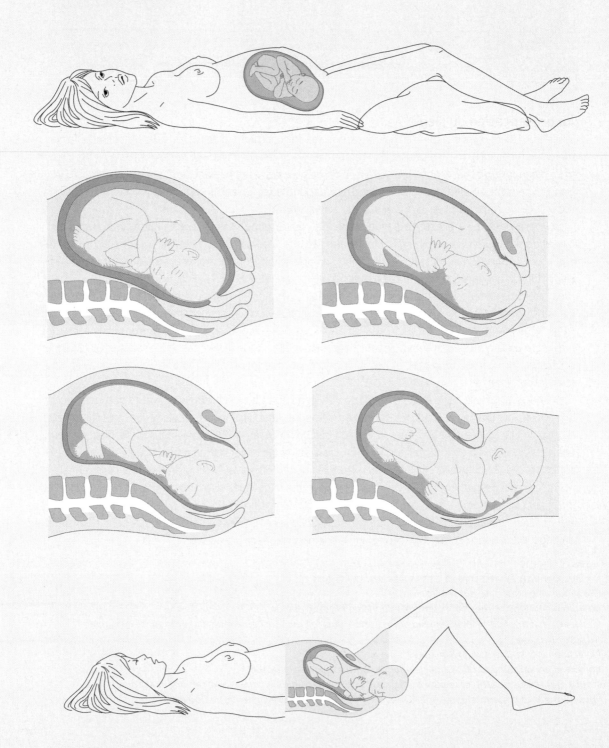

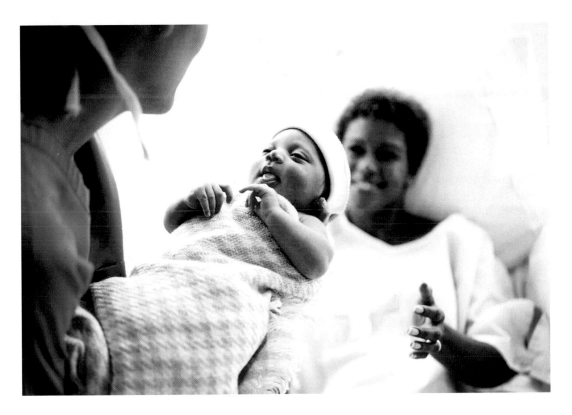

Le film de l'accouchement

COMMENT DÉBUTE UN ACCOUCHEMENT

L'accouchement ne débute pas toujours de façon nette, précise et stéréotypée, et il vous arrivera peut-être, surtout si vous accouchez pour la première fois, de vous demander si le moment est venu de partir pour la maternité.

Au moins en théorie, le début de l'accouchement est marqué par l'expulsion du bouchon muqueux et l'apparition de contractions utérines régulières et plus ou moins douloureuses.

Le bouchon muqueux

Il est constitué de sécrétions glaireuses, parfois teintées de sang, il bouche le col de l'utérus pendant la grossesse. C'est pourquoi, lorsqu'il est expulsé, la future mère pense qu'il faut partir aussitôt à la maternité. Ce n'est pas le premier signe qui doit vous déterminer, car cette expulsion peut précéder l'accouchement de 24 ou 48 heures, voire plus. Elle peut aussi passer inaperçue. Cette expulsion est le signe que le col de l'utérus commence à se modifier. Ce qui va vraiment marquer le début de l'accouchement, c'est l'apparition de contractions utérines particulières.

L'apparition de contractions utérines longues, régulières et douloureuses

Des contractions peuvent apparaître dans les derniers mois et surtout dans les dernières semaines de la grossesse. Vous pouvez les percevoir en plaçant la main sur le ventre : vous le sentez durcir de temps en temps. Mais ces contractions n'ont pas de rythme précis, pas de périodicité : elles sont anarchiques, courtes et en général peu douloureuses. Elles ne traduisent pas le début de l'accouchement.

Il en est de même de certaines douleurs, perçues tantôt comme une sensation de pesanteur, tantôt comme celle d'une distension osseuse et qui peuvent correspondre à l'engagement de la tête ou aux modifications du bassin. Mais ces douleurs ne s'accompagnent pas de contractions.

Ces contractions courtes, anarchiques, ces douleurs sans contractions n'indiquent pas le début de l'accouchement. C'est l'association contractions longues (plus d'une minute) et régulières qui signent vraiment le début de l'accouchement.

La douleur est le plus souvent présente, mais à des degrés divers selon les femmes. Certaines futures mamans disent avoir éprouvé à ce moment-là des sensations particulières : à la fois un sentiment d'être déconnecté de la réalité, d'être « ailleurs », et un besoin de dormir. Ces sensations sont probablement liées à la production de béta-endorphines, ces hormones de protection contre la douleur sécrétées par notre organisme.

Les premières contractions sont habituellement ressenties dans le ventre, mais elles peuvent aussi être ressenties au niveau des reins. Au début, les contractions sont peu intenses, pas toujours faciles à percevoir, se manifestant comme un simple pincement, ou comme la douleur qui accompagne souvent les règles.

Lorsque ces pincements sont si discrets qu'on n'est pas sûre qu'ils correspondent bien à des contractions, il y a un moyen simple de s'en assurer : il faut poser la main sur le ventre ; s'il durcit, c'est bien que l'utérus se contracte.

LES CONTRACTIONS QUI ANNONCENT L'ACCOUCHEMENT
Si c'est le fait de ressentir les contractions qui vous a donné l'alerte, peu à peu vous remarquerez que ces contractions auront d'autres caractéristiques qui achèveront de lever le doute :
• les contractions sont régulières, elles reviennent selon un rythme précis, vous pouvez d'ailleurs noter le temps qui s'écoule entre deux contractions
• elles sont de plus en plus rapprochées
• elles sont de plus en plus longues
• elles sont de plus en plus intenses, de plus en plus douloureuses
• elles modifient votre respiration qui devient plus ample.

Vous aurez l'impression que les contractions montent comme une vague, qu'elles vous envahissent, se propagent comme une onde qui naît au milieu du dos, se divise en deux branches qui entourent les hanches, et se rejoignent dans le ventre en enserrant le corps comme une ceinture.

Lorsque vous aurez constaté que les faibles contractions du début, les petits pincements qui vous ont donné l'alerte sont finalement devenus ces contractions bien rythmées, de plus en plus rapprochées, de plus en plus longues, de plus en plus intenses, de plus en plus douloureuses, vous saurez que c'est vraiment la naissance de votre enfant qu'elles préparent.

Nous parlerons au chapitre 13 de la douleur, mais sachez d'ores et déjà qu'elle est plus ou moins forte selon les femmes, qu'elle n'est pas la même tout au long de l'accouchement. Et surtout, une fois que vous saurez reconnaître l'approche, la montée d'une contraction, votre attitude, à partir de ce moment-là, pourra, dans une certaine mesure, diminuer ou amplifier la douleur.

Comment être sûre que l'accouchement a bien commencé ?

Si vous hésitez encore, c'est possible, vous pouvez prendre un bain chaud. Vous pouvez aussi mettre à 10 minutes d'intervalle deux suppositoires d'un antispasmodique que vous aura peut-être prescrit le médecin ou la sage-femme. Il peut aussi s'agir d'un médicament à prendre par la bouche (Spasfon®). Si c'est un faux début de travail, les contractions s'estomperont et disparaîtront. S'il s'agit bien du début de l'accouchement, ni le bain, ni les médicaments n'auront d'action, les contractions continueront.

Pour le cas où vous n'auriez pas de médicament antispasmodique, ou pas de possibilité de prendre un bain chaud, ce seront les caractéristiques des contractions que nous avons décrites plus haut qui vous donneront une réponse. Et si, au contraire, les contractions restent irrégulières, n'augmentent ni en fréquence, ni en durée, ni en intensité, il y a de fortes chances pour qu'elles n'indiquent qu'un faux début de travail. Au bout de quelques heures, ces contractions disparaîtront comme elles sont venues. Et l'accouchement ne s'annoncera peut-être que quelques jours, ou même quelques semaines plus tard.

Les fausses alertes sont-elles fréquentes ? Elles se produisent dix à quinze fois sur cent, et le plus fréquemment au moment de l'engagement de la tête de l'enfant dans le bassin.

Avant de partir, vous pouvez faire un mini-lavement (ou suppositoire). Cela vous évitera, quelques heures plus tard, lorsque vous aurez des envies de pousser et en même temps des fausses envies d'aller à la selle, de vous crisper pour vous retenir. Vous pourrez calmement laisser votre périnée se relaxer, sans crainte d'avoir envie d'aller à la selle sur la table d'accouchement. Mais si le suppositoire ne faisait pas d'effet, ne soyez pas gênée en cas d'émission de selles ou d'urines lors de l'expulsion. C'est fréquent puisque le bébé appuie sur le rectum, c'est banal pour l'obstétricien ou la sage-femme. Quant au papa, placé à la tête du lit, il ne sera pas confronté directement à l'incident.

La perte des eaux

Certaines femmes pensent que le premier signe de l'accouchement est la perte des eaux. En fait, celle-ci peut avoir lieu à des moments variables.

Elle peut se produire avant même que l'accouchement ait commencé vraiment (« Un cas particulier » p. 296).

La perte des eaux a généralement lieu pendant la dilatation. Si la rupture de la poche des eaux ne se fait pas spontanément, le médecin ou la sage-femme peut décider de la rompre lorsque le col est ouvert de 5 ou 7 cm, afin d'accélérer la dilatation et la descente du bébé. Lorsque la poche des eaux se rompt, l'eau qui s'écoule est celle comprise entre la tête du bébé et le col. L'enfant baigne toujours dans son liquide et celui-ci continue d'être renouvelé jusqu'à la naissance.

Autrefois, on ne provoquait pas artificiellement cette rupture, et lorsqu'elle avait lieu à dilatation complète, l'enfant naissait la tête recouverte de ses membranes, d'où l'expression « né coiffé » ; c'était considéré comme un signe de chance.

QUAND PARTIR POUR LA MATERNITÉ ?

Faut-il partir dès les premières contractions ? À la perte du bouchon muqueux ? À la perte des eaux ? Faut-il attendre d'avoir une quasi-certitude que l'accouchement a bien commencé ?

Cela dépend si vous attendez votre premier enfant, si c'est le deuxième ou, *a fortiori*, le troisième. Le premier accouchement est le plus long (« la durée de l'accouchement » p. 311). Entre les premières contractions et la dilatation complète (p. 298), il s'écoule plusieurs heures, vous avez donc le temps de voir venir. Pour vous donner quand même une indication plus précise, je vous dirai ceci : notez le rythme de vos contractions, vous n'aurez pas besoin de partir avant qu'elles se reproduisent toutes les 10 minutes environ et qu'elles durent au moins 1 minute.

Si vous attendez votre deuxième enfant, la dilatation sera plus rapide, vous partirez dès que les contractions seront régulières et bien rythmées, quel que soit l'intervalle.

Cela dit, pour décider du moment du départ, vous tiendrez évidemment compte d'autres facteurs : jour ou nuit, distance de la maternité, quartiers à traverser, etc. Il est évident que pour un premier enfant s'annonçant la nuit, il est moins urgent de partir que pour un troisième s'annonçant à midi et en pleine ville.

Si vous hésitez encore à partir, allez à la maternité où la sage-femme vous examinera et, selon les cas, vous gardera ou vous renverra chez vous. Cela est valable même si vous devez être accouchée par un médecin de votre choix. Ne pensez pas qu'il suffira de l'appeler au téléphone pour avoir son avis : il ne pourra pas vous le donner sans examen.

Une des angoisses de bien des futures mères, c'est de se retrouver seules en pleine nuit, au moment de partir pour la maternité (par exemple si, du fait de sa profession, leur mari se déplace souvent).

Le plus rassurant, c'est de prévoir des solutions de rechange – amis, voisins, ambulance –, d'inscrire soigneusement leur numéro de téléphone. Plusieurs lectrices m'ont signalé que certains taxis ne voulaient pas assurer le transport d'une femme sur le point d'accoucher. C'est pourquoi il est important d'avoir le numéro d'une ambulance. La recommandation peut paraître superflue, mais j'ai noté plus d'une fois que la future mère n'y avait pas pensé. En cas d'extrême urgence, n'oubliez pas qu'il y a toujours le SAMU ou les pompiers.

UN CAS PARTICULIER : LA PERTE PRÉCOCE DES EAUX
Normalement, vous perdrez les eaux pendant l'accouchement, c'est-à-dire lorsque vous serez déjà à la maternité. Mais il peut arriver que cette perte survienne avant le début du travail, quand vous êtes encore chez vous. Vous vous en rendrez sûrement compte car le liquide amniotique, de couleur blanchâtre, est relativement abondant (un bon verre, parfois plus). Même si la perte vous paraît plus minime (il peut s'agir d'une simple fissure de la poche des eaux) et même en l'absence de tout autre signe faisant penser que l'accouchement va commencer, vous partirez pour la maternité. Si possible, vous partirez en voiture en position allongée ou semi-allongée (et non pas à pied). N'hésitez pas à demander une ambulance, même pour un court trajet. Tout se passera bien sans doute ; mais, lorsque la poche des eaux est rompue, il y a quand même des risques d'éventuelles complications, notamment de procidence du cordon, c'est-à-dire la sortie du cordon hors de l'utérus. Soyez prudente, rendez-vous à la maternité rapidement.

L'ARRIVÉE À LA MATERNITÉ

Le moment de partir est venu. Vos deux valises, la vôtre et celle du bébé, sont déjà prêtes. (Au sujet de votre valise, et de celle du bébé, voyez *Qu'emporter à la maternité* chapitre 18). Ce n'est pas le moment de regarder si rien n'y manque. Votre mari ou votre mère auront toujours le temps de vous apporter ce que vous aurez oublié. Ne demandez pas à la personne qui vous conduit d'aller vite. Encore une fois, vous avez tout le temps.

Dans les taxis de New York, il y a un petit écriteau : « Sit back and relax », c'est-à-dire : « Installez-vous bien et détendez-vous. » Imaginez que vous avez ce petit écriteau devant les yeux.

Vous arrivez à la maternité. Une sage-femme vous accueille et vous accompagne dans la petite salle réservée aux premiers examens.

La sage-femme vous examine, comme lors des autres consultations prénatales : poids, tension, urines, mesure de la hauteur utérine, bruits du cœur du bébé et monitorage (c'est-à-dire enregistrement du rythme cardiaque fœtal et des contractions utérines).

Alors, de deux choses l'une :

• ou c'est une fausse alerte, cela arrive : le travail n'a pas encore commencé et vous n'avez plus qu'à rentrer chez vous

• ou la sage-femme constate que le travail a effectivement commencé. Elle le verra en examinant le col de l'utérus. S'il a commencé à se dilater, c'est bien le début de l'accouchement : la première phase, la dilatation.

La sage-femme pourra vous dire à quel stade en est la dilatation. Vous avez vu que celle-ci passe par différents stades que l'on évalue en centimètres. Par exemple, la sage-femme vous dira : « Vous en êtes à 3 cm. » Vous serez alors installée dans une salle dite de « prétravail » , ou en salle de naissance si la dilatation est plus avancée.

Maintenant que vous avez passé le stade du doute, que vous êtes entre les mains expertes de la sage-femme, que vous savez qu'elle va s'occuper de vous régulièrement, vous n'avez qu'une chose à faire : vous détendre, et vous rappeler ce que vous devez faire pendant la dilatation — on vous l'a expliqué, si vous avez suivi des séances de préparation à l'accouchement. Et vous le retrouverez en détail à la page suivante. Peut-être, d'ailleurs, la sage-femme qui vous a préparée sera-t-elle à vos côtés pour vous le redire. Il est également possible que ce soit votre mari qui reste près de vous.

A son arrivée, le plus souvent, la future mère est accueillie chaleureusement. Si cela ne se passe pas ainsi (par exemple il y a beaucoup d'admissions en même temps et le personnel est surchargé), l'important est de ne pas vous énerver mais de vous concentrer sur vous et votre bébé. Vous savez que, le moment venu, toute l'équipe sera là pour vous soutenir et vous aider.

LA DILATATION

Cette première phase de l'accouchement, la dilatation, qui a commencé lorsque vous étiez chez vous et que vous avez senti les premières contractions, va maintenant se poursuivre.

Il n'est pas possible de vous dire combien de temps va durer la dilatation. Cela dépendra de plusieurs facteurs (p. 311).

Pendant cette période, vous serez régulièrement surveillée par la sage-femme ou par le médecin.

Ces examens sont nécessaires pour apprécier :
• l'efficacité des contractions utérines
• le caractère progressif et régulier de la dilatation du col
• la progression de la tête dans le tunnel du bassin
• l'état de l'enfant par l'auscultation des bruits du cœur.

Vous pouvez également, au cours de la dilatation, voir pratiquer un certain nombre de gestes dont il ne faudra pas vous étonner et encore moins vous alarmer.

• Il peut être ainsi nécessaire de vous administrer différents médicaments par voie intramusculaire, c'est-à-dire en piqûre. Ils sont destinés à régulariser la marche de l'accouchement et à éviter qu'il ne dure trop longtemps. On vous fera aussi probablement une perfusion par voie intraveineuse qui vous apportera les éléments nécessaires.

• De même, si vous n'avez pas perdu les eaux spontanément, la sage-femme ou l'accoucheur rompront les membranes au cours du travail. Ce geste est indolore, vous n'aurez que la sensation du liquide chaud qui s'écoule.

• Il est également probable que les contractions et le rythme cardiaque de l'enfant seront surveillés par le monitoring.

Quand votre col sera complètement dilaté, commencera une nouvelle phase de l'accouchement qui correspond à la sortie de l'enfant. On appelle cette phase l'expulsion. C'est un terme médical que je suis bien obligée d'employer, mais je ne l'aime pas : une mère n'expulse pas son enfant, elle le met au monde.

Si vous devez être accouchée par un médecin de votre choix, la sage-femme le tiendra régulièrement au courant des progrès du travail, et lui-même jugera quand il devra venir.

À noter : il n'est pas interdit de boire pendant la dilatation : eau, thé, etc.

CE QUE VOUS DEVEZ FAIRE PENDANT LA DILATATION

Les contractions, vous allez vite vous en rendre compte vous-même, sont involontaires : vous ne pouvez ni les augmenter, ni les diminuer, ni en modifier le rythme. Pour vous donner une idée de leur fréquence et de leur durée, en plein travail elles reviennent toutes les 3 à 5 minutes et durent au moins 1 minute.

Mais vous ne resterez pas passive pour autant. Votre attitude, votre comportement peuvent avoir une grande influence sur le déroulement de l'accouchement : il sera d'autant plus rapide que vous serez calme et détendue.

C'est le moment de mettre en pratique ce que vous avez appris en préparant votre accouchement : bien respirer, bien vous détendre et changer de position. Vous allez comprendre pourquoi.

VOTRE BÉBÉ VA NAÎTRE
C'est votre accouchement, c'est aussi la naissance de votre bébé. Ne vous concentrez pas uniquement sur le travail : pensez à votre enfant, aux efforts qu'il fait pour naître.

Respirer

Lorsqu'un muscle se contracte, c'est-à-dire travaille, il consomme de l'oxygène. Et plus il se contracte, plus il en consomme. Or, votre utérus est en train de fournir un travail intense. Il a donc particulièrement besoin d'oxygène. Vous devez aussi continuer à en envoyer à votre enfant. Pour cela, le meilleur moyen : respirer bien régulièrement.

Vous détendre

Les contractions de l'utérus sont involontaires. Mais si vous ne pouvez les provoquer, vous pouvez les rendre plus ou moins douloureuses. En effet, que fait votre utérus ? Comme vous l'avez vu, il se contracte régulièrement pour ouvrir peu à peu le col.

Dans des conditions normales, le col s'ouvre graduellement jusqu'à la dilatation complète. Mais lorsque la mère est contractée, le col de l'utérus, qui a déjà tendance à résister à la dilatation, résiste encore plus. Il en résulte une douleur.

Pour expliquer cette douleur, un célèbre accoucheur, le docteur Read, dont je vous parlerai plus loin, faisait une comparaison avec la vessie : comme l'utérus, la vessie est fermée par un col. Au repos, celui-ci demeure contracté et empêche l'urine de s'écouler. Lorsque la vessie a besoin de se vider, le col qui la ferme se relâche, les parois de la vessie se contractent et expulsent l'urine. Mais si vous êtes obligée de vous retenir, vous vous contractez pour vous opposer à l'ouverture du col qui ferme la vessie. Cet effort, d'inconfortable devient rapidement douloureux, ou même intenable s'il se prolonge. La douleur ne disparaît que lorsque vous laissez la vessie dilater son col et se vider.

Pendant la dilatation, il faut donc, pour ne pas contrarier la nature, que vous restiez bien détendue. Pour y parvenir, recherchez d'abord une bonne position.

QUELLE EST LA MEILLEURE POSITION À ADOPTER PENDANT LA DILATATION ?

Souvent, c'est de se mettre sur **le côté**, bien calée par un oreiller ou un coussin de relaxation. Mais vous trouverez vous-même la position dans laquelle vous serez la plus détendue : debout, assise, allongée.

Pendant la dilatation, il est bien aussi de **changer de position**. Cela déclenche un mouvement des articulations qui fait de la place au bébé et facilite sa descente. Changer de position permet d'atténuer la douleur. Par exemple, en étant assise, on peut se pencher en avant, en s'appuyant sur les coudes ou sur les mains : le bas du dos se relâche et les douleurs localisées à cet endroit s'atténuent. Certaines maternités proposent des objets permettant des mouvements. Par exemple un gros ballon sur lequel la femme s'assied : en le faisant légèrement rouler, elle fait bouger son bassin. Ou bien, assise ou debout, elle se tient à une barre et fait des étirements.

Certaines sages-femmes proposent aux futures mères de s'installer ainsi : à genoux, les coudes et les avant-bras reposant sur le dossier relevé du lit d'accouchement, et en écartant suffisamment les genoux pour que le ventre ne soit pas comprimé. Cette position permet de bien se détendre entre les contractions en posant la tête sur les avant-bras. Pendant la contraction, le bébé bénéficie de toute la place dans le bassin ce qui favorise sa descente. La maman peut rester dans cette position jusqu'à la sortie du bébé ; si le médecin ou la sage-femme le souhaitent, ils lui demanderont de s'installer sur le côté ou sur le dos au moment de l'expulsion.

La future mère peut aussi **aller et venir** si elle se sent mieux ainsi. En un mot, pendant la dilatation, la femme est libre de ses mouvements. À la condition, bien sûr, qu'il n'y ait pas de nécessité médicale à surveiller le bébé en continu par l'enregistrement de son rythme cardiaque. À noter toutefois qu'il existe des appareils, qui, en utilisant des capteurs spéciaux, permettent à la maman de déambuler tout en surveillant l'enregistrement du cœur de son bébé.

Une fois que vous serez bien installée, **détendez-vous** complètement en relâchant tous vos muscles. Ensuite, au moment où vous sentirez la contraction monter, évitez de vous crisper. Une sorte de réflexe de défense tend à vous raidir contre la contraction. Il faut lutter contre ce reflexe et, au contraire, vous détendre. Si au lieu de résister, vous « accompagnez » la contraction, vous verrez qu'elle deviendra plus familière, moins agressive, moins douloureuse. C'est ainsi que la dilatation se fera sans encombre et en vous faisant le moins souffrir. Read dit : « À femme contractée, col contracté. À femme détendue, col relâché. » Rappelez-vous bien cette formule, elle vous sera précieuse. Lorsque la femme a confiance en elle et en l'équipe qui l'entoure, lorsque la présence de son mari est rassurante, la contraction « passe » mieux.

Pensez aussi à votre bébé, à votre joie de bientôt le voir. Il se sentira en sécurité et vous-même, vous aurez moins mal puisque vous vous concentrerez sur son bien-être à lui.

Si vous êtes encore chez vous, il peut être agréable de prendre un bain tiède et de vous décontracter, ce qui aide le col à se dilater grâce à la détente que procure le bain. Une seule condition : n'avoir pas perdu les eaux. Et si vous êtes déjà à la maternité, pourquoi ne pas demander de prendre ce bain sur place, certaines maternités sont équipées de baignoires où l'on peut se relaxer pendant le travail.

Vous trouverez (pp. 334 et suivantes) des exercices qui vous apprendront à vous détendre complètement. Ce sont, entre autres, des exercices respiratoires. Voici comment les utiliser pendant la dilatation.

QUAND FAUT-IL RESPIRER ? QUAND FAUT-IL SE DÉTENDRE ?

Dès qu'une contraction approche (vous savez maintenant comment elle s'annonce), le rythme de la respiration change, l'inspiration est plus longue. Faites des respirations profondes en suivant ce nouveau rythme (p. 334).

Dès que vous aurez senti que la contraction est passée, vous reprendrez votre respiration habituelle, vous vous détendrez le plus possible, c'est cela qui vous permettra de bien maîtriser la contraction suivante. Et, à chaque nouvelle contraction, vous ferez des respirations profondes.

Tout au long du travail, et plus particulièrement à la fin de la période de dilatation, surtout si la tête est déjà bien engagée, il est possible que vous ressentiez au cours des contractions le besoin de « pousser ». À ce stade, en poussant, vous n'aideriez pas le travail, vous le rendriez seulement plus douloureux. De plus, cela aboutirait, non à un gain, mais à une perte de temps. Pousser sur un col incomplètement dilaté gêne la dilatation, et prolonge la durée de l'accouchement. D'autre part, ces efforts prématurés de poussée risquent de vous fatiguer et de vous faire arriver en moins bonne forme au moment où, au contraire, vous devrez participer activement à la naissance de votre enfant et dépenser toute l'énergie musculaire dont vous disposez. Signalez à la sage-femme cette envie de pousser. Elle vous montrera des positions qui vous aideront à ne pas pousser : par exemple, à genoux, la tête penchée, appuyée sur les bras. Vous pouvez aussi faire soit des **respirations superficielles**, soit des **respirations haletantes** (p. 335) qui vous empêcheront de pousser.

Pourquoi ces respirations légères pendant la contraction ? Pour éviter que le diaphragme n'appuie sur l'utérus, ce qui pousserait trop fortement le bébé vers le bas.

Le diaphragme est le muscle qui se trouve entre le thorax et l'abdomen (la poitrine et le ventre). Lorsqu'on respire, il se contracte et s'abaisse. Ainsi, plus la respiration est profonde, plus le diaphragme s'abaisse. Et lorsque la respiration est superficielle et légère, le diaphragme bouge à peine.

Il arrive parfois au cours du travail que se produisent dans les bras et les jambes des fourmillements accompagnés de crampes et d'une certaine sensation de malaise général. Informez-en la sage-femme. Tout ceci disparaît très vite avec une injection intraveineuse de calcium.

LA SURVEILLANCE DU BÉBÉ

On a toujours surveillé l'état du bébé du début à la fin du travail, notamment par l'auscultation des bruits du cœur.

Aujourd'hui, cette surveillance du bébé pendant l'accouchement mais aussi pendant la grossesse (p. 229) se fait par l'enregistrement du rythme cardiaque fœtal (RCF), appelé aussi monitoring du RCF. Cela permet de déceler les éventuelles modifications qui pourraient apparaître.

Pour cela, des capteurs sont posés sur le ventre de la mère et reliés à un appareil électronique enregistreur. Ainsi, on peut voir se dessiner les variations du rythme cardiaque du bébé en même temps que l'amplitude des contractions de la mère.

Grâce à ce monitoring, on peut dépister une anomalie du rythme cardiaque et, en fonction de l'importance et de la permanence de cette anomalie, prendre la décision de faire sortir l'enfant très rapidement, soit par les voies naturelles, soit par césarienne.

Si nécessaire, il est possible d'utiliser une autre technique (beaucoup moins répandue) : une goutte de sang est prélevée directement sur le cuir chevelu de l'enfant pour mesurer le Ph ou les lactates, ce qui permet de déceler indirectement un éventuel manque d'apport d'oxygène. Dans cette hypothèse, le médecin prendra la décision de terminer rapidement l'accouchement, le plus souvent par césarienne, lorsque la dilatation n'est pas trop avancée.

L'EXPULSION : LA MISE AU MONDE

Lorsque la dilatation sera complète, va commencer la deuxième phase de l'accouchement qui sera d'ailleurs plus courte : elle durera 20 à 30 minutes pour une première naissance, beaucoup moins pour les suivantes.

À ce stade, les contractions deviennent plus rapprochées et durent plus longtemps. La tête de l'enfant appuie sur les muscles du périnée. Cet appui vous donne le besoin de pousser et entraîne une réaction d'ouverture des muscles du périnée. Il est alors important que vos efforts de poussée soient bien dirigés. Suivez les conseils de la sage-femme ou du médecin.

Il peut arriver que, même à dilatation complète, vous n'ayez pas encore envie de pousser. Les contractions sont alors moins douloureuses : profitez de cette pause pour vous reposer.

Au moment de la dilatation, vous aviez essentiellement à supporter les contractions, à les laisser faire leur travail, en restant détendue. Maintenant au contraire, vous allez participer activement à la naissance de votre enfant, vous allez aider l'utérus à faire son travail pour pousser l'enfant en avant. L'enfant sort du tunnel osseux du bassin, il va franchir le tunnel plus souple formé par le vagin et par le périnée (p. 287). Vos efforts de poussée, s'ajoutant au travail de l'utérus et à la réaction d'ouverture du périnée, vont aider la tête à franchir ces obstacles.

La dilatation vous a fatiguée et vous avez peur de ne pas avoir la force de pousser. Ne vous inquiétez pas. Votre corps va secréter des hormones qui vont agir comme des stimulants et vous donner l'énergie pour ce grand moment.

CE QUE VOUS DEVEZ FAIRE PENDANT L'EXPULSION

Que faut-il faire pour aider l'utérus dans son travail à ce stade ? Abaisser le diaphragme et contracter les abdominaux. Ainsi, l'utérus comprimé de haut en bas par le diaphragme, d'avant en arrière par les abdominaux, accentuera sa pression sur l'enfant. Mais l'important c'est que vos efforts de poussée coïncident avec les contractions qui déclenchent l'étirement du périnée et l'ouverture de la vulve.

Pour y arriver, voici comment procéder.

La contraction s'annonce

Mettez-vous dans la position d'expulsion : dos relevé, cuisses écartées, pieds dans les étriers. Ou peut-être : les jambes posées sur des sortes de demi-gouttières rembourrées sur lesquelles genoux et mollets prennent appui, ceci est la position classique d'accouchement. Relâchez bien le périnée. Faites une bonne respiration profonde (p. 334).

La contraction est là

Bouche fermée, inspirez profondément, c'est ainsi que vous abaisserez au maximum le diaphragme. Arrivée au sommet de l'inspiration, bloquez votre souffle. Puis, contractez fortement vos muscles abdominaux à partir du creux de l'estomac pour appuyer le plus possible sur l'enfant et le pousser vers le bas, tout en vous efforçant de garder le périnée bien relâché.

C'est le traditionnel « inspirez, bloquez, poussez ». Pour vous aider à pousser, saisissez des deux mains les barres soutenant les étriers, et tirez sur vos mains. Dans l'effort, vos épaules se soulèvent du lit : c'est bien, faites le dos rond ; inclinez la tête sur la poitrine.

Ne vous inquiétez pas si vous n'arrivez pas à bloquer votre souffle aussi longtemps que dure la contraction, c'est difficile à faire. Pour vous aider, rejetez par la bouche l'air que vous avez dans les poumons, reprenez rapidement une bouffée d'air, bloquez de nouveau votre souffle et continuez à pousser jusqu'à la fin de la contraction.

La contraction est passée

Vous venez de fournir un violent effort ; maintenant faites une respiration profonde en inspirant et en expirant largement.

Entre deux contractions

Relâchement musculaire pour récupérer vos forces et respiration normale. Sauf indication du médecin, ne poussez pas entre les contractions.

En lisant ce qui précède, vous vous demandez peut-être si vous saurez bien distinguer les moments où il faut pousser, ceux où il faut vous détendre. Ne vous faites pas de souci, le médecin ou la sage-femme, à côté de vous, suivront la progression de l'enfant et vous guideront.

Contrairement à ce que les femmes redoutent souvent, cette phase de l'expulsion n'est pas la plus pénible de l'accouchement : le col est complètement ouvert, il ne résiste plus. Les contractions utérines sont perçues de façon moins douloureuse que pendant la dilatation. Certaines femmes ne poussent pas parce qu'elles ont peur que la tête de l'enfant n'ait pas la place de passer. Elles se représentent le vagin comme il est en dehors de la grossesse. Or, en fait, il est très différent, il s'est préparé pour le passage de l'enfant (p. 148).

Grâce à vos efforts, la tête de l'enfant commence à apparaître dans l'ouverture de la vulve et l'on peut voir les cheveux. À chaque contraction, la vulve se dilate davantage et une plus grande partie de la tête apparaît. À un certain moment, on vous demandera de ne plus pousser. C'est en effet alors au médecin ou à la sage-femme de dégager lentement et progressivement la tête hors de la vulve. À ce stade, ne soulevez pas la tête, laissez-la bien sur le lit, cela vous évitera de pousser ; et pour vous aider, faites la respiration haletante, comme à la fin de la dilatation (p. 335).

Vous verrez qu'il est impossible de respirer de la sorte et de pousser en même temps. Et lâchez les barres que vous teniez : vous n'avez plus d'effort à fournir, au contraire. Un effort de poussée risquerait de faire sortir brutalement la tête et de provoquer une déchirure plus ou moins importante du périnée.

Les fortes contractions vous ont peut-être fait un peu oublier votre bébé. Il va bientôt venir au monde. Préparez-vous à l'accueillir.

Différentes manières de pousser

« Inspirez, bloquez, poussez » : c'est la base de la préparation classique, la technique de poussée le plus souvent recommandée pendant toute l'expulsion. C'est ce que je viens de vous décrire.

Depuis quelque temps, une autre proposition est faite au sujet de la poussée, qui, d'après leurs auteurs, protège mieux le périnée et évite les prolapsus. C'est en particulier la proposition du docteur Bernadette de Gasquet (p. 336) ; elle parle de *poussée en expiration freinée*, voici sa méthode.

« Lorsque le réflexe de poussée se manifeste, les abdominaux se resserrent spontanément sur le bébé et le poussent en avant. À ce moment-là, la mère n'a pas à pousser en force le bébé vers le bas (ce qui forcerait également sur la vessie) : elle « se retire » de l'enfant, le laissant glisser à travers le périnée qui s'ouvre devant lui.

« La poussée en expiration freinée se fait mieux lorsque la mère est accroupie ou assise et que, dans cette position, elle peut s'étirer : par exemple en s'accrochant au cou de son mari, ou à une barre, ou en étant soutenue sous les aisselles. Cet étirement accentue le serrage abdominal et relâche le périnée. Sinon on peut aménager la position gynécologique classique : allongée sur le dos les genoux étant ramenés sur la poitrine, la mère les repousse de ses mains ; en faisant ce geste, elle augmente la pression abdominale». Dans cette même position, vous pouvez aussi, en ayant les coudes bien ouverts, tirer les genoux vers vous, pendant que votre mari les retient légèrement.

> *Vous trouverez le détail de cette méthode dans le livre de B. de Gasquet* Bien-être et maternité, *Éditions Albin Michel. Ainsi que dans son DVD :* Positions d'accouchement, *dans lequel l'auteur explique bien, entre autres informations, comment utiliser les différents accessoires (ballon, coussin, etc.) lors de la préparation à la naissance et au moment de l'accouchement.*

Ces différences dans la manière de respirer, de pousser, peuvent paraître un peu compliquées, mais nous vous en parlons pour que vous ne soyez pas prise au dépourvu si ce que la personne qui est à vos côtés vous demande est différent de ce que je vous ai décrit dans ce livre. De toute façon, vous ne serez pas seule, vous aurez une sage-femme près de vous ; au fur et à mesure du déroulement de l'accouchement, elle sera là pour vous guider, pour vous aider.

D'AUTRES POSITIONS POUR ACCOUCHER ?

Selon les pays, les cultures, les époques, la manière d'accoucher a varié. Les femmes ont été assises, accroupies, debout, allongées. Aujourd'hui, la position encore la plus répandue dans les maternités est la position classique : la mère est sur le dos – allongée ou en position semi-assise –, elle a les jambes relevées et les cuisses écartées. Pour l'accoucheur et pour la sage-femme, c'est la position qui favorise le mieux leur travail au moment de la sortie de l'enfant.

Depuis quelques années, une nouvelle tendance se dessine. Certaines maternités proposent d'autres positions d'accouchement, souvent en fonction des préférences des sages-femmes et de ce qu'elles ont exposé au cours des séances de préparation.

• **Accoucher allongée sur le côté gauche** (le côté gauche est conseillé car les gros vaisseaux sont moins comprimés). La jambe droite est surélevée et repliée vers la poitrine, en appui sur un étrier. Cette position entraîne moins de douleurs lombaires et un meilleur relâchement du périnée. Elle permet un aussi bon contrôle du périnée par la sage femme que la position couchée classique. Elle est très courante en Grande-Bretagne.

• **Accoucher accroupie** sur un siège spécial appelé « siège hollandais ». Cette position profite de l'effet de la pesanteur et favorise un bon relâchement du périnée (moins de déchirure, semble-t-il). L'expulsion se fait lentement, en expirant, avec probablement moins de compression des gros vaisseaux, et donc moins d'hémorroïdes.

Une variante de cette position : la femme est accroupie sur une table d'accouchement disposant d'un arceau auquel elle s'accroche et d'un cale pied pour prendre appui jambes écartées.

• **Accoucher debout.** Cette position est peu pratiquée pour le moment. Pour qu'elle soit confortable, il convient que la maman soit soutenue par une large sangle abdominale passée autour du corps, laquelle sangle est accrochée au plafond de la salle d'accouchement.

En position verticale, il semble que le travail soit mieux supporté avec une meilleure répartition des charges et donc moins de douleurs.

• **Accoucher à quatre pattes ou à genoux.** Encore peu pratiquée en France, cette position, buste relevé en appui, semble atténuer la douleur des contractions car elle libère le sacrum du poids de l'utérus.

Insistons sur un point important : il semble indispensable que le père soit associé au choix de la position d'accouchement et fasse part de ce qu'il souhaite ou ressent. Pour certains hommes, des positions (à quatre pattes par exemple) sont difficiles à accepter et, si elles sont imposées, peuvent compromettre l'équilibre futur du couple.

Il est difficile de conseiller une position d'accouchement plutôt qu'une autre car, nous l'avons dit, cela dépend de l'organisation de la maternité et de la pratique des sages femmes. Il est certain que ce serait bien que les mères puissent choisir la position dans laquelle elles se sentent le mieux puisque, au fil des années, la position classique n'a pas montré de supériorité évidente par rapport aux nouvelles. Et, au-delà de la position choisie, un accouchement réussi dépend à la fois de la capacité de la maman à être détendue et concentrée et de l'accompagnement de la sage-femme, qui soutient la femme tout en étant très vigilante sur les règles de sécurité.

Impressions et émotions
autour de la naissance

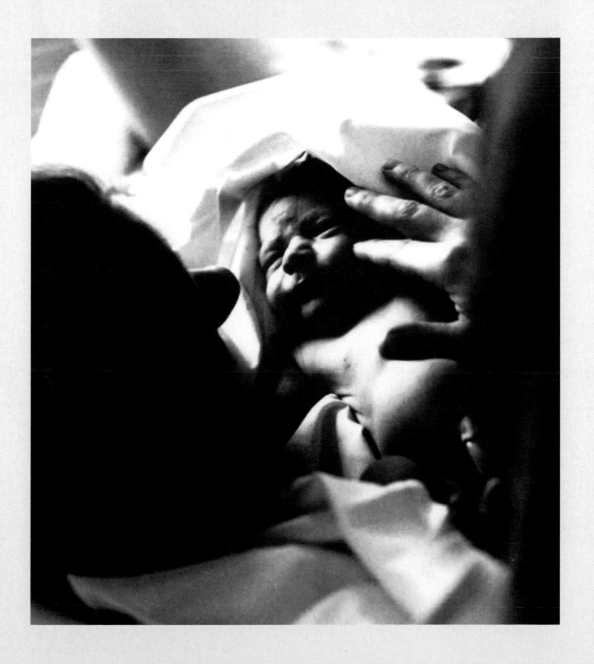

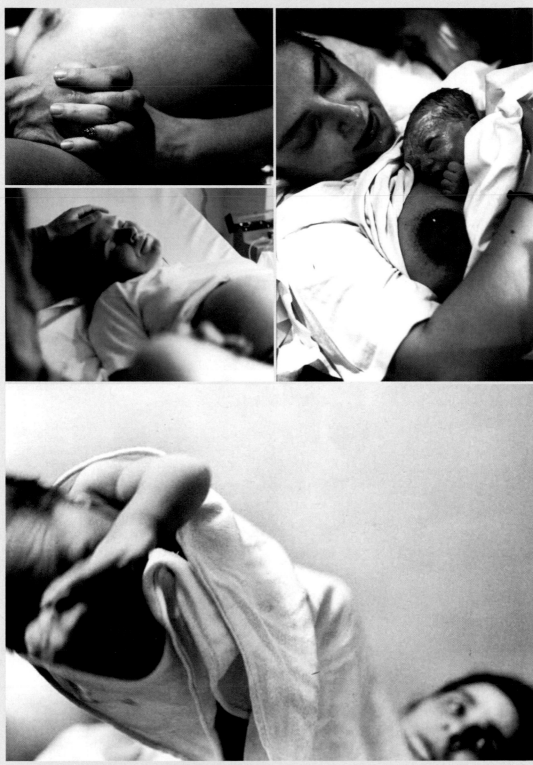

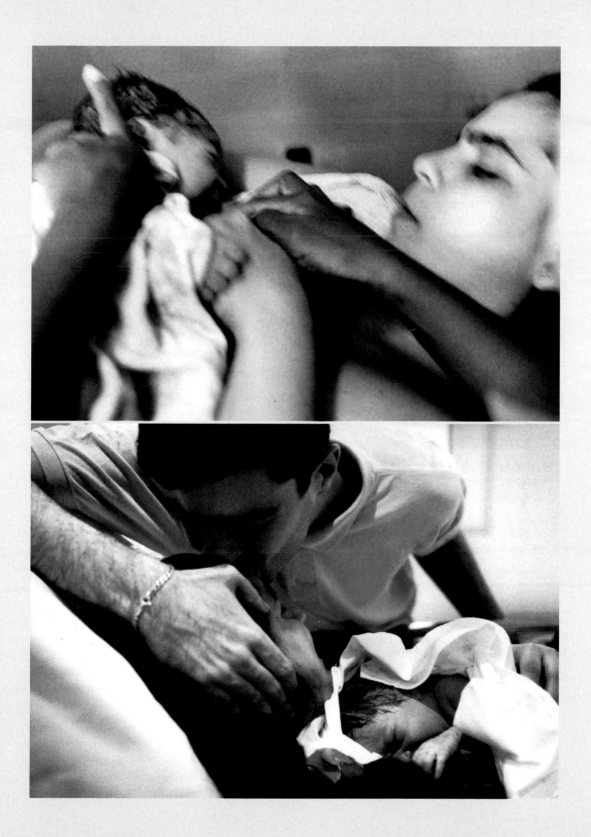

L'ÉPISIOTOMIE

Le dégagement de la tête hors de la vulve peut être plus délicat dans certaines conditions : gros enfant, vulve très étroite, périnée très résistant ou anormalement fragile. Cette fragilité du périnée peut être constitutionnelle, ou acquise (prise de poids importante au cours de la grossesse avec infiltration des tissus). Le médecin, ou la sage-femme, est alors amené, afin d'éviter une déchirure, à pratiquer une incision du périnée : c'est l'épisiotomie qui est généralement faite latéralement.

Certains accoucheurs pensent en plus que pratiquer une épisiotomie permet de prévenir l'incontinence urinaire : en effet, cette incision diminue la tension qui s'exerce au niveau de la vulve et de l'urètre (c'est-à-dire le canal urinaire et le muscle sphincter qui le ferme).

Les femmes redoutent l'épisiotomie, c'est compréhensible, elles ont peur que cela fasse mal. En réalité, l'épisiotomie est presque indolore : la tête du bébé comprime les terminaisons nerveuses du périnée, ce qui le rend insensible. Et si la mère a une péridurale, elle ne sentira pas l'épisiotomie. Lisez aussi page 390.

Sur la pratique de l'épisiotomie, une tendance se dessine aujourd'hui. À la suite des « recommandations des bonnes pratiques professionnelles » (recommandations faites par le Collège des Gynécologues-obstétriciens), il est conseillé d'éviter, dans la mesure du possible, de pratiquer systématiquement une épisiotomie. Et de voir, selon chaque cas, ce qui est le plus approprié.

LE PREMIER CRI

La tête une fois sortie, le médecin ou la sage-femme dégage une épaule, puis l'autre. Le reste du corps de l'enfant suit sans difficulté.

Votre enfant est né : ses narines se dilatent, son visage se plisse, sa poitrine se soulève, sa bouche s'entrouvre. Pour la première fois de sa vie, il respire. Il pousse un cri, peut-être de douleur, car l'air s'engouffre dans ses poumons et les dilate violemment.

La sensation que vous éprouverez en entendant ce premier cri est difficile à décrire : immense émotion, satisfaction intense mêlée de fierté ; une certaine peine à réaliser que cet enfant que vous venez de porter neuf mois en vous est maintenant à côté de vous ; lassitude à cause de l'effort intense que vous venez de fournir. Ces sentiments seront riches, multiples, envahissants. D'ailleurs, vous ne chercherez pas à les analyser, ce qui comptera d'abord pour vous ce sera de faire connaissance avec votre bébé, de le regarder, de le sentir contre vous. Dès la minute de la naissance, on pose l'enfant sur le ventre de sa maman, ainsi le contact mère-enfant est aussitôt établi, ou plutôt rétabli. La mère peut mieux sentir l'enfant, le toucher, mieux percevoir la réalité de son corps. Et lorsque le père est témoin de la naissance, cette soudaine réalisation du triangle est bouleversante, tous ceux qui l'ont vécu en témoignent. Parfois il faut un peu de temps pour que les parents se sentent à l'aise avec ce nouvel être. Peu importe, la relation s'établira petit à petit grâce aux contacts affectifs qui vont se nouer entre vous trois.

Hier encore, quand un enfant naissait et qu'il n'avait pas poussé son premier cri, on s'inquiétait et on faisait tout pour le provoquer, car ce cri était considéré comme le signe même de la vitalité du bébé. Aujourd'hui, on s'est rendu compte que l'enfant pouvait ne pas crier tout en étant en pleine forme. Nous vous disons cela car vous ne devez pas vous inquiéter si votre enfant ne crie pas en naissant.

VOUS DÉCOUVREZ SON VISAGE

Il y a maintenant dans la salle de naissance une personne de plus : votre bébé. Avec son premier cri, ou ses premiers vagissements, vous découvrez son visage. Le nouveau-né est posé sur votre ventre, encore mouillé du liquide amniotique. La sage-femme le sèche aussitôt avec un petit drap, puis elle le couvre avec la couverture que vous avez apportée pour qu'il ne se refroidisse pas.

Le premier examen

Il s'est passé juste une minute depuis la naissance, et la sage-femme a déjà fait un examen – **le test d'Apgar** – pour s'assurer que les fonctions vitales de votre bébé se sont bien adaptées à la vie aérienne :
• sa peau est devenue rose
• son attitude est tonique
• il réagit vigoureusement
• il respire sans effort
• son cœur bat aussi rapidement qu'avant sa naissance, entre 120 et 160 battements par minute (il suffit de poser ses doigts sur la cage thoracique pour le vérifier).

Ces éléments sont facilement observés sans vous séparer de votre bébé ; ils attestent que le cœur, les poumons, la circulation sanguine et le système nerveux s'adaptent à la vie en dehors de l'utérus. Votre bébé n'a plus besoin du placenta pour vivre. Il est autonome.

La sage-femme vérifie que vous n'avez pas de saignements anormaux. Si tout va bien, par discrétion, on vous laisse tous les trois quelques instants, tout à l'intimité de votre rencontre avec ce bébé que vous avez imaginé, et qui peut être si différent. La sage-femme, ou le médecin, pose deux pinces sur le cordon et le coupe entre les pinces. Ce geste est absolument indolore. Le cordon est constitué d'une gelée et ne contient aucun nerf sensitif. Un bracelet d'identité est posé au poignet du bébé.

Si vous souhaitez allaiter, et si votre bébé manifeste son envie de téter, vous pouvez le mettre au sein dès maintenant. Sinon, installez-le dans le creux de votre bras, regardez-le, laissez-lui le temps de vous regarder, vous et son père. Ces contacts visuels des premiers instants permettent au nouveau-né d'établir un lien très fort avec ses parents.

SUR L'ACCUEIL DU NOUVEAU-NÉ, *voyez aussi page 313.*

Lorsque tout s'est bien passé, le bébé naît dans un état de vigilance particulière qui lui permet de retrouver ce qu'il connaissait avant la naissance, et d'être rassuré : l'odeur de sa mère, les bruits de son cœur, sa voix, la voix de son père...

Parfois le bébé a plus de mal à s'adapter à son nouvel environnement : il peut avoir des glaires dans la gorge, il faudra aspirer les mucosités qui le gênent ; il peut respirer plus difficilement, il aura besoin d'un peu d'oxygène pour reprendre de la vigueur. Votre bébé recevra d'abord les soins indispensables et vous ferez plus ample connaissance quand tout ira bien. Si la maman a été éprouvée par un accouchement un peu difficile, le père peut prendre le relais et, dès que le cordon est coupé, garder son bébé contre lui.

Les réflexes, qui seront vérifiés dans les jours suivant la naissance, sont déjà présents : le bébé rampe vers le sein en remontant une jambe après l'autre, c'est le réflexe de la marche automatique (qui sera testé le bébé étant debout) ; il oriente sa bouche vers le mamelon, c'est le réflexe d'orientation ; il tête le sein dès que le mamelon est dans sa bouche, c'est le réflexe de succion ; il referme ses doigts sur votre doigt ou le sein, c'est le grasping. Tous ces réflexes témoignent du bon état du système nerveux et correspondent à une adaptation indispensable pour survivre sans la protection utérine, ni le placenta.

Les premiers soins

Maintenant que vous avez fait connaissance avec votre bébé, les premiers soins peuvent commencer. L'enfant est posé sous une lampe chauffante car il ne sait pas encore maintenir sa température à 37°. Il va être pesé, recevoir des gouttes pour protéger ses yeux d'une éventuelle infection, et de la vitamine K pour éviter des saignements. En général, il sera mesuré à l'examen de sortie de la maternité, lorsqu'il sera plus détendu et que ses jambes s'allongeront d'elles-mêmes. Si votre bébé est recouvert de mucosités, celles-ci sont nettoyées. En revanche, l'enduit (le vernix) est laissé car il protège contre le froid et les microbes. Selon les établissements, le bébé est baigné peu après la naissance, ou plus tard, à l'heure habituelle de la toilette. Tous ces soins peuvent se faire à proximité de la mère.

Votre enfant est ensuite habillé avec les vêtements que vous avez apportés. Vous pouvez le garder contre vous, le laisser dans les bras de son père, ou demander qu'on le mette dans son berceau.

Avant la sortie de la maternité, on prélèvera quelques gouttes de sang au talon du bébé pour le dépistage systématique de certaines maladies : phénylcétonurie, hypothyroïdie, hyperplasie des surrénales, drépanocytose et mucoviscidose. Si vous souhaitez que votre enfant soit suivi par un pédiatre de votre choix, celui-ci peut venir l'examiner à la maternité.

LA DÉLIVRANCE

Tout n'est pas encore tout à fait terminé pour vous. Dans les minutes qui suivront la naissance de l'enfant, vous ressentirez encore quelques contractions utérines, mais beaucoup moins intenses que celles de l'accouchement. Elles ont pour résultat de décoller le placenta qui adhérait à l'utérus. Quand le placenta est décollé, le médecin appuie sur l'utérus, et le placenta est alors expulsé. C'est ce qu'on appelle la délivrance. Et lorsque la mère pousse, en serrant bien le ventre, le placenta sort tout seul, sans que cela fasse mal. Le placenta est examiné par le médecin ou la sage-femme. S'il en manque un fragment, on procède à une révision utérine (p. 319).

Pour hâter la délivrance et diminuer les pertes de sang, dès la sortie des épaules du bébé on fait une injection d'ocytociques qui aident l'utérus à se bien rétracter. C'est en effet cette rétraction des fibres musculaires utérines qui assure la fermeture des vaisseaux qui faisaient communiquer l'utérus et le placenta, et qui sont restés béants après le décollement de ce dernier.

Si l'on a été amené à faire une épisiotomie, celle-ci est alors recousue sous anesthésie locale, ou sous anesthésie péridurale, si vous en avez eu une pour l'accouchement. Ce petit acte chirurgical est donc indolore.

Enfin, après une toilette locale, vous resterez sous surveillance pendant environ deux heures, puis vous serez reconduite dans votre chambre.

LA DURÉE DE L'ACCOUCHEMENT

Il est impossible de vous dire : « un accouchement dure tant d'heures », car trop de facteurs peuvent faire varier cette durée. Les statistiques permettent cependant de donner un ordre de grandeur : une femme, pour mettre au monde son premier enfant, a besoin en moyenne de 8 à 9 heures, pour le deuxième de 5 à 6, c'est-à-dire, près de 3 heures de moins.

L'accouchement d'un deuxième enfant dure moins longtemps parce que le col de l'utérus et le vagin, ayant déjà été dilatés, offrent moins de résistance à une nouvelle dilatation.

Mais ces chiffres ne sont que des moyennes établies sur quelques milliers d'accouchements, et votre accouchement pourra être plus rapide ou plus lent.

Une chose est certaine : aujourd'hui, on ne laisse plus traîner un accouchement en longueur ; on dispose de moyens efficaces pour en régulariser le déroulement et en réduire la durée. La dilatation du col est la phase la plus longue. Elle représente près des neuf dixièmes de la durée totale, c'est-à-dire sept à huit heures pour un premier enfant, quatre à cinq pour un deuxième.

L'expulsion, par contre, ne dure en général que 20 à 25 minutes dans le premier cas, et moins de vingt minutes dans le second. Parfois même pour un deuxième enfant, l'expulsion suit immédiatement la dilatation complète.

Voici quelques-uns des facteurs qui peuvent écourter, ou au contraire, prolonger l'accouchement :
• la présentation : l'accouchement d'un « siège » est un peu plus long que celui d'un « sommet »
• la puissance et la fréquence des contractions qui varient beaucoup selon les femmes
• la mobilité de la maman pendant la phase de dilatation : le mouvement favorise la descente du bébé.

QUI SERA LÀ ?

Certaines lectrices nous ont demandé de parler des personnes qui seront présentes lors de l'accouchement. Nous comprenons leur souhait, mais c'est difficile d'être précis car cela dépend vraiment de l'organisation de la maternité et de l'heure de l'accouchement. Cela peut aller d'une personne – la sage-femme est toujours là – à deux, trois, ou plus : l'accoucheur, un anesthésiste, une puéricultrice, etc. Il peut y avoir aussi l'élève sage-femme ou l'élève puéricultrice qui effectuent leur formation.

Du côté de la famille, cela dépend du désir des parents. Cela dépend aussi de la maternité. Souvent, le père est là, nous en reparlerons plus loin. S'il ne peut venir, ou s'il ne le souhaite pas, la mère peut désirer avoir quelqu'un d'autre près d'elle (sa mère, sa sœur, une amie).

Et que penser de **la présence des enfants** que certains parents souhaitent ? Aucun des arguments entendus jusqu'ici ne nous a convaincus de l'opportunité de cette présence. L'argument principal des parents est de dire : « Le bébé sera mieux accepté par ses frères et sœurs. » Autrement dit, les parents se mettent à la place des enfants, sans pouvoir imaginer le choc que pourrait produire tout de suite, et plus tard, l'image de la naissance. Un accouchement peut être émouvant, merveilleux, mais aussi très violent. De quel droit imposer à un enfant une scène aussi impressionnante, aussi chargée d'émotions ? Est-on bien sûr de ne pas le choquer ? Voir sa mère dans cette position, la voir mettre au monde, peut-être dans la douleur et le sang, celui qui deviendra son frère ou sa sœur peut le troubler profondément. Le risque de le perturber semble plus grand que le plaisir qu'il pourrait en ressentir. Et même si l'enfant ne dit rien, ce n'est pas sûr qu'il ne soit fortement marqué.

LE PÈRE

« Vais-je assister à la naissance de notre enfant ? » Certains pères ne se posent pas la question : ils seront là, bien sûr, pour accompagner leur femme et accueillir leur bébé. D'autres pères hésitent : être présent, c'est se retrouver face à des images enfouies dans ses rêves ou ses fantasmes, c'est être confronté à un ensemble de sensations fortes et complexes.

Être là...

D'après une enquête que nous avons faite, près de huit pères sur dix viennent, mais leurs motivations sont variées.

Certains pères sont là pour assister à un documentaire sur l'accouchement. Mais ces pères ne sont pas les plus nombreux.

La plupart viennent et comme mari (pour être aux côtés de leur femme) et comme père (être là pour le grand moment). « Bien sûr je vais assister à l'accouchement, cela va de soi. J'étais là pour la naissance de notre premier enfant, on se sent très forts, très proches. Je sais que ma femme trouve dans ma présence à la fois du calme et de l'énergie. » « J'ai voulu être là pour l'accueillir, j'ai pu le prendre dans mes bras, il avait à peine 10 minutes. »

On trouve aussi des différences entre les pères, selon le temps de présence à l'accouchement : à côté de celui qui ne quitte pas sa femme, il y a le père présent seulement pendant une partie de l'accouchement, et qui n'assiste pas à la sortie du bébé. D'autres fois au contraire, le père demande à la sage-femme de le prévenir au moment de la naissance, car il trouve trop long le temps du travail. Il arrive enfin que le père qui avait décidé d'être là ait, au dernier moment, un empêchement. Vrai ? Ou fuite ?

Et où se met le père quand il est dans la salle d'accouchement ? Souvent, impuissant à aider sa femme à mieux supporter la violence de ce qu'elle vit, et se sentant désemparé, le père se met dans un coin de la pièce. Il se fait le plus discret possible, dans une position assez inconfortable où il se sent un peu inutile, spectateur exclu de l'action. Il reste là jusqu'au moment où l'enfant naît ; alors le père retrouve une place, où il peut vivre le plaisir d'accueillir son enfant, et la joie de partager ce moment particulièrement fort avec la femme qu'il aime.

Mais le père peut aider sa femme pendant le travail : par sa présence, par sa proximité, par son contact physique, par sa main sur le ventre, près du bébé, par son bras autour du cou de sa femme. Si le père sent qu'il peut aider, sa main rassurera. Il peut par exemple donner le brumisateur d'eau, installer les oreillers ou passer le masque à oxygène ; ou encore aider sa femme à changer de position, à se mettre debout à côté du lit d'accouchement. Ce sont de petits gestes qui apportent chaleur et réconfort.

Au sujet de la place du père dans la salle d'accouchement, une amie sage-femme m'a demandé de rappeler à celui-ci qu'en fait il n'est bon ni pour lui ni pour sa femme qu'il se mette exactement en face d'elle pendant la naissance (et encore moins de filmer cet instant). Sa vraie place, sa bonne place, c'est d'être à côté d'elle.

... Ou ne pas être là

Du côté de la mère, les réticences à la présence du père peuvent être diverses et souvent emmêlées.
• Désir de vivre seules ce moment si important de leur vie de femme, de se prouver qu'elles sont capables de mener à bien leur accouchement sans aide, mais aussi désir de vivre cet accouchement comme elles le veulent avec le droit de crier si elles en ont envie.

• Peur d'offrir à l'homme qu'elles aiment un spectacle peu flatteur et que ce spectacle compromette leurs relations sexuelles futures, peur de la peur du mari, surtout si une intervention est nécessaire et qu'il risque de s'évanouir. En cas d'intervention, certains médecins font sortir le père, d'autres acceptent qu'il reste.

Et d'ailleurs, lorsqu'un homme ne vient pas, c'est souvent l'angoisse qui le retient : angoisse de voir, en vrai, la scène imaginée cent fois et de ne pas la supporter : impuissance devant la douleur de sa femme, peur des actes médicaux, crainte, comme sa femme, que leurs relations sexuelles en pâtissent.

Et lorsqu'un accouchement précédent s'est mal passé, le père hésite à venir : « Il a fallu utiliser les forceps et on m'a demandé de sortir. J'ai entendu le bébé pleurer, on m'a dit de revenir, et quel choc : ma femme avait les pieds dans les étriers, une paire de ciseaux qui pendait de la région vaginale, il y avait du sang partout, les forceps par terre, j'étais bouleversé. »

On a si souvent dit au père que sa place était dans la salle d'accouchement qu'il promet en général de venir, mais, s'il change d'avis, il se croit obligé comme un mauvais élève d'inventer une excuse : « J'avais un rendez-vous urgent », ou « J'ai raté le train. » Si c'est l'angoisse qui le retient d'être auprès de sa femme, il vaut en effet mieux qu'il s'abstienne ; rien n'est plus contagieux que la peur. Or une femme, à ce moment-là, a besoin de calme avant tout. Mais comme l'a dit une mère : « Qu'il n'aille pas trop loin. S'il est dans le couloir à portée de voix, c'est déjà rassurant. »

UN CHOIX LIBRE

Pour un homme, décider d'assister ou non à la naissance de son enfant, est vraiment un choix qui doit être libre (comme doit l'être, par exemple, pour la mère, la décision d'allaiter). Des médecins regrettent l'attitude de certaines équipes médicales qui, lorsque le père n'est pas présent à l'accouchement, se posent aussitôt des questions sur « la qualité du couple ». Les attitudes qui entourent la naissance sont plus que de simples gestes, elles ont des prolongements psychologiques et affectifs, une signification profonde. Elles ne doivent être dictées ni par l'entourage, ni par la mode. C'est au père et à la mère de voir ensemble ce que profondément ils souhaitent, ils prendront alors leur décision. Et l'équipe médicale a un rôle à jouer pour accueillir et soutenir les pères, qu'ils soient présents ou non en salle de naissance.

L'ACCUEIL DU NOUVEAU-NÉ

Le temps est heureusement loin où le nouveau-né était manipulé sans ménagement pour lui faire pousser son premier cri, puis vite emmené loin de ses parents pour subir des examens médicaux. Les équipes médicales ont pris conscience du fait qu'il faut assurer au bébé une certaine continuité avec le monde qu'il vient de quitter : il sort d'un abri liquide, chaud, douillet, obscur, bien clos et il se trouve projeté dans le bruit, la lumière vive, l'agitation, les manipulations, la pesanteur. Il faut donc le traiter avec douceur, ne pas l'aveugler, éviter tout geste brutal. Si l'accouchement s'est déroulé normalement, si tout va bien, les premiers examens peuvent attendre. Le père, la mère, le nouveau-né se voient enfin, ils ont besoin de ce moment d'intimité.

« Peau à peau »

La sage-femme, qui a accompagné la maman pendant l'accouchement, a à cœur de favoriser au mieux les liens mère-père-enfant. Dès sa sortie, le bébé est soigneusement essuyé et séché pour qu'il

UN PEU D'HISTOIRE

En 1974, un obstétricien, Frédérik Leboyer, publiait un livre et un film : « **Pour une naissance sans violence** *» (Éditions du Seuil) dont l'impact a été considérable car il dénonçait les souffrances inutiles qu'infligeait au nouveau-né la violence de certaines pratiques obstétricales bien établies. Prendre conscience de la difficulté de venir au monde, trouver les gestes pour un autre accueil à la naissance, dans un climat de douceur et de sérénité : on le doit à Frédérik Leboyer et à ceux qui l'ont suivi.*

n'ait pas froid, puis posé en « peau à peau » sur sa maman, bien installé sur le côté. Le visage est également tourné de côté pour une meilleure surveillance, le nez, la bouche sont bien dégagés. Le peau à peau est comme une bouillotte, il permet au bébé de ne pas se refroidir. Un petit bonnet est appliqué sur sa tête pour les mêmes raisons de confort et de chaleur. Les soins nécessaires (poids, soin du cordon, soin des yeux, etc.) peuvent se faire plus tard, par exemple au moment où la maman regagne sa chambre. Toujours dans l'idée de ne pas refroidir l'enfant, le bain n'est plus systématique.

Dans la première heure qui suit la naissance, le bébé est dans un état d'éveil calme. Il peut découvrir tranquillement, en confiance, le monde qui l'entoure. Sur le ventre de sa maman, il va retrouver les bruits du cœur et les mouvements de la respiration qui l'ont accompagné durant neuf mois. Sous la main de sa mère qui le caresse, en entendant la voix familière de ses parents, le bébé se détend.

Échanges de regards

Regardez-le, laissez-le vous regarder. Tous les parents sont surpris et émus par l'intensité et la profondeur du regard de leur nouveau-né. Ces premiers échanges visuels sont un moment fondateur de l'établissement du lien parents-enfant. Même s'il y a une difficulté, par exemple le bébé doit être placé en couveuse, il est important de permettre ces échanges de regards.

Puis, si on lui laisse le temps, le bébé rampe vers le sein et il commence à téter avec vigueur. À ce moment-là aussi, il retrouve des sensations d'avant la naissance : le liquide amniotique et le colostrum ont des goûts et des odeurs proches.

Que de chemin parcouru depuis les années 60-70 où l'enfant, dès la naissance, était « kidnappé » par les professionnels pour accomplir des gestes essentiellement techniques ! Même si dans la réalité quotidienne des salles de travail, avec la succession imprévisible des accouchements, cette attention et ce respect du nouveau-né ne sont pas présents partout, bon nombre de professionnels sont aujourd'hui sensibilisés à ce nouvel état d'esprit et se préoccupent autant de la qualité de l'accueil du nouveau-né que de sa santé physique.

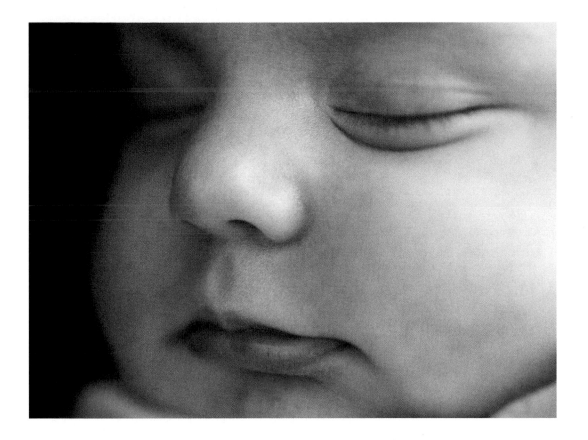

Les accouchements avec intervention

Dans la grande majorité des cas, l'accouchement se déroule tout naturellement. Mais il peut arriver que le mécanisme normal de l'accouchement soit troublé, soit que l'enfant se présente mal, soit que le bassin soit trop étroit pour que l'enfant puisse évoluer aisément, soit que les parties molles (le périnée et la vulve) soient particulièrement résistantes. Il est alors nécessaire, pour éviter que la mère et l'enfant ne souffrent, d'intervenir en faisant une application de forceps ou une césarienne.

LE FORCEPS ET LA VENTOUSE

• **Le forceps** est un instrument composé de deux sortes de « cuillères », destiné à saisir la tête de l'enfant pour l'aider à descendre et à sortir.

Le forceps a encore mauvaise réputation. Cela vient du temps où l'on s'en servait alors que l'enfant était encore très haut dans le bassin et que la tête n'était pas engagée. Mais on n'avait pas le choix à l'époque. Aujourd'hui, ce n'est plus le cas ; si la tête n'avance plus et n'est pas engagée, on ne cherche pas à franchir l'obstacle, on le contourne, et c'est la césarienne. Dans ces conditions, on ne fait plus de forceps traumatisant.

Le forceps peut se poser sous péridurale s'il y en a une en cours, mais aussi dans certains cas simplement sous anesthésie locale.

Si une application de forceps est nécessaire lors de votre accouchement, vous n'aurez donc rien à redouter, ni pour vous-même, ni pour l'avenir de votre enfant.

• **La ventouse** (ou *vacuum extractor*) est un instrument en matière souple, ou métallique, qui est mis en place sous la tête de l'enfant au moment d'une contraction, et donc en même temps qu'une poussée. Elle permet, par la flexion de la tête, de faciliter son passage. Les indications de la ventouse sont pratiquement les mêmes que celles du forceps. L'usage de l'une ou l'autre dépend des habitudes du médecin.

À noter que l'application du forceps peut laisser des traces sur les joues du bébé, mais elles sont passagères. Il en est de même pour la ventouse, où une petite bosse se dessine au sommet de la tête à l'endroit où la ventouse a été appliquée. La trace disparaît en moins de 24 heures.

LA CÉSARIENNE

La césarienne est une opération couramment pratiquée. Aussi lorsqu'elle s'impose, il ne faut vraiment pas la redouter. Vous allez voir dans quels cas on la prescrit, comment on réalise l'intervention, et ce qui se passe après.

La césarienne, quand ?

De nombreuses causes peuvent nécessiter le recours à une césarienne, et il est impossible de les citer toutes ici. Voici les plus fréquentes que l'on peut grouper sous trois rubriques.

Impossibilité d'un accouchement par voie basse, c'est-à-dire par les voies naturelles, pouvant tenir :

• aux dimensions insuffisantes du bassin de la mère

• au volume trop important de l'enfant ou à sa présentation en mauvaise position : présentation du front, présentation transversale, voire présentation du siège où l'on a tendance à « jouer la prudence », surtout chez la primipare (p. 291) ; cette tendance, qui nous vient des pays anglo-saxons, est de plus en plus remise en question dans notre pays car beaucoup d'obstétriciens estiment que l'accouchement par les voies naturelles d'un bébé en présentation du siège est tout à fait possible si certaines conditions sont réunies, en particulier une bonne radiopelvimétrie, ou scanpelvimétrie (qui ont mesuré le pelvis)

• à l'existence d'un obstacle à la sortie de l'enfant : fibrome par exemple ou encore placenta *prævia* (p. 243).

Obligation d'interrompre la grossesse avant terme si la poursuite en est dangereuse pour l'enfant : certains cas de diabète, de toxémie ou de retard de croissance par exemple.

Nécessité de terminer l'accouchement :

• parce que le col ne se dilate plus ou parce que la tête de l'enfant ne s'engage pas dans le bassin

• parfois même pour sauver la vie de la mère, mais beaucoup plus souvent celle de l'enfant, qui peut être menacée par une hémorragie ou surtout par un risque d'asphyxie apparu au cours du travail.

A toutes ces causes, d'autres raisons de pratiquer une césarienne s'ajoutent aujourd'hui, qui expliquent d'ailleurs l'augmentation du nombre des césariennes (plus de 20% des naissances en 2009).
• l'inquiétude des médecins face aux revendications de plus en plus fréquentes des patientes : même si la césarienne n'est pas complètement indiquée, de plus en plus de médecins préfèrent la pratiquer pour que leur responsabilité soit moins facilement mise en cause
• la meilleure connaissance des risques, pour l'enfant, de certains accouchements par voie basse : très gros enfants ou, au contraire, enfants de très petit poids ; certaines présentations du siège ; certains prématurés
• le meilleur diagnostic de l'atteinte fœtale en cours de travail grâce au monitoring
• l'indiscutable augmentation des grossesses à risques, notamment les grossesses gémellaires et les grossesses tardives
• les progrès des techniques chirurgicales et d'anesthésie qui font de la césarienne une intervention simple.

La césarienne programmée

Plus de la moitié des césariennes pratiquées en France le sont en général après la 39e semaine, c'est-à-dire 10 à 15 jours avant le terme. Pour quelles raisons programme-t-on une césarienne? Cela peut être parce que la femme en a déjà eu une et que les motifs de cette césarienne sont les mêmes que lors de la grossesse précédente ; ou bien parce que l'on estime que la poursuite de la grossesse jusqu'à son terme fait courir un risque à l'enfant (toxémie, retard de croissance, diabète, placenta *praevia*, certaines grossesses gémellaires, âge avancé de la maman, etc.) ; ou parce que le médecin l'a conseillé.

LA CÉSARIENNE PROGRAMMÉE EN PRATIQUE
- Vous serez hospitalisée la veille de la césarienne
- vous vous rendrez vous-même au bloc opératoire (à moins que vous ne désiriez être conduite en brancard)
- une sonde urinaire sera mise en place par une infirmière
- l'anesthésiste vous installera en position assise pour mettre en place une rachianesthésie (p.354)
- puis vous serez allongée légèrement sur le coté et votre abdomen sera nettoyé et badigeonné d'une solution antiseptique.

La césarienne : comment ?

La césarienne est une intervention chirurgicale qui se déroule non pas en salle d'accouchement, mais au bloc opératoire. On rase les poils du pubis, on place une sonde dans la vessie (pour que le chirurgien ne soit pas gêné par une vessie pleine pendant l'opération) ; la peau de l'abdomen est ensuite largement désinfectée et l'on place des sortes de draps (appelés champs opératoires) pour protéger la zone de l'opération. Celle-ci peut alors véritablement commencer. Le médecin incise d'abord la peau, puis les muscles de la paroi abdominale pour parvenir jusqu'à la cavité abdominale. Après que l'on a incisé l'utérus, le bébé est extrait par l'ouverture ainsi pratiquée. Le placenta est retiré immédiatement après. Le nouveau-né est alors confié à son papa, « en peau à peau », un moment inoubliable disent les pères.

Alors commence le deuxième temps de l'opération ; les différents tissus qui ont été incisés sont recousus : l'utérus d'abord, puis la paroi abdominale ; enfin la peau sur laquelle on met des fils qui sont le plus souvent résorbables, ce qui fait qu'on a pas besoin de les retirer. L'intervention dure, au total, 1 heure.

La césarienne se fait sous rachianesthésie, ou sous péridurale si celle-ci avait été mise en place au cours de l'accouchement. L'anésthésie générale ne se pratique que dans les cas d'extrême urgence : l'anesthésie péridurale demande une quinzaine de minutes pour agir alors que l'anesthésie générale agit immédiatement.

Après la césarienne, vous serez surveillée en salle de réveil pendant au moins deux heures. La sonde urinaire sera laissée en place jusqu'au lendemain. Une attention particulière sera portée à votre confort et notamment à la douleur qui ne doit pas être très différente de celle d'un accouchement naturel. Et, comme pour un autre accouchement, votre bébé pourra être mis au sein peu après la naissance.

Dans les jours qui suivent

Par rapport à un accouchement normal, peu de choses changeront pour vous dans les suites de l'intervention. Celles-ci sont habituellement simples, mais la fatigue est parfois plus grande les premiers jours.

Les deux premiers jours, les contractions de l'après-naissance, ou tranchées, sont plus douloureuses car elles se font sur un utérus cicatriciel plus sensible. De plus, elles peuvent être accompagnées de douleurs abdominales liées à la reprise du transit intestinal. Durant cette période, le jeûne ou un régime adapté sont recommandés.

Il est possible qu'il y ait, au bout de 48 heures, un petit drain à enlever au niveau de la cicatrice (tous les chirurgiens n'en mettent pas).

Vous vous lèverez dès le lendemain de l'intervention. Alors que vous n'aurez fait que quelques pas, ce premier lever pourra vous sembler difficile, peut-être même épuisant. Mais ne vous découragez pas, dès le 2e ou 3e jour, vous pourrez aller et venir facilement. En attendant, le personnel de la maternité prendra en charge les soins de votre nouveau-né (changes, bains, etc.), et vous vous occuperez de lui pour les repas. Une césarienne n'empêche pas d'allaiter quand la maman le souhaite. La montée de lait peut être simplement plus tardive (4e-5e jour au lieu du 2e-3e jour), compte tenu de la plus grande fatigue.

Reposez-vous bien ces premiers jours (demandez à vos amis d'attendre un peu pour vous rendre visite). D'autant plus que votre séjour sera un peu plus long que pour un accouchement normal par voie basse (sortie au 7e jour en moyenne) et qu'il vous sera plus agréable de profiter de vos visiteurs en fin de séjour. Vous pourrez prendre une douche dès le lendemain.

Le préjudice esthétique est quasiment nul puisque l'intervention est presque toujours pratiquée par une incision basse, transversale, cachée dans les poils du pubis. Dans les semaines qui suivent, la cicatrice peut devenir saillante et provoquer des démangeaisons. C'est transitoire. La cicatrice n'aura son aspect définitif qu'environ 8 mois après l'accouchement. Mais il ne faut surtout pas l'exposer au soleil avant un an.

Après la sortie

Le saignement vaginal dure quelques semaines, comme pour un accouchement par les voies naturelles. Il est préférable d'attendre 3 à 4 semaines avant de prendre un bain. De même pour une reprise de l'activité sexuelle. Evitez de porter des charges lourdes pendant au moins un mois (p. 394).

Mais il faut contacter la maternité devant tout signe anormal (cicatrice rouge et douloureuse, douleurs, fièvre, saignements, douleurs au mollet).

Avoir une césarienne est mal vécu par certaines mamans : « La naissance m'a échappé » disent-elles. Prendre contre soi rapidement son bébé, en « peau à peau », est souvent pour la mère une façon de réparer, de combler ce qui a manqué.

Quand vous serez rentrée chez vous, vous éprouverez le besoin de vous reposer, c'est normal. Vous retrouverez peu à peu votre énergie d'avant la grossesse.

La césarienne : et après ?

Un préjugé veut qu'à une césarienne ne puisse succéder qu'une nouvelle césarienne. Ce n'est vrai qu'en partie.

Une nouvelle césarienne sera programmée si l'indication de la première césarienne se présente à nouveau (gros bébé, siège...) ou si le médecin qui suit la grossesse la conseille.

Dans le cas contraire, un accouchement par les voies naturelles sera envisagé et, dans de nombreux cas, se passera sans difficulté.

Le risque de rupture de cicatrice de la précédente césarienne est exceptionnel pendant la grossesse. Et il est rare (moins de 1%) pendant le travail. Il est annoncé par des douleurs persistantes, malgré la péridurale, un saignement anormal, une dilatation du col qui stagne. Dans ce cas, la césarienne se fait au cours du travail.

Il est donc juste de dire qu'une césarienne précédente augmente le risque d'avoir une nouvelle césarienne pour l'accouchement suivant. Mais ce n'est pas automatique. Et vous n'avez pas à être inquiète si on vous propose un accouchement par les voies naturelles : il y a de nombreuses chances pour qu'il se passe très bien et vous serez plus particulièrement surveillée.

Certaines femmes croient qu'on ne peut pas avoir plus de trois césariennes successives. Ce n'est pas une règle. Il est même possible d'envisager de pratiquer quatre, voire cinq césariennes. Mais ce n'est pas très fréquent.

LA DÉLIVRANCE ARTIFICIELLE

Vous avez vu (p. 310) qu'habituellement le placenta se décollait tout seul, grâce aux contractions utérines qui réapparaissent dans les minutes suivant la naissance de l'enfant. Il arrive, pour des causes diverses (manque ou mauvaise qualité de ces contractions, adhérence anormale du placenta), que le placenta ne se décolle pas ou se décolle partiellement. Le risque est alors l'hémorragie qui peut parfois être grave et tout à fait inattendue. C'est une des raisons qui font déconseiller l'accouchement à la maison. Le médecin doit introduire la main dans l'utérus afin de décoller artificiellement le placenta. Cette intervention se fait grâce à l'anesthésie de la péridurale. Elle se fait sous anesthésie générale, s'il n'y a pas eu de péridurale.

LA RÉVISION UTÉRINE

Il arrive qu'une hémorragie apparaisse après l'accouchement et la délivrance. Le médecin doit alors en chercher la cause. Elle est en général due à un fragment de placenta ou de membrane resté dans l'utérus. Pour l'extraire, le médecin fait le même geste que celui de la délivrance artificielle (introduction de la main dans l'utérus), sous anesthésie péridurale, ou générale.

Accoucher chez soi :
ce n'est pas recommandé

Accoucher à la maison fait rêver certains couples : ceux qui ont entendu parler d'une naissance à domicile qui s'était passée d'une manière parfaite ; ceux qui ont été choqués par des photos d'accouchements très médicalisés, entourés de nombreux appareils ; celles qui ont envie de vivre un accouchement à leur rythme : marcher, être libre de leurs mouvements, prendre un bain ; enfin les couples qui souhaitent que leur enfant naisse dans une ambiance familiale, au milieu des leurs.

En fait, peu de couples choisissent cette naissance à la maison : selon les statistiques du ministère de la Santé, il y aurait 3 500 accouchements à domicile par an (sur environ 800 000 naissances).

Aujourd'hui, la plupart des professionnels de santé déconseillent fortement l'accouchement à la maison car son issue est incertaine. On dit qu'un accouchement s'est bien passé une fois qu'il est terminé. Que faire en cas de souffrance fœtale aiguë, procidence du cordon ou hématome rétro-placentaire, par exemple ? Ou que faire devant une hémorragie de la délivrance ?

Puisque la raison principale du désir d'accoucher à la maison est d'être entourée au moment de la naissance d'une atmosphère chaleureuse, familiale et tendre, une des solutions est d'essayer d'obtenir partout que l'accueil soit amélioré.

Dans ce but, certaines maternités essaient de changer le décor, en mettant des couleurs et des lumières différentes pour donner au cadre austère de la maternité un aspect plus familier, en organisant des lieux de rencontre et d'échange entre les mères et les couples. Il faut espérer que ces exemples de maternités conviviales se multiplieront, car, outre un cadre plus chaleureux, ce qu'apprécient les parents dans de tels lieux, c'est aussi le contact avec les autres.

L'accouchement ambulatoire et les maisons de naissance pourraient également être une solution pour ceux qui veulent allier humanisation de la naissance et sécurité. Mais ces deux propositions peinent à s'installer en France.

L'accouchement ambulatoire

Il est traditionnellement pratiqué aux Pays-Bas. Aujourd'hui, il est également répandu aux États-Unis, mais en raison du coût très élevé de l'hospitalisation.

Voici comment se déroule l'accouchement ambulatoire. Lorsque les premières fortes contractions se font sentir, la future mère téléphone à la sage-femme qui l'a suivie pendant sa grossesse pour qu'elle vienne voir où en est le travail. En attendant que la dilatation se fasse, la maman marche, prend un bain, se détend en écoutant de la musique. Quand la sage-femme estime que le moment est venu, c'est le départ pour la maternité où la maman accouchera, assistée par la sage-femme. Si tout va bien, quelques heures après la naissance, parents, bébé et sage-femme reviennent à la maison. Et les jours suivants la sage-femme passe tous les matins, et une aide familiale vient plusieurs heures par jour pour aider aux tâches ménagères et aux soins du bébé.

Nous avons reçu des lettres enthousiastes de mère ayant accouché de cette façon. En France, quelques maternités mettent à la disposition de sages-femmes leur « plateau technique », afin que celles-ci puissent venir accoucher leurs patientes à l'hôpital. Ce peut être une bonne manière de concilier la sécurité technique de l'hôpital et l'atmosphère chaleureuse de la maison.

Malheureusement cette solution devient aujourd'hui difficile à appliquer car les sages-femmes ont de la peine à se faire assurer pour cette activité.

Les maisons de naissance

Ces maisons existent chez nos voisins suisses, anglais, allemands. Il s'agit d'une maison, ou d'un local, géré par des sages-femmes. Elles y accueillent les futurs parents pour les consultations, la préparation à la naissance. Les femmes peuvent y accoucher à condition de n'avoir aucune pathologie médicale. Ces maisons sont en liaison avec une maternité à laquelle il serait fait appel si un problème se présentait.

En France, le projet des maisons de naissance est à nouveau à l'ordre du jour. Mais, plutôt que ces maisons de naissance, des professionnels proposent de créer dans des maternités une salle de naissance « physiologique », salle où l'on respecte autant que faire se peut le besoin de démédicalisation de la naissance. Cette salle aurait le même encadrement médical que les autres salles d'accouchement, avec les mêmes règles de sécurité et de fonctionnement administratif. A suivre...

13

La douleur et l'accouchement

UN ACCOUCHEMENT EST-IL TOUJOURS
DOULOUREUX ?

LA PRÉPARATION
À LA NAISSANCE AUJOURD'HUI

L'histoire des rapports entre l'accouchement et la douleur peut s'écrire en plusieurs épisodes. Le premier est dominé par la sentence de la Bible : « Tu enfanteras dans la douleur. » Obligation ou constatation, personne ne songe à discuter, mais tout le monde subit la douleur, ou la peur de la douleur. Pendant des siècles, on propose des moyens de fortune pour lutter contre elle. Jusqu'à l'observation rapportée par le docteur Read, au début du XXᵉ siècle, d'une femme qui accouche sans avoir mal. Et dans les années 1950, c'est la « révolution » de l'accouchement sans douleur, et d'une affirmation audacieuse : **on peut accoucher sans souffrir, il suffit de se préparer.** Peu à peu, différentes préparations sont mises au point, proposées pour lutter contre la douleur et vivre différemment son accouchement. Et dans le domaine des médicaments, apparaît une grande nouveauté, l'analgésie péridurale qui très vite va se répandre et va complètement transformer ce lancinant problème de la douleur. Mais parlons d'abord plus en détail de cette douleur que les femmes ne ressentent pas toutes de la même manière.

Un accouchement est-il toujours douloureux ?

Lorsque l'utérus se contracte pour ouvrir le col, dès le début du travail, ses contractions sont perceptibles. D'ailleurs si la future mère ne sentait pas son utérus se contracter, elle ne saurait pas que le travail a commencé. Mais cette perception n'est en général pas d'emblée douloureuse. Puis les contractions augmentent d'intensité, parfois la poche des eaux se rompt, et la douleur apparaît, plus ou moins tôt, plus ou moins forte.

Oui, la douleur obstétricale existe, **mais**, et ce « mais » est important, elle est éminemment variable. Car la douleur n'est pas toujours perçue de la même façon. Cela dépend de la fatigue, de la peur, du stress, des expériences précédentes, etc. Certaines femmes mettent leur enfant au monde sans souffrir, sans l'aide de médicament. Et d'autres ont très mal, elles se sentent dépassées par la douleur et elles ont besoin d'une anesthésie. Entre ces deux extrêmes, tous les degrés existent.

La douleur est donc variable selon les femmes. Elle varie aussi selon le moment de l'accouchement. Pendant la dilation, lorsqu'il y a douleur, elle est intermittente, elle correspond au moment précis où l'utérus se contracte. En dehors des contractions, la douleur disparaît ou s'atténue et la maman peut se reposer. Pendant l'expulsion, la douleur n'est plus due aux tensions sur le col mais à l'étirement du périnée et de la vulve : elle est alors plus ou moins continue jusqu'à la naissance du bébé mais dure peu de temps puisque cette phase est courte. Pour certaines femmes cet étirement est intolérable et pour d'autres c'est « comme une fleur qui s'ouvre ». C'est ce qu'ont dit plusieurs mamans, nous a rapporté une sage-femme, pour décrire le moment de la naissance de leur bébé. Et encore une fois, entre ces deux extrêmes, toutes les nuances existent.

Par ailleurs, au moment de l'accouchement, l'organisme produit des hormones, les beta-endorphines, qui atténuent la douleur. Le stress, la peur, la fatigue empêchent ces hormones d'agir. Au contraire, tout ce qui rassure, qui détend, favorise leur action. Ainsi les obstétriciens et les sages-femmes constatent que dans les familles où le climat est serein, où on parle de l'accouchement comme d'un événement naturel, les femmes abordent la naissance en étant plus détendues. Et si la maman se sent en confiance avec l'équipe qui la prend en charge, la douleur est moins forte.

La douleur peut aussi être provoquée par des facteurs organiques, anatomiques. Dans certains cas, la tête du bébé est orientée de telle manière dans le bassin qu'elle provoque des douleurs lombaires plus difficiles à supporter que les douleurs ordinaires (c'est ce qu'on appelle « accoucher par les reins »).

En fait, il est bien difficile de savoir comment la douleur est ressentie. Certaines femmes appellent leur mère, jurent qu'elles souffrent le martyre et que jamais plus elles n'accoucheront, mais elles déclarent plus tard qu'en fait elles n'ont pas tellement souffert, et qu'elles seraient ravies d'avoir un autre enfant. D'autres, qui n'avaient rien dit pendant l'accouchement, se plaignent le lendemain d'avoir eu très mal.

Et certaines auraient voulu pouvoir crier ; elles n'ont pas osé le faire. Il est vrai que cela peut faire peur à une autre future mère près d'accoucher ; cela peut aussi dérouter l'équipe médicale. Alors que le cri n'est pas nécessairement l'expression d'une grande douleur ; ce peut être aussi le moyen de soulager une tension trop forte.

Intensité, étrangeté, violence : l'accouchement confronte les femmes à un effort physique et à des émotions inhabituels. Comment faire face ? Et lorsque la douleur s'installe, forte ou supportable, comment la diminuer ou même la supprimer ?

En France, la réponse est avant tout médicamenteuse, avec en premier lieu l'anesthésie péridurale, même s'il existe d'autres produits analgésiques (chap. 15).

La réponse peut aussi être une préparation psychologique et physique puisque la douleur dépend également de l'appréhension, de l'accompagnement, des positions de la maman et du bébé pendant le travail (chap. 14). Ces deux approches – médicaments et préparation - sont parfois présentées comme incompatibles, elles sont pourtant complémentaires.

Voici maintenant, brièvement racontée, la naissance de l'accouchement sans crainte et sans douleur. C'est une histoire déjà ancienne mais elle est riche d'enseignements pour les futures mamans d'aujourd'hui.

L'HISTOIRE DE L'ACCOUCHEMENT SANS DOULEUR

C'était à Londres, au début du siècle dernier. Un accoucheur, le docteur Read, assistait une jeune maman et fut surpris de la voir mettre son enfant au monde sans craindre la douleur et sans réclamer d'anesthésie. Ce fut le point de départ de ses recherches et il rédigea une méthode : « l'accouchement sans crainte ». Pour que les futures mamans n'aient plus peur de l'accouchement, elles doivent être informées : sur ce qui se passe en elles, sur la vie de leur bébé, sur la façon dont il va naître. Et il est important qu'elles se préparent physiquement, avec des exercices respiratoires et musculaires.

Plus tard, à Paris, le docteur Lamaze développait la « Psycho Prophylaxie Obstétricale », qui devint la PPO. L'argumentation était plus scientifique : la femme apprenait à conditionner sa respiration pendant la contraction pour éviter la douleur. C'est ce qu'on appela « l'accouchement sans douleur ».

Le terme était évidemment idéalisé. Mises au point par des médecins, appliquées par des sages-femmes, ces méthodes ont déçu de nombreuses femmes mais en ont aidé beaucoup d'autres.

Des futures mères allaient assister à des « cours », croyant « apprendre » à accoucher. Puis elles devaient faire face, souvent seules, ou avec un mari non préparé, à cette expérience extraordinaire qui n'a rien à voir avec un examen pendant lequel on récite une leçon bien apprise. «Les cours ne m'ont servi à rien, j'avais tout oublié au moment de l'accouchement » disaient-elles.

En même temps, pour beaucoup de femmes, cet apprentissage de la respiration, de la détente, ce déconditionnement de la peur, ont été bénéfiques. Pour la première fois, les mères ne subissaient plus les souffrances de l'accouchement, elles essayaient de les dominer et les professionnels leur faisaient confiance pour agir et contrôler la douleur. Même si le défi était au départ difficile à relever, il a permis à la femme de mieux connaître son corps, de se sentir, avec son bébé, au centre de cet événement unique, d'accoucher et non plus d'être accouchée, comme on le disait auparavant.

Cela a été un premier pas vers d'autres découvertes : le lien entre douleur et émotion, la continuité de la vie intra-utérine et de la vie après la naissance, les compétences du nouveau-né et les interactions précoces entre les parents et leur bébé.... Cela a aussi permis aux professionnels de la naissance de comprendre l'importance de leur accompagnement, de leur présence en salle de naissance, en dehors de tout acte médical.

La préparation
à la naissance aujourd'hui

Aujourd'hui, on ne parle plus d'accouchement sans douleur mais de « préparation à la naissance et à la parentalité » ; elle se pratique en « séances » et non plus en « cours ». Le nombre de participantes est au maximum de six (plus les conjoints qui sont encouragés à venir). Les professionnels sont mieux formés et suivent des recommandations précises. Voici les principes de cette préparation. Dans le chapitre suivant, vous trouverez plus en détail les exercices à faire ainsi que les autres méthodes proposées actuellement (yoga, haptonomie, etc.).

Le but de la préparation à la naissance est d'aider la femme à mettre au monde son enfant dans les meilleures conditions possibles. Au cours des séances, la future mère apprend à mieux connaître son corps, ses modifications pendant la grossesse et l'accouchement. Elle découvre comment elle peut s'adapter physiquement et psychologiquement à ces transformations. Le père est invité à participer aux séances pour pouvoir accompagner et aider sa femme.

La préparation à la naissance peut être animée par une sage-femme ou un médecin – le plus souvent, c'est une sage-femme qui s'en charge. Dans la préparation, il y a une partie d'information sur la grossesse, l'accouchement, l'allaitement, le nouveau-né, les premières relations parent-bébé, et une part importante est donnée aux activités corporelles, aux respirations, à la relaxation. Le chapitre 14 est consacré à ces exercices. Les objectifs de la préparation sont précisés par des recommandations professionnelles. Chaque sage-femme a sa façon de les atteindre : exercices physiques, yoga, activités en piscine, etc.

> **FUTURES MÈRES PRÉPARANT LEUR ACCOUCHEMENT**
> *Pour un premier accouchement, leur nombre est passé de 69,7 % en 1998 à 66,6 % en 2003. Cette petite baisse est probablement due au fait que de nombreuses maternités n'organisent pas de préparation sur place ; dans ce cas, les femmes ne savent pas toujours qu'elles peuvent en suivre une à l'extérieur. Le développement de la péridurale a peut-être aussi une influence sur cette baisse.*

La préparation se fait en huit séances

Les séances sont remboursées à 100 % dès la déclaration de grossesse. La première séance est individuelle. Toutes les femmes n'ont pas les mêmes demandes, les mêmes craintes, les mêmes atouts pour les affronter. Elles ont besoin d'intimité, d'une relation de confiance pour s'exprimer sur ces sujets sensibles. Leur conjoint également. C'est pourquoi la première séance individuelle fait l'objet d'un « entretien précoce », si possible dès la déclaration de grossesse, en fin de premier trimestre (p. 211).

Les éléments de cet entretien peuvent être consignés dans votre dossier médical ; et soit à la fin de l'entretien, soit en fin de grossesse, il sera complété et un résumé vous sera remis pour faire un lien avec la sage-femme qui vous accueillera en salle de naissance pour l'accouchement.

Il faut reconnaître que ces recommandations ne sont pas encore entrées dans la pratique de toutes les maternités, ni de

> *Pour tout renseignement sur la préparation, notamment sur les recommandations faites aux professionnels, ou pour connaître le déroulement de l'entretien précoce, consultez le site de la Haute Autorité de Santé www.has-sante.fr rubrique préparation à la naissance et à la parentalité*

toutes les sages-femmes libérales. Médecins et sages-femmes ne sont pas encore habitués à rédiger ce type de compte-rendu.

Si vous n'êtes pas satisfaite de ce premier entretien, n'hésitez pas à demander une seconde entrevue à la sage-femme.

Les sept autres séances peuvent se faire en groupe, avec six femmes enceintes maximum. Certaines sages-femmes libérales proposent des séances individuelles ou en couple, ou au maximum en groupe de trois.

Souvent les séances de préparation sont complétées par des entretiens entre les femmes qui vont accoucher, par des entretiens avec des mères et des pères qui viennent d'avoir leur enfant, par la projection d'un film sur l'accouchement. La sage-femme chargée de la préparation cherche peu à peu à installer un climat de confiance. Cette confiance réciproque est un des éléments importants de la préparation.

Dans certaines maternités, des médecins et sages-femmes animent des séances de « dynamique de groupe ». Dans ces groupes les femmes peuvent s'exprimer librement et notamment parler de leurs angoisses et de leurs peurs. Et pour une future mère, pouvoir parler de ce qui la préoccupe est sûrement un élément important de détente. Il existe aussi des groupes destinés aux seuls futurs pères. Enfin, dans le cadre des séances de préparation à la naissance, une visite de la maternité peut être organisée par la sage-femme. Les femmes apprécient de se familiariser avec ces lieux un peu mystérieux, de voir de près, dans la salle d'accouchement, les différents appareils (monitoring par exemple).

L'intérêt d'une préparation est grand, les futures mères sont plus détendues, elles le disent, les futures pères le confirment. Les Caisses d'assurance maladie reconnaissent les bienfaits de la préparation puisqu'elles recommandent aux femmes de la suivre. Il faut évidemment que la préparation soit bien faite. Mais de l'avis de certains, ce n'est pas toujours le cas : séances trop peu nombreuses, commencées trop tard, se limitant parfois à quelques exercices de gymnastique ou à quelques explications sur un tableau noir, des diapositives ou un film. En effet, aujourd'hui, la préparation est parfois moins valorisée que l'aspect technique de l'obstétrique (par exemple échographie, anesthésie péridurale).

Enfin, la préparation ne suffit pas à garantir un bon accouchement, encore faut-il que la future mère soit bien accueillie à son arrivée à la maternité et bien accompagnée pendant le travail ; ces deux éléments sont déterminants pour créer un climat de détente et de confiance.

Heureusement il y a d'excellentes préparations, faites par des sages-femmes motivées et passionnées. Alors, si vous avez envie de suivre une préparation, comment savoir si elle est bien faite ? Avant de s'inscrire, les futures mères se renseignent sur l'organisation de la maternité (possibilité de péridurale, présence du père, etc.). Renseignez-vous également sur la préparation à l'accouchement : la première séance est-elle individuelle ? Le père est-il encouragé à venir aux séances ? Combien y-a-t-il de femmes enceintes par groupe ? Combien de temps dure une séance ? Parlez-en aussi à des futures mères ayant suivi la préparation ou ayant accouché dans cette maternité.

EST-IL CONSEILLÉ DE FAIRE LA PRÉPARATION DANS LA MATERNITÉ OÙ L'ON VA ACCOUCHER ?

C'est mieux car cela vous permettra, en principe, de connaître quelques sages-femmes, de visiter les locaux et de recevoir des informations spécifiques à cette maternité (faut-il apporter les vêtements et les couches pour le bébé, où est la porte d'entrée la nuit... et mille autres détails utiles).

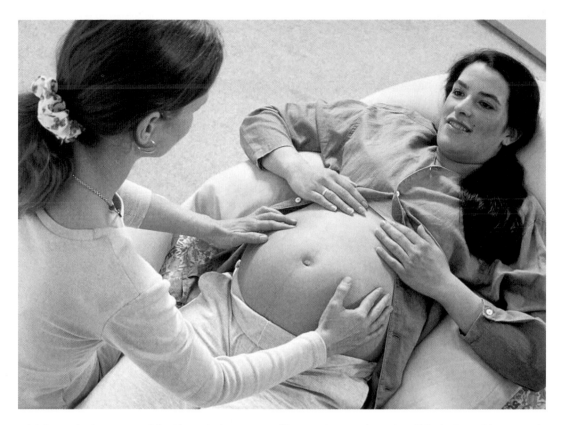

Mais ce n'est pas une obligation, et si vous avez l'impression que la maternité n'est pas bien organisée pour ces séances, ou si les horaires ne vous conviennent pas, ou pour toute autre raison, vous pouvez faire la préparation en ville, une sage-femme peut même venir à domicile si vous êtes au repos.

Cette question du lieu de votre préparation ne se posera peut-être pas. Aujourd'hui, certaines maternités ne font plus de préparation, pour des questions d'organisation. Dans ce cas, on vous donnera des adresses de sages-femmes libérales, qui reçoivent à leur cabinet.

N'attendez pas trop pour vous renseigner et choisir la solution qui vous convient le mieux.

Comment préparer son accouchement

SE PRÉPARER PHYSIQUEMENT :
EXERCICES RESPIRATOIRES ET MUSCULAIRES
RELAXATION

D'AUTRES FAÇONS DE SE PRÉPARER À
ACCOUCHER : YOGA, HAPTONOMIE...

Comment préparer votre accouchement ? Tout **ce livre est fait pour vous préparer à accueillir votre enfant,** pour que vous l'aidiez à venir au monde. D'abord, bien sûr, en vous racontant comment se passe un accouchement. Au premier surtout, on connaît peu les détails. Un long chapitre en parle, lisez-le plusieurs fois, vous vous familiariserez avec l'inconnu. Vous éviterez ainsi l'engrenage : l'ignorance qui crée la peur, la peur qui noue les nerfs et contracte les muscles. En d'autres termes : si vous n'êtes pas informée vous aurez peur, vous serez nerveuse et contractée.

Se préparer à accueillir un enfant, c'est aussi peu à peu faire sa connaissance. Après avoir lu le chapitre 5, cet enfant n'est plus un inconnu pour vous. D'ailleurs vous ne l'êtes pas non plus pour lui. Vous le verrez lorsqu'il reconnaîtra votre voix et celle de son père.

Il nous reste maintenant à vous parler des exercices physiques. Ils ne constituent pas l'essentiel de la préparation comme on le croit parfois, mais ils en sont le complément indispensable pour être en forme pendant la grossesse, pour aborder l'accouchement en connaissance de cause, pour prendre l'habitude de la relaxation, car même si l'on sait ce qui va se passer, il est normal d'être légèrement tendue.

Se préparer physiquement

Les exercices conseillés sont de trois sortes : les uns respiratoires, les autres destinés à assouplir les muscles qui joueront un rôle important au cours de l'accouchement ; les troisièmes vous apprendront le relâchement musculaire, la relaxation.

N'attendez pas le 6e mois pour les commencer. Ces exercices sont autant destinés à préparer votre accouchement qu'à faciliter votre grossesse, et à vous permettre de retrouver rapidement votre ligne, parce que vous aurez, par un entraînement régulier, conservé à vos muscles leur tonus et leur élasticité. Ces exercices veulent aussi vous aider à vous sentir mieux dans votre corps : apprendre à vous relaxer, à vous déplacer, à vivre ces mois d'attente avec sérénité.

Au début, ne faites chaque mouvement qu'une ou deux fois par jour. Votre entraînement doit être progressif et régulier : il vaut mieux faire 10 minutes de gymnastique par jour que 20 minutes tous les deux jours. Enfin, faites les exercices lentement, calmement. Alternez les exercices respiratoires avec les exercices musculaires. Faites les mouvements dans une pièce bien aérée et, si le temps le permet, ouvrez toute grande la fenêtre.

Choisissez, pour faire vos exercices, le moment qui vous convient le mieux, mais ne les faites pas pendant la digestion. Si vous n'avez pas le temps de faire tous les mouvements indiqués, contentez-vous des exercices respiratoires et de la relaxation. Ce sont les plus importants, et pour votre grossesse, et pour votre accouchement.

Et s'il vous a été impossible de faire les exercices ? Écoutez encore le docteur Read dont je vous ai parlé au chapitre précédent : « Le principal avantage des exercices, c'est qu'ils permettent à la femme de rester en bonne forme physique pendant sa grossesse et de lui apprendre à bien respirer et à se détendre convenablement. Toutefois, une femme qui n'aura pu faire aucun exercice, mais qui aura bien appris comment se passe un accouchement, mettra son enfant plus facilement au monde que celle qui a un corps d'athlète et qui ignore tout de l'accouchement. »

Avec ces exercices vous allez pouvoir préparer votre accouchement. Si vous suivez des séances de préparation, ces exercices qui sont, à de petites variantes près, ceux qu'on vous indiquera, vous permettront de les refaire plus facilement chez vous, ou bien de les commencer à votre convenance.

EXERCICES RESPIRATOIRES

Ces exercices vont être utilisés pendant le travail (phases de dilatation et d'expulsion). **Vous pouvez les pratiquer dès le 4e mois et jusqu'à l'accouchement pour vous entraîner**. Ils vous apporteront en plus bien-être et détente. Nous vous conseillons de les faire couchée, jambes pliées, ou jambes légèrement écartées posées sur une chaise, ou, si cela vous est plus facile au début, assise en tailleur (*figures 1, 3,* et *7*).

Lorsqu'on respire sans faire d'effort particulier, j'allais dire spontanément, on ne fait pas attention à la manière dont l'air rentre dans l'organisme : la poitrine se soulève légèrement, le ventre un peu, ou les deux ensemble ; si l'on n'est pas enrhumée on respire la bouche fermée.

Voici comment vous allez prendre conscience de la manière dont vous respirez : installez-vous bien, couchée ou assise ; mettez une main sur la poitrine, l'autre sur le ventre, et voyez si, quand vous respirez spontanément vous soulevez plutôt le ventre ou la poitrine ; autrement dit si votre respiration spontanée est thoracique, ou abdominale, ou les deux (*figures 1, 2, 4*).

La respiration profonde
Quand vous aurez bien pris conscience de la manière dont vous respirez, expirez à fond. Puis inspirez profondément par le nez, en gonflant le ventre. Aidez-vous en posant les mains sur le ventre, vous sentirez comment il se gonfle (*figure 2*). Maintenant, soufflez par la bouche, en laissant descendre le ventre. Faites cela très lentement. Recommencez plusieurs fois de suite.

Pour que cette respiration profonde soit bien efficace, voici ce que certaines sages-femmes conseillent : imaginez que l'air monte le long de l'utérus, le long de cette ligne brune qui se dessine peut-être sur votre ventre. Lorsque vous arrivez au bout de l'inspiration, pour ne pas bloquer votre respiration, commencez à expirer en imaginant que vous soufflez le long de votre colonne vertébrale vers le bas, en direction du périnée et du col de l'utérus. Votre respiration s'inscrit ainsi dans un cercle qui entoure l'utérus et votre bébé. L'image du cercle aide l'expiration à bien s'enchaîner à l'inspiration.

Au début, vous éprouverez peut-être une sensation de blocage au niveau des côtes. Petit à petit, cette sensation disparaîtra. Au bout de quelques jours, votre respiration sera de plus en plus facile,

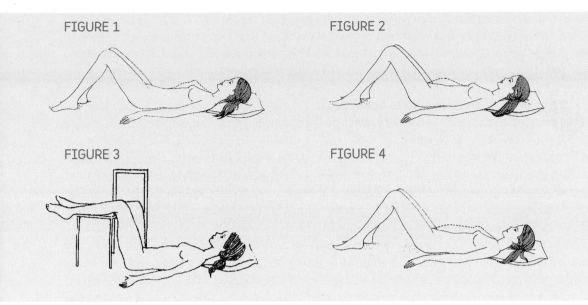

FIGURE 1

FIGURE 2

FIGURE 3

FIGURE 4

à la fois plus lente et plus profonde. À ce moment-là, vous commencerez à faire l'exercice dans d'autres positions : en marchant, par exemple.

Ainsi, **dès les premières contractions, vous pourrez faire ces respirations profondes** en les adaptant au nouveau rythme qui s'installe à chaque contraction. Pensez à l'image du cercle qui entoure l'utérus et votre bébé. En expirant vers le bas du dos, vous relâchez cette partie du corps, ce qui fait de la place à l'enfant. L'objectif de ces respirations profondes est d'aider chaque contraction à agir sur le col de l'utérus pour l'ouvrir et pousser le bébé. En même temps vous continuerez à bouger, à vous déplacer : cela sera plus agréable pour vous et cela favorisera également la dilatation du col et la descente du bébé.

La respiration profonde sera aussi un bon entraînement pour les abdominaux dont la pression sera importante au moment de la sortie de l'enfant.

La respiration superficielle

Inspirez, puis expirez légèrement et rapidement sans faire de bruit. Seule la partie supérieure de la poitrine doit bouger ; le ventre reste presque immobile (*figure 1*). Cette respiration doit être rythmée. Il ne s'agit pas de respirer de plus en plus fort, mais de plus en plus longtemps sur le même rythme rapide et régulier : environ une respiration (inspiration et expiration) par 2 secondes pendant 1 minute environ. Vous y arriverez probablement mieux en fermant les yeux. Pensez à bien expirer.

Selon les sages-femmes, il est conseillé de faire cette respiration bouche fermée (c'est la respiration **superficielle**), ou bouche ouverte (on l'appelle alors la respiration **haletante**). Vous verrez ce qui est le plus facile pour vous.

Cette respiration vous servira pendant les fortes contractions de la dilatation. Elle servira également lorsque vous aurez peut-être envie de pousser et où il faudra vous en empêcher : à la fin de la dilatation (p. 300) et à la fin de l'expulsion (p. 302).

Vous pouvez vous entraîner tous les jours. Détendez-vous d'abord et pensez à bien expirer. Cette respiration faisant entrer un maximum d'air dans les poumons, elle peut parfois provoquer des sensations de vertiges et de fourmillements dans les mains : c'est une crise de tétanie. Cette crise est désagréable parce qu'elle est angoissante, mais elle n'est pas grave. Elle disparaîtra en quelques secondes à l'arrêt de l'exercice. Cela arrive lorsqu'on respire trop rapidement.

La respiration au moment de la poussée

Cette respiration concerne la dernière phase de l'accouchement : la descente de l'enfant jusqu'à sa sortie. Il en existe deux variantes.

• **La respiration bloquée.** Cette technique est celle du traditionnel « inspirez, bloquez, poussez » (p. 303). Pour vous y entraîner, faites l'exercice suivant : inspirez à fond ; arrivée au sommet de l'inspiration, retenez votre souffle, gonflez le ventre, comptez mentalement jusqu'à 5, puis rejetez l'air par la bouche. Peu à peu vous arriverez à compter jusqu'à 10, 20 ou même 30, c'est-à-dire retenir votre souffle et gonfler le ventre une demi-minute.

• **L'expiration freinée.** C'est une autre technique qui se développe aujourd'hui (p. 303). Après une inspiration abdominale profonde, faite en gonflant le ventre, l'air est expiré très doucement par la bouche, en rentrant le ventre ; les abdominaux sont contractés le plus possible. C'est le même principe que la respiration profonde, mais on insiste sur la contraction des abdominaux pour aider le bébé à sortir. Pour vous entraîner, vous pouvez, par exemple, souffler dans un ballon de baudruche.

Il n'est pas nécessaire de s'exercer à ces deux respirations avant le neuvième mois.

Au moment de l'accouchement, il vous sera possible d'utiliser la première technique, la respiration bloquée, ou la seconde technique, l'expiration freinée, selon ce que vous ressentirez, selon ce que vous indiquera la sage-femme et ce qui sera le plus efficace. Dans l'un et l'autre cas, la poussée sera facilitée par une bonne position du bassin : installez les jambes sur les étriers, remontez les genoux sur la poitrine, votre dos sera bien à plat. Les mains peuvent être placées sous les genoux (*figure 5*) ou à l'intérieur des genoux, coudes relevés vers l'extérieur. Si vous avez une péridurale, vous pouvez avoir des difficultés à vous placer ainsi. Demandez à votre mari de vous aider.

EN PRATIQUE
Les différentes respirations correspondent aux différentes phases de l'accouchement :
• La respiration profonde va accompagner les premières contractions qui signalent que le travail a commencé
• À la fin de la dilatation, quand les contractions seront devenues très fortes, et qu'il ne faudra pas pousser, vous utiliserez la respiration superficielle
• Au moment de la poussée et de la sortie du bébé, vous ferez soit la respiration bloquée, soit l'expiration freinée.
Ces différentes manières de respirer correspondent d'ailleurs aux moments clés de l'accouchement :
• Bébé annonce qu'il se met en route
• Bébé descend
• Bébé veut sortir.
À la première lecture, vous aurez peut-être de la peine à faire la différence entre ces respirations et leur efficacité selon les événements. Mais vous allez vite vous familiariser avec elles. Et, lors de votre accouchement, vous serez de toute façon guidée par la sage-femme, qui sera à vos côtés.

EXERCICES MUSCULAIRES

Élongation des cuisses et souplesse des articulations du bassin

• **Figure 6** : accroupissez-vous comme l'indique la figure. Au début, vous aurez du mal à garder les pieds à plat sur le sol. Vous sentirez les muscles de vos mollets et de vos cuisses se tendre douloureusement. N'insistez pas trop : il suffira de quelques jours pour que vous fassiez l'exercice sans peine. Habituez-vous à prendre cette position chaque fois que vous avez à vous baisser, au lieu de vous pencher en avant. Apprenez à remonter genoux écartés, dos bien droit et surtout évitez de vous cambrer. Pour vous aider, faites une respiration profonde et redressez-vous sur l'expiration.

• **Figure 7** : asseyez-vous en tailleur comme indiqué sur la figure, talons sous les fesses, genoux décollés du sol. Gardez le dos bien droit. Au début, vous vous fatiguerez vite. Pour vous délasser, allongez les jambes devant vous. Quand vous aurez pris l'habitude de cette position, qui aide à l'élongation des cuisses et à la souplesse des articulations du bassin, adoptez-la pour lire, regarder la télévision, etc. Si cette position est difficile pour vous, placez un petit cousin sous les fesses.

Élasticité du périnée

Le périnée est cet ensemble de muscles qui va être soumis à de fortes tensions pendant l'accouchement (p. 286). Il faut, dans un premier temps, prendre conscience de la situation exacte du périnée ; dans un deuxième temps, faire des exercices pour le renforcer et l'assouplir.

> **EXERCICES MUSCULAIRES**
> *Ces exercices sont à faire du 4ᵉ au 7ᵉ mois.*

Voici comment vous prendrez conscience de votre périnée : lorsque votre vessie éprouve le besoin de se vider, faites la contraction qui contrarie ce besoin. De même quand vous avez envie d'aller à la selle. Les muscles que vous avez contractés en avant et en arrière forment le périnée. Ce sont ces muscles que vous devez assouplir. Pour cela, il faut donc contracter en même temps les muscles qui ferment le canal urinaire et ceux qui ferment le rectum.

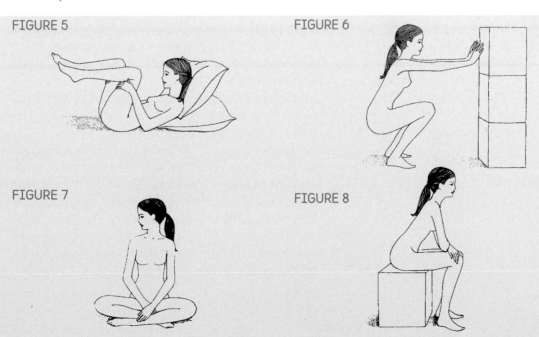

FIGURE 5

FIGURE 6

FIGURE 7

FIGURE 8

Et voici l'exercice à faire pour renforcer et assouplir le périnée :

• **Figure 8** (page précédente) : assise, légèrement penchée en avant, les genoux écartés l'un de l'autre, les avant-bras et les coudes posés sur les cuisses : vous contractez lentement et avec douceur le périnée, vous maintenez la contraction quelques secondes, puis vous la relâchez le double de temps. Cet exercice peut être fait aussi bien assise que debout, vous pourrez le répéter une douzaine de fois, 2 ou 3 fois par jour. Vous pourrez sans inconvénient faire le mouvement jusqu'à l'accouchement.

Pour bien muscler le périnée, l'exercice doit être fait avec une certaine force, et tenu 5 secondes au moins à chaque fois. S'il y a déjà eu des petites « fuites », l'exercice sera fait en douceur, sans à-coups.

Cet exercice peut sembler fastidieux, mais cela vaut la peine de le faire car il est très utile : avec un périnée souple, l'accouchement est plus facile, et surtout par la suite, les problèmes urinaires (« fuites », incontinence) sont moins fréquents. C'est pourquoi cet exercice est aussi très recommandé après l'accouchement.

Les « abdominaux »

On déconseille les exercices abdominaux classiques qui mobilisent les jambes et le tronc, car ils risquent de distendre la paroi abdominale, de favoriser les prolapsus et l'apparition d'une incontinence.

En revanche, les exercices de **rentré de ventre** entretiennent la musculature des abdominaux, favorisent la poussée, et accélèrent la récupération d'un ventre plat après l'accouchement. Ces exercices diminuent aussi les sensations de pesanteur dans le bas du ventre, et améliorent les problèmes de constipation. Il n'y a pas de risque de déclencher des contractions. Voici comment faire l'exercice : inspirez profondément, puis en soufflant, rentrez le ventre sans forcer pendant 10 secondes environ, détendez-vous, puis recommencez. Vous pouvez faire cet exercice plusieurs fois par jour.

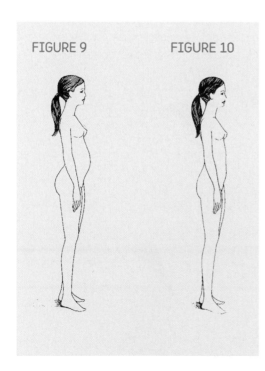

FIGURE 9   FIGURE 10

Contre les « maux de reins » : mouvement de bascule du bassin

À mesure qu'il augmente, le poids de l'enfant vous incite à vous cambrer de plus en plus, et maintient une tension permanente sur la région lombaire. C'est la principale cause du mal au dos et « aux reins » dont se plaignent toutes les femmes enceintes. Pour vous soulager, il faut que vous fassiez le mouvement inverse de la cambrure, en basculant le bassin.

• **1er temps** : debout comme indiqué *figure 9*, reins creusés, ventre en avant, placez la main gauche sur le ventre, la droite sur les fesses. Inspirez.

• **2e temps** *(figure 10)* : contractez lentement et progressivement les muscles abdominaux, serrez les fesses en les poussant en avant et vers le bas. Expirez. Pour vous aider à bien faire le mouvement, poussez, en l'appuyant, votre main droite vers le bas, et votre main gauche vers le haut ; vous forcerez ainsi votre bassin à basculer. Lorsque vous serez parvenue à faire correctement l'exercice, vous n'aurez plus besoin de l'aide de vos mains.

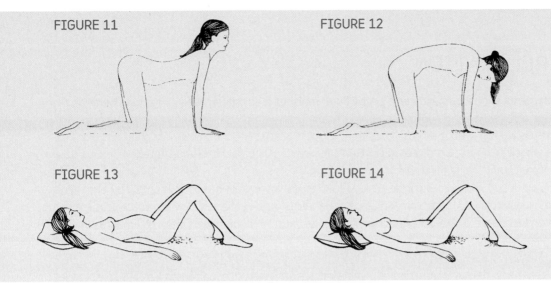

FIGURE 11   FIGURE 12

FIGURE 13   FIGURE 14

Faites maintenant le même mouvement de bascule du bassin, mais en vous mettant à quatre pattes : bras bien tendus et verticaux, mains à 30 cm l'une de l'autre, cuisses également verticales et genoux à 20 cm l'un de l'autre.

• **1ᵉʳ temps** *(figure 11)* : creusez le dos légèrement, redressez la tête, relevez les fesses aussi haut que possible. Inspirez en faisant le mouvement et en relâchant le ventre.

• **2ᵉ temps** *(figure 12)* : arrondissez le dos comme un petit chat, contractez le ventre, serrez les fesses au maximum en les abaissant vers le sol, baissez légèrement la tête entre les bras. Expirez en faisant le mouvement.

La bascule du bassin peut aussi être faite en position allongée *(figures 13* et *14)* : couchée sur le dos, jambes en crochet, faites de petits mouvements alternatifs du bassin pour coller et décoller la région lombaire du sol (contrôlez éventuellement en glissant une main sous les reins). Il est important de rechercher la fluidité du mouvement et la sensation des muscles qui travaillent plutôt que la contraction en force.

Ce mouvement de bascule du bassin est important : il vous permettra de porter sans fatigue votre enfant, il assouplira l'articulation colonne vertébrale-bassin, et évitera de distendre vos abdominaux. Faites cet exercice lentement, 6 fois debout, 6 fois à quatre pattes et 6 fois allongée.

Pour garder une belle poitrine

Avant tout, tenez-vous bien droite, en maintenant les épaules en arrière. Puis faites travailler régulièrement les muscles qui soutiennent les seins.

• **1ᵉʳ exercice** *(figure 15)* : coudes levés à la hauteur des épaules, doigts écartés, les mains se touchant par les premières phalanges : appuyez aussi fort que possible les mains l'une contre l'autre. Cessez d'appuyer, mais sans écarter les mains, baissez les coudes, puis recommencez. (10 fois)

• **2ᵉ exercice** : levez les bras à l'horizontale, puis rejetez-les en arrière en allant le plus loin possible. Ramenez-les le long du corps. (10 fois)

• **3ᵉ exercice** : décrivez avec les bras bien tendus à l'horizontale des cercles complets, aussi amples que possible. (10 fois).

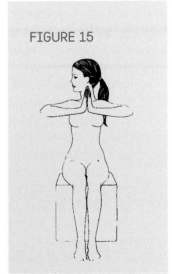

FIGURE 15

LA RELAXATION

Ces exercices sont à commencer à partir du 4ᵉ mois, et à continuer jusqu'à l'accouchement.

Arriver à se relaxer, c'est-à-dire se détendre complètement physiquement et mentalement, n'est pas un exercice facile. Pour le réussir, au début il faut le pratiquer dans de bonnes conditions de calme et de tranquillité. Puis, quand vous serez bien entraînée, vous arriverez à vous détendre, même dans un environnement moins favorable.

Donc, au début, fermez les portes et les fenêtres de votre chambre pour être loin du bruit. Puis tirez les rideaux : une lumière trop vive empêche la relaxation. Prenez soin de vider votre vessie, sinon vous n'arriverez pas à détendre convenablement les muscles du périnée. Ôtez vos lunettes si vous en portez.

Puis étendez-vous sur votre lit si le matelas n'est pas trop mou, sinon par terre sur une couverture. Prenez soin de placer les coussins comme indiqué page suivante (un sous la tête, l'autre sous les genoux, le troisième servant d'appui aux pieds) de manière que toutes les parties du corps soient bien soutenues et n'aient pas d'effort à faire pour rester dans la position indiquée.

L'exercice que vous allez faire a pour but d'obtenir la décontraction de tous les muscles de l'organisme en même temps. Pour y parvenir, il faut d'abord que vous vous rendiez compte de la différence qu'il y a entre contraction musculaire et décontraction. Pour cela, vous allez contracter, puis relâcher l'un après l'autre les différents muscles de votre corps. Concentrez-vous sur ce que vous devez faire, et effectuez très lentement chaque mouvement. Commencez par la main droite : serrez le poing, mais sans vous crisper ; maintenez la tension quelques secondes, relâchez-la progressivement. Puis contractez maintenant le bras lentement ; maintenez la tension quelques secondes ; relâchez-la doucement. Faites la même chose avec la main et le bras gauches. Ensuite passez aux jambes. Contractez et relâchez successivement les doigts de pied, les muscles du mollet, des cuisses. Maintenez chaque fois la contraction quelques secondes pour vous habituer à bien distinguer contraction musculaire et relâchement.

Inspirez toujours en contractant, expirez en relâchant la tension. Des membres, passez maintenant au reste du corps : contractez les muscles des fesses, ceux de l'abdomen, du périnée, etc. Vous finirez par le visage. Vous aurez au début beaucoup de peine à le détendre complètement, car le visage possède près de soixante muscles. Essayez d'abord de les contracter tous à la fois : fermez bien les yeux et la bouche, contractez les mâchoires, n'oubliez pas le front. Restez ainsi quelques secondes. Relâchez-vous complètement. Répétez l'exercice 3 ou 4 fois.

Vous pourrez consacrer votre première séance de relaxation à cette prise de conscience de tous vos muscles. Puis les séances suivantes à la décontraction de chaque partie du corps prise séparément, un jour les bras, le lendemain les jambes, le troisième jour le visage, etc. Ce n'est que lorsque vous serez parvenue à vous décontracter par petites zones que vous arriverez à la relaxation totale. Car, pour cela, il faut que vous ayez le contrôle de tous vos muscles. Le test suivant vous permettra de vous assurer que vous y êtes arrivée : détendez parfaitement votre bras, puis demandez à quelqu'un de le soulever. Si la personne y parvient sans rencontrer aucune résistance, et si, lorsqu'elle lâche le bras, il retombe absolument inerte, la détente était parfaite. Faites le même essai avec un pied ou une jambe.

Essayez maintenant d'obtenir le relâchement de tous les muscles de l'organisme à la fois. Respirez profondément 3 ou 4 fois. Puis, en inspirant, contractez tous vos muscles, ceux des bras, des jambes,

FIGURE 16

du ventre, du périnée, du visage. Restez ainsi 3 ou 4 secondes. Puis relâchez-vous complètement en expirant. Au bout de quelques instants, vous aurez l'impression que votre corps est complètement flasque et qu'il s'enfonce dans le lit. Si vous êtes parfaitement détendue, vous devez avoir les paupières mi-closes, la bouche légèrement entrouverte, la mâchoire un peu pendante.

Peu à peu, un grand sentiment de bien-être va vous envahir. Votre respiration sera régulière et paisible. Restez ainsi 10 à 15 minutes.

Ne vous levez pas brusquement après votre séance de relaxation, la tête risquerait de vous tourner. Faites auparavant 2 ou 3 respirations profondes, étirez bras et jambes, asseyez-vous, puis enfin levez-vous doucement.

Il vous faudra certainement plusieurs jours pour parvenir à vous détendre parfaitement. Ne vous découragez donc pas si au début l'exercice vous semble difficile.

Une détente totale ne pouvant être obtenue sans un réel effort de concentration, au début n'y consacrez que 5 minutes par jour ; sinon vous vous fatigueriez au lieu de vous détendre. Au bout de quelque temps, vous ne pourrez plus vous passer de votre séance quotidienne de relaxation, tant elle vous reposera, particulièrement si vous êtes un peu nerveuse du fait de votre grossesse.

Enfin, ne vous dites pas, si l'exercice de relaxation vous semble les premières fois ennuyeux, que vous le remplacerez avantageusement par un quart d'heure de sommeil supplémentaire. Sommeil ne signifie pas détente complète de l'esprit et du corps : en dormant, vous remuez bras et jambes, vous changez de position, vous êtes tracassée par vos soucis, vous rêvez. C'est pourquoi d'ailleurs, pour avoir une nuit calme, nous vous conseillons de faire votre séance de relaxation le soir avant de vous endormir. La relaxation est la meilleure préparation au sommeil. Sinon, consacrez-lui 15 minutes après avoir fait vos exercices ou après votre petit déjeuner.

Vers le 6e ou le 7e mois, lorsqu'en se développant votre enfant deviendra plus pesant et plus encombrant, vous serez mal à votre aise couchée sur le dos, car vous aurez de la peine à respirer. À partir de ce moment-là, faites votre exercice couchée sur le côté, le poids du bébé reposant sur le lit. Si vous avez un coussin de relaxation, il vous aidera à bien vous installer.

D'autres façons
de se préparer à accoucher

C'est la préparation issue de la psychoprophylaxie obstétricale qui est la plus souvent proposée (p. 327). Mais d'autres préparations existent : yoga, sophrologie, haptonomie, en piscine. Elles peuvent faire partie du cadre de la préparation à la naissance et être remboursées si elles sont faites par un médecin ou une sage-femme. Mais elles peuvent aussi être pratiquées en plus, pour le plaisir, pour le bien-être qu'elles apportent. Aller fréquemment à la piscine, faire régulièrement du yoga est une bonne façon de préparer son corps à l'accouchement et d'apprendre à se relaxer.

LE YOGA

Yoga, en sanscrit (la plus ancienne langue indo-européenne), veut dire « union ». Un des buts de cette philosophie est la maîtrise de l'esprit et de la matière, l'union du corps et de l'âme. Et lorsqu'il s'agit de naissance, cette union est celle d'un homme et d'une femme pour donner la vie, union avec l'enfant à naître, union dans l'effort de la naissance.

Nous avons demandé au docteur de Gasquet, qui a une longue expérience de préparation à l'accouchement par le yoga, de nous en parler.

« Ce yoga n'est ni acrobatique, ni mystique, ni ésotérique. Il s'agit d'une écoute du corps, de ce nouveau corps "habité". Le connaître pour lui donner les meilleures chances de remplir sa mission : faire d'une femme une mère, d'un embryon un enfant. Ainsi les séances ne sont pas centrées uniquement sur l'accouchement, mais elles permettent une continuité corporelle avant, pendant, après la naissance. »

Le yoga demande un travail personnalisé : en fonction de la morphologie de la mère, de la position de l'enfant. Par exemple une femme mesurant 1,45 m a la même hauteur utérine qu'une femme de 1,75 m. Certaines postures seront bien pour l'une et pas pour l'autre. Certains bébés ont le dos à droite dans l'utérus. En général, dans ce cas, les mères ne peuvent pas rester allongées sur le dos. Il leur faudra des postures adaptées.

> **YOGA : OÙ S'ADRESSER ?**
> *Pour avoir des adresses de professeurs, adressez-vous à la Fédération nationale des enseignants de yoga,*
> *3,rue Aubriot, 75004 Paris.*
> *Tél. : 01 42 78 03 05*
> *info@fney.asso.fr*

Les exercices sont toujours mis en relation avec la vie quotidienne – par exemple pour se baisser, pour se relever d'un fauteuil. Ils s'accompagnent d'une information notamment anatomique, d'explications des différents problèmes physiques d'une grossesse. Les exercices sont fonction de la demande des futures mères.

Les thèmes qui reviennent régulièrement sont les suivants : fatigue, insomnie, nausée, angoisse (surtout au début ou à la fin de la grossesse), douleurs dans le dos, problèmes circulatoires, digestifs, etc.

Autour de ces thèmes, les exercices proposés apportent des soulagements souvent immédiats, mais surtout ils constituent une recherche par les futures mères sur elles-mêmes, sur leur propre corps, sur leur manière de le faire bouger, de le ménager. L'objectif est une véritable « éducation » à partir de l'analyse des mauvais mouvements, des sources de tension, des compensations personnelles… Aucun exercice n'est donné comme un modèle à reproduire, c'est une proposition à essayer, à ressentir, à aménager en fonction de soi. Le tout est toujours rythmé par la respiration, la détente du ventre, l'écoute du bébé.

Le père est convié aux séances. Sa présence permet tout un travail à deux beaucoup plus motivant.

Une préparation spéciale est en général proposée sur le périnée, toujours dans la double perspective de la tonification et de l'élasticité.

En ce qui concerne l'accouchement, l'apprentissage porte essentiellement sur la respiration, les positions de la mère, la concentration, l'« état d'esprit ». La respiration est lente et profonde pendant la dilatation. Les positions dépendent de la présentation de l'enfant et du moment. Il n'y a pas une seule possibilité pour soulager la femme, mais plusieurs (un enfant situé haut dans l'utérus provoque chez la mère l'envie d'être verticale, de marcher).

Quant à la poussée, elle se fait sans blocage, sur l'expiration. Cela suppose un apprentissage, une bonne connaissance et une maîtrise du diaphragme, du périnée, des abdominaux. Moins violente, cette poussée est tout aussi efficace si elle est faite au bon moment (cela suppose que la femme sache reconnaître le moment où elle doit pousser).

Quant à « l'état d'esprit », il résulte de la confiance en soi, de la sécurité et d'éléments de concentration que l'enseignant doit favoriser.

« Après l'accouchement, conclut Bernadette de Gasquet, les mères peuvent revenir – avec ou sans leur bébé – pour connaître les exercices à faire après la naissance. »

L'HAPTONOMIE PÉRINATALE

L'intérêt pour l'haptonomie ne cesse d'augmenter. Nombreux sont les couples qui souhaitent un tel accompagnement, avant, pendant et après la naissance. Nous employons à dessein le terme de couple car il s'agit d'un accompagnement de la parentalité naissante et la présence du père est naturellement indispensable. Dans certaines situations particulières, des séances sont réalisées avec une femme seule, sans compagnon. De même si, pour des raisons de force majeure, le père ne peut être présent, ou encore, s'il y a des difficultés dans le couple.

Des lectrices et des lecteurs nous ont demandé de leur donner plus d'information sur l'haptonomie. Voici ce qu'en disent Albert Goldberg et André Soler. Comme Catherine Dolto, ils ont été formés par Frans Veldman, le fondateur de l'haptonomie. En outre, les docteurs Dolto et Goldberg sont responsables de formation en haptonomie périnatale.

Pour avoir une idée de ce qui est spécifique à la rencontre haptonomique, il suffit de faire une comparaison entre le visage d'une mère en présence d'un praticien (sage-femme, obstétricien...) qui cherche à percevoir à travers la paroi abdominale les contours et la position d'un « fœtus » ; et l'expression d'une mère en contact psychotactile affectif avec le bébé, tendrement entourée par son compagnon, tous deux étant guidés par un accompagnant en haptonomie. On comprendra qu'il ne suffit pas de caresser un giron maternel pour qu'il y ait rencontre affective avec le bébé.

HAPTONOMIE : OÙ S'ADRESSER ?
Les lieux où l'haptonomie est pratiquée ne sont pas encore très nombreux. Vous pouvez vous procurer la liste des praticiens en écrivant au CIRDH, 9 bis villa du Bel Air, 75012 Paris (en joignant une enveloppe timbrée) ou au cirdhidf@orange.fr

Qu'est-ce que l'haptonomie ?

L'haptonomie fait partie des sciences humaines, son objet d'étude est la physiologie affective des contacts inter-humains ; et son but, l'amélioration de la communication affective entre les êtres humains. D'inspiration phénoménologique, sa connaissance ne peut être théorique, mais nécessite une expérience émotionnelle. C'est un art de mettre en jeu un contact réel, un contact établi avec tact permettant une ouverture affective, dans une atmosphère de confiance réciproque.

Il ne s'agit pas d'un toucher tel qu'il est pratiqué, par exemple, par la sage femme ou l'obstétricien qui palpe l'abdomen pour sentir la position du fœtus *in utéro*, ou dans des techniques de massage, ou encore lors des contacts amoureux. Il s'agit d'une intention affective, elle se manifeste par un contact « invitant » et sécurisant qui s'adresse à la personne dans son intégralité.

Qu'est ce que l'haptonomie périnatale ?

L'approche haptonomique périnatale vise à accompagner, dès le début de la vie intra-utérine, la parentalité en développement d'un couple qui découvre la présence de son enfant. Autrement dit, l'accompagnement périnatal haptonomique est centré sur la rencontre affective de la mère, du père et de leur enfant (ou de leurs enfants si ce sont des jumeaux), et sur le plaisir d'être ensemble.

Voici les grandes étapes de l'accompagnement des parents et de leur bébé, guidés par un spécialiste formé en haptonomie.

L'accompagnement compte une huitaine de séances. Il s'agit toujours d'accueillir le couple en préservant son intimité, ce qui exclut le travail en groupe. Les effets psycho-corporels de la relation de tendresse qui s'instaure retentissent sur la mère et le père. C'est pourquoi il est intéressant d'entreprendre les séances dès le début de la grossesse, au plus tard au 6e mois. Néanmoins, le plus souvent, l'accompagnement commence entre le 3e et le 4e mois.

Les parents éprouvent alors un véritable émerveillement lorsqu'ils ressentent les capacités du bébé à répondre à une invitation affective. Le père, guidé par le praticien en hapto-nomie, fait la différence entre un contact qui lui permet de sentir le bébé bouger et un contact invitant sa femme et leur bébé dans une rencontre. La femme témoigne toujours que ce contact est plus léger, différent du quotidien, et qu'il est vécu comme une réelle rencontre à trois. Les parents sont invités à retrouver ces rencontres chez eux.

> **HAPTONOMIE :**
> **POUR EN SAVOIR PLUS**
> - *L'Haptonomie, amour et raison*, de Frans Veldman, (Editions PUF)
> - Dr Albert Goldberg, accompagnement haptonomique de la naissance et de la parentalité, "Association Bien-traitance, formation et recherches", 30 rue Erard, 75012 Paris
> - *L'haptonomie périnatale*, CD Rom du Dr Catherine Dolto, CNRS, Circo- Gallimard.

Pendant les séances suivantes, l'accompagnant sensibilise le père à des gestes destinés à favoriser la détente et le confort de sa femme, ce qui peut éviter les douleurs lombaires et les tensions diverses pendant la grossesse. Cela permet à la maman de retrouver aussi un senti-ment de confort et d'équilibre dans le port de son bébé *in utéro*. La qualité affective qui imprègne ces gestes procure à la maman un sentiment de sécurité et un bien-être dont bénéficie le bébé.

A partir du 7ème mois, l'accompagnant aide le couple à développer sa propre capacité à vivre ensemble le temps du travail et de la naissance du bébé.

Ce que le père a vécu pendant l'accompagnement haptonomique prénatal peut l'aider à dépasser ses appréhensions. D'autant plus qu'il a vécu une expérience personnelle qui l'a préparé à pouvoir aider sa femme.

L'accompagnant fera prendre conscience, pré-sentir, à la maman ce que peut être la descente du bébé pendant le travail. Grâce à un contact spécifique du père, la mère fera l'expérience de sa capa-cité à dépasser son seuil de vulnérabilité, à rester présente à son bébé et à le soutenir pendant les contractions. Le couple sera sensibilisé au choix des positions et à la mobilité qui facilitent la des-cente du bébé.

Pour le moment de la naissance proprement dite, la maman apprend à ressentir la différence entre une poussée volontaire (expulsion) et une poussée spontanée guidée (« éduction », conduire dehors), qui ouvre le chemin au bébé et qui protège le périnée.

Enfin l'accompagnant sensibilise les parents à la façon de porter le bébé lorsqu'il sera né, de sorte qu'il ne soit pas manipulé mais soutenu, invité tendrement à participer.

Au moment de la naissance, en toute sécurité sur le giron de sa mère, l'enfant prend contact avec le monde, entouré par la chaleur, l'odeur du corps maternel, la perception auditive de sa voix, la pré-sence paternelle, et le croisement des regards.

Dès que le bébé quitte pour la première fois le giron maternel, il découvre la verticalité et s'ouvre naturellement au monde, grâce au soutien, à partir de sa base, par son père. Cela contribue à une meilleure intégration psycho-corporelle du nouveau né.

Les enfants ainsi accompagnés manifestent le plus souvent une ouverture au monde pleine de confiance et de quiétude.

Au cours des séances post-natales, il s'agira à la fois d'accompagner le couple dans les gestes quo-tidiens autour du bébé, et d'aider la maman pendant la période des suites de couches.

LA SOPHROLOGIE

La sophrologie regroupe un ensemble de techniques de relaxation dont certaines sont apparentées à l'hypnose et utilisent la suggestion. J'ai demandé au docteur Odile Cotelle, qui fait de la préparation sophrologique, de nous en parler.

« La séance commence toujours par un temps de relaxation avec le sophrologue qui facilite, de sa voix monocorde, monotone, cet état de conscience particulier que l'on nomme état sophronique.

« Dans cet état, la mère, concentrée sur ses sensations intérieures, apprend à éliminer ce qui, de l'extérieur, la dérange. Elle peut ensuite modifier la perception de ses sensations. Par exemple, sentir ses contractions comme très lointaines ou « dans du coton », ou faire un travail sur son imaginaire et se sentir plongée dans un bain... Cela s'appelle la *sophro-substitution sensorielle*.

« Un autre travail est la *sophro-acceptation progressive* ; pendant la séance, le sophrologue évoque en détail les situations qui vont se présenter : le départ pour la maternité, la période de dilatation avec un vécu imaginé en temps presque réel des contractions et des périodes de repos, et les attitudes qui peuvent rendre la dilatation plus confortable ; enfin la poussée et la naissance du bébé et l'après-naissance. Cette expérience familiarise la future mère avec les différentes étapes de l'accouchement et diminue l'anxiété.

« Le sophrologue doit avoir suffisamment de talent pour que la future mère soit plongée dans la situation et la vive vraiment par anticipation dans son imaginaire ; le sophrologue doit aussi pouvoir, toujours dans ce but de préparation, évoquer toutes les situations possibles : un accouchement rapide, ou au contraire qui dure, un accouchement de nuit, des péripéties techniques, etc.

« Dès le 3ᵉ ou 4ᵉ mois, la future mère s'entraînera quelques minutes par jour. Le jour de l'accouchement,

SOPHROLOGIE : OÙ S'ADRESSER ?
Pour tous renseignements, vous pouvez vous adresser à la Société française de sophrologie,
24, Quai de la Loire, 75019 Paris.
Tel. : 01 40 56 94 95
contact@sophrologie-francaise.com

la mère se plonge en état de relaxation profonde au début de chaque contraction ; cela diminue leur intensité, mais n'empêche pas la communication avec la sage-femme ou l'entourage. Cette technique s'appelle la *sophropédagogie obstétricale*, elle a été mise au point en Espagne par le professeur A. Aguirre de Carcer. Comme le yoga et l'haptonomie, la sophrologie ne consiste pas uniquement en l'apprentissage de quelques gestes, il s'agit en même temps d'une aventure personnelle physique et psychologique. »

LA PRÉPARATION EN PISCINE

Cette préparations a plusieurs avantages :
• **une bonne relaxation**, que la future maman peut faire agréablement, allongée sur des tapis mousse, ou calée par des flotteurs
• **un bon entraînement musculaire** : les mouvements se font aisément grâce à la diminution de l'action de la pesanteur, la femme dans l'eau se sent à nouveau légère
• enfin, **la respiration et le souffle** se travaillent facilement dans l'eau avec des exercices d'apnée et d'expiration freinée.

Cette activité aurait aussi un effet favorable sur certains troubles dont se plaignent beaucoup de femmes enceintes : douleurs du dos et du bassin, constipation, varices par exemple. Après l'accouchement, les mouvements en piscine permettraient également une meilleure récupération musculaire et physique.

Les femmes apprécient de se retrouver, de faire ensemble des jeux collectifs, des marches dans l'eau. Il faut enfin signaler que la piscine est en général plus chauffée quand elle est réservée aux femmes enceintes.

Pour être efficace, il est important que le groupe de futures mamans soit restreint ; qu'une sage-femme donne des informations sur la grossesse, la naissance, et explique l'intérêt des exercices et des respirations pour l'accouchement. Au-delà de douze futures mamans, ces séances en piscine peuvent être une façon agréable de faire de l'exercice, mais il ne s'agit pas de préparation à la naissance.

• Pour répondre à quelques lectrices, ajoutons que si dans certaines maternités la dilatation se fait dans une baignoire d'eau à température du corps, il y a vraiment très peu d'accoucheurs qui pensent que la naissance elle-même puisse se faire dans l'eau.

> **PRÉPARATION EN PISCINE : OÙ S'ADRESSER ?**
> *Fédération des activités aquatiques d'éveil et de loisirs, 5, cité Griset, 75011 Paris (joindre un timbre).*
> *Tél.: 01 43 55 98 76 - fael@club-internet.fr*

UNE PRÉPARATION DE QUALITÉ

Il y a donc plusieurs façons de se préparer à l'accouchement. Qu'il s'agisse de la préparation faite par un médecin ou une sage-femme, ou d'autres activités physiques, renseignez-vous avant de vous décider.

La préparation à la naissance ne se borne pas à apprendre quelques respirations ou à faire quelques exercices. C'est un travail corporel complet qui permet de prendre conscience des modifications du corps et de s'y adapter. C'est une information sur la grossesse, l'accouchement, les soins au bébé. C'est un nombre peu élevé de participantes. C'est un médecin ou une sage-femme disponible, qui sait écouter et conseiller. Avant de vous inscrire, ayez ces critères en tête. Pour pratiquer d'autres activités prénatales (piscine, sophrologie, etc), il est important de choisir des personnes compétentes, par exemple en demandant des adresses à leurs organismes professionnels, ou en vous renseignant auprès de la maternité ou d'autres futures mamans.

L'accouchement avec anesthésie

La préparation à l'accouchement vise à diminuer ou au moins à dominer la douleur. Elle y arrive, selon les femmes, dans une proportion variable difficile à évaluer.

Mais certaines femmes refusent d'affronter la douleur quelle que soit son intensité, soit parce qu'elles trouvent inutile de souffrir, soit parce qu'elles sont particulièrement angoissées et que l'accouchement leur paraît une épreuve insurmontable, soit enfin parce qu'elles gardent d'une précédente naissance un souvenir trop pénible. Ces femmes n'envisagent pas d'accoucher sans anesthésie.

D'autres n'ont pas envie de souffrir mais elles veulent essayer de vivre cette expérience ; elles se disent qu'elles demanderont une anesthésie si la douleur dépasse ce qu'elles peuvent supporter.

Quelques unes désirent accoucher sans anesthésie, quelle que soit l'intensité de la douleur.

En face de ces demandes, examinons de plus près les différentes possibilités de soulager ou de supprimer la douleur.

L'ANESTHÉSIE PÉRIDURALE

L'anesthésie péridurale a été une révolution car elle est un extraordinaire progrès dans le domaine de la lutte contre la douleur. Elle n'insensibilise que la partie inférieure du corps (celle qui souffre) tandis que la conscience reste éveillée. C'est pourquoi elle a eu rapidement autant de succès auprès des femmes.

Pour insensibiliser toute la moitié inférieure du corps, on injecte entre deux vertèbres lombaires un produit anesthésique qui se répand autour des enveloppes de la moelle épinière (dont l'une est appelée *dure-mère*, d'où le nom de cette anesthésie) et qui agit sur les nerfs qui en partent. La moelle épinière baigne elle-même dans un liquide appelé liquide céphalo-rachidien (schéma ci-dessous).

Cette injection indolore – car on fait d'abord une anesthésie locale – peut être faite en une seule fois comme n'importe quelle piqûre. Elle est faite par l'intermédiaire d'un petit cathéter qui est laissé en place, ce qui permet, en cas de besoin, de réinjecter du produit anesthésique sans faire une nouvelle piqûre. Dix minutes après l'injection du produit, la douleur disparaît. Il est possible à la femme de contrôler elle-même l'injection du produit, en fonction de ce qu'elle ressent. Certaines mamans ne veulent pas avoir mal mais ne souhaitent pas supprimer toutes les sensations.

Auparavant, on a placé une perfusion intraveineuse : elle permet de contrôler et de traiter rapidement d'éventuelles modifications de la tension artérielle que peut entraîner la péridurale. Mais la perfusion a surtout pour but d'administrer des médicaments (ocytociques) qui permettent de régulariser et de renforcer les contractions.

Il faut signaler qu'avec une péridurale la femme ressent moins le besoin de pousser au moment de l'expulsion. Cela doit encore plus l'inciter à faire des séances de préparation à l'accouchement.

Après l'accouchement, la femme peut se lever après quelques heures, au début soutenue et aidée pour tester ses réactions.

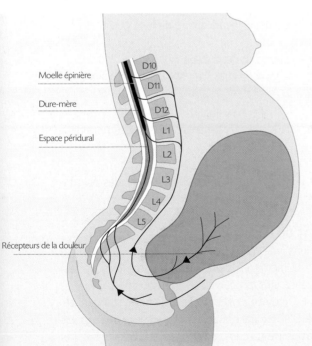

LA PÉRIDURALE

L'espace péridural est celui où l'on injecte le produit anesthésique pour réaliser l'anesthésie péridurale. L'injection se fait entre deux vertèbres lombaires, à un endroit où il n'y a plus de moelle épinière proprement dite. La zone pointillée représente le liquide anesthésique en train de se répandre derrière la dure-mère. La péridurale est laissée en place une à deux heures après l'accouchement pour le cas où une complication surviendrait.

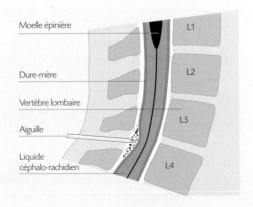

La consultation avec l'anesthésiste

Elle est désormais obligatoire au cours du dernier trimestre de la grossesse. Le médecin vérifiera que l'anesthésie n'a pas de contre-indication chez vous au cas où une anesthésie péridurale ou générale serait nécessaire. Un bilan sanguin, appréciant notamment la coagulation sanguine, sera fait ultérieurement, dans les jours ou les heures précédant l'accouchement.

Il faut signaler qu'un anesthésiste peut refuser la pose de péridurale en cas de tatouage dans la zone de ponction.

Peut-on faire une péridurale à n'importe quel moment de l'accouchement ?

L'idéal est de la faire lorsque la dilatation du col est entre 2 et 6 cm. Faite au moment de l'expulsion, elle n'a plus le temps d'agir.

Quelques établissements proposent des anesthésies péridurales qui permettent à la mère de se déplacer. Cela demande un matériel particulier pour surveiller en permanence le rythme cardiaque du bébé.

Y a-t-il des contre-indications ?

Oui, quelques-unes. Certaines sont connues avant l'accouchement : infections de la peau, déformation importante de la colonne vertébrale où antécédents chirurgicaux, affections neurologiques, troubles de la coagulation sanguine.

D'autres n'apparaissent qu'au moment de l'accouchement ou pendant le travail : souffrance aiguë de l'enfant, hémorragies, modifications de la tension. L'anesthésie péridurale est également contre-indiquée si la mère a de la fièvre.

La péridurale est-elle dangereuse pour la mère ou pour l'enfant ?

La péridurale est devenue un des gestes les plus courants de la pratique obstétricale.

L'enfant ne court aucun risque puisqu'il s'agit d'une anesthésie locale qui ne diffuse que très peu dans le sang maternel.

Pour la femme, on doit parler d'incidents plus que d'accidents. Il peut s'agir :
• de vertiges et de maux de tête, qui ne se produisent que lorsque l'aiguille d'injection est allée trop loin ; ils régressent en deux à trois jours
• de douleurs lombaires
• de sensations de décharges électriques dans les jambes. Elles disparaissent en quelques heures.

Les échecs de la péridurale

Il peut arriver que le médecin n'arrive pas à installer la péridurale. Il peut aussi y avoir des échecs partiels : une moitié du corps est bien insensibilisée mais l'autre ne l'est pas ou mal.

La péridurale influence-t-elle le déroulement de l'accouchement ?

Bien que l'anesthésie réduise l'intensité des contractions, en règle générale elle diminue la durée de l'accouchement et le rend plus « facile ». L'enfant lui-même en bénéficie. En effet lorsque les femmes sont tellement angoissées que le travail n'avance plus, on constate que, sous péridurale, le col se dilate mieux, et les contractions se régularisent. On évite ainsi un accouchement traînant en longueur et un enfant souffrant d'un travail prolongé. D'autre part, si survient au cours de l'accouchement la nécessité d'un geste quelconque : application de forceps, délivrance artificielle, suture de l'épisiotomie ou même césarienne, aucune anesthésie supplémentaire n'est alors nécessaire. Dans certains cas, la péridurale est conseillée : accouchement gémellaire, accouchement par le siège.

Toutes les femmes peuvent-elles avoir une anesthésie péridurale ?

Aujourd'hui, toutes les femmes qui le désirent peuvent bénéficier d'une péridurale, à condition, bien évidemment, qu'il n'y ait pas de contre-indication médicale. Il n'y a plus de distinction entre le simple confort et la nécessité médicale, et la péridurale est remboursée dans tous les cas.

Cette nouvelle est excellente mais, en pratique, la possibilité d'une péridurale dépend beaucoup de l'organisation de la maternité. Dans certaines, on comptabilise 90 % de péridurales, dans d'autres moins de 30 %. Pour autant, est-il souhaitable que chaque accouchement ait lieu sous péridurale, comme cela se passe dans certaines maternités, même si la femme ne l'a pas demandé ? Ce n'est pas sûr.

D'abord cela accentuerait la médicalisation de l'accouchement si souvent critiquée.

Ensuite les femmes ne demandent pas toutes une anesthésie. Elles veulent se rendre compte qu'elles peuvent supporter la douleur, la dominer, et ont d'ailleurs envie de voir comment elles y arriveront. D'ailleurs, comme nous en avons parlé au chapitre 13, un accouchement n'est pas toujours douloureux.

Enfin, le seul fait de savoir qu'elle peut avoir une péridurale détend souvent la mère, à tel point que, parfois, elle ne la demande pas, étonnée de constater qu'elle supporte très bien la douleur de la contraction.

> **ANESTHÉSIE : LES CHIFFRES LES PLUS RÉCENTS**
> D'APRÈS L'ENQUÊTE DE L'INSERM, LE POURCENTAGE DE PÉRIDURALES EST PASSÉ DE 58 % EN 1998 À 62,6 % EN 2003. QUANT AUX ANESTHÉSIES GÉNÉRALES, ELLES CONTINUENT À DIMINUER : ELLES N'ONT CONCERNÉ QUE 1,7 % DES FEMMES EN 2003.

Les femmes ont obtenu ce qu'elles voulaient, la péridurale pour toutes. Mais elles doivent garder un droit encore plus précieux : pouvoir faire respecter leur choix. Il s'agit de votre grossesse, de votre accouchement, c'est donc bien normal que ce soit votre désir qui l'emporte. C'est à vous, après y avoir réfléchi, en avoir parlé avec votre mari, vos amies, dans les groupes de préparation, avec la sage-femme, avec le médecin, de prendre *votre* décision.

Parler à son médecin, n'est pas toujours facile ; le pouvoir médical est une réalité à laquelle se heurte tout le monde. Pourtant il est important de pouvoir dire non, sous peine de renoncer à ses goûts, ses désirs. Il faut pouvoir dire non si on ne veut pas connaître le sexe du bébé avant la naissance, non si on ne veut pas d'anesthésie péridurale, non à un déclenchement de l'accouchement (sauf pathologie bien sûr) si on veut attendre le terme. Lorsqu'on attend un enfant, on est parfois en état de moindre résistance, comme à la merci de l'avis des autres et on n'ose pas donner le sien. C'est votre grossesse, votre enfant, un grand moment de votre vie, n'hésitez pas à dire ce que vous désirez vraiment.

Péridurale ou non ? Faut-il se décider pendant la grossesse ?

Vous allez bien sûr en parler avec le médecin ou la sage-femme. Mais quelle que soit votre décision, sachez qu'elle n'est pas irrémédiable.

Si vous souhaitez absolument une anesthésie péridurale, cela sera pris en compte et noté dans votre dossier. Mais si tout se passe bien, et si vous n'éprouvez pas le besoin d'une anesthésie, elle ne vous sera, bien sûr, pas imposée.

En revanche, si vous avez décidé d'accoucher sans péridurale, vous verrez de toute façon l'anesthésiste en consultation. Si une complication survenait, laissant prévoir que l'expulsion serait difficile et nécessiterait par exemple un forceps, ou si la douleur atteignait une intensité et une durée supérieure à ce que vous aviez imaginé, vous seriez peut-être soulagée qu'on vous propose une anesthésie.

LA RACHI-ANESTHÉSIE

C'est, comme la péridurale, une anesthésie dite loco-régionale qui insensibilise la moitié inférieure du corps.

La piqûre se fait au même endroit, entre deux vertèbres lombaires, cependant on injecte l'anesthésique non pas autour des méninges, mais à l'intérieur de celles-ci (comme lorsqu'on fait une ponction lombaire).

Techniquement, la rachi-anesthésie est plus facile à faire que la péridurale et demande moins d'anesthésique ; et son action est quasi-immédiate, alors qu'il faut 10 à 15 minutes à la péridurale pour agir. Par contre, elle entraîne plus d'accidents d'hypotension ; on ne peut renouveler l'injection et l'inconfort (maux de tête, vertiges, etc.) est plus grand après l'accouchement.

La rachi-anesthésie est en général pratiquée pour les césariennes ou à la fin de l'accouchement, pour un forceps par exemple.

L'ANESTHÉSIE LOCALE

On injecte dans les muscles du périnée, ou un peu plus profondément, un produit anesthésique (de la xylocaïne par exemple). L'anesthésie locale permet, sans douleur pour la femme, de faire ou de recoudre une épisiotomie, d'appliquer un forceps, mais elle n'atténue pas la douleur de la contraction utérine.

L'ANESTHÉSIE GÉNÉRALE

L'anesthésie générale est celle qui endort complètement comme pour une opération. Avant la péridurale, elle était pratiquée comme une anesthésie de confort chez les femmes qui refusaient la douleur. Actuellement elle n'est plus pratiquée que lorsqu'existe une contre-indication à la péridurale, ou quand une anesthésie est nécessaire de façon urgente à la fin du travail et que la péridurale n'a alors plus le temps d'agir.

L'anesthésie générale a l'inconvénient pour la mère de ne pas lui permettre d'assister à la naissance, ni d'entendre le cri de son enfant venant au monde. Aussi, n'ayant ni senti ni vu naître son enfant, la femme qui a été complètement endormie, souvent longtemps après l'accouchement, essaye de reconstituer cet événement qui s'est passé comme en dehors d'elle, auquel elle a l'impression de ne pas avoir participé. Cet événement, elle y a pensé pendant neuf mois, elle l'a attendu avec impatience même si elle le redoutait, elle s'est imaginée cent fois la scène ; il est normal que si tout cela se déroule sans elle, elle se sente frustrée et essaie de combler le manque. Nous vous signalons cette réaction pour que vous ne soyez pas déçue si vous la ressentiez.

LES AUTRES MÉTHODES

L'acupuncture et la réflexothérapie lombaire (dont le mécanisme est proche de celui de l'acupuncture) ont été utilisées à une certaine époque ; aujourd'hui, elles ne sont que rarement pratiquées.

En fin de dilatation, le protoxyde d'azote peut être proposé. C'est un mélange de gaz (oxygène et azote) qui se respire dans un masque. Cela aide le col à se relâcher et améliore l'oxygénation des tissus. Ainsi, la douleur baisse.

PRÉPARATION OU ANESTHÉSIE : À L'HEURE DU CHOIX

Après avoir lu les chapitres sur les différentes possibilités de diminuer ou de supprimer la douleur de l'accouchement, vous vous demandez peut-être que choisir, que décider ?

Il est difficile de vous répondre, c'est un choix trop personnel, il dépend de votre manière de vivre, de vos désirs, de votre façon de supporter la douleur, des expériences que vous avez déjà vécues, des possibilités que vous offre la maternité où vous accoucherez, de l'endroit où vous habitez...

Mais nous vous faisons une suggestion : que vous ayez fait votre choix ou non, préparez votre accouchement ; s'il n'y a pas de possibilités près de chez vous, lisez le chapitre qui précède, il vous indique de bons exercices à faire. Bien préparée, vous serez en meilleure forme pour la naissance. Et même si vous avez choisi une anesthésie, pouvoir faire des exercices respiratoires vous aidera à supporter les contractions en attendant qu'on puisse faire la péridurale. Par ailleurs, si une contre-indication de dernière minute empêchait cette anesthésie, avoir fait la préparation vous sera précieux.

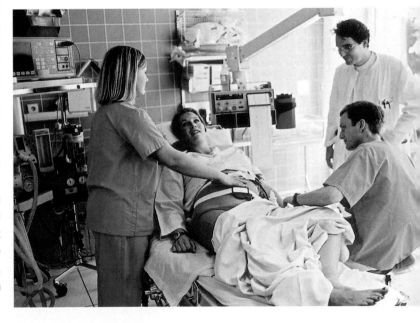

Nous vous signalons enfin qu'il y a des femmes avec qui la préparation ne réussit pas du tout. Alors, quel que soit le désir de la future mère, quelle que soit la qualité de la préparation suivie, la péridurale reste la seule solution efficace.

Votre enfant est né

Joie, fatigue, surprise et étonnement :
dans la vie d'un couple, dans le corps d'une femme,
peu de minutes vont paraître plus chargées
d'émotion, vont compter autant que ces secondes
de la naissance.
Votre bébé est enfin dans vos bras, vous l'appelez
par son prénom choisi avec amour, vous ne vous
lassez pas de le regarder.
Plus rien ne sera comme avant.

Se voir enfin :
le face-à-face

La tension qui accompagne plus ou moins l'accouchement et qui peut durer des heures, l'impatience, l'effort du travail et la fatigue, parfois l'énervement ou l'inquiétude font que la première réaction des parents à l'apparition du bébé c'est, après l'émotion, le soulagement, l'infini soulagement de le voir enfin, cet enfant tant attendu : ils en pleurent, en rient, en pâlissent, en deviennent tout rouges d'émotion et de joie.

Les parents veulent d'urgence vérifier que le bébé est bien normal, et même si le médecin les a rassurés, ils n'en finissent pas de le contrôler. Cela leur semble même parfois plus urgent à savoir que le sexe de l'enfant. (D'autant que, le plus souvent, ils le connaissent déjà.)

Ce qui est également fréquent, c'est l'étonnement des parents, la surprise : ils trouvent le bébé différent de l'image qu'ils s'en faisaient ; surtout la mère, elle a de la peine à identifier ce bébé soudain dans ses bras avec celui qu'elle portait dans son ventre.

La première émotion passée, **la mère** éprouve souvent une autre surprise : alors qu'elle attendait depuis des mois que cet enfant se sépare d'elle, maintenant qu'il vient de la quitter, elle sent en elle comme un grand vide. Comme me l'a écrit une lectrice : « J'avais l'impression de m'ennuyer de mon ventre. »

Pour certaines mères, ce sentiment de vide est fugitif, rapidement il se transforme en une impression de plénitude, d'accomplissement : c'est son bébé, elle est sa mère, l'évidence la rassure.

Parfois, au contraire, la rupture déroute la mère, la sensation d'étrangeté s'accentue : devant ce berceau, elle ne sent pas monter en elle l'amour maternel qu'elle s'attendait peut-être à éprouver tout de suite. Et l'inquiétude surgit ; comme un flot l'envahit le sentiment de sa responsabilité : « Il a besoin de moi, saurai-je m'en occuper ? » L'inquiétude peut venir de l'inexpérience si l'enfant est un premier-né, mais elle est renforcée par la fatigue qui suit toujours l'accouchement.

Ces surprises, ces sensations, que la mère les perçoive distinctement ou qu'elles restent confuses, vont heureusement s'effacer lorsqu'elle aura son enfant dans ses bras ; en le touchant, en le caressant, en le nourrissant, elle renouera avec son enfant un lien physique qui la rassurera. Et ce seront les débuts d'une longue histoire d'amour.

Cette histoire ne s'écrira pas en un jour, l'amour maternel n'est pas toujours un coup de foudre, il se développe souvent au contact de l'enfant, lentement, et grandit avec lui. Nous aurons bientôt l'occasion d'en reparler.

Quant aux pères, leur émotion après l'accouchement s'exprime de façons diverses. Ils sont heureux et fiers : « Ma femme allait bien, mon bébé allait bien, alors moi aussi. » Ils sentent qu'une étape est franchie : « J'ai été à la hauteur, j'ai réussi à être là : ce que ma femme attendait de moi et dont j'avais peur de ne pas être capable ». Certains sont si bouleversés qu'ils peuvent juste dire : « C'est trop beau, comme je suis heureux. » D'autres sont plus affectifs et s'adressent déjà au nouveau-né : « Ma jolie, te voici enfin. » Certains pères, peut-être pour se protéger de cette émotion qui les envahit, essaient de prendre un peu de distance, s'exprimant de manière parfois inattendue : « J'ai dit : qu'il est laid ! En fait il était fripé et il avait déjà des poches sous les yeux, à cet âge-là ! » Un autre raconte : « J'étais fasciné par ses pieds ; je me suis dit : celle-là, ça sera une basketteuse ! »

En général le grand moment de la vie d'un homme qui devient père, surtout d'un premier enfant, se situe quand, ce nouveau-né, il le prend dans ses bras. La femme, pour devenir mère, a déjà vécu neuf mois de grossesse et un accouchement. Rien de semblable pour le père. Aussi, pour lui, la paternité lui arrive-t-elle souvent comme un choc dans ce geste où, pour la première fois, il tient son enfant dans les mains.

Un autre geste important pour le père peut être la déclaration de l'enfant à la mairie. Il faut avoir assisté à ce qu'on appelle une formalité, mais qui en réalité est un acte important dans la vie d'un homme, pour comprendre tout ce qu'elle représente.

C'est dommage qu'aujourd'hui cette déclaration soit si souvent faite par la maternité ; elle devient alors un geste purement administratif. Bien entendu, les pères qui y tiennent peuvent parfaitement aller déclarer eux-mêmes à la mairie la naissance de leur enfant. Il suffit qu'ils préviennent la maternité.

T. BERRY BRAZELTON
Pédiatre américain, spécialisé en recherches sur le nouveau-né, T. Berry Brazelton est connu dans le monde entier, particulièrement en France où il a publié plusieurs livres qui sont devenus des ouvrages de référence. C'est en grande partie grâce aux travaux de T.B. Brazelton et à son NBAS (p. 372) que l'on a pu évaluer, apprécier les interactions précoces parents-bébé et la compétence du nouveau-né.

Et le bébé ? Comment va-t-il réagir ? Comme quelqu'un qui attend que vous le preniez dans vos bras, que vous le regardiez, que vous lui parliez, que vous le reconnaissiez, que vous l'entouriez. Il a besoin de votre attention, de votre chaleur pour s'éveiller dans ce monde où il vient d'atterrir. Dès la naissance, un enfant est réceptif, attentif à la voix, aux regards, aux gestes, aux soins de ceux qui l'entourent.

Il suffit de voir la manière dont un nouveau-né réagit quand T. Berry Brazelton s'adresse à lui : il prend délicatement le nouveau-né dans ses mains, lui parle doucement, lui fait suivre du regard un objet qu'il passe devant ses yeux, le fait réagir à un son, etc. Ceux qui ont vu les cassettes-vidéo de Bernard Martino : *Le bébé est une personne* ont été fascinés par les mimiques de T. Berry Brazelton, par les réactions surprenantes du bébé et par le dialogue qui s'engage sous leurs yeux. On observe même des sourires dès la naissance. Certains parlent de « sourires aux anges » mais il semble que des états de grand bien-être s'accompagnent de vrais sourires.

La précocité de ces réactions va avoir des conséquences rapides et importantes : dès la naissance, l'enfant s'intéresse à la personne qui le tient dans ses bras, qui le regarde, la réciproque est vraie, des liens se nouent.

Par une autre voie, ces observations rejoignent celles qui ont été faites il y a déjà longtemps : le nouveau-né arrive au monde avec un besoin vital qu'on l'aime, il a autant soif d'affection, que de lait.

Mais allons maintenant le voir ce bébé, le regarder de plus près, faire le tour de ses possibilités, pour mieux faire connaissance avec lui.

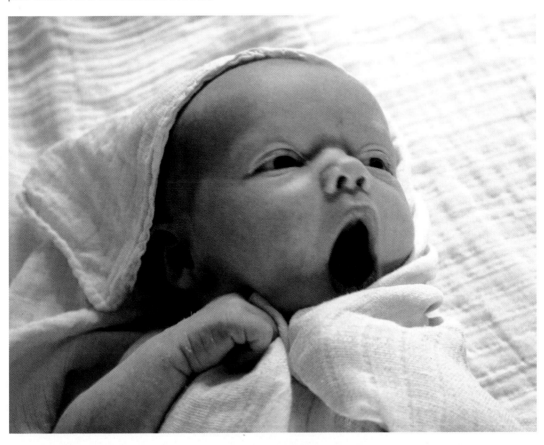

Le nouveau-né

Lorsque Mme de Sévigné vit pour la première fois sa fille qu'elle venait de mettre au monde, elle s'écria : « Mais elle a l'air d'une guenon ! » Puis, se tournant vers la sage-femme qui l'avait accouchée, elle ajouta : « Je ne l'en aimerai pas moins puisqu'elle est ma fille. » La petite guenon devait d'ailleurs devenir « la plus jolie fille de France », comme l'appelait Bussy-Rabutin.

Vous réagirez peut-être comme Mme de Sévigné lorsque vous verrez votre enfant. Un nouveau-né n'est pas toujours joli. Il est souvent rouge et fripé. Sa tête est parfois déformée, ses cheveux raides et ses mains violettes. Ne vivez donc pas dans l'idée que votre enfant sera un bébé joufflu le jour de sa naissance. Il lui faudra peut-être encore quelques semaines pour être un joli nourrisson.

Dès sa naissance, l'enfant se met à crier et à respirer. Il manifeste ainsi son indépendance vis-à-vis de l'organisme maternel. Jusque-là, en effet, il en était entièrement dépendant, relié au placenta par le cordon ombilical qui lui amenait les aliments et l'oxygène dont il avait besoin pour vivre et pour se développer. Ce passage de la vie placentaire à la vie autonome nécessite des transformations importantes de son organisme. Certaines fonctions s'adaptent progressivement, telle la fonction digestive ; d'autres vont devoir le faire brutalement, d'une minute à l'autre, dès la naissance : c'est le cas, par exemple, de la respiration.

L'EXAMEN DU NOUVEAU-NÉ
À LA NAISSANCE
EST DÉCRIT PAGE 309.

La respiration

Dès la sortie des épaules, la première respiration s'instaure. Cette respiration, qui est le premier signe de la vie, naît avec l'enfant. Avec une rapidité étonnante, un profond bouleversement s'est produit dans l'organisme du nouveau-né. Quelques secondes avant de naître, le fœtus vivait encore de l'oxygène que sa mère lui fournissait. Son sang, partant du cœur, arrivait au placenta (par les artères ombilicales), se chargeait d'oxygène qu'il puisait dans le sang maternel, et revenait au cœur (par la veine ombilicale). Le placenta jouait donc le rôle de poumon. Les poumons du fœtus ne fonctionnaient pas encore.

L'enfant naît. Il est séparé du placenta. Il faut qu'il se procure lui-même son oxygène. Il ouvre la bouche, l'air s'engouffre dans ses poumons, les déplie, les gonfle, relève brutalement les côtes qui s'écartent. La cage thoracique se soulève. Les poumons deviennent roses et spongieux. Le sang venant du cœur se précipite dans les vaisseaux pulmonaires à la recherche de l'oxygène qui vient d'arriver : la circulation cœur-poumon est établie. En général, l'enfant pousse un cri vigoureux, ce qui montre que l'air passe bien dans les poumons.

Le nouveau-né respire maintenant comme un adulte. Mais pendant un an sa respiration sera irrégulière, tour à tour superficielle ou profonde, rapide ou ralentie. Le cœur bat très vite, de 120 à 130 fois par minute en moyenne, presque deux fois plus vite que chez l'adulte. Le sang ne met que 12 secondes pour accomplir une révolution complète. Chez l'adulte, il en met 32. Le cordon ombilical bat encore quelques minutes. Lorsqu'il cessera de battre, la sage-femme posera les pinces pour le couper.

Le poids et la taille

« Combien pèse-t-il ? » C'est une des premières questions que posent les parents à la naissance. Dans l'esprit du grand public, le chiffre optimal est de 3,5 kg. C'est déjà celui d'un gros bébé. La moyenne est de 3,3 kg (100 g de plus pour les garçons, 100 g de moins pour les filles), et, entre des bébés nés à terme, on peut noter des écarts considérables : certains bébés pèsent 2,5 kg, d'autres 4 kg et même plus. Ce qui concerne l'enfant pesant moins de 2,5 kg est traité au chapitre 10.

Plusieurs facteurs peuvent faire varier le poids du nouveau-né :
• d'abord l'hérédité, c'est-à-dire la stature du père et de la mère, la tendance familiale
• le rang de la naissance : en général chez une même femme, le deuxième enfant pèse un peu plus que le premier, et le troisième plus que le deuxième
• l'état de santé de la mère : certaines maladies peuvent soit augmenter le poids de l'enfant (diabète, obésité), soit au contraire le diminuer (toxémie)
• le repos de la mère pendant la grossesse : il est conseillé lorsqu'on a constaté que le fœtus était de petit poids
• enfin le tabac : le bébé dont la mère a continué de fumer pendant la grossesse est en général de plus petit poids que la moyenne.

Par contre le régime alimentaire ne joue qu'un rôle mineur et indirect sur le poids de l'enfant (à l'exception des grandes dénutritions qui ne se voient pas en France). Mais une restriction importante, ou une suralimentation, peuvent entraîner des complications chez la maman (par exemple une hypertension) ce qui risque d'avoir un retentissement sur la santé du bébé.

Dans les jours qui suivront sa naissance, votre enfant perdra du poids et cette perte de poids est normale. Il ne faut donc pas s'en inquiéter. Classiquement, la perte de poids est inférieure à 10% du poids du corps. Au-delà, cette perte peut être normale mais il est préférable d'en parler avec un professionnel de santé afin de vérifier qu'il n'y a pas de problème particulier. La perte de poids est due en partie au fait que l'enfant évacue les déchets qui occupent encore son intestin ; elle est due également à l'élimination d'œdèmes, normaux chez le bébé, et provoqués par un excès d'eau dans les tissus. Dès le troisième jour, l'enfant commencera à reprendre du poids ; et entre le cinquième et le dixième jour, il aura retrouvé son poids de naissance.

Certains bébés ont un poids supérieur à la moyenne soit par hérédité, soit à cause du diabète de leur mère ; dans ce cas, ils seront soumis à une plus grande surveillance. À l'inverse, un bébé de petit poids peut « pousser » très vite après la naissance.

La taille, qui est en moyenne de 50 cm à la naissance, ne varie guère de plus de 2 ou 3 cm autour de ce chiffre, d'un bébé à l'autre.

L'aspect général

Ce qui vous frappera peut-être le plus lorsque vous verrez votre enfant, c'est que les proportions des diverses parties de son corps sont différentes de celles de l'adulte : le nouveau-né n'est pas un adulte en miniature. La tête est très volumineuse. Elle représente à elle seule un quart de la longueur totale, au lieu d'un septième. Le tronc est plus long que les membres. L'abdomen est légèrement saillant.

Les premiers mouvements de votre enfant vous paraîtront désordonnés. Ils le sont en effet, car le système nerveux, celui qui dirige les gestes, est imparfaitement développé chez le nouveau-né. Les mouvements ne s'organiseront qu'à mesure que le système nerveux se développera.

Une demi-heure après sa naissance, le petit poulain est sur ses pattes et trottine ; le petit veau aussi. L'enfant devra attendre un an pour pouvoir marcher. Mais dès la naissance, le bébé est capable de ramper vers le sein et de le trouver : c'est beaucoup !

L'attitude

Dans la première heure de vie, l'éveil du nouveau-né est souvent étonnant. Le bébé ouvre les yeux, cherchant à découvrir son nouvel environnement. Bien au chaud sur le ventre de sa maman, il redresse la tête et cherche lui-même le sein. « Quand on a posé ma fille sur mon ventre, elle avait la tête redressée et "regardait" autour d'elle comme si elle se demandait dans quel monde elle avait atterri », nous a écrit une lectrice. Puis, après la première tétée, le bébé reprend la position qu'il avait avant la naissance : bras et jambes fléchis, poings serrés, yeux fermés. Il faudra parfois plusieurs jours pour retrouver un moment d'éveil de la même qualité, c'est tout à fait normal.

La tête et le visage

Le bébé a du mal à tenir la tête car elle est volumineuse par rapport aux muscles du cou. Ne vous inquiétez pas si votre enfant arrive au monde avec une tête un peu déformée, crâne asymétrique ou en pain de sucre, bosse d'un côté ou de l'autre, etc. (« Il avait la tête cabossée », m'a écrit une lectrice.) Ces petites déformations sont très fréquentes. Elles sont dues aux fortes pressions que la tête subit lors de l'accouchement ou a une position trop appuyée sur les os du bassin pendant la grossesse. En dix ou quinze jours, elles disparaissent, et le crâne s'arrondit.

Si votre enfant est né par *ventouse*, la petite bosse sur le sommet du crâne, souvent importante, disparaîtra sans laisser aucune trace, en quelques jours. Il en est de même pour les traces sur le crâne ou sur le visage, dues à la naissance par *forceps*.

Les os du crâne, qui ne sont pas encore soudés, sont séparés par des espaces de tissus fibreux, les

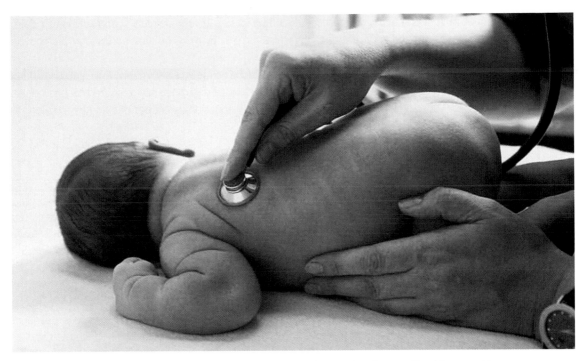

sutures. En deux points, ces espaces s'élargissent pour former les *fontanelles*. Vous sentirez vous-même ces zones molles en passant votre main sur le crâne du bébé. La plus grande, juste au-dessus du front, a la forme d'un losange. La plus petite se trouve à l'arrière du crâne. Les fontanelles se rétréciront peu à peu jusqu'à se fermer complètement, la plus petite vers 8 mois, la plus grande vers 18 mois.

• **Les cheveux.** Certains bébés naissent avec une chevelure abondante et généralement noire. D'autres sont presque chauves. Consolez-vous si votre bébé fait partie des seconds. Les premiers perdent la plus grande partie de leurs cheveux dans les semaines qui suivent la naissance. Par la suite, les cheveux repoussent plus clairs et plus fins.

• **Les yeux** sont très grands, leur taille a déjà les deux tiers de ceux de l'adulte.

Les paupières sont larges, les cils et les sourcils apparents mais très fins. Le nouveau-né pleure sans larmes. Celles-ci n'apparaissent que vers la 4e semaine, souvent même plus tard. Le nez est court et aplati, l'oreille volumineuse par rapport à la face, mais bien dessinée, quoique son lobule ne soit pas encore formé. La bouche paraît démesurément grande, avec le maxillaire inférieur peu développé. Le cou est très court et donne l'impression que la tête repose directement sur les épaules.

La peau

À la naissance, la peau est recouverte d'un enduit sébacé blanchâtre, le vernix. Aujourd'hui, on laisse le vernix car il joue un rôle protecteur. Cependant la quantité de vernix est extrêmement variable d'un enfant à l'autre et ne vous étonnez pas si votre enfant naît avec très peu de cet enduit sur la peau. Le vernix sera absorbé par la peau pendant les premières heures de vie. Chez les enfants nés après le terme, le vernix a déjà disparu.

Les premiers jours, la couche superficielle de la peau se détache et le bébé pèle. Cela se fait progressivement si l'enfant est né en avance, en quelques heures s'il est à terme. La peau du nouveau-né est sèche, on peut noter comme des coupures sur les poignets et le coup de pied. Il ne faut pas s'inquiéter, un petit massage avec du liniment oléocalcaire est suffisant. Le duvet qui recouvrait tout le corps au 7ᵉ mois persiste sur les oreilles et le dos.

Souvent, on peut remarquer, à la racine du nez, une tache rougeâtre bifurquant en Y entre les deux sourcils. C'est l'aigrette du nouveau-né ; elle persistera quelques mois, puis disparaîtra. Les ongles des mains et des pieds sont bien apparents. Résistez à la tentation de couper des ongles trop longs ; cela risquerait de provoquer une infection.

L'ictère du nouveau-né

Souvent, dans les premiers jours, la peau – ainsi que les yeux – prend une couleur jaune, plus ou moins prononcée : c'est l'ictère physiologique du nouveau-né. Cet ictère est dû à l'excès d'un pigment jaune, la bilirubine.

Avant la naissance, ce pigment était éliminé par le placenta. Après la naissance, c'est le foie du bébé qui doit faire ce travail et la « mise en route » demande parfois quelques jours. Dans ce cas précis, on parle d'*ictère physiologique,* c'est à dire naturel. Cette fonction d'épuration du foie est encore plus difficile à se mettre en place lorsque l'enfant naît prématurément : ceci explique que tous les prématurés présentent en général un ictère.

Des pathologies peuvent aussi expliquer l'ictère : il s'agit d'une incompatibilité de groupe sanguin (dans le système A, B ou O ou dans le système Rhésus) ou d'une infection bactérienne. Dans ce cas, l'ictère est souvent précoce, apparaissant avant la 24ᵉ heure de vie.

Depuis plusieurs années, le traitement de l'ictère est simple et sans danger. Le taux de bilirubine est surveillé, soit par des prises de sang, soit par un appareil spécial qui indique le taux par simple contact avec la peau. En fonction de l'âge du bébé, de son poids, du taux de bilirubine, on propose un traitement par photothérapie, c'est-à-dire par une « lampe spéciale » qui ne présente aucun risque. Le bébé est installé dans une couveuse ou un berceau, simplement vêtu d'une couche. Ses yeux sont protégés. Autour du berceau, on installe une lampe avec des tubes de lumière bleue et blanche. Cette lumière détruit le pigment de bilirubine qui est ensuite éliminé dans les urines.

Ce traitement est très efficace et suffit pour les ictères dits physiologiques. Dans ce cas, les bébés ont souvent besoin de 24 à 48 heures de photothérapie. Rassurez-vous, cela ne veut pas dire que votre bébé va être loin de vous pendant tout ce temps. La photothérapie ne se fait pas en continu, mais par périodes de 2 à 3 heures. En dehors de ces séances, votre bébé sera avec vous. L'ictère diminue en général à partir du 5ᵉ jour.

Pour les ictères liés à une incompatibilité sanguine, les taux de bilirubine sont en général plus élevés et il est parfois nécessaire d'effectuer une exsanguino-transfusion en plus de la photothérapie

Enfin, les enfants allaités au sein peuvent présenter un ictère plus prolongé (3 semaines environ). Cet ictère n'est pas dangereux car les taux de bilirubine ne sont pas très élevés et il n'y a pas lieu, en général, de prévoir de photothérapie. Cet ictère n'empêche pas le bébé de sortir de la maternité ni l'alimentation au sein.

La température

Vous vous demandez peut-être pourquoi, dans l'atmosphère surchauffée de la maternité, votre enfant est si couvert. C'est parce que, en naissant, l'enfant a tendance à se refroidir. Il n'est pas encore capable de régler tout seul sa chaleur. Il faut qu'on le fasse pour lui. Il vient de vivre pendant neuf mois dans une température toujours égale de 37° , la vôtre. Subitement, il se trouve dans une atmosphère de 22°, celle de la maternité. Malgré ses vêtements, il va se refroidir de 1° à 2,5°, et ne reviendra qu'au bout de deux jours environ à une température de 37°. À la maison, vous n'aurez pas à le couvrir autant.

L'appareil urinaire et digestif

Il n'est pas rare d'observer une émission d'urine dans les premières minutes qui suivent la naissance. Cela n'est pas étonnant car l'appareil urinaire fonctionnait déjà avant (comme vous l'avez vu au chapitre 5). De même, l'intestin élimine dans les deux premiers jours une substance verdâtre, presque noire, visqueuse, collante, ayant l'aspect du goudron : c'est le méconium, fait d'un mélange de bile et de mucus. Vers le troisième jour, les selles deviennent plus claires, puis jaune doré et pâteuses, au nombre d'une à quatre par jour, parfois même à chaque tétée, pendant les premières semaines.

Les organes génitaux

Souvent, les seins des bébés, aussi bien garçons que filles, sont gonflés à la naissance.

Si on les pressait, il en sortirait un liquide semblable au lait. C'est parce qu'une petite quantité de l'hormone qui provoquera la montée laiteuse chez la mère est passée à travers le placenta dans le sang du bébé avant la naissance, et a stimulé le fonctionnement des glandes mammaires. Ne vous en inquiétez pas, et surtout n'y touchez pas ; dans quelques jours, les seins seront tout à fait normaux.

De même, si vous remarquiez dans les couches de votre petite fille quelques gouttes de sang, il ne faudrait pas vous affoler. Cette autre activité des glandes génitales, qui apparaît une fois sur vingt, disparaît également en quelques jours. Ces phénomènes caractérisent ce que l'on appelle « la crise génitale du nouveau-né ».

QU'ENTEND-IL ? QUE VOIT-IL ? QUE SENT-IL ?

50 cm, 3,3 kg, peu de cheveux et la peau fripée, voilà donc comment se présente un nouveau-né. Mais quelles sont ses perceptions, que voit-il en arrivant au monde, qu'entend-il ? Est-il sensible aux multiples stimulations qui l'entourent ?

Pendant des siècles, pour la plupart, la réponse a été catégorique : le nouveau-né ne voit pas et n'entend rien. C'était la fameuse théorie du « bébé tube digestif » qui soutenait que l'enfant, au moins pendant plusieurs semaines, n'était sensible qu'aux sollicitations de son estomac ; il fallait donc essentiellement le nourrir et le changer.

Quand on découvre aujourd'hui ce dont un nouveau-né est capable, quand on admet qu'il devait bien en être ainsi hier et que les mères devaient bien le sentir, on a peine à croire que ces mères aient toutes partagé des théories aussi radicales et aussi négatives. Mais peut-être, ces théories étant surtout émises par des hommes, médecins et scientifiques, on peut se demander si des opinions contraires venant de femmes auraient eu des chances d'être entendues.

Aujourd'hui, le changement est complet. On a une image tout-à-fait différente du nouveau-né : il entend, voit, sent, ressent. Vous avez d'ailleurs vu ses sens s'éveiller peu à peu pendant la vie fœtale. Ces découvertes ne se sont pas faites en un jour : elles sont le fruit de longues recherches entreprises par des équipes nombreuses et simultanément dans divers pays. Et elles continuent à progresser.

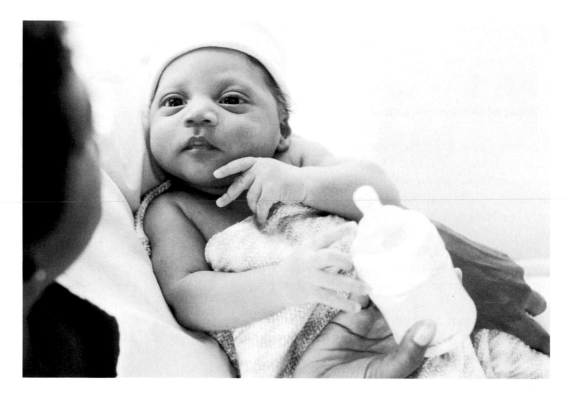

Donc, un premier constat : le nouveau-né est plus précoce et plus doué qu'on ne le croyait. Dans le domaine de la vision, de l'audition, de l'odorat, voici ce qu'on peut dire aujourd'hui de l'état des recherches.

La vision

Dès sa naissance l'enfant voit, mais sa vision n'est pas la nôtre : elle est un peu plus floue. Il ne voit pas bien de loin, mais de près (de 20 à 40 cm) sa vision est bien meilleure que ce que l'on croyait. S'il ne voit pas encore les détails des visages, il en reconnaît les traits principaux.

Le nouveau-né est sensible aux différences de lumière : si tout d'un coup, il y en a trop, il est gêné, cligne des yeux ou les ferme complètement. Attention à l'excès de lumière pendant les premières semaines.

Il est sensible à ce qui brille et à la couleur rouge ; ainsi il peut suivre des yeux une boule brillante et rouge. Les chercheurs ont constaté également que dès les premiers jours, le nouveau-né est attiré par une forme ovale, mobile présentant des points brillants et du rouge. Ce n'est pas un rébus, c'est l'ensemble correspondant au visage humain. Le bébé peut suivre ce visage s'il bouge, et si pendant ce temps on lui parle, le bébé cligne des yeux. Ce visage est d'ailleurs précisément à la bonne distance pour lui, environ 25 cm.

On a remarqué que le nouveau-né était plus sensible aux images complexes qu'aux simples. Dès les premiers jours, si on lui présente deux feuilles, l'une grise, unie, et l'autre couverte d'un petit damier noir et blanc, l'enfant regarde la seconde.

C'est parce qu'il n'a pas eu l'occasion de l'exercer avant la naissance que la vision du nouveau-né n'est pas très développée (bien que certains chercheurs aient montré que déjà dans le ventre de sa mère l'enfant est sensible à une forte lumière, l'observation a été signalée p. 122). Mais cette vision va faire des progrès rapides. Le bébé cherche à voir même la nuit ; dans le noir il ouvre les yeux, les ferme, regarde d'un côté, de l'autre ; on a pu l'observer grâce à des rayons infrarouges.

Et dans ce domaine de l'activité visuelle, il y a de grandes différences d'un enfant à l'autre. On a l'impression que certains bébés passent leur temps à « regarder », alors que d'autres passent leur temps à dormir. Cette différence de rythme de développement se retrouvera dans tous les domaines tout le long de l'enfance.

Un mot pour finir : les nouveau-nés ont souvent l'air de loucher parce que les muscles de leurs yeux ne sont pas encore assez développés pour coordonner les mouvements.

L'ouïe

Elle est plus développée que la vision, c'est normal, le nouveau-né a déjà beaucoup entendu durant sa vie fœtale, au moins pendant les trois derniers mois. Il n'est donc pas étonnant de le voir sursauter si une porte claque ou s'il entend un bruit violent ; et son oreille étant déjà exercée, elle lui permet de distinguer des sons très proches les uns des autres. Et même lorsqu'il dort à poings fermés, si on chuchote près de lui, il remue légèrement, sa respiration se modifie, il cligne des yeux. Si l'on continue à parler doucement, il s'agite et finit par se réveiller. Avant la naissance, le bébé entendait déjà la voix de ses parents (p. 121). À la naissance, ces voix, l'enfant va les reconnaître.

Enfin on remarque que lorsqu'il y a vraiment trop de bruit autour de lui, l'enfant arrive à s'isoler. T. B. Brazelton rapporte qu'un enfant à qui l'on faisait un test pénible commença par crier, puis subitement s'arrêta ; malgré les bruits aigus et les lumières brillantes il s'endormit ; le test terminé, les appareils retirés, le nouveau-né s'éveilla aussitôt et se mit à crier. Ce sommeil brutal est une forme de retrait, le bébé se protège ainsi de stimulations trop importantes.

Le toucher

Le nouveau-né est très sensible à la manière dont on le touche, aux manipulations. Certains gestes le calment, d'autres au contraire l'agitent. Cela, les parents le découvrent très vite, mais cette sensibilité de la peau et du contact remonte très loin dans la vie de l'enfant : dans le ventre de la mère, il a réagi aux mains de ses parents se posant sur lui ; il a senti le liquide l'entourer ; il s'est frotté aux parois de l'utérus ; au moment de l'accouchement, l'action répétée des contractions sur son corps l'aide à sortir à l'air libre. Après la naissance, le bébé ressent avec malaise le vide autour de lui. Le petit berceau bien douillet, l'instinct que nous avons de le prendre contre nous, calment et rassurent l'enfant. Dans les couveuses, on a observé que pour apaiser le bébé, il suffisait de lui caler le dos et même le haut du crâne, contre une couverture roulée, ou un oreiller. Si votre bébé est prématuré et que, dans sa couveuse, il n'a pas l'air bien à l'aise, voyez avec la puéricultrice s'il ne serait pas possible de l'installer ainsi.

Certains parents aimeraient bien masser leur bébé, mais ne savent pas trop comment s'y prendre. Parlez-en avec la sage-femme qui saura vous indiquer quelques gestes de base. Pensez à le faire dans une pièce suffisamment chaude.

L'odorat

Une expérience est devenue classique : si on présente à un nouveau-né deux compresses, l'une ayant été en contact avec le sein de sa mère et l'autre non, le bébé se tourne vers la compresse maternelle.

ODEURS ET SAVEURS
*Les réactions
d'un nouveau-né
de quelques heures.*

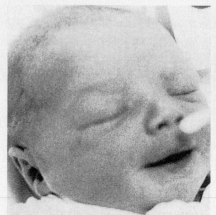

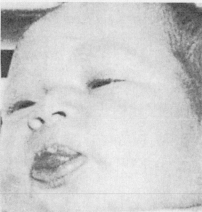

On fait sentir au bébé un coton imbibé d'odeur de banane, il a l'air ravi.

On dépose sur la langue du bébé du sucre, cela lui plaît.

L'expérience a été effectuée il y a une trentaine d'années par Mac Farlane le 10e jour après la naissance. Depuis, H. Montagner et B. Schaal l'ont effectuée le 3e jour, puis dès la naissance par ce dernier. D'ailleurs, c'est principalement grâce à son odorat qu'un bébé reconnaît l'approche du sein maternel.

Le goût

Le nouveau-né a 12 heures ; si on met sur ses lèvres un peu d'eau sucrée, il a l'air ravi ; si on y met une goutte de citron, il fait la grimace. Tout comme *in utero*, dès la naissance, l'enfant fait la distinction entre le sucré, le salé, l'acide, l'amer. Le sucré le calme, l'amer ou l'acide l'agite. C'est ce qu'illustrent les photos reproduites ci-dessus.

Les bébés sont très tôt sensibles aux goûts car ce sens s'est déjà exercé avant la naissance. Et depuis toujours les femmes qui allaitent savent que certains aliments donnent bon goût au lait, par exemple le cumin, le fenouil, l'anis vert. Ainsi le bébé tète avec plaisir, et la sécrétion lactée augmente. En comparaison, le bébé nourri au lait industriel a une nourriture bien fade et sans surprise !

Comment a-t-on pu établir si précisément le degré de sensibilité du nouveau-né ? Certaines fois par des moyens très simples, d'autres fois en ayant recours à des moyens plus sophistiqués.

Moyens simples comme l'observation directe de chaque réaction du bébé à une stimulation : tourner la tête ; réagir à un bruit sourd, lointain, léger, ou au contraire cesser de réagir aux mêmes bruits ; crier ou au contraire cesser de crier ; cligner des yeux ; remuer les pieds ; crisper les membres, sursauter ; chaque geste, même le plus discret, chaque mimique ou chaque cri a un sens.

Comme il est difficile de tout noter, de tout remarquer à la fois, les chercheurs prennent des kilomètres de films sur les bébés dans les situations les plus variées, dans les bras de leur père, de leur mère, du pédiatre ; en face d'objets, de formes et de couleurs diverses, en face de lumières d'intensité variée, etc. Puis ils passent ces films au ralenti, arrêtent l'image, reviennent en arrière et notent toutes les réactions de l'enfant. Grâce aux possibilités des films vidéo, aucun détail n'échappe à l'œil de l'observateur.

L'enregistrement du rythme cardiaque du bébé a permis de nombreuses observations. C'est en particulier grâce à lui qu'on a pu constater qu'un bébé était plus sensible à une voix féminine qu'à

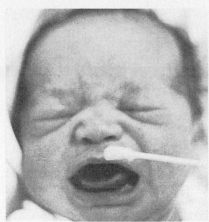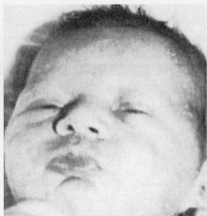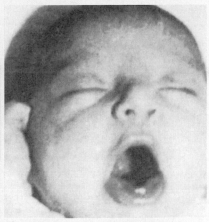

L'odeur de l'œuf pourri le fait hurler.

Une goutte de jus de citron lui fait faire la grimace.

Une goutte de sulfate de quinine (amer) : le bébé proteste vivement.

une voix masculine. Dans le premier cas le rythme cardiaque ralentissait, dans le second il n'y avait pas de changement.

De même, pour savoir plus finement à quels sons réagit un nouveau-né, on fait l'expérience suivante : on lui met dans la bouche une tétine, dans la tétine un capteur qui enregistre le rythme des mouvements de succion. Puis on fait entendre au bébé différents sons ; il réagit par des mouvements de succion : c'est l'accélération ou la diminution du rythme de ces mouvements qui permet de constater que le bébé est plus ou moins sensible aux différents sons présentés.

Ainsi ce nouveau-né que l'on croyait naguère si démuni, si fermé au monde dans lequel il arrivait, on l'a découvert prêt au contraire à réagir aux nombreuses stimulations de son environnement et de son entourage, programmé biologiquement pour éprouver tout un éventail de sensations.

Ce « on » recouvre l'ensemble de la société. Mais je suis persuadée et l'ai souvent dit, que la mère, elle, depuis toujours sentait que son enfant en savait plus sous ses yeux mi-clos qu'on ne le croyait autour d'elle. Ce qui change aujourd'hui, c'est le regard que cette société porte sur l'enfant, la manière dont elle le considère, manière qui à son tour va avoir – a déjà – une influence certaine sur l'enfant.

LA COMPÉTENCE DU NOUVEAU-NÉ

Lorsque la mère caresse son enfant ou le prend dans ses bras, elle sent qu'il réagit à son contact parce que son visage s'apaise : si elle lui parle et qu'il s'arrête de bouger, elle comprend qu'il a perçu ce que sa voix comportait de sollicitation.

L'enfant réagit à son tour par une mimique, puis la mère sourit, et ainsi de suite. Et sans cesse, de l'enfant à la mère, un va-et-vient de questions et de réponses s'établit : ils communiquent.

Lorsqu'une mère voit son bébé gêné par la lumière et la détourne, il rouvre les yeux. À chaque instant passe entre la mère et l'enfant un signal de reconnaissance. Si l'enfant appelle, sollicite à son tour et qu'on lui répond, sa mimique est encore une fois une réponse.

Cette sensibilité du nouveau-né aux stimulations les plus diverses, à la voix, au contact, aux gestes, à la lumière, aux odeurs se traduit donc chez lui par toute une gamme de comportements et d'émotions qui à leur tour provoqueront chez la mère, chez le père ou chez l'adulte qui s'occupe de lui, des réactions.

C'est cela qu'on a appelé la compétence du nouveau-né : la possibilité qu'il a, grâce à son équipement sensoriel et à sa sensibilité émotionnelle, de répondre aux stimulations, et de déclencher des réactions dans l'entourage. Cet enchaînement de stimulations et de réactions constitue des **interactions**. Comme je vous le disais plus haut, T. Berry Brazelton, grâce à ses travaux, a été l'un des tout premiers à montrer ces interactions précoces, cette compétence du nouveau-né.

Un des buts de l'examen qu'il a mis au point, le NBAS est de montrer aux parents tout ce dont le nouveau-né est capable, de les sensibiliser à la stupéfiante variété des réactions que l'enfant possède déjà. Grâce à cet examen, les parents observent le nouveau-né avec un œil neuf, voient chaque réaction comme pouvant être le langage avec lequel le bébé va communiquer avec eux.

> **LE NBAS**
> *(Neonatal Behaviour Assessment Scale, **échelle du comportement néonatal**) est couramment pratiqué aux États-Unis après la naissance et se répand en France et en Europe.*

À propos de la compétence du nouveau-né, ajoutons :

• D'un enfant à l'autre, il y a de grandes différences ; on peut dire que chaque nouveau-né a sa personnalité : qu'il s'agisse des besoins en sommeil, des pleurs, de ses réactions lorsqu'on le touche, etc., chaque bébé a sa manière de réagir. Le sachant, les parents ne seront pas tentés de comparer sans cesse leur enfant aux autres, mais seront attentifs à sa personnalité, à ses particularités.

• Dans la journée, les nouveau-nés ont certes des moments d'éveil et d'échanges, mais ils dorment quand même la plupart du temps et ils ont besoin de calme. Les premiers jours, ne le réveillez pas (par exemple si vous avez une visite).

ÉCHANGES ET ATTACHEMENT

Chaque parent a sa manière d'entrer en contact avec son enfant. Chaque enfant a sa manière de répondre.

> **POUR EN SAVOIR PLUS**
> *Sur la compétence du nouveau-né, l'attachement, les relations précoces parents-enfants, vous pouvez lire les ouvrages de T. Berry Brazelton :* **La Naissance d'une famille** *et* **Points forts, les moments essentiels du développement** *(Livre de Poche).*

Parlons d'abord des mères

Pour la plupart d'entre elles, l'échange commence par le regard. « Il m'a semblé, à l'observation de ces moments d'échanges visuels, que le contact œil-à-œil dépassait le simple cadre de la fixation réciproque et constituait le moteur de ces interactions précoces où la mère, attentive et émue, fait connaissance avec l'enfant qu'elle vient de mettre au monde. Le regard du nouveau-né déclenche des conduites de recherche et d'échanges où se mêlent les stimulations verbales, mimiques, tactiles et posturo-kinesthésiques, le tout constituant les modalités de la communication qui vont prendre une importance plus grande ultérieurement » (Monique Robin).

Les mères aiment que leur bébé soit éveillé, le voir les yeux fermés les inquiète. « J'ai l'impression qu'il n'est pas vivant, tout change quand ses yeux sont ouverts… J'ai envie de lui parler, j'ai l'impression qu'il est là. » Par leur insistance à le désirer éveillé, certaines mères parviennent même à lui faire ouvrir les yeux.

Lorsqu'une mère regarde son enfant, c'est comme si elle lui parlait ; l'enfant lui répond en clignant de l'œil, en ouvrant la bouche, en bougeant les bras ; tout ceci signifie « message reçu ». À son tour, la mère répond, pas seulement avec les yeux, mais en lui parlant, en le caressant.

Et voilà au départ une source de différence d'un enfant à l'autre : un enfant éveillé recevra plus de stimulations qu'un enfant somnolent, stimulations qui le développeront plus rapidement. Sarah est une enfant très éveillée, les échanges avec l'entourage sont multiples, variés. Sarah très stimulée progresse à grands pas, vocalise et sourit. Sa mère est ravie. David au même âge dort presque toute la journée, il n'a d'échanges qu'au moment des repas et du bain, puis retourne… à ses rêves. Jugement de la mère : « Il n'est vraiment pas vif, quand je pense à sa sœur. »

D'autres mères aiment communiquer avec le bébé surtout en le touchant, en le caressant, en le portant ; ce contact est rassurant pour elles et apaisant pour le bébé. « Ce que j'aimais, disait une mère, c'était porter mon bébé. J'ai fait des kilomètres dans les couloirs de la maternité en la serrant dans mes bras, je suis sûre qu'elle retrouvait le balancement qu'elle avait connu dans mon ventre, et je la sentais si bien que ça me faisait vraiment plaisir. »

> **LA TÉTÉE**
> *Pour bien des mères le grand moment de la communication c'est la tétée : côté bébé, toutes les sensations sont réunies, contact, satisfaction d'être nourri, sollicitation du goût, de l'odorat, c'est le bien-être ; et du côté de la mère, sentiment de plénitude, de jouissance physique et de satisfaction de pouvoir nourrir son enfant.*

Les réactions dont l'enfant est capable dans les premiers jours vont avoir une conséquence importante : ces réactions montreront à sa mère – ou à la personne qui s'occupe habituellement de lui – qu'elle est capable de comprendre son enfant et de communiquer avec lui.

Au début une mère en doute, surtout avec son premier enfant, mais lorsqu'elle voit qu'à des stimulations les plus diverses – elle le caresse, elle le porte, elle lui parle – il répond et qu'il en est heureux, cela lui donne confiance dans ses propres capacités ; cela lui montre que visiblement elle apporte à son enfant ce qu'il attend d'elle.

En d'autres termes, la compétence du nouveau-né à entrer en relation avec sa mère, à tisser des liens avec elle, va peu à peu lui donner l'assurance de sa propre compétence. J. de Ajuriaguerra a résumé cette constatation en une phrase devenue célèbre : « C'est l'enfant qui fait la mère », phrase à mettre en réserve dans sa mémoire pour les jours où l'on doute... La théorie de l'innéité de l'instinct et de l'amour maternel est trompeuse ; il faut du temps pour devenir mère...

Pour parler du tissage des liens pendant les premiers jours, et les premières semaines, nous parlons d'abord de la mère pour des raisons simples : l'enfant tète et s'endort sur le sein de sa mère. Plusieurs fois par jour, la scène se répète. À la maternité il est près de sa mère, à la maison il passe deux mois en tête à tête avec elle presque toute la journée. Par tous les pores de sa peau, la mère va donc nouer avec son enfant des liens premiers et particuliers, et lui avec elle (comme il le ferait d'ailleurs avec toute personne remplaçant sa mère). C'est si vrai qu'au moindre trouble on se tourne vers la mère pour l'en rendre responsable.

Et du côté du père, comment se nouent les liens ?

Bien sûr, certains pères se sentent au début un peu « extérieurs ». « La mère connaît son bébé d'emblée, alors que moi je n'ai rien senti dans mon corps. Elle comprend les besoins du bébé ; il pleure et aussitôt la mère dit : il a faim, ou il a trop chaud. Moi, il a fallu que j'apprenne cela », nous a dit un père. Ce sentiment peut être accentué si la femme « protège » le bébé et a tendance à exclure le père, ce qui risque de l'empêcher de s'intéresser à son enfant.

Il n'empêche que la plupart se sentent père très tôt : « Il a été tout de suite mon bébé, il n'a que 8 jours, il ne voit pas encore bien, mais je sais qu'il me reconnaît. » Et cet autre père : « Dès le deuxième jour, j'ai réalisé et j'ai pensé : c'est une autre vie qui commence, rien ne sera plus comme avant. » Certains hommes réalisent très vite l'importance que le bébé représente dans leur vie et le plaisir qu'ils ont à s'occuper de lui. Il n'est pas nécessaire de leur rappeler leurs « devoirs » : « J'aime pouponner. Je trouve très plaisant de donner le bain et le biberon. »

La qualité des liens que le père va nouer avec son enfant sera proportionnelle à l'intérêt manifesté, l'intérêt manifesté grandira au fur et à mesure des réponses que le père recevra de son enfant, et leur attachement réciproque grandira aussi avec le temps qui va multiplier les échanges.

Et l'enfant prendra goût aux sensations nouvelles lui venant de son père, mais elles seront différentes de celles qu'il a reçues de sa mère : que son père lui donne le biberon, lui parle ou le change, tout en lui est autre : ses gestes, sa voix, ses mains, son contact, son odeur, la manière de le prendre et de le porter. Et c'est ainsi que, peu à peu, l'enfant distinguera son père de sa mère.

INTERACTIONS

T. B. Brazelton a observé que très tôt, dès la 3e-4e semaine, le bébé manifeste un comportement différent envers chacun de ses parents. Avec la mère, les gestes du bébé sont doux, comme s'il savait que l'interaction qu'il allait avoir avec elle serait calme, mesurée ; avec le père, le visage du bébé s'éclaire, son corps se tend, comme s'il savait que son père allait jouer avec lui.

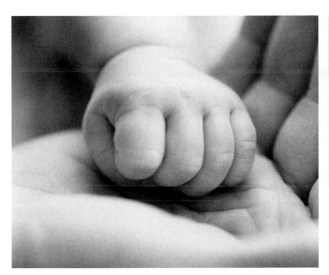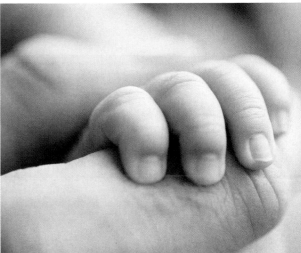

Une fois que le contact s'est établi, que le dialogue s'est engagé entre les parents et l'enfant, tous les moyens sont bons pour communiquer, non seulement par le toucher et les yeux, mais aussi par la parole, les mimiques, les sourires. Et tout devient jeu. Certains parents hésitent à se laisser aller à ce jeu, à cet échange, ils ont peur de bêtifier avec des guili-guili, des areu-areu. Ce langage absolument naturel est tout à fait indispensable aux parents aussi bien qu'à l'enfant dans les premières semaines de la vie. Non seulement l'enfant aime à répondre à ces signes de l'adulte, mais il les attend. Et s'il ne les reçoit pas, il fera tout pour les susciter. Ainsi « quelques enfants présentant une forte activité visuelle ont provoqué des réactions chez leur mère : sous l'effet du regard de son nouveau-né, la mère se penche vers lui et commence à lui parler » (Monique Robin).

Dès la naissance, le bébé est désireux d'entrer en relation avec son entourage ; il a besoin qu'on s'occupe de lui, qu'on le reconnaisse. Si le message envoyé est reçu, l'enfant est satisfait, le contact est établi. Si, malgré son insistance et ses efforts, on ne lui répond pas, à la longue il risque d'être frustré et son développement en pâtira, c'est là l'origine de certaines carences affectives.

Au fur et à mesure que l'enfant grandira, il aura d'autres moyens d'expression et de contact : vocalises, sourires et nouveaux gestes, demain la parole et la marche ; les interactions vont évoluer et s'enrichir en nature et en intensité, aussi bien du côté des parents que de l'enfant.

Communiquer, échanger, tisser des liens, c'est peu à peu s'attacher. L'attachement est une œuvre de longue haleine, un acquis de tous les jours.

Cet attachement est fait d'échanges, de contacts quotidiens à travers lesquels vous faites connaissance de votre enfant. Il est fait de vagues d'amour qui vous inondent, de moments d'anxiété qui vous stressent. Vous découvrez votre bébé, il vous montre qu'à son tour il vous reconnaît. Chacun des signes qu'il vous envoie vous touche et vous lie plus à lui. Vous n'en prendrez peut-être pleinement conscience que le jour où pour la première fois vous serez obligés de vous séparer de votre enfant, ou le jour où il sera malade ; c'est souvent l'inquiétude qui révèle la vraie mesure de l'attachement.

LES DIFFICULTÉS DE L'ATTACHEMENT

« Il naît, je le regarde, il me regarde, je le caresse, il est heureux, je m'attache à lui, il s'attache à moi. »

Sans oublier qu'elle peut s'étendre sur plusieurs semaines ou mois, et en la simplifiant à l'extrême, c'est ainsi que pourrait se résumer l'histoire de l'attachement. Mais est-elle toujours facile ou même seulement possible ? Certaines circonstances rendent difficiles les échanges avec un bébé.

Les bébés ne sont pas tous du type « il est sage, il est facile et dort bien ». Certains pleurent beaucoup, d'autres refusent de manger, et souvent dès le début. Le bébé qui pleure sans arrêt inquiète, il doit souffrir, se dit-on, mais pourquoi et que veut-il ? Les parents s'angoissent, leur tension accroît celle du bébé, cercle vicieux apparemment sans issue.

L'enfant qui refuse de téter, qui tète trop, trop vite, ou trop longtemps, qui ne prend pas de poids, qui a des ennuis digestifs inquiète également. « Il faut manger pour vivre. » La mère qui pense que son premier rôle est de nourrir son enfant, supporte particulièrement mal les troubles alimentaires et les difficultés qui concernent les repas.

Il y a aussi les cas moins connus et pourtant fréquents de bébés hypersensibles qui ne supportent pas qu'on les touche. « Il se tortille comme un ver, disait une mère, je n'aime pas lui donner son bain, c'est une véritable gymnastique. C'est épuisant. » Certains bébés sont très sensibles de nature. D'autres sont ainsi parce qu'ils ont vécu un accouchement difficile par exemple.

Évidemment aucune de ces difficultés ne facilite les échanges détendus avec le bébé, ce qui est bien décevant lorsqu'on se faisait une joie de pouponner tranquillement ; les choses vont particulièrement mal lorsque la mère est déprimée, les cris deviennent quasiment insupportables. Dans ce cas, la mère ne doit pas attendre pour se faire aider.

Le personnel de maternité est aujourd'hui mieux informé des problèmes psychologiques qui peuvent se présenter. Les programmes des écoles d'auxiliaires de puériculture, de puéricultrices, de sages-femmes tiennent compte des difficultés psychologiques entourant la naissance. Ils insistent sur les effets néfastes de commentaires désobligeants, négatifs, qui peuvent être faits aux parents, du genre « Ce bébé va vous en faire voir » ou « Elle est capricieuse ». Ces réflexions sont aujourd'hui devenues rares. Si jamais cela vous arrivait, essayez de ne pas en tenir compte. Et discutez très vite avec d'autres membres de l'équipe de la maternité des difficultés d'attachement que vous rencontrez. Lors du retour à la maison, n'hésitez pas à faire appel au pédiatre, à la consultation de PMI, si vous vous sentez fatiguée, énervée par les pleurs de votre bébé et si vous n'arrivez ni à le calmer ni à vous détendre.

ALLO PARENTS BÉBÉ
Votre bébé pleure beaucoup, il dort mal, il a des troubles de l'alimentation... Vous êtes inquiets, fatigués, débordés. Des professionnels de la petite enfance sont là pour vous écouter, vous soutenir et, si nécessaire, vous orienter vers des structures adaptées. Allo Parents Bébé : 0 800 00 3456 (numéro vert), du lundi au vendredi 10-13h et 17-21h.

Heureusement, d'autres fois, le rythme consolation-pleurs arrive à se rétablir facilement ; souvent avec l'aide du père lorsqu'il peut prendre en charge le bébé ; avec l'aide aussi du temps et de la maturation de l'enfant.

DÉPRESSION ET ATTACHEMENT
Lorsqu'une maman est déprimée, l'attachement entre elle et son bébé a de la peine à s'installer de façon harmonieuse. La maman est silencieuse, passive, elle ne réagit pas aux sourires, aux appels du bébé qui peu à peu ne demande plus rien, ou bien, au contraire, pleure sans cesse. D'autres mamans accablent leur bébé de sollicitations : il va essayer de répondre mais il va être rapidement débordé. C'est l'engrenage : le bébé peut présenter des troubles du sommeil, des troubles digestifs, parfois même un retard de développement. Pour elles, pour leur bébé, il est important que ces mamans se fassent aider sans tarder.

ET SI, APRÈS LA NAISSANCE, UNE SÉPARATION ÉTAIT NÉCESSAIRE ?

Pour le prématuré, pour le nouveau-né malade soigné dans un centre de néonatologie, les difficultés s'accumulent. Comment tisser des liens avec un enfant qui n'est pas là ? Comment avoir des contacts avec un bébé élevé dans une machine alors qu'on s'attendait à le prendre dans les bras ? Est-ce d'ailleurs raisonnable de s'attacher à un enfant dont l'avenir est incertain ?

Ces réactions sont normales. Et il est vrai que lorsqu'on sépare les parents du bébé, que les parents voient rarement leur enfant, qu'ils s'inquiètent loin de lui, ils ont de la peine à s'attacher, et après une longue séparation, la reprise des liens posera souvent des problèmes.

Heureusement, aujourd'hui, les parents peuvent entrer dans le service de néonatologie, voir leur enfant, le toucher, le caresser, même le sortir de la couveuse de temps en temps, participer aux soins avec le personnel. Dès que cela est possible, l'équipe soignante propose aux parents le « peau à peau » : le bébé est installé contre le sein de sa maman, bien au chaud, bien confortable. Le **peau à peau** se fait aussi avec le papa. Ainsi les liens entre les parents et leur enfant se trouvent renforcés.

Et lorsque les parents constatent que même un prématuré né à 7 mois peut se tourner au son de la voix, réagir à une caresse, ils réalisent à quel point leur présence est précieuse pour l'enfant. Ils se rendent compte du rôle actif qu'ils peuvent jouer dans sa guérison et sont moins désemparés. Le lait maternel peut être un lien supplémentaire avec l'enfant : tirer son lait, l'apporter aide le moral et fait du bien à l'enfant.

En intégrant les parents à l'hôpital, en les aidant à s'habituer à leur bébé, à faire sa connaissance, on a constaté qu'on facilitait les relations parents-enfants au retour à la maison et dans les premiers mois. En outre, cette ouverture des services permet que de véritables liens se créent entre l'équipe hospitalière et les parents : ceux-ci, qui étaient parfois envahis par un sentiment d'incompétence et de solitude, se sentent alors soutenus et reprennent confiance en eux-mêmes.

ET SI VOTRE BÉBÉ NAISSAIT AVEC UN HANDICAP ?

Les personnels de maternité sont aujourd'hui sensibilisés et formés pour que l'annonce d'un handicap éventuel à la naissance soit aussitôt associée à un accompagnement particulier des parents et un accueil encore plus individualisé de leur bébé. La réactualisation récente d'une circulaire ministérielle témoigne de cette préoccupation. Le texte précise à l'équipe médicale et soignante ce qui est souhaitable pour aider au mieux les parents quel que soit le handicap du bébé : veiller à ce que la maman ne soit pas seule au moment de l'annonce, que le père soit là, ou une personne proche ; respecter l'intimité des parents lors de l'entretien, qu'il ait lieu par exemple dans un bureau si la maman n'est pas dans une chambre seule ; parler devant le bébé pour qu'il ait bien sa place auprès de ses parents. Pendant le séjour à la maternité, la présence chaleureuse de l'équipe est importante, à la fois pour répondre aux besoins du bébé, soutenir les parents et leur donner toutes les informations qu'ils souhaitent. Au moment de la sortie, le relais sera passé à d'autres spécialistes, les parents sentiront ainsi une continuité autour de leur enfant.

Si cela ne se passait pas ainsi, n'hésitez pas à faire appel à la puéricultrice ou au pédiatre de l'équipe pour leur demander des entretiens particuliers et obtenir d'être aidés avant la sortie de la maternité. Dans certains cas, une consultation avec l'échelle de Brazelton (NBAS, p. 372) peut aider les parents à voir les compétences de leur bébé, quel que soit son handicap.

LA PERTE DU BÉBÉ QU'ON ATTENDAIT

Il arrive que des circonstances empêchent tout avenir à ce bébé qu'on attendait : pace qu'il est mort avant la date à laquelle il aurait dû naître, ou pendant l'accouchement, ou juste après ; c'est ce qu'on appelle la morte périnatale. La perte de leur bébé représente un véritable choc pour les futurs parents. Ils subissent cet événement comme une catastrophe, à la fois incompréhensible et injuste. « Tout allait si bien pourtant. Aujourd'hui nous sommes dans la peine et le chagrin. Voir un bébé, voir le bonheur des autres mères, m'est très douloureux. »

Dans ces situations particulièrement difficiles, les parents sont aujourd'hui soutenus et aidés.

L'ACCOMPAGNEMENT DU DEUIL PÉRINATAL

Il y a quelques années, on pensait que lorsqu'un enfant mourait *in utero*, ou en naissant, il valait mieux que les parents ne le voient pas. On ne leur indiquait pas toujours le sexe, on souhaitait qu'ils l'oublient vite et qu'ils attendent un autre enfant le plus tôt possible. C'était « la conspiration du silence ». En somme, on niait que cet enfant mort eût jamais existé. Mais comment un nouvel enfant pourrait-il prendre la place de l'enfant décédé ? On connaît le poids qu'ont dû supporter certains de ces enfants « de remplacement ».

Aujourd'hui, on pense au contraire que les parents doivent pouvoir « faire le deuil » de cet enfant avec lequel il ont vécu tant de mois, et retrouver ainsi un certain apaisement. Mais qu'entend-on par cette expression « faire son deuil », reprise si souvent dans les médias, au risque de devenir une sorte d'injonction et d'obligation à l'oubli ? Le travail de deuil est un processus inconscient et complexe qui se fait chez toute personne confrontée à la perte d'un être cher ou d'un objet aimé, travail qui s'accomplit tout au long d'une évolution propre à chacun et à son histoire. Au cours de l'épreuve, des émotions intenses peuvent surgir, des comportements inhabituels (peu d'appétit, grande fatigue, impression de vide), les douleurs physiques et psychiques se superposent ou se mélangent. Ces réactions durent le temps du deuil, puis s'atténuent et conduisent à la séparation progressive, et non à l'oubli, d'avec l'être aimé.

Pour faire le deuil de leur enfant, les parents doivent pouvoir comprendre ce qui s'est passé. Il est important pour eux de rencontrer des professionnels de santé qui pourront leur apporter, dans la mesure du possible, des réponses à leurs questions. Les parents peuvent ou non voir leur bébé, toiletté et préparé pour ce moment si particulier. Ils peuvent emporter avec eux les photos prises par la sage femme, ou bien elles resteront à leur disposition dans le dossier. L'équipe médicale leur propose de préparer un enterrement, de donner un prénom à leur enfant, de le déclarer à l'état-civil, de l'inscrire sur le livret de famille.

Bien des parents ont pu surmonter ces moments douloureux grâce à l'attitude des soignants, formés actuellement à traiter cette situation avec l'infinie délicatesse qu'elle réclame, toujours respectueux des réactions immédiates des parents, de leur personnalité, de leur culture. Certains parents, qui ont tenu à voir leur enfant décédé, témoignent : « Nous l'avons senti profondément, nous devions voir notre bébé. Nous avons longuement regardé notre fille, ses longs cils, son petit nez bombé, la bouche de son papa. Ensuite, nous avons pu ouvrir notre cœur et notre esprit à ce que nous disaient les médecins, les sages-femmes, la famille ». « Il avait l'air paisible, cela m'a apaisée, détendue de le prendre dans mes bras. Je ne l'oublierai jamais ».

La présence dans l'équipe d'un pédopsychiatre, d'un psychologue, peut faciliter le dialogue entre les parents, les aider à maintenir la communication dans le couple et éviter le ressentiment qu'ils pourraient éprouver l'un envers l'autre. Parler ensemble de ce deuil, exprimer leur chagrin, leurs émotions, peut atténuer ou même éviter qu'un décalage s'installe dans leurs douleurs respectives. Le mari souffre, mais le plus souvent en silence. Il reprend ses activités, s'investit dans son travail. Sa douleur est d'autant plus grande qu'il se sent incapable de réconforter sa compagne et craint de s'effondrer devant elle. Ce sentiment d'impuissance le conduit parfois à des attitudes d'incompréhension et de colères vis-à-vis d'elle. La femme, elle, se réfugie dans le silence et la solitude. C'est une étape nécessaire, à la mesure de l'attachement qui s'est construit entre elle et son enfant. Cette étape va lui permettre de prendre du recul par rapport à ce qu'elle a vécu.

> **VIVRE SON DEUIL**
> *Cette association se propose d'aider les parents qui vivent ces situations si difficiles.*
> **Vivre son deuil**
> *7, rue Taylor, 75010 Paris*
> *Tel : 01 42 38 08 08*
> *(écoute téléphonique).*

Si la douleur persiste, chez l'un ou chez l'autre, il existe des maternités ou des associations qui proposent un travail d'accompagnement sous forme de groupes de paroles.

Peu à peu la vie va reprendre son cours, différemment d'une personne à l'autre. La douleur sera moins vive, les parents n'oublieront pas leur bébé mais pourront penser à lui avec plus de sérénité. Et à l'avenir.

FAUT-IL PARLER DE LA PERTE DU BÉBÉ AUX FRÈRES ET SOEURS ?

Les parents peuvent être tentés de la passer sous silence pour protéger leurs enfants. Et pourtant les psychologues conseillent de parler de la perte de leur petit frère ou sœur aux plus grands. Ce n'est pas facile, il faut essayer de le dire simplement. En parler évite des angoisses, des souffrances qui peuvent passer inaperçues et laisser des traces. Ce partage de l'épreuve renforce les liens à l'intérieur de la famille. Et l'attention portée aux autres enfants réhabilite en quelque sorte les parents dans leur fonction.

L'ENVIRONNEMENT FAMILIAL, LES AMIS

L'entourage croit souvent que le chagrin qui suit la perte d'un bébé avant la naissance est moindre que celui éprouvé pour un enfant plus âgé. Or le sentiment de perte ressenti par les parents est aussi fort qu'après la mort d'une personne aimée depuis longtemps. L'entourage, par souci de bien faire, essaie maladroitement d'atténuer le chagrin des parents. Le choix des mots et des paroles de consolation témoigne souvent du sentiment d'impuissance ou de malaise qu'éprouvent la famille, les amis. Certaines formules toutes faites, ou certains commentaires qui visent à gommer la douleur et le chagrin, peuvent choquer les parents.« Vous êtes jeunes, vous aurez d'autres enfants». Ou au contraire : « Ne sois pas enceinte trop vite, il ne faut pas oublier » « J'ai porté mon bébé pendant 7 mois, je l'ai senti bouger. Comment imaginer que je vais l'oublier ? » nous a écrit une lectrice.

Sans pouvoir toujours l'exprimer, les parents ont besoin de se sentir entourés mais ils attendent une présence discrète faite principalement d'une écoute qui leur permette de parler, d'échanger.

La perte du bébé qu'on attendait peut se produire dans d'autres circonstances. Le diagnostic prénatal fait parfois découvrir chez le bébé à naître de graves anomalies. Les parents se trouvent alors confrontés à l'angoissante décision de l'interruption médicale de grossesse (p. 184).

Sur la mort périnatale, voici deux livres destinés aux professionnels mais qui peuvent intéresser des parents :
La bien-traitance envers l'enfant, des racines et des ailes, *Danielle Rapoport, Belin, et* Ces bébés passés sous silence, *Frédérique Authier-Roux, Erès.*

Après la naissance votre bébé et vous

Pendant les semaines qui suivent la naissance,
vous avez un grand programme à remplir,
vous vous sentez peut-être un peu dépassée,
ou débordée. Avec bébé à vos côtés, votre mari
plein d'attentions, et ce livre pour vous aider,
vous allez voir, **tout va bien se passer.**
Dès la naissance, votre bébé va spontanément
se diriger vers le sein pour téter. Souhaitez-vous
le laisser faire car vous avez envie de l'allaiter ?
Peut-être ne désirez-vous pas cette première tétée
car vous pensez le nourrir au biberon ?
Une autre interrogation va surgir rapidement :
comment mon corps va-t-il se transformer,
se réadapter ?
Et au milieu de ces considérations pratiques,
vous vous sentirez peut-être abattue. Un peu ?
Beaucoup ? Est-ce le *baby-blues* ?
Voici quelques pages à lire à tête reposée
pendant que bébé dort.

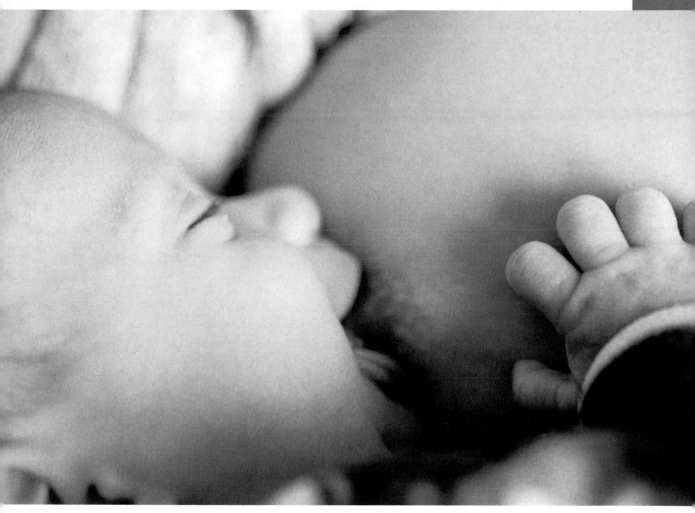

Sein ou biberon :
comment se décider ?

C'est une décision que vous avez peut-être prise avant la grossesse. Dans certaines familles, dans certaines cultures, la question ne se pose pas : une maman nourrit au sein, ou au contraire au biberon. Mais les mois d'attente, les discussions avec votre conjoint, avec la sage-femme, les exemples de vos amies, peuvent vous rendre hésitante.

Sein ou biberon ? Les réponses apportées ont évolué au fil des années. Hier, le côté pratique du biberon était mis en valeur : les journées s'organisent plus facilement et on sait ce que prend le bébé, entendaient les mères. Aujourd'hui la tendance s'est inversée, probablement parce que le discours médical a changé : des médecins ont encouragé les mères à allaiter, ayant remarqué que les bébés nourris au sein résistaient mieux aux infections. Des études confirmèrent ces observations. Résultat : l'allaitement au sein est maintenant valorisé et le nombre de mères qui allaitent a augmenté.

Comment se décider ? Nourrir au sein ou au biberon, c'est choisir entre deux aliments, lait maternel ou lait industriel (appelé lait infantile). C'est aussi une autre façon de procéder, une intimité, une proximité différente, une autre disponibilité. Pour vous aider dans votre décision, entrons dans le détail de ces deux allaitements.

L'ALLAITEMENT AU SEIN

Les études scientifiques montrent que le **lait maternel** est bénéfique pour le bébé.
• Le lait de chaque espèce est adapté au petit de l'espèce correspondante et tous ces laits sont différents les uns des autres. Le lait maternel humain est adapté à la spécificité du bébé humain.

• Plus le bébé est prématuré, plus le lait maternel est important pour lui : son système digestif est fragile, il est sensible aux infections.
• Les premiers jours, le lait a un aspect particulier : c'est le colostrum, souvent jaune ou orangé, très riche en protéines et en vitamines. Sa composition évolue de jour en jour pour s'adapter aux besoins du nouveau-né.
• Le lait maternel est facile à digérer, presque toujours bien supporté. Son goût varie avec l'alimentation de la maman et sa composition change au cours de la tétée.
• Le fer que contient le lait maternel est bien absorbé.
• Le lait maternel protège l'enfant contre certaines infections en lui apportant les anticorps maternels. Il assure ainsi une protection naturelle pendant la durée de l'allaitement.
• Avec le lait maternel, l'enfant est mieux protégé contre les allergies qui se manifestent parfois. Un allaitement exclusif d'au moins quatre mois diminue le risque d'allergie chez le nourrisson. Et le risque d'obésité diminue également.
Parlons maintenant de **l'allaitement** lui-même.
• Nourrir au sein est profitable à la mère car cela favorise le retour à la normale de l'appareil génital : il y a une connexion étroite entre les glandes mammaires et l'utérus. Lorsque l'enfant tète, il déclenche un réflexe qui provoque des contractions utérines ; celles-ci aident l'utérus à revenir à ses dimensions normales.
• Allaiter au sein, c'est accepter pour un moment que les seins aient un rôle nourricier et non plus érotique. Cela peut gêner l'homme et aussi la femme. En parler avant la naissance permet de s'y préparer.
• C'est s'attendre à ce que les seins changent de volume, à ce qu'il y ait des écoulements de lait entre les tétées, c'est aussi éprouver des sensations nouvelles pendant que le bébé tète, parfois de plaisir ou de douleur. Faire quelques massages des bouts de sein est une façon de s'y habituer.
• C'est accepter de ne pas connaître la quantité de lait que prend le bébé, ce qui inquiète certaines mères. Les repères s'apprennent vite : à la maternité, vous serez aidée par les

ALLAITER OU PAS ?
Un charmant et utile petit guide peut vous aider à y penser avant la naissance. Il s'intitule **Le Temps d'allaiter***, il est court (20 pages), simple et joliment illustré. À commander (2,29 € en chèque bancaire, frais de port inclus, tarif dégressif en fonction du nombre d'exemplaires) à EOVI Mutuelle Drôme arpica, Service promotion de la Santé, 5, rue Belle Image, BP 1 026, 26028 Valence Cedex. Tel. : 0 810 026 007.*

L'ALLAITEMENT AU SEIN
IL A AUGMENTÉ DE MANIÈRE IMPORTANTE AU COURS DES DIX DERNIÈRES ANNÉES : LA PROPORTION DES BÉBÉS NOURRIS AU SEIN EST PASSÉE DE 40,5 % EN 1995, À 45 % EN 1998 ET À 56,5 % EN 2003 (ENQUÊTE INSERM).

sages femmes et les puéricultrices ; ensuite, si besoin, vous serez conseillée par une association de soutien à l'allaitement.

• Une expérience précédente difficile d'allaitement au sein, ou de sevrage, peut faire hésiter une maman à recommencer. Mais peut-être n'avait-elle pas eu à ce moment-là tous les conseils nécessaires ? Peut-être qu'avec ce nouveau bébé cela va se passer différemment ? Rencontrer d'autres mères dans une association peut aussi être utile.

• Le père a toute sa place lorsque la mère allaite. Il est là pour faciliter l'organisation quotidienne, pour que la mère puisse se reposer, se consacrer à d'autres tâches, à d'autres plaisirs en dehors des tétées. Une fois que l'enfant est nourri, il y a encore beaucoup à faire pour s'occuper de lui : le porter, le baigner, le cajoler, l'apaiser...

Si vous choisissez d'allaiter

Il est important que ce soit une décision de couple. Vous aurez besoin du soutien de votre mari, aussi bien physiquement que psychologiquement. Ce sera sa façon à lui de participer au bien-être de Bébé.

Combien de temps allaiter ?

Il n'y a pas de durée minimum. Toute quantité reçue par le bébé lui apporte des nutriments de qualité. Le relais peut à tout moment être pris avec du lait infantile. Par exemple, certains bébés ne prennent jamais de biberon : ils passent du sein à une alimentation diversifiée à la cuillère et boivent à la tasse.

L'allaitement abîme-t-il la poitrine ?

Certaines mères posent la question. En fait, ce n'est pas l'allaitement mais la grossesse qui modifie la poitrine, puisqu'elle provoque une augmentation suivie d'une diminution de volume des glandes mammaires. En empêchant une diminution trop brusque du volume de ces glandes, l'allaitement serait même plutôt bénéfique. Pour la même raison, arrêter la montée de lait sans précautions suffisantes peut abîmer la poitrine.

> **« HÔPITAL AMI DES BÉBÉS »**
> *L'Unicef a lancé un label « Hôpital ami des bébés » dont l'objectif est de promouvoir les changements nécessaires pour que les hôpitaux deviennent des lieux favorables à l'allaitement. Plus de 16 000 institutions dans le monde ont déjà reçu ce label, notamment tous les hôpitaux de Suède. En France, ce label a été décerné aux maternités de Lons-le-Saunier (Jura), Cognaq (Charente), Mont-de-Marsan (Landes), Arcachon (Gironde), à l'hôpital de Saint-Affrique (Aveyron), à la clinique Adassa de Strasbourg (Bas-Rhin) et à la maternité « Les Bluets » à Paris.*

Ce qui peut également l'abîmer, c'est de trop manger, d'avoir un régime qui fait grossir (pâtisseries, etc.), ce qui est le cas chez les femmes qui pensent qu'une alimentation « riche » améliorera la qualité de leur lait. C'est alors le poids de la graisse qui fait tomber les seins. Mais si l'on porte un soutien-gorge et si l'on a une alimentation équilibrée, on a de bonnes chances de retrouver sa poitrine d'avant la grossesse.

Cela dit, il y a des tissus plus fermes que d'autres. Certaines femmes ont allaité plusieurs enfants et gardent une poitrine parfaite. D'autres ont des seins tombants et vergeturés sans avoir jamais allaité. Et puis il y a la gymnastique faite avant l'accouchement et le sport (la natation en particulier) qui contribuent à la fermeté des muscles soutenant les seins.

En conclusion, il est difficile d'établir un lien de cause à effet entre allaitement et poitrine abîmée.

Comment la mère qui travaille peut-elle allaiter ?

L'allaitement est possible jusqu'à la fin du congé de maternité. Ensuite, vous pouvez continuer à allaiter en tirant votre lait : soit sur votre lieu de travail, soit chez vous, et vous donnerez à la crèche ou à l'assistante maternelle des biberons de votre lait. Vous pouvez aussi choisir un allaitement mixte : tétées au sein lorsque vous êtes avec votre bébé et biberons de lait infantile lorsqu'il est gardé.

Enfin, puisqu'il est possible de reporter 3 semaines du congé prénatal sur le congé postnatal, cela peut permettre d'allaiter plus longtemps avant la reprise du travail.

L'ALLAITEMENT AU BIBERON

De grands progrès ont été réalisés dans la fabrication des **laits infantiles**.
• Ils sont fabriqués à partir de lait de vache et sont modifiés selon une législation précise. Une loi oblige les industriels à suivre un cahier des charges pour adapter le mieux possible ces laits au bébé humain.
• Il existe plusieurs types de lait. Par exemple, certains peuvent être enrichis en ferments lactiques, ou contenir des substances épaississantes, pour améliorer leur digestibilité et diminuer les régurgitations. Le médecin vous conseillera sur leur utilité.
• Pour certains bébés intolérants aux protéines de lait de vache, il existe des préparations dont les protéines ont reçu un traitement particulier : ce sont les laits hypoallergéniques. Il existe également des préparations à base de soja. Là aussi, le médecin vous conseillera.
• Pour les bébés allergiques ou malades, il existe des laits spéciaux, sans protéines de lait de vache ou sans lactose. Ces laits sont délivrés sur ordonnance.
• Le lait infantile est généralement vendu en poudre et il faut le reconstituer avec de l'eau. La stérilisation des biberons n'est pas indispensable, ce qui est pratique. Mais le lait reconstitué doit être consommé rapidement pour empêcher le développement des germes.

Dans certaines familles, pour certaines mamans, nourrir avec un **biberon** est évident.
• Avec le biberon, les horaires et les quantités sont plus faciles à prévoir, c'est rassurant. L'organisation de la journée est plus simple.
• Le biberon peut être donné par une autre personne que la mère. La maman se sent moins dépendante. La famille, les proches sont heureux de donner le repas et de profiter de la présence du bébé à ce moment-là.
• Des mères apprécient d'avoir une relation moins fusionnelle avec leur enfant. Elles aiment le « peau à peau » avec leur bébé, sentir son corps contre le leur, mais pas au point de donner le sein.
• Il arrive que le biberon soit imposé par des motifs d'ordre médical car il existe quelques rares

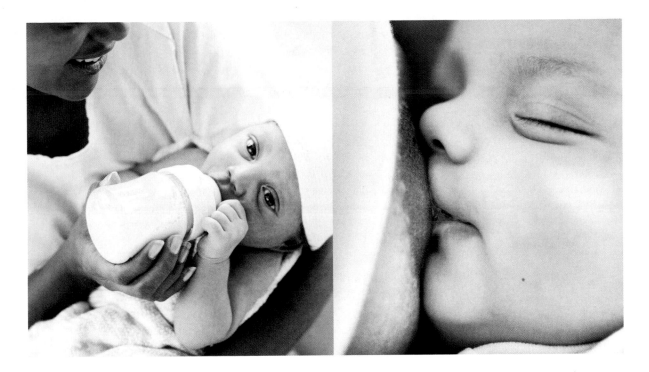

contre-indications à l'allaitement maternel : prise de certains médicaments, maladie infectieuse, par exemple le sida. Une chirurgie mammaire avec déplacement du mamelon empêche la lactation de se mettre en place. Il existe aussi des contre-indications transitoires : une maladie de la maman ou du bébé.

VOTRE DÉCISION

La plupart des mamans se décident pendant la grossesse, voire avant, mais elles savent que ce choix n'est pas inébranlable. Une maman nous a dit qu'elle changea d'avis après avoir lu que le bébé se dirigeait spontanément vers le sein à la naissance : elle trouvait naturel de le laisser faire. Mais une autre maman n'a pas apprécié les sensations de cette première tétée et a préféré donner le biberon.

Vous ne souhaitez pas allaiter ? Vous n'êtes pas un cas à part. Nous avons parlé plus haut des raisons de choisir le biberon. Il y a aussi des mères qui simplement ne désirent pas allaiter sans avoir de motivation précise ou consciente.

Surtout, ne vous sentez pas coupable. La décision vous appartient, c'est la meilleure pour vous et votre bébé, celle qui vous permettra de le nourrir en toute tranquillité, dans un plaisir partagé. Sachez dès maintenant que la digestion d'un bébé est parfois délicate au début et que c'est rarement le lait qui est en cause. Elle va s'améliorer avec le temps et la maturation du système nerveux de l'enfant.

Vous désirez allaiter : là aussi c'est votre décision, vous seule pouvez la prendre, comme vous prendrez celle du sevrage. L'allaitement maternel est souvent simple, parfois plus compliqué, notamment au début. Certaines mères se découragent et abandonnent alors que si elles étaient soutenues, elles reprendraient confiance en elles et pourraient allaiter leur enfant. Il existe de nombreuses

AIDE À L'ALLAITEMENT
• *Leche League,*
BP 18, 78620 L'Étang-la-Ville.
Tel. : 0 139 584 584
www.lllfrance.org
• *Solidarilait, Lactarium de Paris,*
26, bd Brune, 75014 Paris.
Tel : 01 40 44 70 70
www.solidarilait.org
• *Vous pouvez vous adresser à la*
Coordination française pour l'allaitement
maternel *(COFAM) :*
www.coordination-allaitement.org ;
web@coordination-allaitement.org

associations qui aident les mères désirant allaiter. Voyez les adresses ci-contre. Et renseignez-vous (à la maternité, auprès de la sage-femme, à la PMI), il existe peut-être un groupe d'aide à l'allaitement dans votre ville. Dans ces groupes, vous trouverez soutien, encouragements, conseils.

Allez aussi dans ces groupes si vous n'arrivez pas à vous décider : voir des bébés nourris au sein peut vous aider à prendre conscience de ce dont vous avez envie pour vous et votre bébé. Lorsque votre enfant naîtra, vous saurez mieux si vous souhaitez le laisser aller vers le sein.

Et quelle que soit votre façon de faire, sachez que vous vous attirerez des commentaires, voire des critiques. A la maman qui donne le biberon : « Ah bon, tu ne lui donnes pas le sein ? C'est dommage », ou bien : « Tu ne fais pas chauffer le lait ? C'est pour ça que ton bébé régurgite (ou a le hoquet) ». A la maman qui donne le sein : « Il est toujours au sein, il a toujours faim, ton lait n'est pas assez nourrissant », « Tu le laisses trop longtemps au sein, cela va lui donner de mauvaises habitudes ». Il vaut mieux le savoir à l'avance pour ne pas être déstabilisée par ces réflexions et les prendre au contraire avec philosophie.

Si, même après cette lecture, vous avez de la peine à prendre une décision, vous pouvez commencer à allaiter, quitte à vous arrêter par la suite, ce qui est toujours possible. En revanche, si l'on a commencé à donner le biberon, c'est difficile de se mettre à allaiter quelques jours plus tard.

Nous ne pouvons pas nous étendre plus longtemps sur le sujet ici. Nous en parlons en détail dans *J'élève mon enfant* : manière de donner le sein, horaires des tétées, régime de la maman (alimentation et vie quotidienne), soins des seins, sevrage, etc.

Et la mère qui n'allaite pas trouvera dans ce livre tout ce qui concerne la préparation des biberons, quel lait choisir, horaire et quantité, etc.

Les suites de couches

Après la naissance, que va-t-il maintenant se passer en vous ? La grossesse et l'accouchement ont apporté de si profondes modifications à votre organisme qu'un délai de plusieurs semaines sera nécessaire pour que ces modifications s'estompent : certaines disparaîtront, d'autres laisseront leur marque. Après avoir porté un enfant, le corps d'une femme est différent, c'est pourquoi un deuxième accouchement peut ne pas se passer de la même manière que le premier. Les organes vont peu à peu retrouver leur place et leur taille. Ainsi, par exemple, l'utérus qui pesait environ 1 500 g à la fin de la grossesse et faisait saillie dans l'abdomen, va, en six semaines, retrouver son poids normal (50 à 60 g) et sa situation dans le bassin. Parallèlement, le vagin et la vulve retrouvent leur tonicité habituelle, les ovaires et les trompes reprennent leur place. Mais bien sûr, cette remise en place des différents organes va se produire peu à peu.

C'est cette période de réadaptation qui dure six à huit semaines que l'on appelle les **suites de couches**. Elle se termine par la réapparition des règles : c'est le **retour de couches**.

Dans cette période des suites de couches, il faut distinguer
• les premiers jours où vous serez à la maternité
• les semaines suivantes où vous reprendrez peu à peu, chez vous, votre vie d'avant la naissance.

VOUS ÊTES À LA MATERNITÉ

Pendant ces quelques jours que vous passerez à la maternité, une de vos principales préoccupations devrait être de bien vous reposer, de « récupérer ». Car si l'accouchement est un acte naturel, il est cependant fatigant.

Quand vous lèverez-vous ?

On recommande aux mères de se reposer pendant une huitaine de jours, mais en se levant chaque jour un peu plus. Tout en prenant quelques précautions.
• Dans les heures qui suivent l'accouchement, ne vous levez pas pour la première fois sans la présence de quelqu'un, parent ou infirmière. Il n'est pas rare à ce moment-là d'avoir des petits vertiges, et sans une aide on risque de tomber.
• Dès le lendemain de l'accouchement, vous pourrez bien sûr aller et venir dans la chambre ou dans les couloirs. Ne forcez pas cependant, et ne cherchez pas à en faire trop.

Rapidement après l'accouchement, on conseille quelques mouvements de gymnastique qui ont également pour but d'activer la circulation et de fortifier les muscles.

Vous trouverez ces exercices plus loin. Si le médecin ou la sage-femme sont d'accord, vous pourrez les commencer dès le deuxième jour. Faites-les progressivement comme indiqué, et continuez-les pendant plusieurs semaines pour retrouver rapidement votre ligne.

Le retour de l'utérus à la normale

Dans les heures qui suivent l'accouchement, l'utérus commence à reprendre son volume normal. On dit qu'il s'involue. En même temps, il se débarrasse de la muqueuse qui entourait l'œuf : la *caduque*. Les débris de la caduque sont expulsés en même temps que le sang qui s'écoule de l'espace laissé par le placenta en se décollant : l'ensemble forme les *lochies*. D'abord fortement teintées de sang et abondantes, les *lochies* s'éclaircissent ensuite, et deviennent moins abondantes. L'écoulement dure cependant plusieurs semaines, parfois jusqu'au retour de couches. Il n'est pas rare d'observer un écoulement plus important, vers le douzième jour après l'accouchement : c'est *le petit retour de couches*.

Chez les femmes qui ont déjà eu des enfants, les contractions de l'utérus après l'accouchement sont en général douloureuses pendant deux à trois jours. Ces douleurs, que l'on appelle parfois *tranchées*, et qui sont assez semblables aux douleurs des règles, sont souvent plus fortes lorsque le bébé tète à cause de l'étroite connexion qui existe entre les seins et l'utérus. Des calmants seront donnés pendant quelques jours si cela est nécessaire.

Le périnée et l'épisiotomie

Même s'il n'y a pas eu d'épisiotomie, le périnée peut être sensible les jours suivant l'accouchement, du fait de la distension provoquée par le passage du bébé. Il peut aussi être irrité par des éraillures, des petites écorchures, sur la muqueuse (particulièrement à l'occasion des mictions). En deux ou trois jours de patience vous retrouverez votre confort. Mais si vous avez eu une épisiotomie, celle-ci peut être assez douloureuse ; heureusement cette gêne disparaît peu à peu. Si après trois-quatre semaines, la cicatrice continuait à être douloureuse ou gênante, il faudrait alors en parler au médecin. Une épisiotomie ou une déchirure ne doivent pas rester douloureuses pendant des mois.

Si malgré tout une certaine gêne persiste, il est possible de « reprendre » une épisiotomie ou une déchirure. Cette petite intervention chirurgicale se fait sous anesthésie locale et dure une demi-heure maximum ; elle peut se faire quelques mois après l'accouchement, ou même quelques années.

Pour différentes raisons, certaines femmes hésitent à parler des douleurs, ou de la gêne qu'elles ressentent localement, autour et à cause de l'épisiotomie, et au moment des relations sexuelles. Je ne saurais trop les encourager à en parler avec le médecin.

Une complication rare, le *thrombus vulvaire*. Il peut arriver que le passage du bébé entraîne une lésion des veines du vagin ; cela provoque un hématome qui peut parfois prendre des proportions importantes. Le premier signe est la douleur avec une ecchymose bleutée de la vulve. Le traitement dépend de l'importance du thrombus.

Les soins au périnée.

Que vous ayez eu ou non une épisiotomie, voici les soins à effectuer.

Les soins locaux seront faits plusieurs fois par jour, aussi souvent et aussi longtemps que nécessaire, car les premiers jours, les pertes de sang sont très abondantes. L'idéal serait qu'après chaque toilette intime (faite de préférence à main nue, avec un savon liquide neutre, non parfumé, rincée à l'eau froide pour éviter des œdèmes), vous restiez un moment les fesses à l'air, allongée sur une serviette de toilette. Cela permettra un séchage naturel, et évitera le frottement sur les serviettes périodiques (les tampons vaginaux sont à proscrire). Si cela est possible, vous pouvez utiliser le sèche-cheveux pour éliminer toute trace d'humidité. Mais attention, il s'agit de sécher, pas de dessécher… Les injections vaginales sont déconseillées.

Pour raffermir le périnée, voyez l'exercice recommandé page 397. Enfin, dans les jours qui suivent l'accouchement, il est conseillé de rester le plus possible allongée pour éviter l'appui sur le périnée.

L'intestin et les urines

La constipation est fréquente après l'accouchement. Il est très important de ne pas « forcer » car tout effort excessif de poussée risque de faire apparaître prolapsus ou incontinence urinaire.

Ce qui est efficace, c'est de faire plusieurs fois par jour des exercices de rentré de ventre en soufflant à fond pendant 10 secondes. Cela réalise un massage interne des intestins et facilite leur évacuation.

> **SI LA CONSTIPATION PERSISTE**
> *n'hésitez pas à utiliser des suppositoires à la glycérine, sans craindre de vous y habituer ; un laxatif doux, un petit lavement peuvent aussi être efficaces.*

Par ailleurs, la formation d'un bourrelet d'hémorroïdes n'est pas rare. Il sera traité par des soins locaux. Demandez conseil à la sage-femme.

L'incontinence urinaire

Dans quelques cas, notamment après une anesthésie péridurale, la maman ne peut vider spontanément sa vessie. Cette rétention d'urines est toujours passagère et disparaît en 24 heures, mais elle peut nécessiter un ou deux sondages.

À l'inverse, certaines femmes (10 % au moins) ne peuvent retenir leurs urines surtout lorsqu'elles font un effort (toux, marche, etc.). Cette incontinence urinaire peut se voir après l'accouchement le plus banal mais elle est plus fréquente après les accouchements longs et difficiles (gros enfant, application de forceps par exemple). Il arrive aussi qu'elle survienne avant même l'accouchement, dans les dernières semaines de grossesse.

Dans la plupart des cas, cette incontinence va régresser rapidement en quelques semaines, sans traitement. Des exercices simples peuvent aider à la guérison, comme contracter les muscles du périnée (comme pour retenir un gaz ou se retenir d'aller à la selle).

Les incontinences persistantes sont beaucoup plus rares. Il importe alors de les signaler au cours de la consultation postnatale (n'attendez pas plusieurs mois pour consulter). On vous conseillera certainement de faire une rééducation de la vessie et du périnée. Celle-ci, remboursée par la Sécurité sociale, est généralement faite par une sage-femme, mais parfois aussi par un kinésithérapeute spécialisé ou un médecin.

La **rééducation** se fait en 10 séances, à raison de 2 par semaine ; elle débute par des exercices musculaires, elle apprend en particulier à contracter les muscles du périnée. La femme peut contrôler elle-même la qualité de ses efforts : une sonde vaginale est reliée à un appareil qui enregistre ses contractions sur une courbe, la femme est ainsi incitée à améliorer sa performance à chaque tentative. Enfin, des séances d'électrostimulation sont généralement associées à cette rééducation.

Une guérison complète est souvent obtenue. Elle dépend de la persévérance (des séances d'entretien sont nécessaires), et surtout de l'intensité des troubles : en cas d'incontinence vraie et importante, une intervention chirurgicale est quand même parfois nécessaire à plus ou moins long terme.

La continence anale peut être fragilisée après l'accouchement (difficulté de retenir un gaz). Ne soyez pas gênée d'en parler au médecin ou à la sage-femme, cela se rééduque.

La toilette

Les douches sont possibles dans les heures qui suivent l'accouchement. Les douches chaudes sont même recommandées en cas de forte montée de lait afin de diminuer les tensions au niveau des seins. L'idéal serait de finir la douche par des douches fraîches sur le périnée et les jambes, car l'eau chaude peut provoquer des œdèmes.

Les bains ne sont conseillés qu'à l'arrêt de tout saignement.

Les seins

Pendant que certains organes régressent, d'autres se développent et s'apprêtent à entrer en fonction : ce sont les glandes mammaires. Après la naissance, l'organisme est prêt à nourrir l'enfant pendant quelques mois.

Pendant la grossesse, ces glandes, sous l'action des ovaires et du placenta, se sont multipliées. De même, les petits canaux qui conduiront le lait au mamelon. C'est la première phase de la lactation. L'hypophyse s'est mise à sécréter une nouvelle hormone, la *prolactine*, qui déclenchera la production du lait. Mais cette hormone n'est là qu'en attente. Elle n'agira que lorsqu'il n'y aura plus le placenta. L'accouchement a lieu, le placenta est expulsé. Le sang transporte la prolactine de l'hypophyse aux glandes mammaires. Celles-ci se mettent alors à fonctionner. C'est pourquoi on fait téter le bébé pour la première fois en salle d'accouchement, dans l'heure qui suit sa naissance.

N'hésitez pas à mettre votre bébé au sein alors que vos seins semblent vides. Ils ne sont jamais tout à fait vides. Outre l'aspect alimentaire, la succion du sein déclenche aussi la sécrétion d'ocytocine, une hormone qui favorise les contractions utérines et donc le décollement et la sortie du placenta. L'ocytocine contracte également les canaux pour que le lait sorte du sein. Et plus la glande mammaire sera vidée du lait produit, plus la production sera importante.

Souvent vers le 3e ou le 4e jour, les seins sont plus tendus. Ceci est dû au flux sanguin largement augmenté dans le sein pour faire face à la production de lait. C'est la deuxième phase de la lactation, appelée aussi **montée laiteuse**. Les veines sont plus visibles, bleutées. Vous pouvez aussi remarquer que votre bébé tète plus vigoureusement, la déglutition est plus bruyante et il est possible que les seins coulent spontanément. Le lait devient plus blanc, voire transparent à certains moment. Vers le 12e jour, le colostrum fait place au lait définitif.

La glande mammaire a parfois du mal à se faire à sa nouvelle tâche. Toute tension, contrariété ou douleur peuvent bloquer l'action de l'ocytocine et ainsi gêner la sortie du lait. Les seins deviennent alors durs et la production de lait est transitoirement ralentie, jusqu'à ce que les canaux se contractent à nouveau et que le lait s'écoule. Cette deuxième phase est quelquefois source d'inconfort pour la maman avec une légère augmentation de la température et des seins congestionnés. Vous les masserez doucement sous la douche pour que le lait s'écoule, ou vous les envelopperez de chaud ou de froid (par exemple avec un gant de toilette), selon ce qui vous fait du bien.

Dans les heures qui précèdent la naissance, le mamelon devient très sensible. Respectez cette sensibilité et ne laissez pas votre bébé trop longtemps au sein le premier jour : privilégiez plutôt des tétées de 10 à 20 minutes, fréquentes (de 6 à 12 ou 15 tétées réparties sur 24 heures). Petit à petit, le nombre de tétées va diminuer.

Si vous ne désirez pas allaiter, signalez-le au médecin ou à la sage-femme. On vous proposera un traitement destiné à éviter la production de lait. Pour que l'arrêt de la montée laiteuse se fasse en douceur, et si vous n'êtes pas opposée à ce que votre bébé tète, voici une autre façon de procéder : mettez votre enfant au sein pour vous soulager et donnez-lui un biberon le reste du temps. C'est un allaitement de transition qui durera quelques jours, et la lactation se tarira d'elle-même, sans médicament.

Le séjour à la maternité

Il est de plus en plus court : aujourd'hui, bien des femmes sortent dès le troisième ou quatrième jour, parfois même avant. Certaines apprécient ce séjour, elles voudraient même rester plus longtemps. D'autres aimeraient rentrer très vite chez elles. Les premières trouvent ces journées reposantes, elles aiment qu'on s'occupe d'elles, elles redoutent le travail qu'elles retrouveront à la maison, elles sont contentes d'être en rapport avec d'autres mères. Les secondes sont pressées de rentrer, elles ont parfois laissé des enfants plus grands à la maison, et elles trouvent au contraire que la maternité est bien bruyante : une voisine qui bavarde beaucoup, des bébés qui pleurent, des allées et venues nombreuses.

Quelle que soit la durée de votre séjour, profitez-en pour découvrir votre enfant, suivre ses progrès, qui, vous le verrez, seront très rapides. Après chaque tétée, gardez votre bébé un moment près de vous avant de le recoucher : pas de meilleure occasion de faire connaissance que ce moment où le bébé, heureux d'être nourri, sourit s'il est dans les bras de sa mère.

Vous ferez aussi connaissance avec votre enfant en le changeant, en lui faisant sa toilette. Aujourd'hui, la mère est invitée à s'occuper de son bébé très tôt, dès les premières heures. Ainsi, en rentrant chez elle, elle est déjà experte en puériculture au lieu d'être désemparée comme elle pouvait le craindre.

Si vous n'entreprenez pas de rédiger l'album de bébé, ce que souvent on abandonne vite, vous pouvez suivre la suggestion de cette lectrice : gardez les journaux parus au moment de la naissance ; les actualités, la mode, les événements divers seront des souvenirs amusants pour vos enfants.

Pour finir, une petite recommandation. Une amie sage-femme nous a dit : « Les mamans sont si contentes de montrer leurs bébés à leurs amis qu'elles arrivent à la fin de la journée épuisées par trop de visites. Et le bébé l'est également. » Pour votre repos, pour le sien, les premiers jours, essayez de n'avoir pas trop de visites. Si un jour vous avez vraiment envie de vous reposer complètement, dites-le à la sage-femme ou à l'infirmière, elle comprendra et elle fera le barrage.

SI VOUS VOUS SENTEZ FATIGUÉE,
et que vous ayez envie de rester un peu plus longtemps à la maternité, parlez-en à la surveillante, elle vous dira si c'est possible.

VOUS RENTREZ CHEZ VOUS

Bien des mamans se sentent désemparées seules à la maison. L'allaitement n'est pas encore bien installé. La cicatrisation de l'épisiotomie est parfois douloureuse. Il peut y avoir des baisses de moral. Heureusement, grâce au congé de paternité, le père est là et apporte un soutien bienvenu. Pensez aussi que vous pouvez faire appel à une association d'aide à l'allaitement ; une infirmière de PMI, ou une sage-femme libérale, peuvent parfois venir à domicile.

Une fois rentrée chez vous, tâchez de vous reposer encore une bonne dizaine de jours, même un peu plus si vous le pouvez. Mieux vous vous reposerez pendant les suites de couches, plus vite vous pourrez reprendre votre vie active sans fatigue excessive. N'essayez pas de forcer la nature : il faut six semaines à vos organes pour revenir à leur état normal, et quelques mois à l'organisme pour qu'il retrouve complètement ses forces. Pendant cette période, évitez de vous fatiguer, ne montez pas trop d'escaliers, ne portez pas de lourdes charges, faites une bonne sieste après le déjeuner. Ce n'est pas toujours possible à moins que vous ayez près de vous, pendant les deux premières semaines, quelqu'un pour vous aider, mère, belle-mère, amie, aide extérieure, etc. Évidemment, si votre mari pouvait prendre quelques jours de congé supplémentaires, ce serait l'idéal.

Une spécialiste, le docteur Odile Cotelle, voit tous les jours des femmes qui ont porté des charges trop lourdes et dont le dos et le périnée ont souffert. C'est pourquoi elle nous demande de faire la recommandation suivante : pendant les mois qui suivent l'accouchement, faites tout pour éviter les poids excessifs ; essayez de vous faire livrer les provisions, beaucoup de magasins s'en chargent. Certains couffins et certaines poussettes sont trop lourds pour être portés seule, faites-le à deux. D'ailleurs, au moment d'acheter une poussette, à qualité égale, choisissez la plus légère. Quand vous portez votre bébé, essayez de ne pas porter d'objets lourds en même temps (par exemple un sac de provisions, une poussette) ; même si cela demande plus de temps, il vaut mieux faire plusieurs voyages. Lorsque Bébé est dans son sac-kangourou, placez-le – presque entre les seins – le plus haut possible et veillez à ce qu'il ne ballotte pas : c'est plus confortable pour lui et mieux pour vous. Enfin, si vous devez soulever quelque chose d'un peu lourd, pensez à contracter en même temps le périnée et le ventre.

Les relations sexuelles après l'accouchement

Les rapports sexuels peuvent être difficiles ou douloureux pendant quelque temps.

Au début, une mère est plus soucieuse de son bébé que de sa sexualité ; il y a la fatigue, les problèmes matériels nouveaux, « il y a aussi un temps pour retrouver son corps », dit une mère. Ensuite le climat hormonal qui existe pendant les semaines qui suivent l'accouchement entraîne une sécheresse vaginale. Enfin, les rapports peuvent être douloureux s'il y a une cicatrice de déchirure ou d'épisiotomie, ou même simplement quelques « éraillures » ; on conseille dans ce cas un gel pour lubrifier.

Certaines fois, il n'y a pas seulement sécheresse vaginale, mais aussi rétrécissement vaginal, la lubrification peut alors ne pas suffire. En cas de carence extrême, le médecin prescrira des ovules ou des gélules vaginales contenant des œstrogènes.

Parfois aussi le père redoute les premières relations sexuelles : il a peur qu'elles soient doulou-reuses pour sa femme ; et si elle allaite, le côté nourri-cier des seins le perturbe souvent. Il peut se sentir exclu du duo mère-enfant. C'est pourquoi, le premier mois n'est pas toujours favorable à la vie sexuelle, ce qui n'empêche pas bien sûr la tendresse. Passées ces premières semaines, les inhibitions sont tombées, le couple a plaisir à se retrouver, la sexualité reprend sa place. Cela dit, comme pour toutes les relations affec-tives, chaque couple a sa façon à lui de se retrouver.

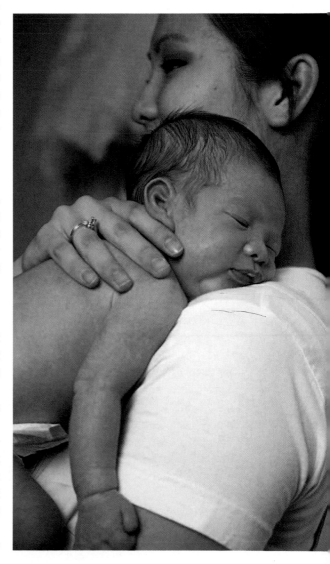

La contraception après la naissance

Le couple a envie de reprendre ses relations amoureuses, mais en même temps il ne souhaite pas avoir trop vite un autre bébé. Et il sait que la contraception dans les semaines qui suivent la naissance pose différentes ques-tions. C'est pourquoi nous avons consacré plusieurs pages à ce sujet, à la fin de ce chapitre.

Le retour de couches

On appelle ainsi les premières règles qui surviennent après l'accouchement. Habituellement, ces règles sont un peu plus abondantes et plus longues que les règles normales.

La date de ce retour de couches varie selon que la mère allaite ou non son enfant.

Si elle le nourrit, les mécanismes de la lactation blo-quent généralement le fonctionnement des ovaires et l'ovulation ; les règles sont donc habituellement absentes, et le retour de couches survient seulement après la fin de l'allaitement, voire plusieurs mois après l'arrêt complet.

En l'absence d'allaitement, le retour de couches se

produit entre six et huit semaines après l'accouchement. Puis les cycles habituels reprennent, mais il est possible qu'ils soient légèrement perturbés pendant quelque temps.

La consultation postnatale

Quelques semaines se sont passées depuis l'accouchement. C'est le moment de faire un bilan complet. Un examen gynécologique et général est indispensable pour s'assurer que l'appareil génital et l'organisme tout entier ont retrouvé un état satisfaisant. Si la grossesse et l'accouchement se sont passés sans complications, la sage-femme peut pratiquer l'examen. Certaines femmes se sentent suffisamment bien pour ne pas avoir envie de subir cet examen. Pourtant celui-ci est important pour faire le point sur l'état de votre périnée, et pour envisager, si nécessaire, une rééducation appropriée.

Enfin, vous pouvez vous trouver confrontée à trois sortes de problèmes :

• une aggravation des troubles antérieurs ; par exemple si vous aviez une mauvaise circulation qui avait provoqué des varices et des hémorroïdes

• la persistance de troubles apparus au cours de la grossesse, comme une incontinence urinaire

• enfin, l'apparition de nouveaux problèmes : par exemple, certaines femmes souffrent de douleurs abdominales persistantes.

Faites une petite liste pour ne rien oublier lorsque vous irez à la consultation.

Certaines femmes, par pudeur, hésitent à aborder des domaines qui leur semblent trop personnels, par exemple la difficulté de la reprise des rapports sexuels. Difficultés psychologiques, conjugales ont parfois des causes physiques que le médecin saura traiter.

Votre régime pour retrouver la ligne

Pour retrouver votre poids d'avant la naissance, vous aurez vraisemblablement quelques kilos à perdre. Normalement, un régime alimentaire classique (voir plus bas) vous aidera à perdre l'excédent de poids.

Si vous allaitez, ne faites pas de régime amaigrissant : toute restriction alimentaire est contre-indiquée à cette période. Attention quand même à ne pas grossir, cela ne faciliterait pas la lactation et vous empêcherait plus tard de retrouver facilement votre poids.

Si vous n'allaitez pas ou si vous n'allaitez plus, voici quelques suggestions pour vous aider à retrouver votre taille et votre poids d'avant la grossesse, sans aller trop vite.

Vous pouvez garder la même répartition en trois repas principaux et un goûter. Le goûter est important (indispensable si vous allaitez) ainsi que le petit déjeuner, surtout si vous n'en preniez pas avant la grossesse.

La meilleure solution pour maintenir son poids et sa forme est d'avoir une alimentation équilibrée, sans grignotage, et une activité physique régulière.

En pratique

• une part de viande, poisson ou œuf par jour, avec de la viande rouge ou du boudin noir 2 fois par semaine, et des abats (foie, rognons) 2 à 3 fois par mois pour reconstituer vos réserves de fer

• un produit laitier (lait, fromage, laitage) 3 fois par jour

• des légumes et des fruits : au total, au moins 5 portions par jour

• des féculents ou produits céréaliers à chaque repas, sous forme de pain ou pâtes, riz, semoule, légumes secs, en entrée ou en plat principal

• des matières grasses en quantité modérée et en les variant (un peu de beurre sur les tartines ou les légumes, une cuillère d'huile pour les crudités)

• un produit sucré de temps en temps pour se faire plaisir.

Et buvez suffisamment, au moins 1,5 litre par jour, de l'eau de préférence.

La gymnastique et les sports

L'exercice physique sera un bon moyen pour vous aider à retrouver la ligne : il ne fait pas vraiment maigrir mais il aide à se remuscler ; il peut, en plus, par l'équilibre qu'il procure, régulariser l'appétit. Voyez plus loin quelques exercices à faire après l'accouchement.

Quant à une activité sportive, elle sera reprise progressivement, et plus tardivement si vous allaitez en raison du volume des seins qui peuvent gêner certaines activités. Le vélo, la marche, la natation sont excellents. A noter que les baignades sont possibles dès que les lochies (écoulement utérin après l'accouchement) ont disparu. Il vaut mieux éviter de muscler l'abdomen avant d'avoir repris la musculation du périnée ; tenez-en compte si vous faites des exercices en salle. Le footing, le tennis, l'équitation seront repris plus tardivement, comme toute activité physique qui entraîne des pressions abdominales répétées de haut en bas.

LES EXERCICES ABDOMINAUX CLASSIQUES
que tout le monde connaît (pédalages, ciseaux) ne peuvent être faits qu'après avis du médecin ou de la sage-femme, car ils créent une trop forte pression à l'intérieur du ventre, pression qui appuie sur le périnée et risque de le distendre.

EXERCICES À FAIRE APRÈS L'ACCOUCHEMENT

Dès le deuxième jour – sauf avis contraire du médecin – vous pourrez faire dans votre lit les exercices suivants :

Pour raffermir le périnée

Faites l'exercice indiqué (p. 337), mais en position allongée, couchée sur le dos, jambes repliées et écartées : pendant quelques secondes contractez les muscles qui ferment la vulve et le vagin en retenant une envie d'uriner. Gardez bien les genoux écartés sur les côtés pendant tout l'exercice, les fesses étant relâchées et posées sur le sol, et le ventre bien souple ; tout en continuant de respirer normalement.

Le stop-test consiste à arrêter quelques secondes le jet urinaire au début de la miction (action d'uriner). Cet exercice, qui a été longtemps recommandé, est aujourd'hui plutôt déconseillé. En effet, s'il est trop pratiqué, il peut entraîner chez certaines femmes des infections urinaires.

Pour durcir le ventre

Couchée sur le dos, jambes parallèles repliées, inspirez profondément, puis, en soufflant, rentrez le ventre au maximum, pendant 5 secondes au moins, si possible dix ; contractez en même temps le péri-née ; puis détendez-vous et recommencez. Cet exercice ne comporte aucune contre-indication. Il n'est pas spectaculaire et cela peut sembler monotone de ne faire que cela mais il peut suffire pour retrouver un ventre plat. Vous pouvez répéter cet exercice plusieurs fois par jour (au moins 50 fois, réparties dans la journée, pour obtenir un résultat visible).

Pour activer la circulation dans les jambes

Couchée sur le dos, jambes allongées :
• exercice de rotation des pieds autour de la cheville : décrivez un cercle avec vos pieds dans un sens puis dans l'autre (3 fois)
• flexion et extension des pieds : repliez le pied sur la jambe, puis étendez-le lentement et au maximum comme si vous vouliez toucher du bout des orteils un objet placé quelques centimètres plus loin (3 fois)

À répéter de nombreuses fois dans la journée, mais à ne pas faire plus de trois fois de suite : sinon les jambes risquent de devenir douloureuses, en provoquant des courbatures.

Pour garder les seins fermes et bien maintenus

Lorsque vous n'allaiterez plus, vous pourrez recommencer les exercices indiqués au chapitre 14 pour garder une belle poitrine. Si vous n'allaitez pas, vous pourrez les faire dès le quinzième jour.

Sur le remboursement concernant les massages, exercices, rééducation périnéale à faire après l'ac-couchement, voyez chapitre 18.

APRÈS LA NAISSANCE, QUE FAIRE SI VOTRE CORPS A CHANGÉ ?

Après un accouchement, certaines femmes sont déroutées de se retrouver avec un autre corps : ce n'est plus celui de la grossesse, dont elles éprouvaient de la fierté, ce n'est pas non plus celui d'avant la naissance. En plus, la transformation brutale de ce « corps plein » en un « corps vide » peut troubler.

Sur le plan esthétique, tant du corps que du visage, la maternité peut avoir des conséquences qui varient avec chaque femme, mais qui ont tendance à augmenter avec le nombre des grossesses. Certaines femmes pensent qu'il y a un prix à payer pour la naissance d'un enfant, et elles se résignent. Elles oublient leur propre corps, tant elles sont préoccupées du bien-être de leur bébé. D'autres mères sont débordées, elles ont l'impression de n'avoir ni le temps, ni l'énergie de s'occuper d'elles-mêmes. D'autres enfin se posent des questions sur ces changements : vont-ils se maintenir, s'atté-nuer ou disparaître.

Les seins

Après la grossesse et l'allaitement, les seins vont diminuer de volume mais peut-être resteront-ils plus gros, ou au contraire perdre du volume, comme s'ils avaient littéralement « fondus ». Faites les exercices conseillés pendant la grossesse (chap. 14), portez un bon soutien-gorge… et soyez patiente. Il faut un peu de temps aux seins pour qu'ils retrouvent leur tonicité habituelle.

Le ventre

Le ventre peut rester distendu, les muscles abdominaux ne jouant plus leur rôle de sangle naturelle. La prévention est essentielle : c'est la gymnastique pendant la grossesse (p. 337), et après l'accouchement (p. 397). Dans ce domaine la persévérance est indispensable car on ne retrouve de bons muscles qu'après plusieurs mois d'exercices physiques réguliers. Un régime alimentaire aidera à éliminer l'excès de graisse. Pour retrouver un ventre plat, les massages ne sont pas efficaces. Quant aux appareils électriques vendus dans le commerce, ce sont vraiment des gadgets.

A propos de la chirurgie esthétique

Certaines femmes ont envie de faire appel à la chirurgie esthétique lorsque leurs seins restent trop gros, ou s'ils ont perdu du volume, ou bien si la peau du ventre reste distendue, plus ou moins « fripée ». Voici quelques remarques à ce sujet.

La chirurgie esthétique ne peut s'envisager au plus tôt qu'un an après l'accouchement. Ce n'est pas une décision à prendre rapidement. Il faut laisser du temps au corps pour qu'il retrouve sa silhouette et son aspect d'avant. Cela vous laissera le temps de savoir si vous êtes toujours sûre de désirer une intervention. Par ailleurs, vous savez que la chirurgie esthétique coûte cher, élément qui aura son importance pour prendre une décision.

Ensuite, pour recourir à la chirurgie esthétique, il est conseillé d'attendre d'avoir eu le nombre d'enfants désirés. Une nouvelle grossesse risque de remettre en cause les résultats obtenus. Et certaines interventions peuvent compromettre un prochain allaitement.

Enfin, bien sûr, les interventions doivent être pratiquées par des spécialistes compétents. Demandez à votre médecin s'il connait des adresses, sinon le conseil de l'ordre des médecins vous renseignera.

Les massages

Le massage du dos et des jambes peut soulager les sensations de fatigue, de lourdeur ou de douleurs diverses. Il est aussi un élément de bien-être. En revanche, le massage du ventre doit respecter certaines précautions. Un effleurage peut améliorer le transit intestinal, mais il ne faut pas « malaxer » la peau ni les muscles afin de ne pas les étirer et de ne pas les distendre. Ceci nuirait à la récupération progressive d'un ventre plat.

Le poids et la silhouette

Il faut compter six mois pour retrouver son poids, et environ un an pour retrouver son tour de taille. Il est important de perdre peu à peu les kilos superflus sous peine de voir s'installer une vraie obésité. Si au bout de ces six mois, vous n'arrivez pas à retrouver votre poids d'avant la naissance, parlez-en au médecin. Il vous conseillera peut-être de consulter un nutritionniste.

La peau

Le masque de grossesse (p. 91) disparaît spontanément en quelques mois ; il en est de même de la pigmentation anormale de la ligne médiane abdominale, au-dessous de l'ombilic. Mais, pour cela, il faut s'exposer le moins possible au soleil ; et, ce qui est moins connu, si l'on accouche en hiver, il faut encore

> **SI VOUS SOUFFREZ D'ACNÉ**
> *et si vous allaitez votre bébé, ne prenez aucun traitement, interne ou externe, sans avis médical.*

faire attention l'été suivant pour que des taches brunes n'apparaissent pas.

De la cicatrice de césarienne nous parlons page 318.

Les varices

Elles régressent en général presque complètement après une première grossesse. Ceci sera de moins en moins vrai au fur et à mesure que les grossesses se répéteront.

Les médicaments peuvent agir sur les troubles parfois entraînés par les varices (crampes, sensation de jambes lourdes) mais peu, ou pas, sur les varices elles-mêmes. Aussi, en cas de préjudice esthétique important faut-il s'orienter selon les cas :

• vers la sclérose (injection de produits dans les veines pour diminuer leur volume)

• ou vers la chirurgie qui consiste à enlever une, ou les deux grosses veines de chaque membre inférieur (intervention appelée stripping).

Le médecin vous indiquera ce qui convient le mieux dans votre cas. De toute manière continuez à suivre les conseils donnés (p. 193). Quant aux hémorroïdes, comme les varices, elles relèvent, selon leur importance et les troubles qu'elles entraînent, des médicaments, des scléroses ou de la chirurgie.

L'incontinence urinaire : nous avons parlé à différents endroits de cette autre conséquence possible de la maternité (pp. 195-391).

Ce petit chapitre a été écrit à la demande de plusieurs lectrices, mais il ne faut pas que sa lecture vous inquiète. Les traces laissées par la maternité sont variables d'une femme à l'autre. Certaines n'ont ni varices ni vergetures. Même après plusieurs naissances, de nombreuses femmes retrouveront un ventre plat, etc. De plus, le « préjudice esthétique » est vécu de façon bien différente selon les femmes. Certaines ne supportent pas leurs seins qu'elles trouvent trop gros, alors que d'autres aiment leur poitrine épanouie.

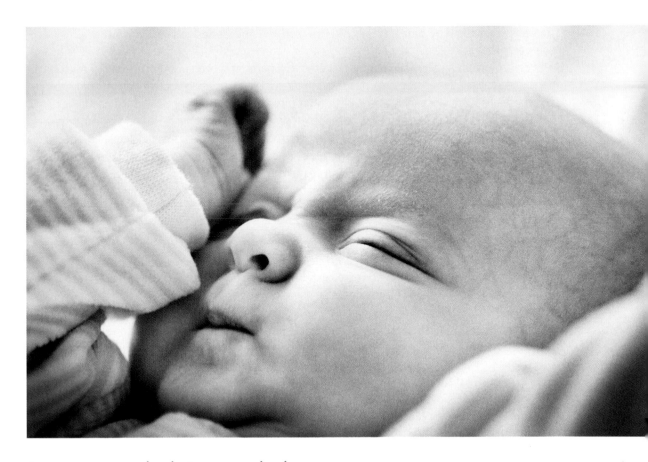

Les « idées bleues »

Vous êtes rentrée chez vous ; vous avez retrouvé votre maison ; votre enfant est installé dans le berceau que vous avez préparé avec amour. Vous avez toutes les raisons d'être heureuse et d'envisager l'avenir avec optimisme. Or il se peut, au contraire, que vous vous sentiez fragile, d'humeur instable, changeante, prête à pleurer à tout moment. Cette réaction est fréquente après l'accouchement. On l'appelle *baby-blues* (les idées bleues).

Vous venez de subir un bouleversement profond, au physique et au moral. Votre organisme tout entier a participé au travail considérable de l'accouchement. Les modifications hormonales sont particulièrement importantes à ce moment-là, et, vous vous en rendez compte vous-même, les remaniements psychologiques également. Vous avez vécu une attente de neuf mois, dont le terme a été peut-être mêlé d'angoisse et d'énervement. Vous êtes encore fatiguée, et vous vous trouvez tout d'un coup responsable des soins à donner à votre enfant. En plus, ce petit bébé, vous ne le connaissez pas encore bien, vous ne comprenez pas

> **LE *BABY-BLUES***
> *Il concerne près de la moitié des femmes venant d'accoucher. Il survient le plus souvent entre le 3ᵉ et le 6ᵉ jour après la naissance.*

toutes ses réactions, ni peut-être ses pleurs. C'est pour toutes ces raisons que vous êtes inquiète, énervée, prête à pleurer.

Si ce *baby-blues* survient alors que vous êtes à la maternité – ce qui est fréquent – parlez-en au personnel médical. Les accoucheurs, les sages-femmes, les puéricultrices savent qu'un grand nombre de femmes peuvent vivre un moment difficile, et qu'il faut leur apporter un soutien particulier. Ainsi certaines puéricultrices laissent-elles se reposer les mères qui en ont besoin, et ne leur donnent-elles le bébé que lorsque ces mères le désirent. Et certains hôpitaux ont des psychologues attitrés : les mères peuvent parler, exprimer leurs craintes, et se sentir entourées et comprises. Ces professionnels savent apporter chaleur et réconfort à des femmes qui doutent de leurs capacités maternelles. Lorsque la mère peut trouver une aide à la maternité, il y a des chances pour que la dépression ne s'installe pas.

Si cela n'était pas le cas, et que vous continuiez à être déprimée après votre retour à la maison, ne restez pas seule. Voyez avec votre mari, votre compagnon, comment vous pouvez vous organiser pour vous reposer. Peut-être votre mère, une amie, une sœur, peuvent-elles venir vous aider pendant quelques jours. Parlez-en avec votre médecin traitant, ou la sage-femme, ou voyez avec la PMI s'il est possible de mettre en place une aide à domicile.

Vous pouvez aussi aller dans un groupe d'aide à l'allaitement (adresses p. 388), même si vous n'allaitez pas. Rencontrer d'autres mères, les écouter, leur parler pourra vous redonner confiance. Et tâchez de rester en contact avec le psychologue que vous aurez vu à la maternité.

Un sentiment de vide

Cet accouchement, vous l'avez attendu avec quelle impatience ! Et maintenant que cet enfant que vous avez abrité et protégé vous a quittée, vous avez peut-être l'impression d'un vide à la fois physique et moral. C'est normal. Toutes les femmes qui viennent d'accoucher ressentent cette impression, plus ou moins marquée. Dans bien des cas, l'allaitement est une bonne chose dans la mesure où il permet aux liens de se renouer. Mais dans d'autres cas il peut être source de stress, surtout si le bébé ne tète pas bien.

Et puis, vous craignez de ne pas savoir vous occuper de cet enfant qui vous paraît si fragile. Dites-vous que votre instinct vous guidera avec une sûreté dont vous serez vous-même étonnée. Sachez aussi que votre enfant est plus solide que vous ne croyez, surtout si vous le laissez vous stimuler. Votre bébé peut vous aider.

Voici ce que nous a écrit Julie : « J'ai vécu pleinement ma grossesse. Attendre un enfant tellement désiré, ne faire qu'un avec lui, c'est une expérience merveilleuse et unique. Si bien que la séparation physique d'avec mon bébé a été un petit traumatisme psychologique. Plus de gros ventre, je ne le sentais plus bouger. Bien sûr, je pouvais tenir mon bébé dans mes bras, voir son visage, mais il n'était plus en moi. Et puis j'ai éprouvé un sentiment de grande inquiétude pour cet enfant que j'ai aimé dès les premiers instants : j'avais peur qu'il lui arrive quelque chose, alors qu'à l'intérieur de mon ventre, il était protégé. Ce sentiment d'attachement intense m'a submergé plusieurs jours, je pleurais sans cesse car je prenais conscience de la grande responsabilité qui m'attendait. Heureusement, mon mari m'a soutenue, rassurée. Aujourd'hui, tout est rentré dans l'ordre et chaque jour qui passe nous comble de bonheur. »

L'amour maternel a souvent besoin de temps pour s'exprimer

Cette fragilité émotionnelle d'après l'accouchement s'accentue lorsque la mère n'est pas envahie dès le premier jour par l'amour maternel. Si cela vous arrive, ne croyez pas que vous soyez une mauvaise mère. L'amour maternel n'est pas toujours un coup de foudre. Il ne se développe souvent que peu à peu, semaine après semaine.

Prenez chaque jour un moment, après avoir baigné, nourri, changé votre bébé, pour vous asseoir près de lui, lui parler, lui sourire. Il est très sensible à votre présence. S'il pleure, ne fermez pas la porte de sa chambre, prenez-le dans vos bras. On vous dira que c'est une mauvaise habitude. Est-ce bien sûr ? Lorsqu'un bébé pleure, ce n'est pas par caprice. C'est qu'il a besoin d'une présence, et qu'on s'occupe de lui. Les pleurs, c'est sa manière d'appeler.

Lorsque votre enfant vous adressera son premier sourire, les moments difficiles que vous avez traversés seront oubliés. Lisez ces quelques lignes de France Quéré qui peut-être vous apaiseront : « Tu es là, et j'aime à te serrer dans mes bras, comme dans un songe. J'aime contenir ton épaule dans le creux de ma main, ton corps dans la courbe de mon bras. Voici : une conversation entre nous commence. Pendant des années nous allons bâtir ensemble le grand rêve exaucé ce matin. Notre imagination sera la reine, ta chambre le vert paradis. Nous rirons ensemble, nous jouerons, nous inventerons des histoires, notre vie sera poésie. Si ce n'est pas le bonheur, cela, qu'on me dise comment ça s'appelle » (*La Femme avenir*, France Quéré, Éditions du Seuil).

Une vraie dépression

Le plus souvent, le *baby-blues* disparaît en quelques jours. Plus rarement, mais quand même dans 10 % des cas, une vraie dépression du post-partum s'installe. Les symptômes sont plus marqués : la maman se sent triste, découragée, anxieuse, elle n'a plus le goût de s'occuper des tâches quotidiennes, parfois même elle n'arrive pas à s'intéresser à son bébé. D'autres troubles peuvent survenir : du sommeil, de l'appétit, de la vie sexuelle. Ces signes sont ceux d'une dépression qui ne disparaîtra pas toute seule. Malgré ces difficultés, certaines mamans hésitent à consulter ; elles pensent que ce qu'elles éprouvent est dû à la fatigue qui accompagne toute naissance ; parfois, elles se sentent coupables de ne pas éprouver la joie attendue, surtout lorsque la grossesse a été désirée. Et pourtant, il est important que la maman voie un médecin sans tarder qui pourra l'aider : accoucheur, généraliste, pédiatre de l'enfant, consultation de PMI, voire la consultation de l'hôpital le plus proche. Des médicaments, un soutien psychothérapeutique aideront la maman à retrouver un équilibre, à se sentir apaisée.

Écoutez ce que nous a écrit Christine : « Je me suis retrouvée devant un véritable gouffre. Je pleurais sans raison, j'étais terrifiée par les sentiments destructeurs et les pensées négatives qui m'envahissaient. J'ai cru que j'allais perdre la raison. J'ai vu un psychiatre qui m'a écoutée, sans me juger. Pourriez-vous dire à vos lectrices qu'une maman peut passer par des moments très difficiles, et s'en sortir. »

Six mois pour un bébé

Si vous avez une activité professionnelle, et que la date de reprise du travail dépend de votre décision, vous vous demandez peut-être quand la reprendre : tout de suite ? Un peu plus tard ? Qu'est-ce qui est meilleur pour l'enfant ? Pour vous-même ?

Il est difficile de donner un avis ; s'il est un domaine où le désir personnel, celui du couple, les possibilités financières interviennent, c'est bien celui-là. Les circonstances économiques actuelles et le chômage rendent pour certaines le choix particulièrement difficile.

Des mères veulent retravailler tout de suite, le pouponnage ne les tente pas. D'autres désirent rester un moment chez elles et pour l'enfant et pour elles-mêmes, et elles le peuvent. D'autres le voudraient, mais cela ne leur est pas possible financièrement ou professionnellement.

Le congé postnatal est de dix semaines. Certaines mères s'arrangent pour y ajouter leur mois de vacances, ou un congé sans solde. Il y a maintenant la possibilité de reporter 3 semaines du congé prénatal après l'accouchement. Faisons un souhait : que toutes les mères puissent bénéficier de six mois après la naissance. Le bébé pourrait s'adapter en douceur à sa nouvelle vie. De son côté, la mère aurait le temps de se remettre complètement, de souffler. Tous les deux, Maman et Bébé, pourraient faire tranquillement connaissance.

Les six premiers mois de la vie d'un enfant sont importants, il s'y passe des événements à ne pas manquer pour bien connaître son enfant, sa façon de s'exprimer, ses formidables capacités à réagir, mais aussi sa très grande dépendance. De plus, les connaissances actuelles sur le développement du tout jeune bébé, sur sa psychologie, sur la précocité des interactions parents-bébé, entraînent chez les mères qui vont reprendre leur travail doute, culpabilité, regret de passer à côté de moments précieux. Tout ceci n'est pas simple à concilier et à aménager. C'est pourquoi six mois de congé donneraient un vrai choix à toutes les mères sans déranger vraiment leur carrière. Ils donneraient à la mère et à l'enfant la possibilité d'un bon départ.

Et d'ailleurs, on pourrait envisager que le congé prévu puisse se partager entre le père et la mère, comme cela se fait dans des pays nordiques. Certains pères seraient ravis et toute la famille en bénéficierait.

UN AUTRE BÉBÉ ?

Nos lectrices posent souvent la question : « Au point de vue médical, quel est l'intervalle idéal entre deux naissances ? » Bien sûr, il ne peut y avoir de réponse précise. Mais le bon sens dit qu'il est préférable que deux grossesses ne soient pas trop rapprochées. D'autre part, des statistiques américaines montrent que ce sont les bébés conçus entre dix-huit et vingt-quatre mois après la naissance précédente qui ont le moins de risque d'être de petit poids ou de naître prématurément.

D'ailleurs, la psychologie s'accommode bien de cet intervalle. Dans le cas cité plus haut, lorsque le nouveau bébé naîtra, l'aîné aura 2 ans 1/2 - 3 ans, âge réputé charmant. C'est souvent à ce moment-là que les parents se sentent prêts à accueillir un autre enfant.

Mais d'autres éléments pourraient, dans certains cas, modifier ces considérations, notamment l'âge des parents (p. 24). Au fur et à mesure que passent les années, les chances de devenir enceintes diminuent. Ainsi, il faut deux fois plus de temps pour concevoir un enfant à 35 ans qu'il n'en faut à 25. N'attendez pas trop.

La contraception après la naissance

Clore un livre sur la naissance par un chapitre sur la contraception peut sembler paradoxal. Et pourtant...

Vous venez d'accoucher et vous êtes tout à la joie de cette naissance. Même si vous avez envie d'avoir d'autres enfants, vous ne souhaitez probablement pas redevenir enceinte trop rapidement. C'est au cours de votre séjour à la maternité ou de la consultation post-natale que vous pourrez aborder les problèmes de contraception ; après une naissance, les moyens de contraception ne sont en effet pas tous applicables. Ce n'est qu'après le retour de couches que le choix vous sera véritablement offert entre les différents moyens ou méthodes actuels de contraception. Nous en parlerons page 411. Mais voici d'abord quelques précisions sur ces différentes méthodes.

LA CONTRACEPTION FÉMININE

Si l'on excepte la douche vaginale (dont l'efficacité est quasi-nulle), il existe plusieurs méthodes de contraception féminine ; ces méthodes, générales ou locales, peuvent être physiques, chimiques ou hormonales.

LA PILULE

La pilule est composée des deux hormones normalement sécrétées par l'ovaire (l'œstrogène et la progestérone) mais on utilise dans sa fabrication des hormones synthétiques pour abaisser le prix de revient. Il existe en fait plusieurs variétés de pilules. Celle que l'on pourrait appeler « classique » qui

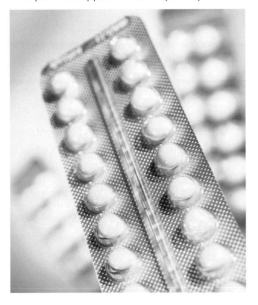

contient une dose « normale » d'œstrogène et qui n'est pratiquement plus utilisée – sauf exception – pour la contraception. Elle a fait place à la **minipilule** qui contient des doses plus faibles d'œstrogène (d'où son nom) associées à différents progestatifs, d'où les nombreuses marques de minipilules actuellement existantes. Un autre type de pilule ne contient que de la progestérone (sans œstrogène). C'est la **micropilule**, celle qui est prescrite pendant l'allaitement ou en cas de contre-indication aux œstrogènes.

Comment agit la pilule ?

Pour empêcher la fécondation, la pilule agit par trois mécanismes distincts : le plus important est le blocage de l'ovulation ; mais la pilule agit aussi sur la muqueuse utérine (endomètre) qui devient mince, atrophique et impropre à la nidation ; enfin, elle modifie la glaire du col à travers laquelle les spermatozoïdes ne peuvent plus se déplacer.

Sur ordonnance seulement

Vous ne pouvez prendre la pilule sans l'avis et sans ordonnance du médecin ou de la sage-femme. C'est à lui de choisir parmi les différentes sortes de pilules celle qui vous conviendra le mieux.

La plupart des pilules sont présentées en boîtes ou en plaquettes de 21 comprimés. Le premier comprimé se prend le premier jour des règles et pendant 21 jours. Peu importe le moment de la journée, à condition que ce soit régulièrement à peu près à la même heure afin d'éviter les oublis. Lorsque les 21 comprimés ont été pris, le traitement est arrêté pendant 7 jours. Les règles arriveront (quel qu'ait été le cycle auparavant) pendant cette période. Elles seront souvent moins abondantes qu'habituellement. Le 8e jour, vous entamez une nouvelle plaquette et vous recommencez un traitement de 21 jours.

La micropilule se prend différemment, c'est-à-dire chaque jour et sans aucune interruption.

La pilule doit être prise très régulièrement, car si l'oubli d'un comprimé pardonne pratiquement toujours avec la pilule classique, il risque de ne pas pardonner avec la minipilule, et encore moins avec la micropilule. Après deux jours d'oublis consécutifs (et *a fortiori* davantage), il est préférable, quelle que soit la pilule (classique ou mini), de tout arrêter, d'éviter les rapports sexuels et de recommencer une nouvelle plaquette dès les règles suivantes.

Vous pouvez avoir des rapports sans risque dès le premier jour de pilule. Et vous êtes à l'abri d'une grossesse même pendant les 7 jours d'interruption entre deux plaquettes. Vous pouvez prendre la pilule pendant plusieurs années à condition de faire pratiquer un examen médical de contrôle au moins une fois par an.

Avantages de la pilule

De nombreuses femmes apprécient la simplicité et la facilité de ce mode de contraception qui les libère de tout geste local, et permet de dissocier la contraception de l'acte sexuel.

Mais l'avantage majeur de la pilule réside dans son efficacité qui est pratiquement absolue, avantage que ne peut lui disputer aucun autre moyen actuel de contraception. Rappelons cependant que cette efficacité nécessite une grande rigueur dans la prise des comprimés, surtout s'il s'agit d'une minipilule.

Les exceptionnelles grossesses observées sont la conséquence : soit d'un oubli ; soit de la diminution d'efficacité de la pilule par la prise simultanée de certains médicaments : barbituriques, anti-épileptiques, antibiotiques, antituberculeux, par exemple ; soit de l'emploi d'une micropilule dont l'efficacité est moindre que celle de la minipilule (1 % de grossesses environ).

Les incidents

Ils sont devenus moins fréquents avec les pilules moins dosées. Il peut s'agir parfois de nausées, d'irritabilité ou de petites pertes de sang entre les règles. En général ces troubles disparaissent au bout de 2 ou 3 cycles.

Une prise de poids est particulièrement redoutée par de nombreuses femmes. En fait, les nouvelles pilules faiblement dosées n'ont aucune influence sur le poids, tout au plus la pilule peut-elle être accusée, dans les premiers mois, d'augmenter l'appétit.

LA PILULE DU LENDEMAIN

Elle doit être considérée comme une contraception d'urgence et occasionnelle. La marque la plus utilisée en France (délivrée sans ordonnance) se prend sous forme d'un comprimé puis d'un second douze heures plus tard. L'efficacité est d'autant plus grande que la prise est plus précoce après le rapport sexuel.

La pilule a plutôt une action favorable sur l'acné. Mais elle est parfois responsable de l'apparition d'une pigmentation anormale, identique au masque de la grossesse, qui ne disparaît qu'avec l'arrêt du traitement ou avec un changement de pilule.

Les accidents

On a accusé la pilule de donner le cancer. Or les statistiques sont formelles : on n'observe pas plus de cancers utérins ou de cancers du sein chez les utilisatrices de la pilule que dans la population générale. En revanche, l'existence d'une lésion suspecte est une contre-indication à l'emploi de la pilule.

Le seul véritable risque est vasculaire. C'est d'une part celui de thrombose, c'est-à-dire de formation de caillot dans les veines ou les artères. Ce risque est statistiquement minime (1/50 000 environ) mais il existe. Il en est de même du risque d'infarctus du myocarde qui semble plus fréquent que dans la population générale. Ces risques semblent particulièrement importants chez les femmes qui fument.

Que se passe-t-il à l'arrêt de la pilule ?

Le premier cycle qui suit l'arrêt de la pilule est souvent anormalement long avec une ovulation retardée. Si vous ne souhaitez pas être enceinte, prenez d'autres précautions que les précautions habituelles de dates. Vous risqueriez d'être surprise. Ce sont d'ailleurs ces troubles de l'ovulation avec risques de grossesse qui sont à l'origine d'une légende : la femme serait plus féconde après arrêt de la pilule. Ce qui est inexact.

Si vous souhaitez devenir enceinte, n'ayez aucune inquiétude :
• La pilule n'a aucune action sur l'enfant à venir. Les enfants malformés ne sont pas plus nombreux que chez les autres femmes.
• La pilule n'a jamais augmenté le nombre de grossesses gémellaires ou multiples. Ce sont les hormones utilisées dans le traitement de certaines stérilités qui en sont responsables.

On conseille généralement d'attendre deux cycles. D'une part pour que l'appareil génital reprenne son fonctionnement normal (mais aucune anomalie n'a été constatée quand la grossesse survient dès l'arrêt de la pilule). D'autre part, et surtout, pour que sur le plan psychologique, la femme commence sa grossesse en toute tranquillité d'esprit.

Actuellement, de nombreuses recherches et études sont faites dans le domaine de la pilule :
• des pilules encore moins dosées (on pourrait dire des mini-mini-mini pilules), qu'il faut prendre pendant 24 jours au lieu de 21, existent déjà
• des pilules que l'on n'arrête que tous les 3 à 4 mois – ce qui aurait l'avantage de supprimer des calculs chaque mois et de diminuer les oublis – sont expérimentées.

IMPLANT, PATCH, ANNEAU

De nouveaux moyens de contraception sont aujourd'hui disponibles.

L'implant

Il s'agit, comme la pilule, d'une contraception hormonale destinée à bloquer l'ovulation, mais avec deux différences fondamentales :
• au contraire de la plupart des pilules, on n'utilise qu'une seule hormone (la progestérone)
• il ne s'agit pas de comprimés mais d'un bâtonnet (une petite allumette) que l'on implante sous la peau du bras. Cette intervention très simple se fait sous anesthésie locale et ne demande que quelques minutes.

L'implant reste actif pendant trois ans. Son avantage majeur, outre son efficacité à 100 %, est d'éviter la contrainte de penser chaque jour à prendre une pilule. Son inconvénient réside dans la possibilité (10 à 20 %) de saignements irréguliers et intempestifs.

Le patch contraceptif

Identique au patch anti-nicotine, il repose sur le principe d'administration d'hormones (comme la pilule) mais qui s'absorbent par la peau et non par la bouche. Le patch se pose sur la peau, on le change au bout d'une semaine et cela pendant trois semaines. Ensuite, il y a un arrêt d'une semaine.

L'anneau intravaginal

Il se place dans le vagin pour trois semaines. Il s'enlève pendant une semaine (où surviennent les règles) et il est remplacé par un nouvel anneau après cet arrêt. Lui aussi repose sur la libération d'hormones absorbées par le vagin. Il est efficace, bien toléré et n'empêche pas des traitements locaux si nécessaire (infection vaginale par exemple).

Implant, patch et anneau constituent une **contraception hormonale** ; ils ont les mêmes contre-indications médicales que la prise de pilule. Et comme la pilule, ils sont prescrits par le médecin.

LE STÉRILET

Appelé aussi dispositif intra-utérin (DIU), le stérilet, bien que connu depuis l'antiquité, doit son développement actuel à l'utilisation des matières plastiques : elles ont rendu son insertion facile et sa tolérance excellente.

Il existe actuellement de nombreux modèles de formes très variées. Les stérilets « inertes » (faits seulement de plastique) sont abandonnés au profit de ceux qui sont recouverts de progestérone ou d'un fil de cuivre dont l'efficacité est plus grande et l'acceptabilité meilleure ; cela permet de ne le changer que tous les 4 à 5 ans. Le stérilet agit en empêchant la nidation de l'œuf.

Un examen gynécologique est indispensable avant la mise en place de l'appareil, afin de dépister les affections locales qui contre-indiquent son emploi : infections du col ou des trompes, polypes, fibromes, etc.

L'insertion du stérilet ne peut être pratiquée que par un médecin ; en revanche, elle ne nécessite ni hospitalisation ni anesthésie, elle est quasiment indolore. Elle se fait, de préférence, à la fin des règles. Au stérilet est attaché un fil qui sort du col et que vous pouvez sentir dans le vagin avec le doigt. Ceci vous permet de contrôler que votre stérilet est bien en place. Même s'il est bien toléré (sinon il faut en faire l'ablation), le stérilet doit être changé régulièrement pour garder son maximum d'efficacité. Celle-ci est excellente puisqu'on compte à peine 1 à 2 % de grossesses avec les stérilets au cuivre ou à la progestérone.

Un grand avantage du stérilet est de ne nécessiter aucun soin particulier, aucune précaution, et de permettre ainsi à la femme d'oublier qu'elle utilise un moyen de contraception.

Il a toutefois aussi des inconvénients :
• le plus important : le risque de grossesse extra-utérine est plus fréquent avec un stérilet
• dans 10 à 15 % des cas, le stérilet n'est pas supporté. Il est expulsé de l'utérus ou encore entraîne des pertes de sang permanentes qui obligent à le retirer (il faut savoir en revanche que de petites pertes sont fréquentes dans les semaines qui suivent sa mise en place)
• beaucoup plus rarement, on peut voir se développer une infection au niveau de l'utérus ou des trompes

• exceptionnellement, on a décrit des perforations de l'utérus.

Malgré leur rareté, l'existence de ces complications pousse un certain nombre de médecins à déconseiller le stérilet aux femmes qui n'ont jamais été enceintes.

LES PRODUITS SPERMICIDES

Ils ont pour propriété d'immobiliser les spermatozoïdes. Ils se présentent sous des formes diverses.

Les crèmes, gels et mousses sont surtout destinés à être utilisés avec un diaphragme ou comme méthode d'appoint au préservatif masculin pour en améliorer l'efficacité.

Ils peuvent être employés seuls (notamment les gels), mais nécessitent alors l'usage d'un applicateur. Les ovules, de mise en place très facile, fondent tout seuls dans le vagin, mais il faut impérativement les renouveler (comme les spermicides) en cas de nouveau rapport. Les tampons ou éponges, eux, sont efficaces pendant 24 heures et permettent ainsi des rapports rapprochés et répétés. Par contre, ils ont l'inconvénient de devoir être retirés après usage.

L'efficacité des spermicides précédents est bonne (95 %) à condition de bien respecter leur mode d'emploi, et surtout d'éviter l'usage du savon et des bains moussants qui annulent purement et simplement leur action. Si l'on veut faire une toilette après le rapport, il est nécessaire d'utiliser des savons ou produits spéciaux faits par les fabricants de spermicides.

L'avantage majeur des produits spermicides réside dans la facilité de leur emploi puisqu'il suffit de les placer dans le vagin immédiatement avant le rapport. Par contre, on les accuse parfois de provoquer des phénomènes d'intolérance locale chez la femme et chez l'homme. Et certaines femmes sont rebutées par les manipulations nécessaires, comme c'est le cas pour les autres moyens locaux de contraception.

LE DIAPHRAGME

C'est un appareil en latex, en forme de petite coupe, que la femme place elle-même dans le vagin avant chaque rapport. Il forme ainsi, devant le col, un obstacle à l'ascension des spermatozoïdes. On le recouvre d'une crème ou d'une gelée spermicide afin de doubler la barrière mécanique d'une protection chimique. Cette méthode de contraception tend à disparaître car le diaphragme est de moins en moins choisi et utilisé par les femmes, ce qui a conduit les laboratoires à en stopper la fabrication.

LE PRÉSERVATIF FÉMININ

Son principe est le même que celui du préservatif masculin mais il est utilisé par la femme. Jusqu'à maintenant, au moins en France, il a rencontré peu de succès.

LA MÉTHODE DE LA TEMPÉRATURE

Au premier chapitre, vous avez vu que vous pouviez utiliser votre courbe de température lorsque vous souhaitiez être enceinte. Cette courbe peut aussi servir de moyen de contraception. Dans les deux cas en effet, le but est de connaître la date de l'ovulation puisque c'est elle qui détermine les périodes de fécondité et de stérilité.

Voyez au chapitre 1 les conditions pratiques d'établissement et de lecture de la courbe. Nous vous rappelons simplement que vous devez considérer que vous êtes féconde :

• quelques jours avant l'ovulation car les spermatozoïdes peuvent rester vivants plusieurs jours après le rapport

• deux jours après l'ovulation : l'ovule non fécondé meurt au bout de 24 heures mais on rajoute 24 heures de sécurité.

C'est évidemment pendant ces jours qu'il faut s'abstenir de rapport sexuel. Toutefois, si l'on veut obtenir la sécurité maximum, il faut n'avoir de rapport qu'après la survenue de l'ovulation. Celle-ci peut en effet parfois survenir avant la date prévue.

Les inconvénients de cette méthode tiennent :

• au refus, chez beaucoup de femmes, de la contrainte qu'impose la prise quotidienne de la température

• à la difficulté d'interpréter certaines courbes

• et surtout à la limitation de l'activité sexuelle à une très courte période du cycle, si l'on veut obtenir une efficacité quasi absolue.

LA STERILISATION : UNE CONTRACEPTION DEFINITIVE

Depuis la loi du 4 juillet 2001, relative à l'interruption de grossesse et à la contraception, la stérilisation à visée contraceptive est autorisée en France pour les personnes majeures et capables de donner un consentement éclairé. Un délai de réflexion de 4 mois, avant la stérilisation, est obligatoire.

Parmi les procédés de stérilisation, la technique Essure® est la plus utilisée depuis quelques années. Il s'agit d'un procédé de stérilisation par voie hystéroscopique, qui consiste à déposer des micro-implants à l'entrée des trompes de Fallope. Cette technique se pratique en milieu hospitalier, public ou privé, et en ambulatoire (entrée et sortie le même jour), sans anesthésie générale et elle ne nécessite pas d'incision, donc pas de cicatrice.

En effet, le principe du procédé Essure® est le même que celui de la ligature des trompes : boucher les trompes pour empêcher la fécondation de l'ovule par un spermatozoïde. Mais au lieu d'accéder aux trompes en pratiquant une cœlioscopie (voir p. 239), le médecin passe par les voies naturelles : le vagin, puis l'utérus, d'où le nom de stérilisation « hystéroscopique » (voir dans l'utérus).

L'intervention ne dure pas plus d'une demi-heure et ne nécessite pas d'arrêt de travail au-delà d'une journée. Elle est prise en charge à 100 % par les caisses d'assurance maladie.

La contraception est alors définitive car le procédé est irréversible.

LA CONTRACEPTION MASCULINE

LE RETRAIT

La méthode consiste à interrompre le rapport avant l'émission du sperme (ou éjaculation). Elle a l'avantage de ne nécessiter ni préparation, ni recours à un quelconque instrument.

Elle donne satisfaction à certains couples. Mais on peut lui reprocher :

• Son efficacité relative : 15 à 20 % d'échecs.

• Sa difficulté d'emploi pour certains hommes qui n'apprécient pas la maîtrise qu'elle réclame. Elle n'est guère à conseiller chez les jeunes, inexpérimentés, et chez ceux qui ont des difficultés sexuelles.

• Son effet parfois sur l'équilibre du couple. Le retrait peut perturber l'harmonie sexuelle et entraîner un sentiment de frustration chez l'un ou l'autre partenaire, surtout chez la femme.

LE PRÉSERVATIF

Les avantages principaux du préservatif sont sa totale innocuité et sa facilité d'emploi au cours du rapport lui-même. En plus, il diminue fortement le risque de maladies sexuellement transmissibles (MST). Ses inconvénients sont d'être mal accepté par un certain nombre d'hommes et surtout d'entraîner 5 à 8 % d'échecs. Ceux-ci sont exceptionnellement dus à une rupture du préservatif dont la fabrication est soigneusement contrôlée. Les échecs sont plutôt le fait d'une mauvaise utilisation :

• emploi de préservatifs à la seule période présumée féconde du cycle, celle-ci étant mal calculée
• mise en place trop tardive juste avant l'émission du sperme
• retrait trop tardif après l'éjaculation.

Malgré tout, le préservatif reste un bon moyen de contraception, surtout à titre de « dépannage » quand telle ou telle autre méthode n'est pas momentanément applicable : pendant la période des suites de couches par exemple. Par ailleurs, on peut augmenter l'efficacité du préservatif par l'utilisation conjointe, par la femme, d'un produit spermicide. De nouveaux matériaux commencent à être utilisés à la place du latex, supprimant ainsi les allergies locales dont se plaignent certains couples. Enfin, à cette période des suites de couches, l'usage de préservatifs autolubrifiants peut faciliter des rapports parfois difficiles.

• La pilule contraceptive n'existe pas encore pour l'homme.

LE CHOIX D'UN MOYEN DE CONTRACEPTION

Après l'accouchement, pour plusieurs raisons, le choix d'un moyen de contraception est différent avant et après le retour de couches.

DANS LA PÉRIODE DES SUITES DE COUCHES

Contrairement à ce que croient de nombreux couples, les suites de couches ne représentent pas une période toujours infertile. Il est rare de voir survenir une ovulation, surtout chez les femmes qui allaitent, mais ce n'est pas impossible. Aussi certaines précautions sont-elles conseillées pour ne pas être enceinte.

Quelques méthodes restent toujours applicables.

• Le rapport interrompu
• Le préservatif masculin
• Les spermicides
• Dans la période des suites de couches, la méthode de la température n'est pas facile à utiliser. En effet, pour avoir des rapports sexuels, il faudrait attendre l'élévation de température marquant l'ovulation. Et cette ovulation ne survient généralement que plusieurs semaines après l'accouchement.

D'autres méthodes nécessitent un avis médical.

• Si la mère n'allaite pas, la pilule peut être prescrite dès le 15e jour après l'accouchement. Il arrive cependant que cette prise précoce perturbe la période des suites de couches (pertes de sang intempestives) et la date de survenue du retour de couches.

En cas d'allaitement maternel, les micropilules actuellement utilisées ne modifient pas la composition du lait et n'ont donc pas de conséquences pour le bébé. Chez certaines femmes, elles peuvent exceptionnellement entraîner une baisse transitoire de la production de lait.

• Stérilet : il est possible de placer un stérilet dans les suites de couches immédiates, mais avec un risque un peu plus élevé de complications (rejet notamment) et d'échecs (grossesse). C'est pourquoi la plupart des médecins préfèrent attendre au moins deux à trois mois pour placer un stérilet.

• L'utilisation d'un diaphragme est difficile sinon impossible tant que les organes génitaux ne sont pas revenus à la normale.

APRÈS LE RETOUR DE COUCHES

Tous les moyens vous sont maintenant offerts, mais il n'est pas toujours facile de choisir. Chaque méthode de contraception a des avantages et des inconvénients, et votre choix sera la conséquence d'un compromis.

C'est à vous et à votre mari de choisir, et non au médecin. Bien sûr, il est indispensable que vous ayez avec lui une conversation et qu'il vous examine. Mais son rôle est de vous informer des moyens qu'il peut mettre à votre disposition. Ce n'est que rarement qu'il aura à vous déconseiller, pour des raisons médicales, tel ou tel moyen de contraception. Par exemple, il ne vous prescrira pas de pilule si vous avez des antécédents de phlébite ou si vous avez l'habitude de fumer.

Ces raisons médicales mises à part, tous les choix vous sont offerts. Mais en fait, dans de nombreux cas, ce qui rend le choix difficile, c'est moins l'hésitation entre les avantages et les inconvénients des différents moyens de contraception qu'une certaine réticence profonde et souvent inconsciente à la contraception elle-même. Les causes de cette résistance sont nombreuses et complexes, en voici quelques-unes : peur du caractère éventuellement nocif de la contraception, sentiment de culpabilité devant la possibilité d'avoir une vie sexuelle sans risque, convictions religieuses. Il est nécessaire de prendre conscience des raisons profondes de ces réticences.

C'est d'autant plus important que ce sont ces réticences qui expliquent la plupart des échecs de la contraception. Ils tiennent, en effet, moins aux limites de telle ou telle méthode qu'à sa mauvaise utilisation. C'est ainsi que les grossesses survenues alors que la femme prend la pilule (qui est efficace à 100 %) sont dues à un oubli (plus ou moins volontaire) ou à un arrêt de sa prise, par lassitude notamment. On voit alors que la question n'est pas celle de la meilleure méthode de contraception mais plutôt celle du degré d'adhésion de la femme et du couple.

À bientôt

Chère lectrice, cher lecteur, pendant neuf mois nous avons partagé avec vous cette merveilleuse aventure de la grossesse. Cette période si particulière de la vie d'une femme, comme de celle d'un homme qui attendent un enfant, est exceptionnelle, surtout lorsqu'il s'agit du premier. Vos lettres, écrites avec chaleur et confiance, nous le disent tous les jours.

Vous allez mettre ce livre dans votre bibliothèque ; vous allez peut-être le prêter à une amie, ou un jour vous le relirez si vous attendez un autre bébé. Mais il restera un souvenir pour vous et plus tard votre enfant le regardera en disant : « C'était le livre que lisait maman en m'attendant ! »

Maintenant votre bébé est né. Nous espérons vous retrouver autour de *J'élève mon enfant*, un livre écrit pour vous accompagner dans les premières années de la vie de votre enfant, pour vous parler de lui, semaine après semaine, pour faire avec vous sa connaissance, vous raconter ses possibilités. Vous les découvrirez, bien sûr, mais elles ne sont pas toujours apparentes, à telle enseigne que certaines n'ont été perçues que ces dernières années : votre enfant va reconnaître des sons qui lui étaient déjà familiers dans son monde utérin, votre voix, celle de son père, le bruit de la clé dans la serrure. Il s'était habitué à vos pas, au mouvement de votre corps montant l'escalier. Il va maintenant retrouver ces bruits, ces gestes, ce balancement, en étant dans vos bras.

Votre bébé va être dépendant de vous, dans tous les domaines, pendant de nombreux mois, et cette totale dépendance va vous bouleverser, vous attendrir et vous lier plus vite, plus fort que vous ne l'auriez imaginé. Et dans le même temps, il va témoigner d'étonnantes « compétences » à s'éveiller au monde et aux relations avec son entourage. Alors, nous vous laissons à votre joie, à votre bébé, à vos découvertes réciproques.

Au revoir et à bientôt !

18

Mémento pratique

Vous attendez un enfant

Les premières démarches, les premières questions pratiques

C'est à toutes ces questions et à bien d'autres que nous allons répondre dans ce chapitre dont voici les principales rubriques :

● Un prénom bien choisi. Est-on libre de choisir n'importe quel prénom pour son enfant ? Quels sont les prénoms le plus souvent donnés aujourd'hui ? (pp. 417-418).

● Qu'emporter à la maternité ? (p. 419).

● Ce dont votre bébé aura besoin. Composition de la layette. Choisir le berceau, le lit, le landau. Les produits nécessaires pour la toilette. (p. 420 et suiv.).

● Vous êtes enceinte : les démarches administratives et les formalités (p. 425).

● L'assurance maternité : comment en bénéficier ? La déclaration de grossesse et les visites médicales obligatoires. Le remboursement des frais de soins (pp. 426 et suiv.).

● A savoir si vous travaillez (p. 430).

● Les congés avant et après la naissance : congé de maternité, de paternité, d'adoption, le régime des exploitantes agricoles et des femmes non salariées non agricoles (pp. 432 et suiv.).

● Les formalités après la naissance (p. 437).

● Qui va garder votre enfant ? Assistantes maternelles, crèches, autres modes de garde (pp. 439 et suiv.).

● Si vous êtes seule (p. 441).

● La PMI joue un rôle important auprès des futurs parents et des parents (p. 443).

● Des informations juridiques : filiation et reconnaissance de l'enfant, nom de famille. Mariés ? Non mariés ? L'autorité parentale. En cas de séparation des parents. Lorsque l'enfant naît à l'étranger. L'accouchement au secret (pp. 444 et suiv.).

● Les prestations familiales (pp. 451 et suiv.).

● Quelques adresses (p. 459).

● Les lectrices et les lecteurs belges et suisses, ceux habitant au Québec et dans les pays du Maghreb trouveront pages 461 et suivantes des renseignements sur la protection de la maternité dans leur pays.

UN PRÉNOM BIEN CHOISI

Bien avant la naissance, le choix du prénom est un sujet très discuté dans les couples. Certains parents font des listes, il y en a qui se décident rapidement, d'autres hésitent jusqu'au dernier moment. D'ailleurs, qu'ils connaissent ou non le sexe de leur bébé, certains parents préfèrent avoir un choix de plusieurs prénoms pour donner à leur enfant celui qui lui ira le mieux lorsqu'ils le verront. C'est une bonne idée !

Le choix n'est jamais neutre

• « Pourquoi m'as-tu donné ce prénom ? » C'est une question qu'un jour ou l'autre tout enfant pose. Certains parents pourront répondre aussitôt : « C'était le prénom de ta grand-mère, ou de ton oncle » ; ou bien : « Depuis toujours, je souhaitais prénommer ma fille aînée Caroline ». D'autres parents hésiteront un peu : « Cela nous est venu comme ça ; Nicolas (ou Marie) nous plaisait. » Et puis, en y réfléchissant, ils se souviendront peut-être avoir vu, un peu avant la naissance, un beau bébé qui se prénommait Nicolas ou Marie.

Ce choix peut avoir un rapport direct avec l'histoire familiale ou personnelle, c'est le cas des exemples précédents. Le choix peut aussi correspondre à des convictions religieuses, à des préoccupations philosophiques, littéraires et même politiques. Les familles catholiques choisissent souvent des prénoms du Nouveau Testament : Pierre, Paul, Jacques, Marie, Anne. Les familles juives choisissent des prénoms tirés de l'Ancien Testament : David, Simon, Sarah, Jérémie, Samuel ou Isaac, comme aussi beaucoup de familles protestantes. Il faut d'ailleurs remarquer que les prénoms tirés de la Bible connaissent une certaine vogue.

La Révolution avait vu naître des Liberté, des Égalité, des Kléber, des Marceau, la guerre de 14 des Fochette, des Joffrette, et même des Verdun pour les garçons !

La vogue de l'écologie a mis à l'honneur les noms de fruits ou de fleurs et l'attachement à une région (Corse, Bretagne, etc.) voit naître des petits Colomban et des petites Iseult.

• Lorsque vous chercherez un prénom pour votre bébé, vous aurez le choix parmi les 2 000 prénoms simples couramment employés et les infinies combinaisons qu'offrent les prénoms composés. Et pourtant sachez que, malgré cette abondance, quel que soit le moment considéré, seuls dix prénoms (pour chaque sexe) désignent entre un quart et un tiers des nouveau-nés, et que vingt ans plus tard, aucun de ces prénoms ne sera plus à la mode !

• Aujourd'hui le prénom est de plus en plus utilisé dans les rapports sociaux. À peine a-t-on fait connaissance, qu'on l'utilise.

• Les prénoms d'aujourd'hui répondent de plus en plus à un souci d'originalité. Mais ce prénom, original ou classique, l'enfant va le porter toute sa vie (à moins qu'il ne décide d'en changer et il lui faudra alors des raisons très sérieuses). Peut-il avoir une influence sur la personnalité de l'enfant et ses relations avec les autres ? Certainement, c'est pourquoi il importe d'y réfléchir avant, et de ne pas être pris de court à la naissance au point d'accepter, comme cela s'est vu, le premier prénom que le médecin vous suggérera. Ce prénom, votre enfant devra le prononcer et l'entendre des milliers de fois à l'école, et plus tard.

• Le prénom est une sorte de cadeau que les parents font à l'enfant à sa naissance (les Anglais d'ailleurs disent « *given name* », nom donné) et ce cadeau, il faut que les parents aient vraiment plaisir à l'offrir. Mais on ne choisit bien quelque chose qu'en le soupesant et en le comparant. Alors n'hésitez pas à en parler d'abord entre vous, puis autour de vous, avant d'arrêter définitivement votre choix.

Mais souvent, c'est la première idée, la vôtre, qui vous semblera la meilleure. Après avoir recueilli les avis des autres, faites confiance à votre propre jugement.

● Un ou plusieurs prénoms ?

C'est une question de tradition et de pays. Il y a des familles où l'on donne trois prénoms, même quatre, ou plus, et d'autres un seul. Le choix est souvent affectif, on est heureux de rappeler les prénoms des grands-parents, ou parfois amical, on donne le prénom de sa meilleure amie. Si les parents sont de nationalités différentes, cela permet de nommer l'une et l'autre. Enfin, avoir plusieurs prénoms permet, le cas échéant, arrivé à l'âge adulte, de choisir son deuxième ou troisième prénom comme prénom usuel, ce qui peut se faire sans qu'aucune formalité soit nécessaire.

Le choix et la loi

● Tous les prénoms sont-ils admissibles ?

Nous sommes loin de l'époque où seuls étaient autorisés les prénoms du calendrier, et où les prénoms d'origine étrangère n'étaient admis qu'à condition de justifier d'une origine familiale.

La loi du 8 janvier 1993 laisse une grande liberté dans le choix du prénom. Les officiers d'état civil ne doivent aujourd'hui saisir le procureur de la République que s'ils estiment que le prénom choisi risque d'être ridicule pour l'enfant, soit à lui seul, soit associé aux autres prénoms ou au nom de famille. Le procureur pourra alors transmettre le dossier au juge aux affaires familiales qui a le pouvoir de supprimer le prénom et même de le remplacer d'office si les parents ne le font pas.

Vous voyez qu'à ce tout premier stade de la vie de l'enfant, c'est déjà son intérêt propre qui est pris en considération et non la volonté des parents. Cet « intérêt de l'enfant », notion protectrice fondamentale de notre droit, sera privilégié jusqu'à sa majorité.

● L'enfant pourra-t-il faire modifier son prénom ?

Une requête au tribunal de grande instance, devant un juge aux affaires familiales, est toujours envisageable lorsque le prénom usuel est tombé en désuétude, ou lorsqu'un prénom étranger a été simplifié ou francisé, ou plus généralement lorsque l'on justifie d'un intérêt légitime. Il convient cependant de prouver l'usage prolongé du prénom que l'on désire alors adopter.

● Il peut arriver que l'administration de la maternité commette une erreur en inscrivant le prénom de l'enfant à sa naissance. La demande de rectification doit être faite auprès du procureur de la République, mais ne nécessite pas d'action judiciaire.

Ce que disent nos sondages

Nous avons fait des sondages pour savoir quels étaient en ce moment les prénoms le plus souvent choisis. Voici les résultats. La tendance est aux prénoms courts (deux syllabes, parfois une), se terminant par « a » chez les filles (Eva, Anna) et par « o » chez les garçons (Hugo, Enzo). Les prénoms composés deviennent rares.

● Prénoms souvent donnés

Pour les filles : Alicia, Anaïs, Anouk, Aurélie, Célia, Chloé, Clara, Emma, Eva, Flavie, Inès, Jade, Léa, Léna, Line, Lisa, Lola, Lou, Lucie, Maeva, Margaux, Manon, Marie, Océane, Pauline, Sarah.

Pour les garçons : Alexandre, Axel, Antoine, Baptiste, Benjamin, Clément, Enzo, Hugo, Léo, Louis, Lucas, Martin, Mathis, Maxime, Nathan, Nicolas, Olivier, Raphaël, Romain, Theo, Thomas, Tom.

● Prénoms d'hier qui sont de nouveau à la mode

Adèle, Angèle, Céleste, Clémence, Garance, Héloïse, Jeanne, Joséphine, Justine, Léopoldine, Mathilde, Mélanie, Ursule.

Adrien, Anatole, Antonin, Armand, Arthur, Auguste, Augustin, Balthazar, Casimir, Eloi, Emile, Eugène, Gabriel, Gaspard, Jules, Marius, Max, Oscar, Paul, Victor.

● Quelques prénoms mixtes : Alix, Alex, Ange, Camille, Charlie, Clarence, Loïs, Maé, Mael, Noa, Noha

● Quelques prénoms composés : Anna-Charlotte, Anna-Lise, Marie-Amélie, Marie-Lou, Lou-Anne, Lisa-Marie ; Jean-Baptiste, Léo-Paul, Marc-Antoine, Pierre-Antoine, Pierre-Louis.

● Prénoms d'héroïnes ou de héros de la littérature

Alice, Bérénice, Cassandre, Élise, Eugénie, Fanny, Juliette, Ninon, Ophélie, Oriane, Pénélope, Roxane ; Achille, Hippolyte, Julien, Quentin, Robinson, Solal, Tristan, Ulysse, Virgile.

● Prénoms venus d'ailleurs

d'Espagne et d'Italie : Angela, Anna, Carla, Chiara, Laetitia, Lina, Lucia, Luna, Maia, Maria, Olivia ; César, Côme, Cristobal, Diego, Esteban, Lucca, Marco, Mateo ou Matteo, Nino, Paolo.

des pays slaves et de Grèce : Anastasia, Elena, Elsa, Ludmilla, Nadia, Natacha, Sofia, Sonia, Sophie, Tatiana, Tania, Zoé ; Alexandre, Boris, Constantin, Cyrille, Dimitri, Sacha, Stanislas, Vladimir, Yannis.

du Maghreb : Anissa, Khadija, Leila, Malika, Nour, Norah, Rachida, Yasmina; Ali, Amir, Karim, Medhi, Omar, Rachid, Samir, Sofiane.

d'autres pays : Audrey, Emmy, Fiona, Jennifer, Linda, Leslie, Melissa ; Allan, Bryan, Eliott, Ethan, Florian, Jason, Joris, Kévin, Ryan.

Formes anglaises de prénoms français : Alison, Laureen, Priscilla, Tiffany ; Christopher, Geoffrey, Grégory, Jérémy, Michaël, Steven.

● Prénoms bretons : Anaëlle, Enora, Gwenola, Maëlle, Morgane, Nolwenn, Romane, Solenn, Tiphaine ; Alan,

Corentin, Elouan, Erwan, Gwendal, Killian, Loïc, Maël, Malo, Tanguy, Titouan, Yann.
● **Prénoms de la Bible** : Esther, Judith, Marthe, Myriam, Rachel, Rebecca, Salomé, Sarah ; Adam, Daniel, David, Élie, Jonas, Jonathan, Joseph, Joshua, Lazare, Luc, Marc, Nathanaël, Noé, Samuel, Simon, Timothée, Zacharie.
● **Prénoms de fleurs** : Anémone, Camélia, Capucine, Églantine, Fleur (Flore), Hortensia, Hyacinthe, Iris, Jasmine, Lilas, Marjolaine, Marguerite, Rose, Valeriane, Violette.

● **Prénoms de fruits** : Cerise, Clémentine, Myrtille, Prune.

Pour en savoir plus, vous pouvez lire *La cote des prénoms*, de Joséphine Besnard (Éditions Michel Lafon). Cet ouvrage est instructif : il s'attache à rechercher l'origine des prénoms, il analyse leur durée de vie, et pour un grand nombre d'entre eux donne leur cote de l'année.

● Sur le **nom de famille**, voyez page 444.

QU'EMPORTER À LA MATERNITÉ ?

La tradition dans les maternités des hôpitaux voulait que le trousseau pour la mère et pour le bébé soit fourni par l'établissement. Cette habitude se perd. Comme les cliniques, les hôpitaux donnent presque toujours des listes de vêtements à apporter. Renseignez-vous à ce propos au moment de l'inscription. Si vous n'avez pas de liste précise, voici ce que nous vous conseillons de mettre dans votre valise et dans celle de bébé. Pensez à les préparer un mois avant la date prévue pour la naissance.

Votre valise

● **Pour l'accouchement**
• 1 chemise de nuit, 1 grand tee-shirt ou 1 veste de pyjama : vous mettrez ce vêtement à votre arrivée à la maternité et vous le garderez pendant l'accouchement, il ne faut pas que vous regrettiez de le voir taché avec un désinfectant.
• 1 gilet, 1 paire de chaussettes à mettre éventuellement pendant le « travail ».
• 1 brumisateur pour vous rafraîchir le visage.
• De la lecture, de la musique, pour le cas où l'accouchement serait un peu long.

● **Pour le séjour à la maternité**
• 2 pyjamas, tee-shirts ou chemises de nuit. Si vous allaitez votre enfant, prenez-les faciles à ouvrir devant ou assez larges pour les soulever et installer votre bébé dessous.
• Des soutiens-gorge s'ouvrant également devant ou assez larges pour pouvoir les soulever.
• Des petites compresses (en gaze) que vous mettrez dans votre soutien-gorge pour protéger vos bouts de seins, ou des coussinets ou des mouchoirs en coton.
• Des vêtements confortables si vous ne souhaitez pas rester en pyjama ou chemise de nuit pendant la journée.
• Des slips jetables.
• Des protections hygiéniques.
• 1 peignoir et des pantoufles.
• Vos objets de toilette.
• Des mouchoirs, des serviettes de toilette, 1 ou 2 serviettes de table.

À cette liste classique, vous pouvez ajouter :
• 1 taie d'oreiller colorée qui donnera meilleure mine à Maman et Bébé pour les photos.
• Des petits coussins pour être plus confortable.
• Quelques-uns de vos aliments préférés : tisane ou thé, pruneaux...
• 1 châle léger vous rendra de grands services, surtout si vous souhaitez allaiter dans la discrétion.

Mais n'emportez pas de bijoux. Et rangez et surveillez vos objets personnels (ordinateur, carte bancaire, chéquier, etc.). Ne gardez que ce qui est indispensable.

N'oubliez pas un appareil photo ; si vous avez une caméra, prenez-la également : votre enfant aura ainsi des souvenirs audiovisuels de ses premiers jours, ce qui l'amusera beaucoup.

Mettez également dans votre valise une enveloppe contenant : votre carnet de maternité ou de surveillance médicale, votre livret de famille (nécessaire pour la déclaration de naissance) ou, à défaut, une pièce d'identité, le reçu du paiement que vous avez effectué pour vous inscrire à la clinique, votre carte de groupe sanguin, de quoi lire et écrire.

Enfin, si vous avez l'intention de tenir un cahier où vous inscrirez au jour le jour les renseignements concernant la santé, le développement et le régime de votre enfant, emportez-le pour noter les événements des premiers jours.

La valise de votre bébé

● **Pour la naissance**
• 1 body en coton
• 1 brassière ou 1 gilet chaud
• 1 pyjama
• 1 paire de chaussettes ou chaussons
• 1 serviette-éponge
• 1 petite couverture chaude
• 1 bonnet : dès la naissance, on le met au bébé pendant quelques heures.

● **Pour le séjour à la maternité**
• 4 ou 5 bodys ou brassières en coton
• 4 pyjamas
• 1 brassière en laine ou 1 gilet

• 2 ou 3 paires de chaussettes ou chaussons
• 4 à 6 couches en coton
• 2 serviettes de toilette.

● **Pour la sortie**
• 1 bonnet
• 1 nid d'ange ou 1 petit sac de couchage, il vous servira ensuite pour les sorties de bébé. Le nid d'ange se présente comme un sac, avec une fermeture éclair, qui sert à bien emmitoufler le nouveau-né : il s'y trouve comme dans un petit nid.

Le plus souvent les couches sont fournies par la maternité, mais renseignez-vous avant de faire la valise de bébé.

CE DONT VOTRE BÉBÉ AURA BESOIN

Si c'est la première fois que vous avez un enfant, qu'autour de vous, dans la famille, il n'y en a pas encore, il est possible que vous ne sachiez pas ce dont il aura besoin comme vêtements, pour sa toilette, etc. Voici une liste complète. Et si, au départ, vous ne voulez pas consacrer un vrai budget au trousseau de bébé, vous allez voir qu'en faisant le tour de vos amies et de la famille, votre enfant sera quasiment vêtu, couché, promené, au moins les premiers mois, sans achats.

La layette de votre bébé

C'est de la layette qu'il faudra vous occuper d'abord, car c'est elle qui doit être prête en premier lieu. Si votre enfant arrivait plus tôt que prévu, vous auriez toujours le temps de vous procurer le landau, dont il ne se servira que plusieurs semaines après sa naissance, ou le berceau, dont il n'aura besoin qu'au retour de la maternité. Mais, dès la première heure, il faudra l'habiller.

● **Au début, votre enfant va grandir et grossir très vite**
Et c'est parce que le poids et la taille d'un enfant changent si vite, que l'on divise les six premiers mois en trois tailles : 1 mois, 3 mois et 6 mois.

Pour faire vos achats, tenez donc bien compte de la croissance de votre enfant et n'achetez pas trop à l'avance pour ne pas risquer de vous retrouver avec des vêtements devenus vite trop petits.

Certaines marques proposent une taille « naissance ».

Cette taille peut être bien adaptée à certains bébés, par exemple à des jumeaux qui sont souvent de petits poids. Mais cette taille « naissance » risque de ne pas servir longtemps à un bébé de poids moyen. Pour lui, il vaut mieux prévoir la taille « 1 mois ».

Quant aux **bébés prématurés**, on trouve dans les magasins de puériculture toute une layette adaptée à leur poids et à leur taille.

● **Voici la layette de base.**
Vous y ajouterez des couches. Et vous l'adapterez à la saison où naîtra l'enfant et à la région que vous habitez.

Vous pouvez compléter cette layette par un petit peignoir de bain, avec capuchon pour essuyer la tête du bébé. Et pour les sorties, un **nid d'ange** (petit sac avec capuche) ou une **combinaison-pilote** seront pratiques car ils enveloppent bien le bébé.

LA LAYETTE DE BASE	1 MOIS	3 MOIS	6 MOIS
Bodys en coton	6	6	6
Brassière de laine	1		
Pyjamas	4	4	4
Surpyjamas ou turbulettes	1	2	2
Combinaisons	4	4	4
Robes ou salopettes		2	2
Cardigans en laine ou vestes en laine	1	1	1
Cardigans en coton (molletonné)	1	1	1
Chaussons ou chaussettes	4	4	4
Serviettes (pour les repas)	3	3	3
Bonnet	1	1	1

Le **body** est devenu l'incontournable de la layette du bébé : à manches longues ou courtes, façon débardeur ou à fines bretelles, blanc ou coloré, rayé ou à motifs, il devient un vêtement à lui tout seul lorsqu'il fait chaud. Toujours en coton, il est agréable à porter et couvre bien le ventre. On peut utiliser les bodys dès la naissance car certains se croisent et se ferment par des petits liens ou des pressions : on n'a pas à les enfiler par la tête, ce que n'aime pas un nouveau-né.

La **turbulette**, ou gigoteuse, est un petit sac de couchage avec emmanchures et s'enfile sur le pyjama. Elle remplace la couette, déconseillée chez le bébé. Vous la choisirez plus ou moins épaisse, selon la saison. Le **surpyjama** est un peu plus chaud que la turbulette puisqu'il a des manches.

La **combinaison**, avec entrejambe à pressions qui facilite le change, est pratique en toute saison : avec ou sans manches, version longue ou courte, en coton léger ou plus épais. Elle peut être remplacée par un pantalon ou une jupe et une blouse, une barboteuse, une robe et un caleçon, etc.

● **Ce que vous pourrez faire vous-même**
Presque tout si vous aimez coudre, tricoter et si vous avez du temps : robes, salopettes, peignoir de bain, draps ; et tout ce qui est en laine : brassières, vestes, chaussons, bonnets, etc. Vous trouverez des modèles dans les albums de layette, ou dans les magazines féminins.

Le berceau, le lit

Pour coucher votre enfant, vous aurez le choix entre le classique berceau, que vous achèterez tout garni ou que vous garnirez vous-même et un vrai petit lit en bois ou en rotin.

Si vous n'avez pas déjà un lit ou un berceau et que vous hésitiez à acheter l'un plutôt que l'autre, nous vous conseillons le lit. Dans un berceau, un enfant ne peut dormir que quelques mois ; dans un lit, il peut rester jusqu'à 2-3 ans ; mais si vous avez la possibilité qu'on vous prête un berceau, ne le refusez pas ! De tout temps, les berceaux ont bercé les bébés, et cela leur plaît beaucoup.

Une solution intermédiaire : le lit en toile monté sur tube métallique, qui est économique, facile à transporter, mais qui sert moins longtemps.

Quelle que soit la solution que vous adoptiez, choisissez un lit ou un berceau qui soit :
• d'un entretien aisé. S'il est en bois laqué, vous le savonnerez facilement. S'il est entièrement garni de tissu, il faut que la garniture soit détachable et facile à laver ;
• stable, et répondant à toutes les normes de sécurité.

Si le lit a des barreaux, l'espace entre ceux-ci doit être compris entre 45 et 65 mm (c'est la norme européenne).

Et si vous décidez d'avoir tout de suite un vrai lit, achetez-le avec de hauts barreaux (lit anglais) : c'est le lit classique, toujours pratique.

Comment coucher le bébé ? Toujours sur le dos.

La literie

Dans les lits d'enfants, il n'y a pas de sommier, le matelas est posé directement sur un simple châssis de bois.

• Choisissez un **matelas ferme, bien adapté aux dimensions du lit** (pour éviter le risque que le bébé se coince entre le matelas et la paroi du lit).

Pour protéger le matelas, il y a deux solutions : l'alèze molletonnée en coton imperméabilisé, douce, pratique, qui est très confortable et qui peut bouillir, ou l'alèze en caoutchouc, que l'on recouvre d'un molleton et d'un drap de dessous.

• Ne mettez **pas d'oreiller** (le bébé risquerait d'y enfouir son nez)

• **Ni de couverture ou de couette** (le bébé pourrait glisser dessous).

Pour couvrir votre bébé, vous lui mettrez une turbulette ou une gigoteuse (petit sac de couchage avec emmanchures à enfiler par-dessus le pyjama), ou un surpyjama.

• Vous pouvez prévoir quelques couches en tissu : le bébé a de fréquentes régurgitations ; et une couche (pliée en deux) placée sous sa tête, sera plus facile à changer plusieurs fois par jour que le drap de dessous. Certaines maternités demandent d'ailleurs d'apporter, pour cet usage, des couches en tissu.

• Si votre enfant doit naître en été, prévoyez une **moustiquaire**.

Sa chambre

Que vous ayez la possibilité de transformer une pièce de votre appartement en chambre d'enfant, ou que vous consacriez à votre enfant un coin dans une pièce, il faut que vous pensiez suffisamment tôt à installer l'un ou l'autre. Si vous avez des peintures à y faire, il faut leur laisser le temps de bien sécher. Si vous avez acheté de nouveaux meubles, installez-les bien avant la naissance. La peinture et les meubles peuvent dégager des substances toxiques pour bébé. Il est raisonnable de terminer les travaux de rénovation et d'aménagement plusieurs semaines avant la naissance et d'aérer le plus souvent possible avant l'arrivée du bébé.

Pensez à l'âge où votre enfant sortira de son parc, se traînera à quatre pattes ou commencera à marcher : pour qu'il puisse le faire sans crainte et sans trop de dégâts, il faut que les angles de vos meubles ne soient pas trop aigus, les murs pas trop fragiles, les rideaux non plus, autant dire que dans la chambre tout doit être solide, lavable, sans danger, pratique et propre ! Pas toujours facile, mais voici quelques suggestions.

En installant la chambre de votre enfant pensez dès maintenant à déplacer les prises de courant placées trop bas. Les enfants touchent toujours les prises quand elles sont à portée de leurs mains. Pour être hors d'atteinte, elles doivent se trouver à 1,50 m du sol. Il existe des prises de courant dans lesquelles les enfants ne peuvent pas enfoncer les doigts.

Pour prévenir des réactions allergiques, surtout s'il y a une prédisposition dans la famille, évitez si possible tapis et moquette de laine ; installez plutôt un revêtement lavable ou du parquet.

Le meuble le plus important sera bien entendu le **lit** ou le **berceau**, que vous aurez pris soin de bien choisir puisque votre enfant y passera la plus grande partie de son temps pendant les premiers mois.

● **Pour changer votre enfant**
Vous avez plusieurs possibilités.

Vous pouvez utiliser une **table à langer**. Le modèle le plus simple consiste en un matelas à langer posé sur un support soutenu par des tubes métalliques.

Vous pouvez aussi utiliser une commode : soit spécialement prévue à cet effet (on en trouve dans tous les magasins de puériculture), soit une commode que vous possédez déjà. Les tiroirs serviront à ranger les vêtements de l'enfant. Et, sur le dessus, vous placerez le matelas à langer. Il en existe de nombreux modèles (rembourrés, avec des poches, etc.), dans des coloris variés.

Lorsque votre bébé sera sur la table à langer, **vous aurez toujours une main posée sur lui** : il suffit d'un instant d'inattention pour que le bébé, même tout petit, tombe. C'est une cause fréquente d'accidents.

Pendant les premiers mois, vous n'aurez besoin dans cette chambre que d'un lit et d'un meuble pour changer votre bébé. Mais si vous voulez, dès maintenant, meubler entièrement la chambre, mettez-y un parc, une chaise haute et transformable ou un petit fauteuil inclinable, un coffre à jouets.

Si vous ne disposez pas d'une chambre, réservez dans une pièce un coin qui sera celui de votre enfant. Vous y réunirez ce dont il a besoin (lit, meuble à langer). Installez ce coin dans la chambre la plus tranquille. Votre enfant aura besoin de calme. Mais, si dans la journée, il doit dormir dans votre chambre, il vaut mieux qu'il n'y reste pas la nuit au-delà des premiers mois. Roulez son lit dans une autre pièce. Votre sommeil et le sien seront meilleurs.

● **Pour la santé et le confort de votre bébé**

Installez-le dans une chambre saine : propre, sèche, régulièrement aérée. Et fraîche : pas plus de 19-20°. C'est aussi une pièce où on ne fume pas. D'ailleurs, on ne doit pas fumer dans un appartement où séjourne l'enfant car on sait que la fumée est nocive pour ceux qui fument mais aussi pour ceux qui les entourent.

Sa nourriture

Si vous n'avez pas l'intention d'allaiter votre enfant, voici le matériel nécessaire :

• des biberons gradués, à large goulot pour faciliter le nettoyage

• des protège-tétines

• des tétines : il en existe différents modèles. Le plus pratique est celui qui comporte une fente, mais vérifiez qu'il s'adapte bien au goulot de vos biberons

• 1 brosse longue appelée goupillon pour nettoyer les biberons

• 1 petit biberon (pour l'eau et plus tard le jus de fruit) sera utile.

Si vous souhaitez stériliser les biberons, vous trouverez dans le commerce toute une gamme de stérilisateurs à tous les prix : électriques, à micro-ondes, à froid.

Vous rendront également service : un chauffe-biberon électrique, un thermos à biberon, un mixer, car il permet en un minimum de temps d'obtenir un maximum de finesse pour les purées, la viande, le poisson, etc.

Il existe un appareil qui cuit à la vapeur, mixe et réchauffe le repas de Bébé. Un peu cher mais très pratique.

Même si vous allaitez votre enfant, prévoyez un biberon, une boîte de lait et une bouteille d'eau minérale. Cela vous évitera de vous affoler si un jour vous n'avez pas de lait.

Sa toilette

Pour donner le bain, vous pouvez utiliser soit une baignoire pour bébé (il y a plusieurs modèles), soit simplement un lavabo — mais seulement les premières semaines car le lavabo sera vite trop petit. Pour éviter d'avoir mal au dos lorsque vous donnez le bain, au lieu de mettre la baignoire de bébé au fond de la grande baignoire, placez une planche suffisamment large en travers de la grande baignoire, et posez la baignoire de bébé sur cette planche.

En plus de la baignoire, vous pouvez avoir une petite cuvette double en matière plastique pour laver votre bébé lorsque vous le changerez.

Vous aurez besoin en outre pour sa toilette des objets et produits suivants :

• Savon en gel ou pain, sans parfum ni colorant. Vous pouvez utiliser le même produit pour le corps et le visage. Pour les premiers mois, choisissez plutôt un produit spécial pour nourrissons (en pharmacie ou parapharmacie). En cas de peau particulièrement sèche ou sensible, il existe des gels et pains sans savon.

• Pommade pour le siège

• Chlorexidine aqueuse (antiseptique pour nettoyer le cordon)

• Sérum physiologique

• Crème hydratante sans parfum

• Coton

• Les lingettes sont pratiques pour la toilette du siège de bébé lorsque vous vous déplacez. À la maison, utilisez plutôt l'eau et le savon ; certains bébés ont facilement de l'érythème fessier lorsque les lingettes sont utilisées souvent.

• L'huile d'amandes douces est aujourd'hui déconseillée à cause du risque d'allergie. Si besoin, mettez à votre bébé un peu de crème hydratante.

• D'une façon générale, évitez d'utiliser pour la peau de votre bébé des produits qui ne sont pas testés dermatologiquement (voyez l'étiquette).

Vous aurez également besoin de :

• Un thermomètre de bain

• Deux ou trois gants de toilette (bien sûr, ne pas utiliser le même gant pour le siège et pour le reste du corps)

• 2 serviettes-éponges suffisamment grandes pour envelopper votre enfant lorsqu'il sort de son bain.

• 1 paire de petits ciseaux spéciaux pour couper les ongles.

• Une brosse à cheveux

• Un thermomètre médical (à utiliser si vous trouvez votre bébé grognon ou chaud).

Le landau

Le grand landau classique a disparu de la panoplie de bébé : même s'il était très confortable, il était devenu trop encombrant et peu pratique pour la vie quotidienne. Aujourd'hui, pour faire des courses, aller à l'école chercher l'aîné, prendre l'air au jardin, rendre visite à des amis, passer une journée à l'extérieur, on emmène bébé dans un combiné « landau-poussette ». Celui-ci peut être très sophistiqué et faire à la fois « landau-poussette-nacelle-siège-auto ». Il y a aussi des modèles plus simples : une poussette dans laquelle le bébé peut être installé en position allongée au début et qui, par la suite, se transforme en poussette classique.

Un conseil pratique : avant d'acheter un modèle, assurez-vous qu'il tient bien dans le coffre de votre voiture, que vous pouvez facilement le ranger chez vous, et qu'il n'est pas trop encombrant pour pouvoir l'utiliser éventuellement dans les transports en commun.

Voici quelques indications générales sur les landaus et poussettes. Chaque année, il y a des nouveautés et des perfectionnements. C'est vraiment une question de goût et surtout de budget.

● Et le sac porte-bébé ?

C'est une solution appréciée des parents. Ils sont heureux, c'est visible, de porter leur bébé sur le ventre, de sentir sa chaleur, de lui communiquer la leur. Et évidemment, c'est la solution à bien des problèmes pratiques de déplacement.

Quant au bébé, il se sent bien également : le contact, on l'a assez dit ici même, est bon pour lui. Être porté ainsi répond aux besoins de proximité, « d'accrochage » du petit bébé ; il retrouve des sensations éprouvées avant la naissance, le balancement, la chaleur du corps et cette continuité le rassure. Lors de votre achat, assurez-vous que votre bébé sera bien blotti contre vous.

On trouve dans le commerce des sacs porte-bébé classiques, et aussi des porte-bébés hamacs, des porte-bébés adaptés au portage sur la hanche, inspirés de ce qui se fait dans d'autres cultures. Certains parents préfèrent porter leur bébé dans une écharpe, ils le trouvent plus à l'aise et mieux maintenu que dans un sac.

Les cadeaux de vos amis

Vous aurez peut-être des amis qui, avant de vous faire un cadeau, vous demanderont ce que vous aimeriez recevoir pour votre enfant. Si vous ne savez que répondre, car vous ne connaissez pas encore bien les besoins d'un bébé, voici quelques suggestions de petits et de plus grands cadeaux.

• Des chaussons ou chaussettes.
• Pour mettre les premières photos de bébé, quelques petits cadres, ou un plus grand avec des aimants (pêle-mêle).
• 1 joli livre d'images que vous lui montrerez et qu'il appréciera plus tôt que vous ne pouvez l'imaginer aujourd'hui.
• 1 disque de berceuses.
• 1 peignoir de bain avec capuchon.
• 1 robe de chambre qui sera utile quand l'enfant saura bien marcher (par exemple, taille 2 ans).
• Des jouets : hochet, boîte à musique, mobile...
• 1 petit mixer.
• 1 sacoche amovible que vous accrocherez au landau et où vous pourrez mettre tout ce dont un enfant a besoin pour sa promenade.

• 1 pyjama.
• 1 turbulette.
• Pour emporter en promenade, un thermos à biberon.
• 1 parc et 1 tapis pour le garnir.
• 1 tapis d'éveil : bébé l'appréciera dès 4-5 mois.
• Pour les voyages en automobile, un petit siège qui s'adapte à la voiture.
• 1 chaise haute transformable.
• 1 lit pliant pour le voyage, facile à porter grâce à ses anses.
• 1 petit siège inclinable qui permettra à votre enfant de passer en douceur de la position couchée à la position assise.
• 1 bel album illustré pour noter les petits faits et les grands événements de la vie quotidienne de votre enfant: *L'Album de Bébé*, de Sophie Horay
• Enfin 1 livre bien complet sur votre enfant : soins, alimentation, psychologie, santé, etc. C'est d'ailleurs à votre intention qu'a été écrit *J'élève mon enfant*.

VOUS ÊTES ENCEINTE
Les démarches administratives et les formalités

Consultations, échographies, inscriptions, déclarations ...	
De 1 à 3 mois	1ère consultation obligatoire avant la fin de la 14e semaine Envoyez la déclaration de grossesse à la Sécurité sociale et à la CAF 1ère échographie prise en charge à 70%
Le plus tôt possible	Inscrivez-vous à la maternité Inscrivez votre bébé à la crèche Prévenez votre employeur (pas de délai imposé)
4e mois	2e consultation obligatoire
5e mois	3e consultation obligatoire 2e échographie prise en charge à 70% Certaines allocations ou services peuvent être attribués par la CAF (PAJE, aide ménagère) Inscrivez-vous à la préparation à la naissance
6e mois	4e consultation obligatoire Prise en charge à 100% par la Sécurité sociale de tous les actes et examens en rapport avec la grossesse Commencez à chercher une assistante maternelle
7e mois	5e consultation obligatoire 3e échographie prise en charge à 100% Versement de la prime à la naissance par la CAF Pour les couples non mariés, une reconnaissance de l'enfant à naître peut être faite
8e mois	6e consultation obligatoire Début du congé de maternité : envoyez à la Sécurité sociale l'attestation d'arrêt de travail Préparez votre valise pour la maternité et celle de bébé : ne pas oublier un justificatif d'identité, votre carnet de maternité, votre carte vitale et d'assurance complémentaire, éventuellement votre livret de famille
9e mois	7e consultation obligatoire

Le détail de ces démarches et formalités est développé dans les pages qui suivent.
Consultez également le tableau *Votre grossesse mois après mois* (pp.230-231).

L'ASSURANCE MATERNITÉ

L'assurance maternité, accordée par la Sécurité sociale, permet de couvrir une grande partie des frais que va entraîner la naissance d'un enfant

L'assurance maternité accorde aux femmes enceintes, sous certaines conditions, les avantages suivants :
• le remboursement des frais de soins occasionnés par la grossesse, l'accouchement et ses suites, soins intervenant au cours d'une période qui commence 4 mois avant la date présumée de l'accouchement et s'achève 12 jours après : ce sont les prestations en nature
• le versement d'indemnités de repos de maternité aux futures mères assurées personnellement : ce sont les prestations en espèces.

Qui peut bénéficier de l'assurance maternité ?

• La future mère personnellement assurée
• L'épouse d'un assuré social
• Les femmes vivant en concubinage avec un assuré social à leur charge effective et permanente
• Les femmes liées par un PACS avec un assuré social à leur charge effective et permanente
• La fille à charge d'un(e) assuré(e)
• Les femmes affiliées à la CMU.
 Assurées des autres régimes pouvant également bénéficier de l'assurance maternité :
• Les étudiantes
• Les artisans, commerçantes, professions libérales
• Les exploitantes agricoles
• La fille à charge d'un(e) retraité(e) pensionné(e).

● La CMU (Couverture maladie universelle)
La CMU permet aux personnes sans couverture maladie, résidant en France de façon stable et régulière depuis plus de 3 mois, de bénéficier de l'assurance maladie et maternité. Elle est gratuite pour les personnes dont les revenus fiscaux sont inférieurs au plafond de 9 020 € pour une personne seule ; au-delà une cotisation au taux de 8% est demandée.
 Il en est de même pour la CMU complémentaire qui prend en charge le ticket modérateur. En cas de dépassement, dans la limite d'un plafond légèrement supérieur, une aide à l'acquisition d'une assurance complémentaire a été mise en place. Les demandes sont à faire au Centre de Sécurité sociale du lieu de résidence de la personne.

● Il existe quatre régimes d'assurance maladie maternité
1. Les salariés du commerce et de l'industrie (régime général)
2. Les salariés agricoles
3. Les non salariés agricoles : ce régime comprend les exploitants agricoles
4. Les non salariés non agricoles : régime constitué des professions libérales, artisans et commerçants.
 Selon le régime dont dépend l'assuré, les conditions d'affiliation, de cotisations et de prestations sont variables.

Quelles sont les conditions pour bénéficier de l'assurance maternité ?

Ces conditions concernent les salariés du régime général de la Sécurité sociale et les salariés agricoles. Pour les exploitants agricoles et les non salariés non agricoles, voir p. 434.

● Les prestations en nature
Elles comprennent les soins, les examens de laboratoire, les médicaments, les appareillages, l'accouchement et ses suites. Pour prétendre aux prestations en nature, l'assuré ou son ayant droit doit pouvoir justifier d'une activité. Les droits sont appréciés soit au début du 9e mois avant la date présumée de l'accouchement, soit à la date du début du repos prénatal. L'activité doit être de :
 - 60 heures de travail salarié au cours du mois civil ou de 30 jours consécutifs
- ou de 120 heures d'activité salariée pendant 3 mois civils ou 3 mois de date à date
- ou de 1200 heures de travail salarié au cours de cette même année civile.
 Les frais liés aux examens obligatoires prénataux et postnataux sont pris à 100% du tarif de la Sécurité sociale.

● **Les prestations en espèces**

Il s'agit des indemnités de repos. Pour en bénéficier, l'assurée doit être :

- immatriculée depuis au moins 10 mois à la date présumée de l'accouchement

- avoir effectué au moins 200 heures de travail au cours d'une période de 3 mois, ou avoir cotisé sur un salaire d'au moins 1015 fois le SMIC horaire (6,38 € net) au cours d'une période de 6 mois.

La période peut se situer soit:

- au début de la grossesse ou du repos prénatal

- ou à l'accouchement si celui-ci survient avant la période de repos prénatal.

Les indemnités journalières maternité sont calculées sur les salaires nets des 3 mois précédant l'interruption de travail, dans la limite du plafond de la Sécurité sociale, soit 2 859 € par mois pour l'année 2009.

Si vous êtes au chômage et percevez une indemnité, ou si vous avez bénéficié au cours des 12 derniers mois d'une allocation chômage, c'est votre activité avant l'indemnisation chômage qui définit les règles d'attribution et le montant de votre indemnité journalière maternité.

Renseignez-vous auprès de votre caisse afin de connaître les conditions particulières vous concernant.

Que faire pour bénéficier de l'assurance maternité ?

• Dès que vous êtes enceinte, vous devez consulter un médecin ou une sage-femme pour passer un examen prénatal afin de **déclarer votre grossesse** avant la fin des 14 premières semaines. Cet examen comporte, en plus de l'examen médical, des analyses de laboratoire, faites à partir d'une prise de sang ; celle-ci doit être effectuée avant cette date mais la déclaration peut être envoyée sans attendre les résultats.

• Lors de cette première consultation, le médecin vous remet un formulaire qui vous permet de déclarer votre grossesse à la Sécurité sociale et à la Caisse d'allocation familiale et atteste que l'examen obligatoire du 3e mois a bien été passé. Formulaire à envoyer, comme dit ci-dessus, avant la fin des 14 premières semaines.

• Un carnet dit « **carnet de santé de maternité** » vous sera adressé par les services de PMI du Conseil Général.

Il se présente en trois parties : un livret d'accompagnement de la grossesse ; des fiches d'informations pratiques sur les examens à suivre, les soins, les services de préparation à la naissance, les démarches à entreprendre, des messages de prévention ; un dossier prénatal de suivi médical à remplir par les professionnels de santé (qui peut être remplacé par le dossier du suivi médical utilisé dans leur réseau de soins).

Ce carnet de santé de maternité appartient à la future mère et les informations qu'il contient sont couvertes par le secret médical. Il n'est pas à confondre avec le carnet de la Sécurité sociale qui permet le contrôle de la passation des examens obligatoires.

• Un calendrier personnalisé des consultations obligatoires (carnet de la Sécurité sociale) vous sera adressé en fonction de la date présumée de votre grossesse. La feuille de maladie remise par le médecin ou la sage-femme doit être renvoyée dans les meilleurs délais.

• La Caisse d'allocations familiales enverra directement au père un **livret de paternité** lui indiquant ses droits et ses devoirs.

• Sept **visites médicales** sont obligatoires. La première doit être passée avant la fin des 14 premières semaines de grossesse ; la déclaration de grossesse avant cette date conditionne l'envoi de la prime de naissance. Les autres examens seront passés tous les mois à partir du premier jour du 4e mois jusqu'à l'accouchement. Un autre examen médical obligatoire sera passé dans les 8 semaines qui suivent l'accouchement.

• **À noter**. Les examens obligatoires peuvent avoir lieu pendant le temps de travail, les absences qui en découlent sont considérées par le Code du travail comme du travail effectif.

Remarque : avec la **carte vitale** et si votre médecin est informatisé, vous n'aurez pas de feuille de maladie à envoyer car elle sera transmise électroniquement à votre Caisse d'assurance maladie.

• Vous recevrez une **carte de priorité** pour les transports en commun : cette carte permet de demander une place assise.

• Pour déclarer et faire suivre votre grossesse, vous pouvez aussi consulter un service de PMI (Protection maternelle et infantile) de votre département ; les consultations sont gratuites ; c'est la PMI qui vous enverra votre carnet de santé de maternité qui pourra être complété par les praticiens que vous verrez pendant votre grossesse. Si vous consultez en urgence, les renseignements contenus dans ce carnet feront le lien entre les différents intervenants.

Les examens médicaux peuvent donc être passés chez votre médecin habituel, dans un centre de PMI ou dans tous les établissements de soins agréés (hôpital, clinique, etc.). **Attention** aux dates d'envoi des certificats médicaux : si vous ne respectez pas les dates, cela peut remettre en cause le versement des prestations familiales.

● Examen médical du père

Le futur père peut également, au cours du 3e mois, subir un examen médical complet qui lui sera remboursé à 100%.

● À votre sortie de la maternité

L'établissement dans lequel a eu lieu votre accouchement vous remettra un certificat d'accouchement et un certificat de santé néonatal (1ère visite du nouveau-né) à envoyer à la Sécurité sociale, et éventuellement un certificat destiné à la CAF. Le certificat néonatal de 8 jours contenu dans le carnet de santé de l'enfant est adressé à la PMI par le médecin accoucheur.

Votre Centre de Sécurité sociale vous enverra un calendrier de surveillance de l'enfant, de la naissance à sa 6e année (vous en trouverez les détails dans *J'élève mon enfant*).

À la maternité on vous remettra également un **Carnet de santé** de l'enfant où tout ce qui concerne sa santé sera noté au fur et à mesure de son développement.

● Dès votre retour chez vous

La PMI est informée de la naissance au moyen du certificat néonatal de 8 jours qui lui a été adressé par le médecin accoucheur. Votre centre se mettra en rapport avec vous et vous proposera l'aide d'une puéricultrice pour tous les conseils dont vous auriez besoin.

● Sur la PMI, voyez p. 443.

Le remboursement des frais de soins

Le remboursement dépend de votre régime d'assurance maladie et du choix médical que vous avez fait (praticien, maternité) pour suivre votre grossesse et votre accouchement

Le taux de remboursement des frais de soins est identique pour les trois régimes de l'assurance maternité ; pour les travailleurs non salariés non agricoles, c'est le taux de prise en charge habituel qui est appliqué.

Important : à partir du 6e mois, les frais des soins suivants sont pris en charge à 100% du tarif de la Sécurité sociale, pour tous les régimes : caryotype fœtal, test de dépistage du VIH, dosage de la glycémie, séances de préparation à l'accouchement, interruption non volontaire de grossesse, interruption médicale de grossesse, séances de rééducation abdominale et périnéale.

La participation forfaitaire d'1 €, la franchise médicale, le forfait de 18 € concernant les actes médicaux lourds dont le montant est égal ou supérieur à 91 €, ne s'appliquent pas à la femme enceinte.

● Visites médicales obligatoires

Passées dans un centre de PMI ou un dispensaire, elles sont gratuites. À l'hôpital, vous bénéficiez du tiers payant, sinon vous payez et la Sécurité sociale vous rembourse totalement.

Chez un médecin conventionné sans dépassement (1), et chez une sage-femme, vous serez remboursée à 100 % du tarif de la Sécurité sociale. Si le médecin a droit à un dépassement d'honoraires, ce supplément est à votre charge, mais peut être remboursé par votre mutuelle ou votre assurance complémentaire maladie. Chez un médecin non conventionné, vous aurez également 100 % du tarif prévu pour ce cas, moins 1 €.

● Visites médicales supplémentaires

Normalement, les centres de PMI et dispensaires pratiquent la gratuité. Renseignez-vous. À l'hôpital ou chez un médecin particulier, quel que soit le prix demandé par le médecin, vous serez remboursée à 80 % (tarif hôpital) ou 70 % (tarif ville) du tarif de la Sécurité sociale. S'il vous a été demandé une somme supérieure au tarif de la convention, ce dépassement restera à votre charge.

● Médicaments

Les médicaments prescrits sont remboursés à 100 %, 65 % ou 35 % suivant les cas (comme pour l'assurance maladie).

● **Échographies**

Les échographies passées avant le 5e mois de grossesse sont remboursées à 70 % du tarif de la Sécurité sociale (30 % à la charge de l'assuré) et celles passées à partir du 6e mois sont remboursées à 100 % du tarif de la Sécurité sociale. Au-delà de ces trois échographies, il faut une entente préalable avec la Sécurité sociale. À la différence des examens prénataux, les échographies ne sont pas obligatoires pour bénéficier de l'assurance maternité.

● **Le dépistage du VIH et de l'hépatite C**

Ce dépistage est proposé lors du 1er examen prénatal. Il n'est pas obligatoire mais le médecin expliquera son intérêt ; il est pris en charge à 100% dès lors que ce dépistage a été prescrit lors de l'examen prénatal.

● **L'amniocentèse et le caryotype fœtal**

Cet examen est prescrit si le professionnel de santé le juge nécessaire ; il est pris en charge à 100% après une demande d'accord préalable auprès de la caisse de Sécurité sociale.

● **Préparation à l'accouchement**

Les séances sont remboursées à 100 % jusqu'à concurrence de 8 au maximum, et à condition qu'elles soient faites par un médecin ou une sage-femme. La 1ère séance est individuelle.

● **Frais liés à l'hospitalisation**

Dans un hôpital public : les frais sont pris en charge à 100% du tarif de remboursement de la Sécurité sociale au titre du forfait accouchement (forfait et frais d'hospitalisation) et réglés directement par la Caisse.

Dans une clinique conventionnée, les frais sont pris en charge comme à l'hôpital public.

Dans clinique non agréée, les frais de séjour ne sont pas pris en charge. En ce qui concerne les frais d'accouchement, seul les honoraires médicaux du forfait d'accouchement sont pris en charge. Les honoraires médicaux sont variables.

Dans une clinique agréée non conventionnée, les frais de séjour sont remboursés sur la base du tarif fixé par la caisse. Le remboursement des honoraires médicaux sont variables.

En conséquence, une part importante reste à la charge de l'assuré qui est tenu de faire l'avance de tous les frais.

Frais de transport (taxi, ambulance, VSL, etc.). Ils peuvent être pris en charge pour se rendre à la maternité, sur présentation de la facture et d'un bulletin d'hospitalisation.

Pour le retour au domicile, une prescription médicale de transport est obligatoire en plus de la facture et du bulletin d'hospitalisation

À noter. Que ce soit à l'hôpital ou en clinique conventionnée, vous n'avez pas à acquitter le forfait journalier hospitalier.

Quel que soit l'établissement où vous accoucherez, seront à votre charge : le supplément pour chambre seule et vos communications téléphoniques.

Le séjour à l'hôpital ou en clinique ne doit pas dépasser 12 jours. Si une prolongation du séjour est justifiée médicalement, les frais en sont remboursés par l'assurance maladie.

À noter. En cas de césarienne, l'intervention chirurgicale est remboursée à 100 % du tarif de la Sécurité sociale.

● **L'anesthésie péridurale**

Elle est remboursée à 100 % du tarif de la Sécurité sociale mais renseignez-vous car certains anesthésistes ont droit à des dépassements d'honoraires. Vous verrez alors avec votre mutuelle si ces dépassements peuvent être couverts.

● **Rééducation postnatale, massages**

Après la naissance, la femme peut bénéficier de 10 séances de rééducation postnatale prises en charge à 100 % par la Sécurité sociale. Ce sont des séances de rééducation abdominale ou périnéale, selon ce dont vous avez besoin. Elles peuvent être prescrites par le médecin ou la sage-femme lors de la visite post-natale.

● Sur les **prestations familiales** (les différentes allocations, comment les obtenir, leur montant, etc.), voyez pp. 451 et suivantes.

1-Les remboursements seront à 100 % si le médecin appartient au « secteur 1 ». S'il appartient au « secteur 2 », vous ne serez remboursée que partiellement car le médecin, bien que conventionné, peut appliquer des honoraires libres.

À SAVOIR SI VOUS TRAVAILLEZ

Si vous travaillez, un certain nombre de lois vous protègent et vous aident

● Quand déclarer sa grossesse ?

À l'employeur. Il n'y a pas d'obligation légale de date, mais vous avez intérêt à le dire le plus rapidement possible pour bénéficier des avantages de cette situation, et en particulier être protégée contre le licenciement. Et de toute manière, il faudra bien que vous informiez votre employeur lorsque vous partirez pour votre congé maternité : si vous ne préveniez pas, cela serait une rupture de contrat de travail.

Au médecin du travail. Vous avez intérêt à lui signaler votre état. Ce médecin vous surveillera particulièrement et pourra demander, s'il le juge utile, un changement de poste de travail (votre rémunération sera maintenue). Si votre employeur est dans l'impossibilité de vous proposer un autre poste de travail, votre contrat est suspendu jusqu'au début de votre congé de maternité. Vous bénéficiez alors d'une garantie de rémunération composée d'une allocation journalière de maternité versée par la Caisse primaire d'assurance maladie et d'un complément à la charge de l'employeur.

● Vous cherchez un emploi

L'employeur ne peut tenir compte de votre état de grossesse pour refuser de vous embaucher. Lors de l'entretien d'embauche (ou en réponse à un questionnaire), vous n'êtes pas tenue de révéler votre état. À l'issue de la visite d'embauche, le médecin du travail n'est pas autorisé à révéler votre grossesse à l'employeur.

Si vous êtes en période d'essai, celle-ci ne peut-être interrompue par l'employeur en raison de votre état de grossesse.

● Une femme enceinte peut-elle être licenciée ?

Le licenciement d'une salariée enceinte est interdit par la loi. Toutefois, le code du travail accorde un caractère différent à cette protection selon la période envisagée.

Protection absolue. Pendant son congé de maternité, la salariée ne peut être licenciée.

Protection relative. Durant la période qui précède le congé de maternité et les 4 semaines qui le suivent, le licenciement est admis :

• s'il y a faute grave (par exemple : injures consécutives à un refus d'exécuter une tâche n'exigeant pas un effort incompatible avec l'état de grossesse)

• en cas d'impossibilité de maintenir le contrat de travail pour un motif étranger à la grossesse (fermeture de l'entreprise, compression de personnel, licenciement collectif).

● Seule réserve

Même notifiée à un moment où la loi l'autorise encore, la résiliation du contrat de travail ne doit pas prendre effet pendant le congé de maternité (par exemple : si une fin de préavis intervient pendant le congé, le licenciement prend effet au retour).

Par ailleurs

• Le licenciement d'une salariée est annulé si, dans un délai de 15 jours à compter de sa notification, l'intéressée envoie à son employeur (par lettre recommandée avec AR), un certificat médical justifiant qu'elle est enceinte.

• Pendant qu'une mère est en congé de maternité, il est interdit à son employeur de la faire travailler pendant une période de 8 semaines au total, dont 6 après l'accouchement.

• La salariée, après son congé de maternité, devra retrouver son emploi précédent ou, à défaut, un emploi similaire. Est « similaire » l'emploi qui n'a pas subi de modifications substantielles affectant un élément essentiel du contrat de travail (rémunération, qualification).

• Si vous avez un contrat à durée déterminée, vous bénéficiez de la même protection contre le licenciement que les titulaires d'un contrat à durée indéterminée. Le non-renouvellement du contrat (si celui-ci contient une clause de renouvellement) ne doit pas être dû à la grossesse.

● Peut-on démissionner sans préavis ?

Les femmes en état de grossesse médicalement attesté peuvent démissionner sans réaliser de période de préavis, donc sans avoir à payer une indemnité de rupture. En revanche, la mère ne bénéficiera pas du droit à réintégration prévu au terme du congé pour élever un enfant.

● Peut-on s'absenter pour les consultations ?

Les femmes enceintes ont le droit de s'absenter de leur travail pour effectuer les examens médicaux prénatals obligatoires sans perte de rémunération.

● **Peut-on bénéficier d'une réduction du temps de travail ?**

Des mesures spécifiques (par exemple la diminution d'une heure par jour à partir du début du 3e mois de grossesse) existent pour les femmes employées de la fonction publique et pour celles travaillant dans les hôpitaux publics. Ces mesures sont fréquemment appliquées aux employées des collectivités locales. Certaines entreprises peuvent aussi accorder des assouplissements d'horaire, renseignez-vous.

● **Vous êtes enceinte, que se passe-t-il si vous exercez un travail de nuit ?**

Votre employeur est tenu de vous proposer un reclassement temporaire. À votre demande, ou sur indication écrite du médecin du travail, vous pouvez être affectée à un poste de jour, pendant la durée de la grossesse. Si aucun reclassement n'est possible, le contrat de travail est suspendu et vous bénéficierez, jusqu'à votre congé de maternité, d'une garantie de rémunération composée d'allocations journalières, versées par la Caisse primaire d'assurance maladie, et d'un complément à la charge de l'employeur.

● **Allaitement et travail**

Les salariées qui reprennent leur travail alors qu'elles continuent d'allaiter leur enfant disposent d'une heure par jour à prendre sur les heures de travail et ceci pendant un an à compter de la naissance. En principe, cette heure est fractionnée en 2 périodes de 30 minutes, l'une le matin, l'autre l'après-midi. Mais l'employeur peut permettre à la salariée de quitter son travail une heure avant l'horaire réglementaire. Légalement, cette heure n'est pas rémunérée, mais de nombreuses conventions collectives en prévoient le paiement.

● **Congé de maternité et ancienneté**

Le congé de maternité est assimilé à une période de travail effectif, d'une part pour le calcul des congés payés, et d'autre part pour déterminer les droits que la salariée tient de son ancienneté dans l'entreprise. Mais cette disposition n'interdit pas à l'employeur qui institue une prime de fin d'année, et pratique un abattement à partir d'un certain nombre de jours d'absence, de réduire cette prime en raison de l'absence pour congé de maternité. Le congé d'adoption est assimilé au congé de maternité : il est considéré comme une période d'activité et donne les mêmes avantages d'ancienneté.

LES CONGÉS
AVANT ET APRÈS LA NAISSANCE
Le congé de maternité

Avant et après l'accouchement, vous pouvez arrêter votre activité professionnelle et prendre un congé de maternité

● **La durée du congé**

Elle varie en fonction du nombre d'enfants. Dans le cas le plus simple, cette durée est de 6 semaines avant la naissance et de 10 semaines après, soit en tout 16 semaines. Mais, dans de nombreux cas, la durée de ce congé peut être prolongée.

La durée minimale du congé de maternité est donc de **16 semaines**. Vous pouvez prendre un repos moins long, mais pour toucher les indemnités journalières de repos (voir plus loin), il faut que vous arrêtiez votre travail au moins 8 semaines en tout. L'arrêt de travail doit être effectif : des contrôles ont lieu.

● Il est désormais possible de demander le report d'une partie du congé prénatal, dans la limite de 3 semaines, sur le congé postnatal. Ce report est fait en accord avec le médecin traitant. Pour l'obtenir, vous devez adresser un certificat médical du médecin ou de la sage-femme à la CPAM, attestant que vous pouvez continuer à exercer votre activité professionnelle. Cette demande doit être faite au plus tard la veille de la date à laquelle votre congé prénatal doit débuter. Il est possible de reporter directement les 3 semaines ou de reporter de semaine en semaine.

Vous trouverez page suivante un tableau sur la durée du congé de maternité.

● **Que se passe-t-il si l'accouchement a lieu plus tôt ou plus tard que prévu ?**

● L'accouchement a lieu plus tôt que prévu : le repos postnatal est prolongé d'autant pour faire 16 semaines en tout.

● Si l'accouchement a lieu sans repos prénatal, il y aura : 16 semaines de repos postnatal.

● L'accouchement a lieu plus tard que prévu : la mère a quand même droit à ses 10 semaines après l'accouchement.

● **Autres cas où le congé de maternité peut être prolongé**

● Si la naissance d'un enfant a pour effet de porter à 3 le nombre d'enfants, le congé prénatal est de 8 semaines et le congé postnatal de 18 semaines (1). Il est toutefois possible de prendre 10 semaines de congé prénatal et 16 semaines de congé postnatal.

● En cas de naissance de jumeaux, le congé prénatal est de 12 semaines, et le congé postnatal de 22 semaines. Il est possible d'augmenter le congé prénatal de 4 semaines : dans ce cas, le congé postnatal sera diminué de 4 semaines.

● En cas de naissance de triplés (et plus), le congé prénatal est de 24 semaines et le congé postnatal de 22 semaines.

● En cas d'état pathologique dès la déclaration de grossesse, la future maman peut bénéficier d'un repos prénatal de 2 semaines. Ces 2 semaines sont indépendantes des 6 semaines légales et sont également indemnisées en assurance maternité. Les autres congés maladie que la future mère peut être amenée à prendre pendant sa grossesse sont indemnisés au tarif maladie (environ la moitié du salaire). Dans certains cas, vous pourrez demander une aide financière à la Sécurité sociale pour compenser une partie du « manque à gagner » occasionné par l'arrêt de travail. Demandez à une assistante sociale quelles sont les démarches à faire.

● Si votre état de santé le justifie, votre congé postnatal pourra être prolongé sur prescription médicale. Vous serez indemnisée au titre de l'assurance maladie.

● En cas d'hospitalisation de l'enfant : si l'enfant est encore hospitalisé 6 semaines après sa naissance, vous pouvez reprendre votre travail et vous pourrez utiliser la suite de votre congé de maternité lorsque votre enfant sera de retour chez vous. Mais il faut pour cela que vous ayez déjà pris un congé ininterrompu de 8 semaines, dont 6 semaines après la naissance.

● Le congé de maternité est prolongé lorsque la naissance a lieu plus de 6 semaines avant le début du congé prénatal théorique et exige l'hospitalisation du bébé. La durée du congé postnatal et l'indemnité de maternité seront alors prolongés d'autant de jours et d'indemnités journalières compris entre l'accouchement et le début du congé prénatal théorique.

Par exemple : la naissance est prévue pour 9 mai. Le début du congé prénatal est fixé au 28 mars, soit 6 semaines avant la naissance. L'enfant naît le 14 février, soit 6 semaines avant le début du congé prénatal. Dans ce cas, le congé de maternité comptera 6 semaines avant le début du congé prénatal, plus 6 semaines de congé prénatal, plus 10 semaines de congé postnatal, soit un total de 22 semaines ; à condition que l'enfant soit hospitalisé et qu'il s'agisse d'un premier ou deuxième enfant. La durée du congé pré et postnatal sera plus longue à partir du troisième enfant ou en cas de jumeaux.

1- Nous répondons à une question posée : oui, un enfant né après 22 semaines d'aménorrhée mais décédé compte dans le nombre d'enfants qu'on a eus. L'État civil établit un acte d' « enfant sans vie » sur production d'un certificat médical.

L'extrait de l'acte figure sur le livret de famille si les parents le demandent, même si cet acte a été établi antérieurement à la délivrance du livret de famille.

Durée du congé de maternité

SELON LES CAS		PÉRIODE PRÉNATALE	PÉRIODE POSTNATALE	DURÉE TOTALE DU CONGÉ
Grossesse simple	l'assurée (ou le ménage) a moins de 2 enfants	6 semaines (3)	10 semaines	16 semaines
	l'assurée (ou le ménage) assume déjà la charge d'au moins 2 enfants ou a déjà mis au monde au moins 2 enfants nés viables	8 semaines (1) (3)	18 semaines	26 semaines
Grossesse gémellaire		12 semaines (2) (3)	22 semaines	34 semaines
Grossesse de triplés ou plus		24 semaines (3)	22 semaines	46 semaines

(1) La période prénatale peut être augmentée de 2 semaines maximum sans justification médicale. La période postnatale est alors réduite d'autant.
(2) La période prénatale peut être augmentée de 4 semaines maximum sans justification médicale. La période postnatale est alors réduite d'autant.
(3) Possibilité de report de 3 semaines sur le congé postnatal.

Les indemnités journalières de repos

Ces indemnités journalières concernent les salariées du régime général et du régime agricole.
Pour les exploitantes agricoles et les non salariées non agricoles, voyez page suivante

Le montant des indemnités journalières de repos de la Sécurité sociale représente 100 % du salaire journalier net de base, diminué de 0,5 % du CRDS (1), dans la limite du plafond de la Sécurité sociale ; soit 74,24 € par jour maximum.

À noter. Certaines activités qui bénéficient d'un taux réduit de cotisations peuvent demander à la Sécurité sociale une correction du montant de leur indemnité journalière pour ne pas être lésées (journalistes, VRP, etc.).

Les employeurs ne sont pas tenus de verser (sauf si une disposition de la convention collective ou du contrat de travail le prévoit) de salaire à leurs employées durant leur repos de maternité. La grande majorité continue à leur verser leur salaire complet ; dans ce cas, la Sécurité sociale verse à l'employeur les indemnités journalières de repos ; certains employeurs préfèrent ne verser que le complément de salaire laissant leurs salariées toucher directement les indemnités journalières.

Pour percevoir vos indemnités, vous adresserez à votre caisse une déclaration sur l'honneur indiquant votre date d'arrêt de travail, déclaration qui se trouve dans le guide de surveillance. Et votre employeur remplira l'attestation portant la mention « maternité ». Le paiement des indemnités journalières est automatique et s'effectue tous les 14 jours. Mais pour le paiement de la dernière quatorzaine, vous enverrez à votre caisse une attestation de votre employeur de reprise de travail, ou bien, si vous ne reprenez pas votre travail, une attestation sur l'honneur de non-reprise de travail.

À signaler. Les indemnités journalières de la Sécurité sociale (maladie, maternité, accident du travail), et les sommes provenant du maintien du salaire par l'employeur, sont imposables et doivent être déclarées dans les revenus.
1 : CRDS : Contribution au remboursement de la dette sociale.

Les exploitantes agricoles

L'assurance maternité des exploitantes agricoles ne comporte pas de prestations en espèces, sauf dans le cas où la maternité à entraîné l'obligation d'employer un personnel rémunéré. On parle alors d'**allocation de remplacement**. Cette allocation couvre les frais engagés par les agricultrices pour assurer leur remplacement. Pour pouvoir y prétendre, l'agricultrice doit participer de manière constante et à temps plein aux travaux de l'exploitation, être affiliée à la caisse d'assurance des personnes non salariées et justifier à la date présumée de l'accouchement de 10 mois au moins d'affiliation.

Les assurées bénéficient de l'allocation de remplacement :

- pendant 2 semaines au moins et 16 semaines au plus en cas de naissance d'un seul enfant, dans une période comprise entre 6 semaines avant l'accouchement et 10 semaines après l'accouchement ;
- pendant 34 semaines en cas de naissance de jumeaux, dans une période comprise entre 12 semaines avant l'accouchement et 22 semaines après l'accouchement.

En cas d'état pathologique, attesté par un certificat médical, l'assurée peut demander une augmentation de la durée de 2 semaines. Ces 2 semaines peuvent être prises pendant la période prénatale et dès la déclaration de grossesse.

Les femmes exerçant une activité indépendante
Travailleurs non salariés non agricoles

Les prestations en espèces diffèrent selon qu'il s'agit de femmes assurées à titre personnel ou de conjointes collaboratrices.

● Les femmes assurées personnelles

Elles peuvent bénéficier à la fois d'une allocation forfaitaire de repos maternel et d'indemnités journalières.

• L'**allocation** est égale à 2 859 €. Elle est versée en 2 fois, une moitié à la fin du 7e mois de grossesse et l'autre moitié après l'accouchement.

Pour pouvoir prétendre aux **indemnités journalières**, la femme doit cesser toute activité professionnelle pendant au moins 44 jours consécutifs et avec une durée obligatoire de 14 avant l'accouchement. Cette période 44 jours peut être prolongée de deux fois 15 jours à la demande de l'intéressée. La femme doit adresser à son organisme de protection sociale un certificat médical précisant la durée de l'arrêt et une déclaration sur l'honneur d'interruption de son activité. Le montant de l'indemnité forfaitaire est de 47,65 € par jour.

En cas de naissances multiples, l'assurée peut demander une prolongation de 30 jours qui s'ajoutent aux 74 jours initiaux.

En cas d'accouchement plus de 44 jours avant la date initialement prévue et nécessitant l'hospitalisation du nouveau né, la période d'indemnisation est augmentée du nombre de jours allant de la date effective de l'accouchement jusqu'au début de la période de 44 jours précédant la date initialement prévue.

Si le nouveau-né doit être hospitalisé, il est possible de reporter à la date de fin d'hospitalisation tout ou partie de la période d'indemnisation à laquelle l'assurée a droit.

● Conjointe collaboratrice

Une conjointe collaboratrice peut percevoir :
- d'une part, une **allocation de repos maternel** destinée à compenser partiellement la diminution des revenus ; son montant est de 2 859 €
- d'autre part, une **indemnité de remplacement** en cas de remplacement par du personnel salarié. Son montant reste variable et est fonction de la durée et du coût du remplacement. Pour percevoir cette indemnité, l'assurée doit interrompre son activité pendant 7 jours au moins entre la période commençant 6 semaines avant la date présumée de l'accouchement et 10 semaines après l'accouchement. La durée maximale est de 28 jours ou, sur demande de l'intéressée, de 56 jours consécutifs ou non. En cas d'état pathologique certifié par un certificat médical, la durée est augmentée de 14 jours. Dans ce cas, les jours supplémentaires peuvent être pris à partir de la déclaration de grossesse. Ils peuvent se cumuler avec la période de cessation de travail sans devoir nécessairement lui être reliés. En cas de naissances multiples, les durées maximales de remplacement sont doublées.

Les **pères collaborateurs** peuvent prétendre aux mêmes avantages dans les mêmes conditions, sous réserve de se faire remplacer par du personnel salarié et de justifier de la filiation de l'enfant à leur égard. L'indemnité n'est cependant allouée que durant 11 jours consécutifs ou 18 en cas de naissances multiples.

Le congé de paternité

Les pères qui travaillent ont droit à un congé de paternité

● **Qui peut en bénéficier ?**

Les salariés ; les demandeurs d'emploi lorsqu'ils sont indemnisés par l'Assedic ; les stagiaires de la formation professionnelle continue rémunérés par l'Etat ou la Région

● **Durée du congé**

Elle est de 11 jours (samedis, dimanches et jours fériés compris) ; maximum 18 jours en cas de naissances multiples.

Le congé peut succéder aux 3 jours ouvrables accordés par l'employeur, ou à des congés annuels, ou à des jours de RTT.

Il doit débuter avant les 4 mois de l'enfant. Cependant il existe des situations exceptionnelles où il peut être reporté : en cas d'hospitalisation du nourrisson, le salarié peut demander le report à la fin de l'hospitalisation. Dans ce cas, le congé doit être pris dans les 4 mois qui suivent la fin de l'hospitalisation.

● **Formalités**

Le salarié doit avertir son employeur au moins un mois avant la date choisie. L'employeur remplit l'attestation de salaire pour le congé qu'il transmet, accompagné d'une copie d'un extrait d'acte de naissance ou du livret de famille, à la caisse de Sécurité sociale. Le salarié peut aussi transmettre lui-même ces documents.

● **Indemnités**

Le montant des indemnités est calculé de la même manière que celui des indemnités maternité (p.433).

• Il existe le même droit de congé pour l'enfant adopté.

Le congé d'adoption

Les parents adoptifs ont droit à un congé postnatal quel que soit l'âge de l'enfant adopté
(jusqu'à son 15e anniversaire).

La durée de ce congé est, suivant le nombre d'enfants à charge, de 10, 18 ou 22 semaines (tableau p. 433).

À noter. Ce congé peut être pris par le père ou par la mère, ou peut être partagé entre les deux parents. En cas de partage du congé d'adoption entre le père et la mère et dans ce cas uniquement, la durée du congé est prolongée de celle du nouveau congé de paternité, soit : 11 jours en cas d'adoption simple ; 18 jours en cas d'adoptions multiples.

Qu'il s'agisse d'une adoption simple ou d'une adoption multiple, le congé d'adoption partagé entre le père et la mère ne peut être fractionné en plus de deux périodes dont la plus courte ne peut être inférieure à onze jours (soit celle du congé de paternité). Ces deux périodes peuvent être prises simultanément par les deux parents.

Voici un exemple pour l'adoption d'un seul enfant.

La durée du congé d'adoption est de dix semaines, soit 70 jours. En cas de partage du congé, la durée de celui-ci est portée à 70 + 11 = 81 jours.

Le fractionnement minimum du congé entre les parents est 11 jours pour la première période au minimum, 70 jours pour la seconde période au maximum.

• Pour les pères relevant du régime des professions libérales, ainsi que pour les fonctionnaires, les textes prévoient qu'ils bénéficient d'un congé de paternité en cas d'adoption, au même titre et dans les mêmes conditions qu'en cas de naissance. Ainsi, il doit être pris dans les 4 mois de l'arrivée au foyer de l'enfant.

• Les indemnités journalières de Sécurité sociale sont versées soit au père soit à la mère pour les périodes qui les concernent. Comme les bénéficiaires du congé maternité, durant le congé d'adoption et les 4 semaines qui le suivent, vous bénéficiez d'une protection contre le licenciement.

● **Congé pour départ à l'étranger**

Tout salarié, titulaire de l'agrément à l'adoption, a désormais le droit de bénéficier d'un congé lorsqu'il se rend dans les DOM, les TOM ou à l'étranger en vue d'adopter un ou plusieurs enfants. Le droit à ce congé est possible pour une durée maximum de 6 semaines par agrément. Ce congé n'est pas rémunéré.

Dans le secteur public les fonctionnaires peuvent demander une mise en disponibilité de 6 semaines (au maximum) pour effectuer un déplacement à l'étranger en vue de l'adoption d'un ou plusieurs enfants.

Les salariés dont l'entreprise est passée aux 35 heures par un accord prévoyant la création d'un compte épargne-temps peuvent utiliser ce mécanisme dans le cadre d'un projet d'adoption. Les jours ainsi épargnés pourront être pris pour permettre aux parents de se rendre plus disponibles afin de favoriser l'accueil de l'enfant au sein de son nouveau foyer.

Le congé journalier de présence parentale

Le salarié dont l'enfant à charge est atteint d'une maladie, d'un handicap ou victime d'un accident grave rendant indispensable une présence soutenue et des soins contraignants, bénéficie d'un congé de présence parentale.

Le salarié informe son employeur, à l'appui d'un certificat médical, de sa volonté de prendre ce congé au moins 15 jours avant le début du congé : soit par lettre recommandée avec accusé de réception, soit en lui remettant en main propre une lettre contre décharge. Sur le certificat médical doit être mentionné la durée du congé.

A l'issue du congé, le salarié retrouve son précédent emploi ou un emploi similaire assorti d'une rémunération au moins équivalente.

Ce congé prend la forme d'un « compte crédit jours d'absence », dans la limite de 310 jours ouvrés, à prendre sur une période maximale de 3 ans pour un même enfant.

Le salarié peut prendre son congé de manière continue ou fractionnée.

IMPORTANT

Quel que soit leur régime de protection, toutes les assurées peuvent reporter une partie du congé prénatal (dans la limite de 3 semaines) sur le congé postnatal.

Les congés de naissance dans l'Union européenne

À ce jour, les 15 premiers pays qui ont formé l'Union européenne ont tous un système de protection spécifique pour la femme enceinte (Allemagne, Autriche, Belgique, Danemark, Espagne, Finlande, France, Grèce, Irlande, Italie, Luxembourg, Pays-Bas, Portugal, Royaume-Uni, Suède). Ces pays prennent en compte le fait d'être salarié, non salarié ou travailleur indépendant pour l'attribution des droits et reconnaissent le droit aux soins pour les femmes résidant dans ces pays. La plupart (sauf l'Italie et les Pays-Bas) retiennent la notion d'assurance pour l'ouverture des droits à des prestations en espèces.

Une directive européenne impose la durée minimale d'un congé de maternité des salariées à 14 semaines. Ce congé varie entre 14 et 52 semaines selon les pays.

Cette directive représente un progrès pour les Britanniques, les Irlandaises, les Portugaises, et les Néerlandaises. De plus, les Pays-Bas ont dû insérer dans leur code du travail une clause interdisant le licenciement des femmes enceintes. En France, les 16 semaines restent de règle. Le texte européen prévoit également que les femmes enceintes ne pourront plus être obligées de travailler la nuit, que les examens prénataux peuvent être effectués pendant le temps de travail, sans conséquence sur le salaire ; et les employeurs doivent prévenir les femmes enceintes des risques éventuels de leur travail.

La plupart des pays proposent aussi un congé de paternité dont la durée est très variable : de quelques jours à plusieurs mois. Par exemple, le congé de naissance peut être pris à égalité entre les parents en Suède (13 mois jusqu'aux 8 ans de l'enfant).

Si vous vous déplacez dans un des pays de l'Union européenne, vous devez vous procurer la **carte européenne** auprès de votre caisse de Sécurité sociale en la demandant au moins un mois avant votre départ.

La carte européenne est une carte individuelle, chaque membre de la famille participant au séjour doit posséder la sienne, y compris les enfants de moins de 16 ans. L'absence ou l'oubli de la carte ne limite pas l'accès aux soins mais vous devrez en régler l'intégralité, y compris hospitaliers. A votre retour, vous demanderez le remboursement des soins à votre caisse d'assurance maladie, sur présentation des factures acquittées. Si vous souhaitez connaître les modalités de prise en charge des frais pour soins dans le pays où vous vous rendez, contactez votre caisse avant votre départ.

LES FORMALITÉS
APRÈS LA NAISSANCE

	1ER MOIS	2E MOIS
VOTRE SANTÉ	• Pour être rapidement en forme, reposez-vous vraiment après la naissance • Si vous travaillez, vous avez droit au minimum à 8 semaines de repos. • Si vous allaitez, pensez à votre régime • Dès le 2e jour, vous pouvez faire quelques exercices	• Faites les exercices de rééducation périnéale, les abdominaux ce sera pour plus tard • Pour retrouver rapidement votre ligne, ayez un régime léger et équilibré
EXAMENS		• Examen postnatal : examen général et gynécologique
FORMALITÉS SÉC.SOC. ET AF.	• A la sortie de la maternité, envoyez à la Sécurité sociale : - le certificat d'accouchement - le certificat de l'examen néonatal du bébé - le reçu des frais d'accouchement. • Envoyez à la CAF le certificat qui lui est destiné	• Remettez à la consultation ou envoyez à la Séc.Soc. avant la 8e semaine la feuille de maladie correspondant à l'examen postnatal • Envoyez à la Séc.Soc. l'attestation de reprise ou de non-reprise de travail
FORMALITÉS DIVERSES	• Dans les 3 jours déclarez la naissance à la mairie • Faites renouveler à la mairie votre carte de priorité • Si vous désirez prendre un congé sans solde, prévenez votre employeur par lettre recommandée avec A.R • Pour les couples non mariés : la reconnaissance de l'enfant peut être faite avant ou après la naissance	
VOTRE BÉBÉ	• Au cours des deux premières années, 3 examens sont obligatoires : au 8e jour, 9e mois et 24e mois	

● La déclaration de naissance

Dès la naissance de votre enfant, le médecin ou la sage-femme vous remettra un certificat attestant la naissance. Votre mari muni du livret de famille et de ce certificat, déclarera à la mairie de la commune où a lieu l'accouchement, la naissance de votre enfant.

La déclaration de naissance représente un événement important dans la vie d'un couple. Même si la maternité propose de s'en charger, bien des pères tiennent à accomplir eux-mêmes cet acte. Ils ont raison, cette déclaration représente la naissance juridique de l'enfant, son entrée dans la citoyenneté.

C'est à cette occasion que vous pourrez éventuellement, par une déclaration conjointe, choisir le nom de votre enfant en décidant, par exemple, de lui donner le nom double de ses deux parents (p. 444).

La déclaration de naissance doit obligatoirement être faite dans les 3 jours qui suivent la naissance, et sera portée sur le livret de famille. Le jour de l'accouchement n'est pas compté dans ce délai et, si le troisième jour est férié, le délai est prorogé jusqu'au premier jour ouvrable suivant.

Passé ce délai de 3 jours, l'officier d'état civil n'a plus le droit de dresser l'acte de la naissance avant qu'un jugement du tribunal ne soit intervenu, ce qui entraîne des formalités longues et coûteuses.

Votre mari fera des photocopies (au moins 4) du livret de famille qui vous seront nécessaires pour vos démarches ultérieures, carte de priorité, allocations familiales, etc.

Si les père et mère de l'enfant, ou l'un des deux, ne sont pas désignés à l'officier d'état civil, aucune mention ne doit être faite à ce sujet sur les registres de l'état civil.

Depuis le 1er juillet 2006, la simple mention de la mère sur l'acte de naissance suffit à établir la filiation maternelle (p. 448).

Sur le **congé de paternité**, voyez p. 435.
Sur la **reconnaissance de l'enfant**, voyez p. 444.
Sur les **prestations familiales**, voyez p. 451.

● **La surveillance médicale de l'enfant**

Au cours de la première année, 9 examens sont obligatoires : dans les 8 jours qui suivent la naissance, avant la fin du 1er mois, et au cours des 2e, 3e, 4e, 5e, 6e, 9e et 12e mois.

Au cours de la 2e année, 3 examens sont obligatoires : ceux des 16e, 20e et 24e mois. Enfin, au cours des 4 années suivantes, un examen est obligatoire tous les 6 mois.

Parmi ces examens, 3 donnent lieu à l'établissement d'un certificat de santé (ceux des 8e jour, 9e ou 10e mois et 24e ou 25e mois). Et de l'envoi de ce certificat de santé à la Caisse d'allocations familiales dépend le paiement de la PAJE et des allocations familiales.

Si vous faites suivre votre bébé dans un centre de PMI, il est bon que le médecin de votre quartier le connaisse, car c'est lui que vous appellerez lorsque l'enfant sera malade : le centre de PMI n'est pas un centre de soins ni de traitement, et il n'est ouvert qu'à certaines heures. Le carnet de santé, s'il est bien rempli, fera le lien entre les différents médecins que vous serez amenés à voir. Le **carnet de santé** est envoyé par la Caisse de sécurité sociale. Mais, le plus souvent, il vous sera remis à la sortie de la maternité.

QUI VA GARDER VOTRE ENFANT?

Il existe plusieurs possibilités pour faire garder votre enfant : assistante maternelle (nourrice), crèche, employée de maison, etc. Voici quelques renseignements pratiques à propos des divers modes de garde

Les assistantes maternelles

Pour trouver une assistante maternelle agréée, vous devez vous adresser à votre mairie qui vous orientera vers les services compétents (sociaux, PMI, associations). Les RAM (Relais Assistantes Maternelles) pourront aussi vous guider dans cette recherche. Ce sont des lieux d'échanges et de médiation entre les parents et les assistantes maternelles. Ils offrent également aux parents de nombreuses informations, notamment d'ordre juridique.

L'agrément est donné aux assistantes maternelles par le Conseil général (par l'intermédiaire de la PMI). Il est valable 5 ans et concerne les enfants âgés de 2 mois 1/2 à 3 ans ou 6 ans. Il permet de garantir les conditions d'accueil, de santé, d'hygiène et de sécurité nécessaires à l'épanouissement de l'enfant. Les assistantes maternelles s'engagent dans le cadre de leur agrément à suivre une formation.

Vous pouvez choisir une assistante maternelle habitant près de votre domicile ou près de votre travail. Vous devez la déclarer à l'URSSAF dans les 8 jours de votre embauche après avoir établi avec elle un contrat de travail écrit ; vous devez lui établir un bulletin de salaire mensuel et remplir une déclaration trimestrielle afin de vous acquitter des cotisations dues. Les assistantes maternelles bénéficient d'une convention collective (convention nationale du 1er juillet 2004). Vous trouverez toutes les informations sur cette convention sur le site de la fédération des parents employeurs www.fepem.fr

Le **salaire de base** ne peut être inférieur à 2,45 € brut par heure d'accueil et par enfant ; une journée de garde de 8 heures ne peut pas être rémunérée moins de 19,60 € ; il faut ajouter une indemnité d'entretien et de fournitures destinées à l'enfant (par exemple jeux d'éveil, part de consommation d'eau, d'électricité, de chauffage) qui ne peut être inférieure à 2,73€ par jour d'accueil. En revanche, les frais de repas ne sont dus que si les parents ne fournissent pas celui-ci. L'indemnité est alors fixée en fonction du repas fourni. A partir de la 46e heure hebdomadaire de garde, il est appliqué un taux de majoration à négocier.

Vous devez ajouter l'indemnité de congés payés qui correspond à un dixième du total des sommes versées (salaires et primes).

Vous devez enfin vous assurer que l'assistante maternelle est affiliée personnellement à la Sécurité sociale, qu'elle est assurée pour son activité et qu'elle déclare l'arrivée de votre enfant. En cas de maladie, d'accident ou de rupture du contrat de travail, vous devez effectuer les démarches de déclaration auprès des organismes concernés.

Les crèches, les haltes-garderies

Les différents modes de garde collectifs ont pour mission de veiller à la santé, à la sécurité, au développement et au bien-être des enfants qui leur sont confiés. La prise en charge des enfants est assurée par une équipe pluridisciplinaire composée notamment d'éducateurs de jeunes enfants, d'auxiliaires de puériculture, sous la direction d'un médecin, d'une puéricultrice. Leur gestion relève des collectivités territoriales, principalement les communes, ou d'associations loi 1901. Pour avoir des adresses, demandez à votre mairie : elle vous indiquera les coordonnées des différents services (sociaux, PMI, associations) qui les connaissent.

• Les **crèches collectives** sont conçues et aménagées pour recevoir de façon régulière des enfants de moins de 3 ans. Elles regroupent les crèches traditionnelles de quartier et de personnel, et les crèches parentales.

Les crèches de quartier, proches du domicile des parents, ont une capacité d'accueil limitée à 60 places. Elles sont ouvertes de 8 à 12 heures par jour, fermées la nuit, le dimanche et les jours fériés.

Les crèches de personnel, implantées sur le lieu de travail des parents, adaptent leurs horaires à ceux de l'entreprise. Leur capacité d'accueil est identique aux précédentes.

Les crèches parentales sont gérées par les parents, regroupés en association, et qui s'occupent à tour de rôle des enfants. La capacité d'accueil de la crèche est de 20 places (exceptionnellement de 25 places).

• Les **haltes-garderies** accueillent ponctuellement les enfants de moins de 6 ans. Elles permettent d'offrir aux enfants de moins de 3 ans des temps de rencontre et d'activité communs avec d'autres enfants, les préparant progressivement à l'entrée à l'école maternelle. On distingue les haltes-garderies traditionnelles offrant au maximum 60 places et les haltes-garderies parentales de taille limitée à 20 ou 25 places.

• Les **jardins d'enfants** accueillent de façon régulière des enfants de 3 à 6 ans. Ils sont conçus comme une alternative à l'école maternelle. Ils peuvent recevoir des enfants dès l'âge de 2 ans. Leur capacité peut atteindre 80 places.

• Les **crèches familiales**, ou services d'accueil familial, regroupent des assistantes maternelles agréées qui accueillent les enfants à leur domicile. Elles sont supervisées et gérées comme les crèches collectives. Les assistantes maternelles qui y travaillent sont rémunérées par la collectivité locale ou l'organisme privé qui les emploie.

• Les **établissements « multi-accueil »** proposent différents modes d'accueil des enfants de moins de 6 ans au sein d'une même structure : ce peut être des places d'accueil régulier de type crèche ou jardin d'enfants, des places d'accueil occasionnel de type halte-garderie ou des places d'accueil polyvalent utilisées tantôt à l'accueil régulier, tantôt à l'accueil occasionnel. Ils sont gérés soit par les collectivités territoriales soit par les parents.

• Un nouveau mode d'accueil : le **jardin d'éveil**. C'est une structure intermédiaire entre la famille, la crèche ou l'assistante maternelle et l'école maternelle et qui est adaptée aux enfants de 2-3 ans. La capacité d'accueil recommandée est de 24 places. Le jardin d'éveil fonctionne au moins 200 jours par an. L'accueil se fait à mi-temps et pour une durée de 9 mois, 18 mois étant une durée maximale sauf pour les enfants porteurs de handicap. L'encadrement est assuré par des éducateurs de jeunes enfants, des puéricultrices, des infirmières, des psychomotriciennes et des auxiliaires de puériculture. Les enfants peuvent ne pas être propres.

● **La Prestation de Service Unique (PSU)**

Il s'agit d'une prestation versée par la CAF non pas aux parents mais aux structures d'accueil des enfants de moins de 4 ans, dans le but d'améliorer le fonctionnement de ces modes de garde. Les parents doivent s'engager un trimestre à l'avance sur le nombre d'heures de garde journalière de leur enfant. Le taux horaire varie selon le nombre d'enfants à charge et les revenus mensuels.

● **Le chèque emploi service universel**

Il a pour but de faciliter la rémunération des personnes intervenant ou non à domicile, notamment pour la garde d'un enfant de moins de 6 ans. Il peut être utilisé pour la rémunération d'une assistante maternelle. Le chèque emploi service universel pré-financé peut être délivré par des employeurs adhérents. C'est une sorte de « ticket crèche ». Il est encore peu utilisé, renseignez-vous auprès de votre employeur.

Pour toute question, appelez le 0 820 00 23 78 ou consultez le site internet www.servicealapersonne.gouv.fr

Les autres modes de garde

● **L'employée de maison**

Pour les personnes qui gardent des enfants au domicile des parents, il n'y a pas de réglementation particulière. Il faut les déclarer à l'URSSAF dans les 8 jours de l'embauche. On doit leur appliquer la loi de médecine du travail comme pour tous les salariés, c'est-à-dire : une visite médicale, avec radioscopie lorsqu'on les engage ; une visite annuelle ensuite pour les personnes âgées de plus de 18 ans ; pour les moins de 18 ans, une visite médicale chaque trimestre. Cette surveillance médicale doit être effectuée par des services médicaux du travail. Dans la pratique, cette réglementation n'est pas encore imposée aux employeurs de gens de maison. Mais nous vous rappelons qu'il y a grand intérêt à faire passer ces visites à toute personne qu'on engage pour s'occuper d'un bébé.

La garde à domicile partagée : si la garde est réalisée au domicile de chaque famille, il doit être établi par chacune des familles un contrat de travail précisant qu'en cas d'interruption de ce dernier par l'une des familles, l'autre contrat devient caduc. Pour ce qui concerne le droit aux prestations de la CAF et les impôts, chaque famille est considérée individuellement et bénéficie des aides qui correspondent à sa situation.

L'essentiel de vos rapports avec l'employée de maison est réglé par la convention collective nationale des employés de maison du 24 novembre 1999, entrée en vigueur le 11 mars 2000.

● La jeune fille au pair

La stagiaire aide familiale au pair, plus connue sous la dénomination de jeune fille au pair, est également une solution possible pour garder un enfant à temps partiel. La stagiaire doit avoir 18 ans minimum et 30 ans maximum. Elle doit suivre des cours de langue française dans un établissement d'enseignement. En contrepartie de 5 heures de travail et de présence, la stagiaire est logée et nourrie dans la famille. La répartition des horaires de travail se fait en accord avec la stagiaire, en fonction de ses heures de cours. La rétribution minimale ne doit pas être inférieure à 113,23 € par semaine ou 487,76 € mensuel.

Elle doit être immatriculée à la Sécurité sociale et vous-même devez-vous faire immatriculer comme employeur à l'URSSAF. Vous aurez à verser des cotisations de Sécurité sociale et de retraite complémentaire (part patronale uniquement).

Attention. Le bulletin de paie est obligatoire, même pour une employée au pair.

À noter. La jeune fille au pair ne permet pas la réduction d'impôt pour l'emploi d'un salarié à domicile.

● Des aides particulières

Lorsque les parents rencontrent des difficultés en lien avec la naissance, ils peuvent être aidés.

● Les **techniciennes de l'intervention sociale et familiale à domicile** (anciennement appelées travailleuses familiales) ont pour fonction de relayer ou de seconder la mère de famille dans les tâches quotidiennes du foyer, lorsque celle-ci se trouve dans l'incapacité momentanée de les effectuer (maternité par exemple). En général, l'intervention de ces travailleuses est limitée (1 ou 2 semaines en moyenne), mais elle peut durer plus longtemps dans des cas particuliers.

● Les **aides ménagères** interviennent pour assurer les travaux ménagers que la mère de famille ne peut assurer momentanément (si la situation ne justifie pas la présence d'une travailleuse familiale). Les aides ménagères viennent 1 ou 2 jours par semaine, ou par demi-journée.

Pour ces aides familiales, la **participation financière** de la famille est fixée d'après un barème qui tient compte des revenus de la famille et du nombre d'enfants. En cas de naissance multiple (triplés et plus), ou de jumeaux si la famille compte un enfant de moins de 3 ans, la gratuité est accordée pour un certain nombres d'heures. Votre Caisse d'allocations familiales vous donnera tous les renseignements. La mairie, les services de PMI, vous donneront également des adresses d'organismes privés pouvant vous procurer une aide familiale.

● Frais de garde et impôts

Vous pouvez bénéficier d'un crédit d'impôt pour les frais de garde d'un enfant (voir p. 453).

SI VOUS ÊTES SEULE

Sur le plan national, il n'y a pas d'organisation qui s'adresse aux mères seules, mais il existe de nombreuses associations . Demandez aux assistantes sociales (à la mairie, dans l'entreprise, à la PMI) qui connaissent leurs adresses.

Dans certaines maternités, les sages-femmes mettent en rapport les mères seules, dans le cadre de la préparation à l'accouchement, et l'on voit peu à peu se constituer des groupes, s'échanger des adresses, et une vraie solidarité s'instaurer entre les futures mères. C'est le meilleur

cas. Dans d'autres, rien ne se fait, par timidité, par manque d'initiative. Vous aurez peut-être à prendre les devants, n'hésitez pas, parlez aux sages-femmes.

Les femmes seules (célibataires, séparées, divorcées, veuves) peuvent bénéficier des avantages et droits énumérés dans les pages précédentes à certaines conditions. En outre, si elles sont dépourvues de ressources, elles peuvent bénéficier d'avantages spéciaux.

Si vous êtes seule : Sécurité sociale et protection sociale

• La femme seule peut bénéficier des prestations de Sécurité sociale pour elle et ses ayants droit si elle exerce une activité professionnelle salariée ou non salariée ou si elle a la CMU. Elle bénéficie donc de l'assurance maternité (conditions p. 426).

• Les mères seules à charge d'un assuré social (dans la limite d'âge prévue par la loi) bénéficient des prestations de Sécurité sociale comme ayants droit d'un assuré social.

• Les étudiantes bénéficient du régime des étudiants (1) ; elles ont droit aux prestations de Sécurité sociale pour elles et leurs ayants droit.

• En ce qui concerne les femmes divorcées et les veuves, les prestations de l'assurance maternité continuent à leur être versées pendant un an (après la transcription du divorce, ou le décès du conjoint), ou jusqu'au 3e anniversaire du dernier enfant.

• Les femmes divorcées ou veuves sont assurées sociales sans limitation de durée si elles ont plus de 45 ans et si elles ont (ou ont eu) au moins 3 enfants à charge.

• En cas de mariage postérieur à la conception ou à la naissance du bébé, la mère bénéficiera de la Sécurité sociale à partir de la date du mariage, au titre d'ayant-droit de son conjoint.

Les futures mères dépourvues de ressources ou disposant de ressources insuffisantes peuvent bénéficier de diverses allocations d'aide sociale à l'enfance, et peuvent être admises dans des centres maternels.

• La gratuité de l'accouchement est assurée aux femmes privées de ressources (elles sont obligatoirement affiliées à la CMU.

• Une aide financière peut être maintenue après l'accouchement ou accordée à la mère qui n'a pas assez de ressources pour vivre. Elle est cumulable avec les allocations familiales. (Aide sociale à l'enfance, p. 458).

• Aide du Pôle emploi. Vous pouvez bénéficier d'une aide à la garde d'enfants pour parent isolé, destinée à favoriser une reprise d'emploi rapide et durable, si vous remplissez ces deux conditions :
- être bénéficiaire d'un minima social ou non indemnisé par le régime d'assurance chômage
- élever seule au moins un enfant de moins de 10 ans.
L'aide est accordée pour une reprise d'emploi en CDD ou en CDI de 2 mois minimum, y compris à temps partiel, et pour une entrée en formation d'une durée au minimum de 40 heures

1- Les étudiants bénéficient jusqu'à 28 ans de la Sécurité sociale étudiante, mais toutes les écoles n'y ouvrent pas droit. D'autre part, ceux qui ne peuvent bénéficier de la Sécurité sociale de leurs parents peuvent être inscrits à la Sécurité sociale des étudiants avant 20 ans.

L'accueil des femmes enceintes et des nouveau-nés

Il existe deux types d'établissements qui peuvent accueillir les mères en difficulté.

• Les maisons maternelles
Elles reçoivent les futures mamans pendant leur grossesse et jusqu'à 3 mois après l'accouchement. Elles leur apportent un soutien moral et matériel. Les frais de séjour sont pris en charge par l'Aide sociale à l'enfance.

• Les hôtels maternels
Ils reçoivent les mères après le congé de maternité (avec un ou plusieurs enfants) lorsqu'elles rencontrent des difficultés de logement et de ressources, pour une durée supérieure à 3 mois et, en principe, au maximum pour 1 an. Les frais de séjour sont en partie à la charge de la mère, en fonction de ses possibilités financières.

Pour avoir des adresses, les mères doivent s'adresser au service social de la mairie.

• Le placement familial
Des assistantes familiales, dépendant de l'aide sociale à l'enfance, accueillent en placement permanent des enfants sans famille ou dont les familles connaissent des difficultés momentanées. Elles sont encadrées par des puéricultrices. La famille, si elle le peut, verse une modeste participation.

À noter. Dans les départements où il n'y a pas de maisons maternelles, les hôpitaux susceptibles de recevoir les femmes enceintes doivent obligatoirement recevoir celles qui le demandent durant le mois qui précède l'accouchement et celui qui le suit, et ceci gratuitement si elles n'ont pas de ressources. Les femmes peuvent demander le bénéfice du secret à l'admission.

Renseignements divers pour les mères seules

• Les mères seules peuvent obtenir un livret de famille. La demande doit être faite à la mairie du lieu de naissance.

• Ce qui est dit sur le nom de l'enfant et sur l'exercice de l'autorité parentale, la reconnaissance de l'enfant (pp. 444 et suivantes), concerne également les mères seules.

• Lorsque la mère déclare sa grossesse, elle peut donner des informations sur le père (identité, adresse). Dans le cas où la mère, connue en tant qu'allocataire isolée, donne ces renseignements il est bien précisé que la CAF doit tenir compte de ces données (notamment une adresse différente de celle de la mère pour l'envoi du livret de paternité ; mais la CAF ne doit pas suspendre les droits en cours liés à l'isolement (comme l'allocation de parent isolé, l'allocation de soutien familial, le RSA).

• La mère seule ou divorcée a droit dans sa déclaration de revenus à porter l'enfant pour 1 part pour le premier enfant, une demi part pour le second et 1 part pour chacun des suivants.

Une veuve avec enfant a droit pour elle-même à 2 parts, et à une 1/2 par enfant pour les deux premiers, et 1 part pour chacun des suivants à charge.

• Si vous n'avez pas de couverture maladie par votre activité ou en qualité d'ayant droit, vous pouvez en bénéficier par la perception du RSA (Revenu de Solidarité Active). Si vous n'avez pas de couverture sociale, demandez votre affiliation à la CMU en tant qu'allocataire du RSA..

LA PMI
Protection Maternelle et Infantile

Dans chaque département, la PMI, comme le service d'Aide sociale à l'enfance, ou la médecine scolaire, participent à la protection de l'enfance et une récente réforme insiste sur l'importance de la prévention.

La PMI intervient à différents moments clés de la vie de l'enfant. Elle peut agir dès la période prénatale. Ainsi, elle est chargée de mettre en œuvre des actions d'accompagnement si celles-ci apparaissent nécessaires lors de l'entretien précoce de grossesse (voir p. 211). En période postnatale, un suivi peut être assuré à la demande de la maman, ou avec son accord. Des actions médico-sociales peuvent ainsi avoir lieu à domicile, en consultation ou à la maternité, le but recherché est de mieux appréhender les difficultés liées à la grossesse et aux suites de couches.

La **composition** d'une équipe de PMI est variable d'un endroit à l'autre. L'équipe de base est constituée d'un médecin, d'infirmières puéricultrices et d'auxiliaires de puériculture. Il y a en plus des intervenants permanents ou ponctuels, comme des psychologues, des éducateurs de jeunes enfants, ou d'autres spécialistes recrutés à la suite des demandes de famille (sages-femmes, assistantes sociales, psychomotriciennes, etc.).

Il y a des **consultations** de PMI dans la plupart des villes et en milieu rural. Certaines sont itinérantes pour toucher le plus de familles possible. Votre maternité, ou le service social de la mairie, vous indiquera le centre de PMI le plus proche de chez vous.

Les consultations de PMI sont ouvertes à tous et elles sont gratuites. Elles ne se contentent pas de surveiller l'état médical de l'enfant. Elles ont un rôle d'écoute, de conseil, de prise en charge si les familles le demandent. On peut se rendre à une consultation de PMI pour faire peser son bébé, pour le faire vacciner, pour parler d'un problème d'alimentation, de sommeil, pour avoir des informations sur l'hygiène quotidienne, ou bien pour faire part des difficultés, psychologiques ou autres, rencontrées avec un enfant. Si vous êtes dans l'impossibilité de vous déplacer, une puéricultrice peut se rendre à votre domicile si vous le souhaitez. Ces visites à domicile rassurent les jeunes mamans, particulièrement celles dont l'enfant présente un problème de développement, ou un handicap.

Les membres d'une équipe de PMI peuvent intervenir auprès de petits groupes d'enfants en présence de leurs parents. Cela permet un échange entre ces familles qui sont souvent confrontées aux mêmes difficultés ; les parents peuvent relativiser ce qu'ils vivent avec leur enfant et se rendre compte qu'il n'a pas un comportement si différent de celui des autres enfants. Les parents arrivent ainsi à trouver eux-mêmes la réponse à leur questionnement. Les échanges permettent aussi aux femmes isolées de rencontrer d'autres mères ou d'autres parents.

Les centres de PMI peuvent, dans certains endroits, aider les parents à trouver un mode de garde pour leur enfant. Ils donnent également les informations nécessaires pour devenir assistante maternelle, ou même pour créer son propre mode de garde avec d'autres familles.

Vous voyez que les missions et services de la PMI sont variés. Au moment de la naissance, les parents reçoivent une information à ce sujet dont ils ne comprennent pas toujours l'utilité car ils ont effectué toutes les formalités nécessaires. Gardez cette information, elle vous servira peut-être.

DES INFORMATIONS JURIDIQUES

La filiation et la reconnaissance de l'enfant

**La simple mention du nom de la mère sur l'acte de naissance de l'enfant
permet d'établir la filiation à son égard**

La filiation, c'est l'ensemble des règles juridiques régissant le lien de parenté qui unit l'enfant à son père ou à sa mère et qui permet de déterminer qui sont les père et mère de l'enfant. « *Tous les enfants dont la filiation est légalement établie ont les mêmes droits et les mêmes devoirs dans leurs rapports avec leur père et mère. Ils entrent dans la famille de chacun d'eux* » mentionne le Code Civil.

Mais comment s'établit la filiation de l'enfant ?

● Vous êtes mariés

La filiation de l'enfant est automatiquement établie à l'égard de ses deux parents par l'acte de naissance.

Tout enfant conçu pendant le mariage est présumé être l'enfant du couple, c'est-à-dire de la mère et du père. Même si les parents vivent séparés et même si l'enfant a été conçu très peu de temps avant un divorce.

● Vous n'êtes pas mariés

La filiation peut s'établir de deux façons : à l'amiable ou par un jugemement.

À l'amiable

Puisque la mère est désignée comme telle dans l'acte de naissance, elle n'a pas de démarche à faire pour reconnaître son enfant. Elle a néanmoins la possibilité de le reconnaître avant la naissance, par exemple si elle souhaite lui transmettre son nom.

Quant au père, l'établissement de la filiation avec son enfant peut s'établir par :

- la **reconnaissance** faite avant, au moment de, ou après la naissance. Il s'agit d'un acte personnel et volontaire. La reconnaissance peut résulter d'une déclaration faite devant un officier d'état-civil ou bien d'un acte notarié.

- La « **possession d'état** ». C'est un ensemble de faits permettant d'établir une filiation entre un individu et la famille à laquelle il est dit appartenir (par l'éducation, l'entretien, la réputation ou le nom) ; c'est-à-dire quand il est manifeste aux yeux de tous qu'un homme et une femme ont, ou ont eu, un comportement de mère ou de père à l'égard d'un enfant. Chacun des parents, ou l'enfant, peut demander au juge que lui soit délivré un acte de notoriété qui fera foi de la possession d'état jusqu'à preuve contraire. Cette démarche peut être effectuée à tout moment par les parents, ou par l'enfant à sa majorité. Elle peut s'avérer nécessaire, et la loi prévoit qu'elle doit être faite, si le père est décédé avant la déclaration de naissance, et sans avoir fait d'acte de reconnaissance préalable. Ceci évitera alors à la mère une action en recherche de paternité.

Par un jugement

Un jugement peut établir la filiation d'un enfant à la suite soit d'une recherche de paternité ou de maternité ; soit d'une constatation de la possession d'état de l'enfant à l'égard de son père ou de sa mère. La filiation peut également être établie par un jugement d'adoption plénière.

● Présomption de paternité

Un mari a désormais la faculté de reconnaître l'enfant de sa femme, même si l'enfant a été conçu pendant une période où le couple était séparé. Le mari reste présumé de plein droit être le père s'il se comporte comme tel, dès lors que l'enfant n'a pas d'autre filiation paternelle établie.

● Double reconnaissance paternelle

Lorsqu'un mari ou un concubin se trouvait confronté à une reconnaissance antérieure à la sienne (double reconnaissance) lorsqu'il se présentait au service de l'état civil, il devait saisir lui-même la justice. Dorénavant, l'officier d'état civil doit enregistrer la déclaration et alerter le Procureur de la République afin qu'il saisisse le Tribunal de grande instance qui tranchera.

● Absence de filiation paternelle

Un enfant sans filiation paternelle a désormais 10 ans, et non plus 2 ans, après sa majorité, pour réclamer une aide matérielle à un homme qui a eu des relations avec sa mère au moment de sa conception (art. 342 code civil).

Le nom de l'enfant

Si vous êtes mariés, votre enfant portera automatiquement le nom de son père
Ou, si vous êtes d'accord, soit le nom de sa mère, soit les deux noms
Si vous n'êtes pas mariés, votre enfant portera, sauf autre choix, le nom de celui qui l'a reconnu le premier et
le nom de son père si les deux parents l'ont reconnu ; si vous êtes d'accord, il pourra porter soit le nom de
l'autre parent, soit les deux noms

● **Quel nom portera notre enfant ?**

Depuis le 1er janvier 2005 est entrée en vigueur la loi sur le « **nom de famille** », qui a remplacé l'ancien « nom patronymique », le nom du père.

Désormais, le choix est laissé aux parents, mariés ou non mariés – dès l'instant où ils ont tous les deux reconnu leur enfant –, de lui transmettre :
- soit le nom du père
- soit le nom de la mère
- soit les deux noms accolés dans l'ordre de leur choix et dans la limite d'un seul nom par parent, séparés de 2 traits d'union (--). Ce signe différencie le nom de famille (dont un seul des 2 noms est transmissible) des noms composés, qui sont transmissibles intégralement.

Ce choix du nom de famille est une simple possibilité : en cas de désaccord, ou en l'absence de déclaration conjointe, c'est le nom du père qui s'impose (sauf si la mère non mariée a reconnu l'enfant avant lui).

● **Quel nom peut être choisi ?**

Voici un exemple : Jacques Lafleur et Caroline Dubois donnent naissance à Célestin, qui pourra s'appeler Célestin Lafleur ou Célestin Dubois ou Célestin Lafleur--Dubois ou Célestin Dubois--Lafleur. Si Célestin Dubois--Lafleur a un enfant avec Violette Deschamps--Duval, il pourra s'appeler soit Dubois soit Lafleur soit Deschamps soit Duval soit Dubois--Deschamps ou Dubois--Duval ou Deschamps--Dubois ou Duval--Dubois ou Lafleur--Deschamps ou Lafleur--Duval ou Deschamps--Lafleur ou Duval--Lafleur.

L'officier d'état civil ne peut donner une appréciation sur le caractère éventuellement ridicule ou péjoratif de la composition choisie.

● **À quel moment le nom est-il choisi ?**

Les parents qui désirent user de cette faculté doivent faire une déclaration de choix de nom au moment de la naissance de l'enfant. La déclaration est constituée d'un document écrit, notarié ou simple acte sur papier libre, remis aux services de l'état civil lors de la naissance.

• **Important**

Les parents choisissent le nom pour leur premier enfant à naître ; ce sera celui de l'ensemble de la fratrie. Ce choix est irrévocable. Si les parents ont déjà, ensemble, d'autres enfants, ils devront obligatoirement donner à leur enfant à naître le même nom qu'à la fratrie déjà existante.

● Lorsque la filiation n'est établie qu'à l'égard d'un parent à la date de la déclaration de naissance, l'enfant prend le nom de ce parent.

Lors de l'établissement du second lien de filiation, et durant la minorité de l'enfant, les parents peuvent choisir :
- soit de lui substituer le nom de famille du parent à l'égard duquel la filiation a été établie en second lieu
- soit d'accoler leurs deux noms dans l'ordre choisi par eux, dans la limite d'un nom de famille pour chacun d'eux.

Le changement est mentionné en marge de l'acte de naissance.

Toutefois, lorsque le choix du nom a déjà été fait pour un enfant commun, la déclaration de changement de nom ne peut avoir pour effet que de donner le nom précédemment choisi. Si l'enfant a plus de 13 ans, son consentement est nécessaire.

Par ailleurs, les parents d'enfants nés avant 2005 ont la possibilité de changer le nom de leur enfant mineur par une simple déclaration conjointe à la mairie.

● On peut se demander quelle sera pratiquement la portée d'une telle réforme. Nous manquons certes de recul, mais le changement se fera sûrement lentement. Ainsi au Québec, qui a adopté ces mesures depuis 1980, l'engouement initial pour le double nom s'est un peu tari et l'on revient, semble-t-il, au nom du père.

● En dehors des changements par voie administrative, par requête au ministre de la Justice, garde des Sceaux (par exemple lorsqu'il s'agit d'un nom ridicule ou mal sonnant, ou encore de la francisation d'un nom étranger), aucune modification du nom ne peut intervenir.

Le **changement de nom** est autorisé par décret. La mention des décisions de changement de nom est portée en marge des actes de l'état civil de l'intéressé et, le cas échéant, de ceux de son conjoint et de ses enfants.

● Pour plus de détails, voici les références des lois auxquelles vous pouvez vous reporter :
- sur le nom de famille, loi du 4 mars 2002 et sur la filiation, loi du 16 janvier 2009.
- sur le changement de nom, loi du 8 janvier 1993

Un texte de loi peut se consulter au Journal Officiel (dans toutes les bibliothèques) ou bien sur Internet : www.legifrance.gouv.fr

Mariés ? Non mariés ?

Allons-nous nous marier ? C'est la question que se posent certains couples lorsqu'une naissance s'annonce. Pour vous aider à répondre à cette interrogation, voici quelques informations juridiques, bien sûr en dehors de toute question de principe, de convictions religieuses ou de désirs personnels, qui ne regardent que vous.

● Commençons par un petit rappel sur l'évolution de notre société. Aujourd'hui, les couples n'envisagent pas nécessairement de se marier avant d'attendre un enfant. En 2005, 48 % des enfants sont nés hors mariage contre 7 % en 1970. Dans le même temps, on est passé de 400 000 mariages en 1970 à 280 000 en 2005. Par ailleurs, le PACS (Pacte Civil de Solidarité) a pris sa place comme une forme de conjugalité (170 000 signés depuis la création en 1999).

La loi s'est adaptée à l'évolution de la société. Qu'il s'agisse du nom de famille, de la filiation, ou de l'autorité parentale, il n'y a désormais plus de différence entre les enfants nés dans le mariage ou hors mariage. Les termes d'enfant légitime et d'enfant naturel ont disparu très récemment (depuis le 1er juillet 2006) de notre vocabulaire. Ainsi notre droit a rejoint la législation européenne (presque 20 ans après le Code Civil belge). Les textes font référence à l'enfant, quelles que soient les circonstances de sa naissance.

● Cette égalité de principe doit être nuancée dans les faits. En effet le mariage donne plus de droits aux hommes en tant que pères et aux femmes en tant qu'épouses. Ainsi, le mariage a une fonction protectrice en ce qui concerne le logement.
● Le père marié n'a pas de démarche à effectuer pour faire valoir ses droits sur son enfant.
● A défaut de déclaration conjointe contraire, son nom est transmis à son enfant, également sans démarche de sa part.
● En cas de séparation, le père marié n'est pas obligé de faire reconnaître son autorité parentale par une décision de justice.
● Attribution du logement lors d'une séparation.
- Si le couple est marié, le juge a le pouvoir d'attribuer à l'un d'eux, à titre provisoire, la jouissance du domicile conjugal : que les époux soient locataires ou propriétaires, et même si un seul des époux est propriétaire. Celui qui n'obtient pas la jouissance doit quitter le logement et il lui est interdit de troubler la tranquillité de l'autre.
- Dans le cas d'un couple non marié, le juge ne peut statuer sur la jouissance du domicile commun. Il ne peut qu'attribuer l'exercice de l'autorité parentale sur l'enfant. Celui

des parents qui estime la vie commune intolérable ne peut donc obtenir de secours du juge. Il ne peut que quitter le domicile commun, avec ou sans enfant, sauf s'il en est seul propriétaire ou locataire.
● Par ailleurs, que le couple ait des enfants ou non, l'épouse bénéficie de certains avantages que n'a pas la compagne, tant sur le plan du droit au logement, de la fiscalité, de la succession. Cette différence peut avoir d'importantes conséquences matérielles, en particulier si la femme non mariée ne travaille pas, ou lorsque le bien immobilier est la propriété d'un seul des conjoints, ou lorsque le bail est conclu à l'égard d'un seul.
● Enfin, on constate dans la pratique que les couples mariés hésitent parfois plus à se séparer que ceux qui ne le sont pas.

Voilà quelques éléments concrets qui peuvent vous intéresser si vous vous posez la question du mariage.

● **En pratique**
● Pour se marier **civilement**, il faut fournir à la mairie différents documents : extrait d'acte de naissance, preuve de domicile, certificat prénuptial, etc.
● Avant le mariage civil, il est possible d'établir un **contrat** chez un notaire afin de choisir le régime matrimonial du couple (communauté ou séparation de biens). Ce contrat, ou l'absence de contrat, est spécifié dans l'acte de mariage.
- En l'absence de contrat de mariage, les époux sont placés sous le régime de la « communauté réduite aux acquêts ». Cela veut dire : qu'ils restent chacun propriétaire des biens qu'ils possédaient avant le mariage et des donations ou legs qu'ils reçoivent individuellement pendant la durée du mariage ; ils sont tenus des dettes qu'ils avaient avant de se marier. Ils possèderont en commun tout ce qu'ils achèteront pendant le mariage, sauf les effets personnels ; ils seront tenus en commun des dettes contractées dans l'intérêt du ménage et l'entretien des enfants.
- La séparation de biens doit être établie par un contrat notarié signé avant le mariage. Chaque époux est propriétaire de ce qu'il possédait avant le mariage et de ce qu'il acquiert séparément pendant le mariage. Cependant des époux séparés de biens peuvent acquérir des biens en commun.

N'hésitez pas à consulter un notaire ou un avocat.
● Ceux qui souhaitent se marier **religieusement** trouveront tous les renseignements auprès du lieu de culte qu'ils fréquentent. Pour se marier religieusement, il faut être marié civilement.

● Le PACS

Certains couples non mariés ont choisi de souscrire un PACS (Pacte Civil de Solidarité). Voici quelques informations pratiques à ce sujet (pour plus de détails, il convient de s'adresser à un notaire ou à un avocat).

Précisons que ce type de contrat ne confère aucun droit supplémentaire en tant que parent vis-à-vis de l'enfant, ou vis-à-vis du conjoint. Ainsi, il n'existe aucune disposition particulière pour les enfants d'un couple pacsé, que ce soit sur l'autorité parentale ou les dispositions en cas de séparation. Dans ce domaine, le régime applicable est celui des enfants conçus hors mariage.

Un pacte civil de solidarité est un contrat conclu par deux personnes physiques majeures pour organiser leur vie commune. Il s'agit d'un contrat, privé ou notarié, déclaré devant le greffier du Tribunal d'Instance du domicile, et qui figure dorénavant sur les actes de l'état civil en indiquant le nom du partenaire. (Cette mention est obligatoire depuis le 1er janvier 2008 pour tous les PACS conclus à ce jour.)

C'est le greffier du Tribunal qui procède à l'enregistrement de la formalité, et à sa transcription. Le rôle du greffier s'arrête à cette formalité, il ne recueille pas les consentements et ne donne pas de lecture d'articles du code civil.

Le PACS peut être dissous par mention au greffe, ou par le mariage ou le décès de l'un des partenaires.

• Avantages et droits sociaux

Le titulaire d'un PACS a le droit d'être affilié à la Sécurité sociale de son partenaire (assurance maladie, assurance maternité) s'il ne peut bénéficier de la qualité d'assuré social à un autre titre.

Mais plusieurs prestations ne lui sont pas ouvertes. Citons :

- l'allocation de repos maternel et l'indemnité de remplacement, prévues au profit des conjoints collaborateurs des travailleurs indépendants (ce dont ne bénéficient pas davantage les concubins)

- le droit à la pension de réversion : ce droit n'est prévu qu'en faveur du conjoint survivant, et non du partenaire du PACS. D'ailleurs, la conclusion d'un PACS met fin automatiquement à la pension de réversion dont bénéficiait l'un des titulaires du PACS en vertu d'une précédente union.

En ce qui concerne le droit aux allocations sociales et familiales, les titulaires d'un PACS sont assimilés aux conjoints et concubins. Les revenus des deux partenaires sont alors cumulés pour calculer leurs droits.

● La loi s'est adaptée au changement progressif de notre société, avec la baisse des mariages et l'augmentation des situations nouvelles que connaissent les familles. Même si le cadre législatif qui régit les couples non mariés et les enfants nés hors ou pendant le mariage s'unifie progressivement, les couples mariés continuent à bénéficier de nombreux avantages.

Loin d'être un quasi mariage, le PACS doit plutôt être considéré comme un partenariat enregistré, à l'instar de ce qui se fait dans les Etats scandinaves, en Allemagne, en Suisse, au Royaume Uni et aux Pays-Bas. Sans qu'elle soit totalement atteinte, on se dirige vers une unification des systèmes européens.

L'autorité parentale

La législation sur l'autorité parentale a unifié le statut des enfants nés hors mariage et ceux nés dans le cadre du mariage

Pendant des siècles nous avons vécu sous le régime de la « puissance paternelle » . Le père avait tous les droits sur son enfant, même s'il avait quitté la mère avant la naissance. Aujourd'hui, c'est ensemble que les parents exercent leur autorité : la loi ne parle plus de puissance paternelle mais d'autorité parentale.

L'autorité parentale est un ensemble de droits et de devoirs des parents ayant pour finalité l'intérêt de l'enfant. Cette autorité est exercée jusqu'à la majorité de l'enfant. La loi de mars 2002 donne les mêmes droits à tous les parents, qu'ils soient mariés, non mariés, séparés.

Les parents doivent veiller à la sécurité, la santé, la moralité, l'éducation de l'enfant afin qu'il se développe dans le respect dû à sa personne. Les parents doivent associer l'enfant aux décisions qui le concernent selon son âge et son degré de maturité. Les parents peuvent prendre des décisions importantes concernant l'enfant : inscription dans une école, sortie du territoire national, décisions à propos de sa santé, son éducation religieuse, son patrimoine...

• Lorsque les parents sont mariés, l'autorité parentale est exercée en commun par le père et par la mère.

• L'autorité parentale est également exercée en commun par les deux parents, même s'ils ne sont pas mariés, même s'ils ne vivent pas ensemble ; il suffit qu'ils aient chacun reconnu l'enfant dans la première année suivant sa naissance.

• Si la reconnaissance n'a pas été faite dans ce délai, l'autorité parentale appartient au parent qui a reconnu l'enfant en premier. Il est toutefois possible aux parents d'obtenir par la suite l'exercice partagé de l'autorité parentale. Pour cela, ils doivent faire une démarche auprès du juge aux affaire familiales (Tribunal de Grande Instance).

• La loi reconnaît à l'enfant le droit d'entretenir des relations personnelles avec ses ascendants (grands-parents), et des tiers (par exemple un beau-parent). En cas de difficulté, c'est le juge aux affaires familiales qui fixera les modalités de ces relations, en attribuant, par exemple, un droit de visite et d'hébergement.

• La séparation des parents n'a pas d'incidence sur l'exercice de l'autorité parentale. Mais le juge aux affaires familiales peut, à la demande de la mère, du père, du procureur de la République, modifier les conditions de cet exercice, en attribuant par exemple l'autorité parentale à un seul des parents.

• Une mère seule a automatiquement l'autorité parentale.

• Si un des parents décède, l'autre parent exerce seul l'autorité parentale.

• Toutes les modalités de l'exercice de l'autorité parentale sont régies par la loi du 8 janvier 1993 et par celle du 4 mars 2002

En cas de séparation des parents

Il arrive malheureusement que des couples se séparent très tôt, même pendant la grossesse. La future mère se retrouve seule à attendre son enfant. Qu'elle soit mariée ou non, il est important de réfléchir, de se donner du temps avant de prendre une décision. Agir sur un coup de tête peut compromettre l'avenir si, comme cela arrive parfois, le père revient à la naissance de l'enfant, ou même quelques années plus tard. Mais il est bien que vous sachiez ce que la loi a prévu dans votre situation.

● Vous êtes mariés

Il arrive que des femmes, blessées ou déçues, par le départ de leur mari, veuillent aussitôt demander le divorce. Attendez avant de prendre la décision si elle n'est pas réellement urgente. Une procédure de divorce est une épreuve, ce n'est pas le moment de l'affronter. Il vaut mieux essayer de vivre le plus sereinement possible cette aventure qu'est la grossesse, de se concentrer sur son bébé. La naissance de l'enfant peut aussi changer la situation. Par ailleurs, quelle que soit l'attitude du conjoint, il est et il restera le père légal de l'enfant. Si le mari se dérobe à ses obligations financières, la loi accorde la possiblité de demander une pension alimentaire, en dehors de toute procédure de divorce : c'est la contribution aux charges du mariage. Pour cela, il faut saisir le juge aux affaires familiales.

● Vous n'êtes pas mariés

La situation est différente selon que le père reconnaît ou non l'enfant avant la naissance.

Le père n'a pas reconnu l'enfant

L'enfant portera le nom de celui des deux parents qui l'a reconnu le premier. En général, il n'est pas absolument nécessaire pour une femme de reconnaître son enfant avant la naissance : le simple fait de le mettre au monde établit la filiation à l'égard de la mère. Cependant, si vous souhaitez que votre enfant porte votre nom, et que vous ne connaissez pas les intentions du père à cet égard, il est préférable que vous procédiez maintenant à la reconnaissance du bébé ; car si, avant la naissance, le père reconnaît l'enfant sans que vous le sachiez, votre bébé portera son nom.

En ce qui concerne l'autorité parentale, elle est systématiquement attribuée à la mère. Le père conserve néanmoins la possibilité, s'il reconnaît ensuite l'enfant, de demander au juge aux affaires familiales un exercice conjoint de l'autorité parentale, ainsi que l'exercice d'un droit de visite et d'hébergement, comme dans le cas de parents divorcés.

Vous aurez de votre côté la possibilité, par le biais de l'action aux fins de subsides ou en reconnaissance de paternité, de faire établir la filiation de votre enfant et d'obtenir éventuellement une pension alimentaire.

Là encore, sauf en cas d'urgence, vous aurez bien le temps d'entreprendre cette action dans quelque temps. Ne gâchez pas les plaisirs de la grossesse par les désagréments d'une procédure.

Le père a reconnu l'enfant

Vous aviez reconnu l'enfant tous les deux, alors que vous viviez ensemble mais maintenant le père est parti. Juridiquement, vous vous retrouvez, vis-à-vis de votre enfant à naître, dans la position de parents divorcés : le père dispose de l'exercice conjoint de l'autorité parentale.

En ce qui concerne le nom de votre enfant, vous pourriez choisir ensemble, lors de la déclaration à l'état civil, le nom qu'il portera : celui de son père, ou de sa mère, ou les deux accolés dans l'ordre qui vous convient (p. 445). À défaut de déclaration conjointe, c'est le nom du père qui sera attribué, sauf si la mère l'a reconnu en premier.

Si vous viviez seule, et que le père s'est finalement décidé à assumer cette naissance qui s'annonce, il paraît plus prudent que vous reconnaissiez rapidement votre enfant : cette démarche aura pour avantage de vous conférer l'autorité parentale, et de vous permettre de transmettre votre nom à votre enfant même si le père le reconnaît par la suite. Dans ce dernier cas, il sera toujours possible, lors de la naissance, de déclarer ensemble l'enfant et de choisir le nom qu'il portera.

• Et si c'est la mère qui prend l'initiative de la séparation ? Le père, s'il ne l'a déjà fait, aura intérêt à reconnaître son enfant le plus tôt possible afin de faire valoir ses droits dès la naissance. Il lui faudra demander au juge aux affaires familiales l'exercice de l'autorité parentale.

● **La médiation familiale**

La justice a de plus en plus souvent recours à des médiations judiciaires. Celles-ci sont proposées dans des situations de blocage, lorsque le climat conflictuel rend impossible toute communication entre les parents. Les médiateurs sont des professionnels d'horizons et de formations diverses, désignés par les juges. N'hésitez pas à solliciter une médiation, ou à accepter celle que l'on vous propose, pour éviter la radicalisation d'un conflit toujours préjudiciable à l'enfant.

Lorsqu'un enfant naît à l'étranger
Où le déclarer ? Quel nom portera-t-il ?

Il s'agit d'un enfant dont l'un des parents, au moins, est français.

Tout d'abord, il convient de déclarer sa naissance aux services de l'état civil du pays dans lequel il est né, et dont, dans la grande majorité des cas, il aura également la nationalité.

Ensuite, si les parents souhaitent que leur enfant conserve la nationalité française et puisse disposer d'un acte de naissance français, deux démarches sont envisageables :
- soit les parents procèdent, en se déplaçant, à une déclaration auprès de leur consulat : dans ce cas, le délai de 3 jours prévu en France est sensiblement rallongé : il est porté à 15 jours en Europe (sauf Albanie, Espagne, Finlande, Grèce, Norvège, Pologne, Portugal, Roumanie, Suède, républiques de l'ancienne Tchécoslovaquie, Turquie, républiques de l'ancienne Union soviétique, où il est de 30 jours) ; et à 30 jours hors d'Europe
- soit les parents feront transcrire ultérieurement l'acte d'état civil étranger auprès de leur consulat, et ils disposent pour le faire d'un délai de 3 ans à compter de la naissance ; dans ce cas, ils peuvent faire cette déclaration par simple courrier.

La seconde solution est de loin la plus habituelle, car la transcription de l'acte de naissance étranger peut être faite avec un certain délai et sans se déplacer.

Dans ce délai de 3 ans, en même temps que la demande de transcription, les parents auront également la faculté de faire une déclaration conjointe sur le choix du nom que portera l'enfant (voir plus haut).

Même si en théorie, l'enfant est censé bénéficier du nom choisi par ses parents, comme le permet la loi, l'application pratique est plus difficile car la plupart des enfants français nés à l'étranger ont également la nationalité de leur pays de naissance. Ainsi l'autorité étrangère d'état civil déterminera nécessairement le nom de l'enfant suivant la loi locale. Selon les pays, les situations peuvent être plus ou moins faciles. N'hésitez pas à vous renseigner auprès du Consulat.

Si, au contraire, un enfant naît en France de parents étrangers, les textes prévoient que l'officier de l'état civil français applique la loi française si la loi étrangère ne lui est pas connue.

L'accouchement au secret

L'accouchement au secret, anciennement appelé accouchement sous X, est une spécificité française : la femme dispose du droit d'accoucher anonymement et de ne pas autoriser son enfant à l'identifier dans l'avenir. Cette priorité donnée aux droits de la mère prend en considération la détresse de cette dernière lors de son accouchement.

Mais de nombreuses voix se sont élevées pour souligner le traumatisme des enfants qui ne peuvent pas connaître leurs racines. C'est pourquoi la loi du 22 janvier 2002 a créé le Conseil national pour l'accès aux origines personnelles (CNAOP). Cet organisme a une mission d'information. Il est également chargé de recevoir : les demandes à l'accès à leurs origines des enfants ; les déclarations des mères autorisant la levée du secret de leur identité ; ou encore celles de mères s'enquérant de leur recherche éventuelle par leurs enfants.

Cette loi est destinée à mieux prendre en considération les droits de l'enfant, et notamment à rendre le droit français conforme à la Convention de New York (du 26 janvier 1990) relative aux droits de l'enfant (article 7-1) et à la Convention européenne des droits de l'homme : le droit de l'enfant à connaître ses origines s'intègre dans le droit plus général du respect de la vie familiale.

Ainsi, aujourd'hui, les légitimes interrogations sur leurs origines des enfants devenus adultes ont été prises en considération. Et même si des enquêtes montrent que ceux qui parviennent à identifier leur mère avouent souvent avoir été déçus, tous disent que leur recherche a permis d'apaiser leurs souffrances et de mettre un terme à leurs interrogations. Cette recherche leur a également souvent permis d'apprécier la chance qu'ils ont eue de rencontrer leur famille adoptive.

Ainsi la loi française essaie de prendre en considération non seulement les droits de la mère et ceux de l'enfant, mais également ceux du père et de la famille adoptante, et à concilier tous ces droits entre eux.

● En pratique

Au moment de l'accouchement, la mère désirant accoucher au secret est invitée à laisser, si elle l'accepte, des renseignements : sur sa santé et celle du père ; sur les origines de l'enfant ; sur les circonstances de la naissance de l'enfant ; elle peut aussi laisser, **sous pli fermé**, son identité.

À l'extérieur de ce pli seront mentionnés : les prénoms donnés à l'enfant et, le cas échéant, la mention du fait qu'ils l'ont été par la mère, ainsi que le sexe de l'enfant, la date, le lieu et l'heure de sa naissance. La mère ne sera pas contrainte mais uniquement invitée à donner son identité. Ainsi, il est interdit de lui demander une pièce d'identité et de procéder à une enquête lors de l'accomplissement de ces formalités.

La femme est également informée qu'elle peut **à tout moment** lever le secret de son identité. Il lui est également indiqué qu'elle peut, à tout moment aussi, donner son identité, sous pli fermé, ou compléter les renseignements qu'elle a donnés au moment de la naissance.

Toutes ces formalités (recueil du pli fermé lors de la naissance de l'enfant, information sur les conséquences juridiques...) sont effectuées par le correspondant du CNAOP.

● Pour éviter les graves inconvénients que peut représenter pour le père un accouchement au secret – qui permet le placement immédiat de l'enfant et son adoption par des tiers-, le père aura tout intérêt à reconnaître l'enfant avant sa naissance, ce qui lui permettra de faire valoir ses droits. Ainsi, il vient d'être jugé par la Cour de Cassation que la reconnaissance par le père d'un enfant né ainsi lui permet de s'opposer à une adoption autorisée par le Conseil de famille.

L'accouchement au secret n'existe qu'en France, mais divers pays étrangers ont instauré, selon un modèle allemand existant depuis 2000, le système de la « boîte à bébés » qui permet aux mères de déposer en toute discrétion leur nouveau-né dans un endroit adéquat où il sera immédiatement recueilli (l'accouchement sous X est interdit en Allemagne malgré des tentatives de l'y faire adopter). Il existe 80 « boîtes à bébé » en Allemagne, dont 4 à Berlin. Ce système existe aussi en Suisse, en Autriche, en Hongrie, en République tchèque et même au Japon.

LES PRESTATIONS FAMILIALES

Pour percevoir une allocation :
vous devez la demander, compléter un imprimé, fournir les justificatifs nécessaires

Les prestations familiales sont les aides en espèces allouées aux familles en raison de la charge d'un ou plusieurs enfants nés ou à naître. Il existe 9 prestations ou allocations. Elles sont principalement attribuées par les caisses d'allocations familiales et les caisses de mutualité sociale agricole.

• Pour avoir droit à une ou des prestations, il faut résider en France et avoir à sa charge un ou plusieurs enfants résidant également en France. Il existe une exception à cette condition pour les travailleurs détachés à l'étranger. Les étrangers doivent posséder un titre de séjour justifiant de la régularité de leur séjour en France.

• Les enfants ouvrent droit aux prestations familiales jusqu'à la fin de l'obligation scolaire, soit 16 ans. Ainsi que les jeunes âgés de moins de 20 ans dont la rémunération éventuelle n'excède pas un plafond (819,82 € par mois).

• Certaines prestations sont soumises à des conditions de ressources. Les ressources prises en compte sont celles des revenus nets imposables. Cette condition s'apprécie chaque année au 1er janvier.

• Les prestations familiales sont exclues des revenus imposables, elles ne sont pas non plus soumises à des cotisations sociales, ni à la CSG.

• Le règlement de chaque prestation est mensuel.

Ce tableau résume les conditions à remplir pour bénéficier des différentes prestations familiales.
Vous trouverez le détail de ces prestations dans les pages qui suivent.

		PRESTATIONS	CONDITIONS À REMPLIR
AVEC CONDITIONS DE RESSOURCES	PAJE	- Prime à la naissance ou à l'adoption - Allocation de base	Faire la déclaration de grossesse avant la fin du 3e mois. Passer les examens médicaux obligatoires. Adopter ou accueillir en vue d'adoption un (ou plusieurs) enfant(s) âgé(s) de moins de 20 ans
		Complément de libre choix du mode de garde	Avoir un enfant de moins de 6 ans Employer une assistante maternelle agréée ou une garde à domicile Avoir une activité professionnelle minimum
		Complément de libre choix d'activité	Avoir un enfant de moins de 3 ans Avoir cessé de travailler ou travailler à temps partiel Avoir exercé une activité professionnelle minimum
	Complément familial (CF)		Avoir 3 enfants à charge de plus de 3 ans
	Allocation de parent isolé (API)		Vivre seul et avoir un ou plusieurs enfants à charge ou être enceinte
	Prime de déménagement		Famille à partir du 3e enfant (du 3e mois de grossesse au dernier jour du mois qui précède ses 2 ans) Recevoir l'AL ou l'APL
	Les aides au logement (AL)		Voir détail page 455
SANS CONDITIONS DE RESSOURCES	Allocations familiales (AF)		Avoir au moins deux enfants à charge
	Allocation de soutien familial (ASF)		L'enfant doit être à la charge d'un seul parent, orphelin ou abandonné
	Allocation journalière de présence parentale (AJPP)		Avoir un enfant malade dont l'état grave nécessite momentanément la présence d'un de ses parents auprès de lui
	Allocation d'éducation de l'enfant handicapé (AEEH)		Avoir un enfant avec un handicap de 80%, ou de plus de 50% nécessitant des soins de rééducation

LA PAJE
(Prestation d'accueil du jeune enfant)

La PAJE comprend : la prime à la naissance ou à l'adoption, l'allocation de base, le complément de libre choix d'activité, le complément de libre choix du mode de garde.

La prime à la naissance ou à l'adoption

● **Conditions**

Avoir déclaré votre grossesse avant la fin de la 14e semaine et avoir adressé l'attestation médicale délivrée à votre Caisse de sécurité sociale et à la CAF.

En cas d'adoption, l'enfant doit avoir moins de 20 ans et avoir été confié par un organisme ou une autorité étrangère agréés.

● **Ressources et Montants**

La prime à la naissance est versée au cours du 7e mois, et autant de fois que d'enfants nés d'une même grossesse (jumeaux, triplés). Elle ne peut être perçue si la grossesse s'interrompt avant le 5e mois.

Pour les enfants adoptés, la prime est de 1779,43 € pour chaque enfant adopté ou accueilli simultanément. Cette prime doit permettre de faire face aux frais engendrés par la procédure d'adoption (frais de voyage). Elle est versée le mois suivant l'arrivée de l'enfant au foyer.

Prestation d'accueil du jeune enfant (PAJE)		
	Plafond de ressources	Montants
Prime à la naissance	compris entre 32 813 €	889,72 €
Allocation de base	et 43 363 €	177,95 €

L'allocation de base

● **Conditions**

L'enfant doit avoir moins de 3 ans, et moins de 20 ans s'il s'agit d'un enfant adopté, et il doit avoir passé les examens médicaux obligatoires des 9 et 24 mois.

Conditions de ressources : voir le tableau ci-dessus.

● **Durée**

Cette allocation est versée du mois de naissance de l'enfant au mois précédant son 3e anniversaire. Et pour un enfant adopté : du mois de son arrivée au foyer, et pendant 3 ans, dans la limite de l'âge de 20 ans.

● **Montant**

Il est de 177,95 €. Une seule allocation est versée par famille, quel que soit le nombre d'enfants. Néanmoins plusieurs allocations de base seront versées en cas de naissances multiples ou d'adoptions simultanées de plusieurs enfants.

L'allocation de base est cumulable avec l'AJPP (allocation journalière de présence parentale p. 457). En revanche, elle ne l'est pas avec le CF (complément familial p. 455).

Pour étudier si vous avez droit à la prime de naissance et à l'allocation de base, la CAF a besoin des justificatifs suivants :
• la déclaration de grossesse
• le justificatif concernant l'adoption ou le placement de l'enfant
• la déclaration de ressources de l'année de référence
• le formulaire de déclaration de situation
• la photocopie lisible d'un justificatif de l'identité de l'enfant (extrait de naissance, livret de famille)
• l'attestation du 1er certificat de santé de l'enfant (celui fait dans les 8 premiers jours).

Remarques : le 1er mois, le montant de l'allocation varie selon le jour de naissance de l'enfant.

Le cumul est possible avec l'ASF (voir p. 456) pour les enfants adoptés ou recueillis en vue d'adoption. Le cumul est possible avec le RSA le mois de naissance de l'enfant. Par contre, ce cumul est impossible avec le complément familial.

Le complément du libre choix du mode de garde

Votre enfant (né ou adopté) a moins de 6 ans. Vous avez peut-être droit à ce complément : si vous employez une assistante maternelle agréée ou une aide à domicile pour le garder, ou si vous avez recours à une association (agréée par la préfecture) ou une entreprise qui emploient des assistantes maternelles ou des gardes d'enfants à domicile ; celles-ci doivent être agréées par le conseil général et non subventionnées par la CAF, et la durée minimum est de 16 heures par mois..

● Conditions

Vous devez avoir une activité professionnelle rémunérée qui doit vous procurer un revenu minimum de 389,20 € si vous vivez seul ou de 778,40 € pour un couple. D'autre part, si vous êtes non salarié, vous devez avoir réglé vos cotisations sociales d'assurance vieillesse.

Vous devez une rémunération minimum à l'assistante maternelle, selon le contrat établi. La mensualisation est obligatoire lors d'un accueil régulier.

● Exceptions

Cas où il n'y a pas à justifier d'une activité minimum :
- les bénéficiaires de l'allocation adulte handicapé (AAH)
- les bénéficiaires de l'allocation d'insertion ou de l'allocation de solidarité spécifique inscrites au chômage ainsi que les titulaires d'un contrat d'insertion ou de travail ; demandeurs d'emplois ou en formation rémunérée ; les étudiants (pour un couple, les deux personnes doivent être étudiantes).

● Formalités

Vous devez remplir un formulaire de demande de « PAJE complément de libre choix de mode de garde » et l'adresser à votre CAF. Pour toute embauche à domicile, vous devrez compléter l'autorisation de prélèvement jointe au formulaire pour régler les charges sociales employeur. Le centre Pajemploi vous adressera alors un carnet de volets destinés à déclarer chaque mois la rémunération de votre salarié. Cela permet de calculer le montant des cotisations en vous indiquant le solde qui reste à votre charge. Le salarié recevra directement une attestation d'emploi équivalente à un bulletin de salaire.

● Aides et montants

Il existe trois sortes d'aides accordées aux parents qui emploient pour garder leur enfant une assistante maternelle agréée ou une employée à domicile. Ces aides comprennent :

1. L'aide au salaire, appelée «complément de libre choix du mode de garde». Cette aide au salaire est plafonnée et varie selon trois niveaux de ressources des ménages (voir le tableau ci-dessous).

A savoir
- L'aide pour l'emploi d'une assistante maternelle agréée est versée par enfant, alors que l'aide pour l'emploi d'une employée à domicile est versée par famille.
- Le montant des compléments est divisé par deux lorsque l'enfant a 3 ans et ils sont versés jusqu'à ses 6 ans.
- Le montant de l'aide est différent s'il s'agit d'un emploi direct ou par l'intermédiaire d'une association ou d'une entreprise mandataire.

2. La réduction d'impôt ou le crédit d'impôt
Les parents employeurs bénéficient également d'une mesure fiscale avantageuse, puisque l'Etat accorde une réduction d'impôt égale à 50% des dépenses. Le montant de ces dépenses est pris en compte dans la limite de 12 000 € par an et par foyer, ce qui correspond à une réduction maximale de 6 000 €. Le plafond est augmenté de 1 500 € par enfant, sans toutefois pouvoir dépasser 15 000 €.

La loi de finance de 2009 a majoré ce plafond à 15 000 €, auquel s'ajoutent 1 500 € par enfant, sans pouvoir toutefois dépasser le plafond de 18 000 €. Ce plafond ne concerne que les emplois directs et la première année où la famille va avoir recours à une employée de maison (la deuxième année elle ne pourra bénéficier que du plafond de 15 000 €).

3. La prise en charge des cotisations sociales (salariales et patronales)
Les parents bénéficient de la prise en charge des cotisations sociales par la Caisse d'allocations familiales :
- à 100% pour chacun des enfants en cas d'emploi direct d'une assistante maternelle agrée si sa rémunération est

Complément du libre choix du mode de garde	
Revenus annuels	Montants
< 19 513 € (1 enfant) ; 22 467 € (2 enfants) ; +3 543 € par enfant supplémentaire	441,63 € par mois
< 43 363 € (1 enfant) ; 49 926 € (2 enfants) ; +7 875 € par enfant supplémentaire	278,48 € par mois
> 43 363 € (1 enfant) ; 49 926 € (2 enfants) ; +7 875 € par enfant supplémentaire	167,07 € par mois

au plus égale à 43,55 € par jour
- de 50% par famille lorsque celle-ci fait appel directement à l'aide à domicile, dans la limite d'un plafond de 408 € pour un enfant de moins de 3 ans et de 204 € pour un enfant âgé de 3 ans à 6 ans.

Attention
De nouvelles dispositions sont applicables aux gardes d'enfants. Si vous faites garder votre enfant pendant des périodes comprises entre 22 heures et 6 heures, les dimanches ou les jours fériés, les plafonds et les montants mensuels maximaux mentionnés dans le tableau page précédente sont augmentés de 10 %. Le nombre d'heures de garde de ces horaires spécifiques doit cependant être supérieur ou égal à 25 heures pour le mois pendant lequel la majoration est demandée. Vous devez également déclarer le nombre d'heures spécifiques, soit sur un formulaire délivré par la CAF, soit sur l'attestation établie par l'établissement d'accueil de votre enfant, selon votre cas.

● Pour en savoir plus
Agence des services à la personne
www.servicealapersonne.gouv.fr
Fédération nationale des particuliers employeurs
www.fepem.fr
Pajemploi www.pajemploi.urssaf.fr

Le complément du libre choix d'activité ou optionnel
(ex allocation de congé parental)

Pour avoir droit à ce complément, vous ou votre conjoint ne devez plus exercer d'activité professionnelle, ou l'exercer à temps partiel, pour vous occuper de votre enfant.

● Conditions
Il faut avoir exercé une activité professionnelle minimum. Le complément prend en compte le nombre d'enfants à charge. La période d'activité de référence est :
• dans les 2 ans qui précèdent la naissance ou l'adoption (pour un enfant)
• de 2 ans d'activité dans les 4 ans qui précèdent (pour 2 enfants)
• de 2 ans d'activité dans les 5 ans qui précèdent (pour 3 enfants et plus).
Vous ne pouvez pas demander ce complément si :
• vous ne justifiez pas d'au moins 8 trimestres de cotisations vieillesse validés au titre d'une activité professionnelle
• vous percevez déja le complément optionnel libre choix d'activité
• l'allocation adulte handicapé
• une pension d'invalidité, de retraite
• des indemnités journalières maladie, maternité, paternité ou d'accident du travail
• une allocation chômage

Toutefois, vous pouvez demander à l'ASSEDIC de suspendre ces versements pour bénéficier du complément et retrouver vos droits quand le complément ne sera plus versé.

● Montant
Voir le tableau ci-dessous.

● Durée
S'il s'agit du premier enfant, le complément est versé pendant 6 mois. A partir du deuxième enfant, il est versé jusqu'au mois précédent le troisième anniversaire de l'enfant. Toutefois, si vous reprenez votre activité entre le 18e mois et les 2 ans et demi de votre enfant, le complément sera maintenu pendant 2 mois.

● Complément optionnel du libre choix d'activité (COLCA)
Ce complément est réservé aux personnes bénéficiaires du libre choix d'activité à taux plein et qui ont au moins trois enfants. Le congé est d'un an.

À noter. Sous certaines conditions, les compléments libre choix du mode de garde et libre choix d'activité, ou optionnel, peuvent être cumulés si vous recourez pour votre enfant à une assistante maternelle plus une garde d'enfant à domicile et si vous travaillez à temps partiel.

Complément du libre choix d'activité	
Conditions	Montants
Taux plein (aucune activité exercée)	552,11 € par mois*
Taux partiel (exercice d'une activité d'une durée < 50% de la durée légale du travail)	419,83 € par mois*
Taux partiel (exercice d'une activité d'une durée > 50% mais < 80% de la durée légale du travail)	317,48 € par mois*
Complément optionnel du libre choix d'activité (COLCA)	789,54 € par mois*

* Si la famille perçoit l'allocation de base de la PAJE, il faut la déduire du montant.

LES AUTRES ALLOCATIONS

Le complément familial, la prime de déménagement, les aides au logement, sont soumises à des conditions de ressources. Les allocations familiales, de soutien familial, de présence parentale, d'éducation spéciale n'ont pas de conditions de ressources.

Le complément familial (CF)

● **Qui peut en bénéficier ?**

Les personnes résidant en France, quelle que soit leur nationalité, ayant ou non une activité professionnelle.

● **Conditions**

Avoir au moins 3 enfants de 3 ans et plus, et ne pas bénéficier du complément de libre choix d'activité de la PAJE.

● **Durée de versement**

Le complément familial est versé à partir du 3ᵉ anniversaire de votre plus jeune enfant. Le versement prend fin dès qu'il vous reste à charge moins de 3 enfants âgés de plus de 3 ans ou dès que vous bénéficiez de l'allocation de base de la PAJE pour un nouvel enfant.

● **Montant**

Le montant du complément familial est de 161,29 € et il est soumis à des conditions de ressources variables selon le nombre d'enfants à charge (se renseigner auprès de sa caisse d'allocations familiales).

L'allocation de parent isolé (API)

L'allocation de parent isolé est désormais remplacée par le RSA (voir p. 458).

La prime de déménagement

C'est une prime à laquelle vous pouvez prétendre si vous avez la charge d'au moins 3 enfants nés ou à naître et si vous vous installez dans un nouveau logement ouvrant droit aux allocations de logement (allocation de logement familial ou APL).

Votre emménagement doit avoir lieu entre le 4ᵉ mois de grossesse et le dernier jour du mois précédant celui du 2ᵉ anniversaire de l'enfant.

Vous devez faire votre demande au plus tard 6 mois après la date du déménagement en fournissant à la CAF une facture acquittée d'un déménageur, ou des justificatifs de frais divers si vous avez effectué votre déménagement vous-même.

Prime de déménagement	Montants
3 enfants	934,08 €
4 enfants	1 011,92 €
5 enfants	1 089,76 €
Par enfant supplémentaire	77,84 €

Les aides au logement

Si vous payez un loyer, ou remboursez un prêt, ou si vous voulez accéder à la propriété pour votre résidence principale, et si vos ressources ne dépassent un certain plafond, vous pouvez bénéficier d'une des aides au logement suivantes : l'aide personnalisé au logement (APL), l'allocation logement (AL), l'allocation d'installation étudiante (Aline). Elles ne sont pas cumulables.

La plupart des conditions d'attribution sont identiques pour toutes ces prestations. L'APL est destinée à toute personne locataire d'un logement neuf ou ancien. L'AL concerne les personnes qui n'entrent pas dans le champ d'application de l'APL et qui ont des enfants (né ou à naître), ou certaines autres personnes à charge ; ou forment un ménage marié depuis moins de 5 ans, le mariage ayant eu lieu avant les 40 ans de chacun des conjoints ; ou être étudiant. Les étudiants qui bénéficient d'Aline perçoivent ensuite l'AL.

Il ne nous est pas possible de donner ici tous les renseignements sur les conditions et formalités à remplir pour bénéficier de ces allocations. Mais vous pourrez trouver tous renseignements à votre Caisse d'allocations familiales.

Les allocations familiales (AF)

● Conditions

• Les allocations familiales sont versées à partir du deuxième enfant à charge.

• Ces enfants à charge doivent être soumis, s'ils ont moins de 6 ans, aux examens médicaux obligatoires.

À noter. L'enfant à charge ne doit pas être bénéficiaire, à titre personnel, d'une ou plusieurs prestations familiales, de l'allocation logement, ou de l'aide personnalisée au logement.

● Formalités

Si vous avez déclaré à votre CAF l'arrivée de votre 2ᵉ enfant, vous recevrez une déclaration de situation à compléter afin de percevoir les prestations. Si vous n'êtes pas déjà allocataire, retirez auprès de la CAF une déclaration de situation.

● Durée

Les allocations familiales sont versées à compter du mois civil qui suit la naissance ou l'accueil d'un 2ᵉ enfant. Quand vous n'avez plus qu'un seul enfant ou aucun enfant à charge, les allocations sont interrompues à la fin du mois civil précédant ce changement de situation.

Une allocation forfaitaire de 78,36 € par mois est versée pendant un an aux familles de 3 enfants ou plus dont l'aîné atteint son 20ᵉ anniversaire.

Les allocations familiales sont versées jusqu'à 20 ans si les enfants continuent leurs études.

● Montant

Voir le tableau ci-dessous.

● Majoration

- par enfant de plus de 14 ans né après le 30 avril 1997 (à l'exception de l'aîné des familles n'ayant que 2 enfants)
- et par enfant de plus de 11 ans né avant le 1ᵉʳ mai 1997 (à l'exception de l'aîné des familles n'ayant que 2 enfants) :

> par enfant de 11-16 ans, 34,86 €
> par enfant de plus de 16 ans, 61,96 €

Allocations familliales	Montants
2 enfants	123,92 €
3 enfants	282,70 €
4 enfants	441,48 €
5 enfants	600,25 €
Par enfant supplémentaire	158,78 €

L'allocation de soutien familial (ASF)

Cette allocation remplace l'allocation d'orphelin.

● Qui peut en bénéficier ?

Les personnes qui assument la charge :

• d'un enfant orphelin de père et/ou de mère

• d'un enfant dont la filiation n'est pas établie légalement à l'égard de ses parents ou de l'un d'eux

• d'un enfant dont les parents (ou l'un d'eux) ne font pas face à leurs obligations d'entretien ou de versement d'une pension alimentaire (1).

Cette allocation concerne les familles adoptives jusqu'à l'adoption plénière de l'enfant. Elle est faite pour les familles ayant un enfant à charge, ou en vue de son adoption.

1- En cas de versement partiel d'une pension alimentaire, vous pouvez recevoir une allocation de soutien familial différentielle.

● Montant

Il est de 116,18 € pour un enfant orphelin de père et de mère et de 87,14 € pour un enfant orphelin de père ou de mère.

L'allocation de soutien familial est cumulable avec toutes les autres prestations, avec des conditions particulières pour l'allocation de base de la PAJE (enfant adopté).

L'allocation de soutien familial est supprimée en cas de mariage, de remariage, de concubinage ou de PACS de l'allocataire. Si l'allocation est accordée pour un enfant recueilli par des tiers, elle est maintenue, que la personne qui a la charge de l'enfant vive seule ou en couple.

L'allocation journalière de présence parentale (AJPP)

Revenu de substitution, l'allocation journalière de présence parentale est indissociable du congé de présence parentale (p. 436).

● Conditions

Les salariés, les fonctionnaires, les demandeurs d'emploi indemnisés et les stagiaires rémunérés de la formation professionnelle peuvent percevoir l'AJPP, si leur enfant est atteint d'une maladie, d'un handicap ou victime d'un accident grave rendant indispensable la présence soutenue d'un parent et des soins contraignants.

● Formalités

Vous devez déposer auprès de votre CAF une demande d'AJPP et le certificat médical détaillé sous pli confidentiel. Selon votre situation, vous joindrez soit une attestation de votre employeur précisant la date de début du congé, soit une déclaration sur l'honneur de cessation de versement des Assedic ou de cessation de formation rémunérée.

Une fois le droit ouvert, le bénéficiaire doit adresser chaque mois une attestation de son employeur indiquant le nombre de jours de congé qui ont été pris.

● Durée

Il est possible de fractionner les périodes de congés et de bénéficier d'un nombre maximum de 310 jours de congés, soit 14 mois environ, au cours d'une période de 3 ans pour une même maladie, accident ou handicap. Par ailleurs, le nombre d'allocations mensuelles versées ne peut dépasser 22 allocations.

● Montant

Voir le tableau ci-dessous.

Un complément forfaitaire mensuel pour frais, de 105,30 €, peut s'ajouter à l'allocation. Il est soumis au même plafond de ressources que le complément familial. La demande s'effectue par une déclaration sur l'honneur en indiquant le montant des dépenses engagées en lien avec la maladie, le handicap ou l'accident.

● Cumul

L'AJPP n'est pas cumulable avec les indemnités pour maternité, maladie, paternité ou adoption, pas davantage avec le complément du libre choix d'activité, le complément de l'allocation d'éducation de l'enfant handicapé, l'allocation pour adulte handicapé.

Allocation journalière de présence parentale	Montants
Personne seule	48,92 €
Couple	41,17 €

L'allocation d'éducation de l'enfant handicapé (AEEH)

Cette allocation et ses compléments sont destinés à aider les parents qui assument la charge d'un enfant ayant un handicap sans qu'il soit tenu compte de leurs ressources. Elle est accordée sur décision de la commission pour les droits et l'autonomie des personnes handicapées (CDAPH), qui appréciera l'état de l'enfant. Les détails de cette allocation sont donnés dans *J'élève mon enfant*.

LES PRESTATIONS DE L'AIDE SOCIALE

L'aide sociale à l'enfance (ASE)

L'aide sociale à l'enfance est un service du département. Sa mission consiste à apporter un soutien matériel, éducatif et psychologique aux enfants mineurs et à leur famille, ou à toute personne qui détient l'autorité parentale, lorsqu'ils sont confrontés à des difficultés médicales, sociales ou financière.

Chaque département organise librement son service ; c'est pourquoi celui-ci dépend d'une direction qui a une appellation différente selon les départements (direction de la Solidarité, direction de la prévention, direction de l'action sociale, etc.). Plusieurs services participent aux missions de l'aide sociale à l'enfance : le service spécifique de l'aide sociale à l'enfance, le service social départemental, la protection maternelle et infantile (PMI).

• L'aide sociale peut proposer aux femmes enceintes :
Une aide à domicile : elle comprend l'intervention d'une technicienne de l'intervention sociale et familiale (TISF) ou d'une aide ménagère.
Une aide financière attribuée à la mère ou au père dont les ressources s'avèrent insuffisantes, soit sous la forme d'un secours exceptionnel, soit d'une allocation mensuelle, à titre définitif ou remboursable.
L'accueil des enfants et des mères isolées
L'aide sociale à l'enfance peut prendre à sa charge, sur décision du Président du conseil général, l'accueil de futures mères et de mères avec jeune(s) enfant(s) dans des établissements publics ou privés conventionnés

Le RSA (Revenu de Solidarité Active)

Le RSA, qui a remplacé le RMI, garantit un revenu minimum aux personnes privées d'emploi et apporte un complément de revenu à celles en situation d'emploi précaire et disposant de revenus trop faibles pour assurer leur charge de famille. Il permet de cumuler sans limitation de durée une partie des revenus d'activité avec les revenus de solidarité. Le montant minimum du RSA est de 454,63 €.

Conditions
La personne doit être âgée de 25 ans ou assumer la charge d'un ou plusieurs enfants nés ou à naître. Elle doit, quelle que soit sa nationalité, résider de manière stable et effective en France. Les ressortissants européens doivent remplir les conditions exigées pour obtenir un titre de séjour. Les autres ressortissants étrangers doivent être en possession d'un titre de séjour d'au moins 5 ans les autorisant à travailler.
Sont exclus du dispositif:
les étudiants ou stagiaires, les personnes en congé parental,

sabbatique ou sans solde, ou qui ont choisi de se mettre en disponibilité.
Attribution
Le RSA relève de la compétence du département dans lequel le demandeur réside ou à élu domicile. Le dépôt de la demande peut s'effectuer auprès du département, de la mairie, de la Caisse d'allocations familiales, de la Caisse de mutualité sociale agricole, des associations agréées ou de l'agence Pôle Emploi.
Droits et devoirs des bénéficiaires
Le bénéficiaire dispose d'un droit d'accompagnement social et professionnel adapté et confié à un référent unique. En retour il doit, selon sa capacité, occuper immédiatement un emploi proposé, ou rechercher un emploi, ou entreprendre les démarches nécessaires à la création de sa propre activité, ou s'engager dans des actions d'insertion.

QUELQUES ADRESSES

● **Des informations juridiques et sociales...**

Vous êtes à la recherche d'informations concernant votre travail, le droit de la famille, des questions sociales, juridiques, etc. Voici quelques organismes à votre disposition :

• **Centre national d'information et de documentation des femmes et des familles** (CNIDFF)
7, rue du Jura 75013 Paris.
Tél. : 01 42 17 12 00.
Il existe de nombreuses antennes en France intitulées : CIDF-CEDIFF-CIDFF. www.infofemmes.com

• **Le 39 39** (0,12 € la mn)
Ce numéro de téléphone, le 39 39, permet d'obtenir une réponse à toute question administrative.

• **A noter** cette adresse internet :
www.service-public.fr pour toute démarche qui ne nécessite pas la présence physique de l'intéressé.

• **Fédérations syndicales des familles monoparentales**
53, rue Riquet, 75019 Paris.
Tél. : 01 44 89 86 80. Ce numéro vous indiquera votre antenne départementale.

• **Inter-Service-Parents** (service téléphonique de la Fédération des écoles des parents et des éducateurs).
Une équipe polyvalente, spécialiste de l'écoute, composée de juristes, conseillères scolaires, conseillères conjugales, conseillères en vacances, loisirs... vous informe, dans le respect de l'anonymat.
Tél. : 01 44 93 44 88.
Fil santé jeune (numéro national pour les 12-25 ans)
Tél. : 32 24
www.filsantejeunes.com et www.epe-idf.com

• **Travail Info Service**
Service de renseignements téléphoniques sur la règlementation du travail, les mesures en faveur de l'emploi et la formation professionnelle.
Service accessible au 0 821 347 347, du lundi au vendredi de 8H30 à 18H30.

• **Paris - Aide aux victimes**
Cet organisme vient en aide à toutes les victimes, quelle que soit l'origine de leur détresse, physique ou psychologique (accident de la circulation, agression sexuelle, etc.). Soit cet organisme prend en charge directement les personnes, soit il les oriente vers les services à même de les aider.
12 rue Charles Fourier, 75013
Tél. : 01 45 88 41 00
www.pav75.fr
Il existe des permanences dans tous les départements. Renseignez-vous à votre mairie

• **Violences conjugales**
Tel. : 3919. Ce numéro national est accessible du lundi au samedi de 8h à 22h, les jours fériés de 10h à 20h.

• Les particuliers peuvent prendre contact, par simple lettre, avec le **juge aux affaires familiales** (en ce qui concerne l'autorité parentale, la pension alimentaire, le droit de visite, la résidence de l'enfant), ou avec le **juge des enfants** (maltraitance, assistance éducative, problèmes de délinquance). Ces juges siègent au tribunal de grande instance. En cas d'urgence, des procédures particulières sont prévues ; dans ces cas, il vaut mieux s'adresser à un avocat.

• Dans tous les tribunaux de grande instance, des consultations juridiques gratuites sont organisées par les **ordres des avocats.**

● **Des lieux d'écoute, d'accueil, de rencontre...**

• **Association française des centres de consultation conjugale**
44, rue Danton, 94270 Le Kremlin-Bicêtre.
Tél. : 01 46 70 88 44.
Chaque centre possède un réseau de spécialistes des problèmes familiaux. www.afccc.fr

• **Fédération nationale couple et famille**,
28, Place Saint-Georges, 75009 Paris
Tél. : 01 42 85 25 98
Elle s'adresse à tous ceux qui ont besoin d'être écoutés et aidés : couples en difficulté, femme en détresse, parents, adolescents, personnes seules. 40 associations en métropole.

• **IRAEC** (Institut de recherche appliquée enfant-couple).
41, rue Joseph-de-Maistre, 75018 Paris.
Tél. : 01 42 28 42 85.
Vous êtes enceinte ou vous êtes déjà parent ; vous vous posez des questions, vous pouvez aller au club parents-enfants. Vous y trouverez un lieu d'accueil et de jeu. (Adhésion annuelle).

• REAAP (Réseau d'Ecoute, d'Appui et d'Accompagnement des Parents)

Ces réseau de soutien à la parentalité a pour but de mettre en commun, par le dialogue et l'échange, des actions mettant en valeur les compétences et les capacités des parents. Ce réseau existe en principe dans chaque département. Vous pouvez le consulter sur www.reaap en ajoutant le numéro de votre département .com

• **La Maison verte** (créée par Françoise Dolto) est un lieu d'accueil pour les enfants, les parents (et futurs parents). Les enfants y viennent accompagnés d'un adulte (père, mère, personne qui les garde) et sont accueillis dans un lieu convivial, avec la présence sécurisante de leurs parents. Dans chaque région, il y a des lieux d'accueils enfant-parents. Pour en savoir plus, vous pouvez vous adresser à la Maison verte, 13, rue Meilhac. 75015 Paris.
Tél. : 01 43 06 02 82.

• La maison de l'École des Parents (maison ouverte)
164, boulevard Voltaire, 75011 Paris.
Tél. : 01 43 56 83 22
mouverte@epe-idf.com
Ce lieu accueille les enfants de la naissance à 4 ans accompagnés de leurs parents, grands-parents, assistantes maternelles...

• Le planning familial
10, rue Vivienne, 75002 Paris. Tél. : 0800 803 803
n° d'appel gratuit d'un poste fixe.
C'est un lieu d'information et de documentation : contraception, conseil conjugal et familial, etc.

LA PROTECTION DE LA MATERNITÉ EN BELGIQUE

La protection sociale

En Belgique, l'assurance obligatoire des soins de santé et indemnités couvre : les soins de santé, les indemnités d'incapacité de travail et d'invalidité, l'indemnité maternité, de paternité et d'adoption. Depuis 1998, tous les assurés disposent d'une carte d'identité sociale (CIS).

● Bénéficiaires

Les travailleurs salariés, les travailleurs indépendants, les étudiants, les personnes handicapées, les résidents, ainsi que leurs ayants droit à charge.

● Conditions d'ouverture des droits

Il faut s'être affilié à un organisme assureur, ou s'inscrire à la caisse auxiliaire d'assurance maladie. Le droit à l'assurance est ouvert dès l'affiliation si le paiement des cotisations est à jour et il faut que ces cotisations aient atteint une valeur minimale. Si tel n'est pas le cas, une cotisation supplémentaire doit être payée pour conserver ses droits aux soins de santé.

● Le remboursement des soins et produits pharmaceutiques

L'assuré choisit librement son médecin. Il paie directement les honoraires au médecin et se fait ensuite rembourser par l'organisme assureur qu'il a choisi. Le taux de remboursement est fixé en moyenne à 75% du tarif de responsabilité belge.

Pour les spécialités pharmaceutiques remboursables, la participation de l'assuré est fonction de leur utilité sociale et thérapeutique.

● L'assurance maladie et indemnités en espèces

Les salariés et les chômeurs indemnisés peuvent prétendre aux prestations en espèces de l'assurance maladie à condition d'avoir été assurés depuis au moins 6 mois et d'avoir totalisé 120 jours de travail.

● Congé de maternité

Le congé de maternité débute au plus tôt 6 semaines (8 semaines en cas de naissance multiple) avant la date présumée de l'accouchement et se termine 9 semaines après l'accouchement, soit 15 semaines (17 semaines en cas de naissance multiple).

Il donne lieu à une prestation spécifique appelée indemnité de maternité ; elle concerne tous les bénéficiaires du droit aux indemnités maladie.

● Montant de l'indemnité

Le montant est différent selon le statut de la personne.
- La personne salariée perçoit durant les 30 premiers jours 82% de son salaire non plafonné. A partir du 31e jour et en cas de prolongation, le taux se trouve réduit à 75% de son indemnité plafonnée à 86,34 € par jour.
- La personne au chômage perçoit durant les 30 premiers jours 60% de sa rémunération plafonnée et une indemnité complémentaire plafonnée égale à 19,5%, et à partir du 31e jour, à 15% de ce montant, maximum 86,34 €.
- Pour les salariées en incapacité de travail, l'indemnité s'élève à 79,5% durant 30 jours, maximum 91,52 €, puis 75% de ce montant à partir du 31e jour, soit maximum 86,34€.

● Congé de paternité

Il concerne les travailleurs salariés. Il est de 10 jours et doit être pris dans les 30 jours à compter de la naissance. Pour les 3 premiers jours, le travailleur perçoit son salaire et pour les autres jours, une indemnité est payée par son organisme assureur.

● Congé d'adoption

Il peut être pris par le père ou la mère. Il est de 6 semaines pour l'adoption d'un enfant de moins de 3 ans et de 4 semaines pour un enfant entre 3 et 8 ans. Ces durées sont doublées si l'enfant est handicapé. Les 3 premiers jours sont à la charge de l'employeur et les autres jours sont rémunérés par l'organisme assureur. Un chômeur ne peut prétendre à cette prestation.

Le montant du congé est fixé à 82% de la rémunération dans la limite d'un plafond de 115 €. Le montant de l'allocation est donc de 94,40 €.

● Organisme belge de Sécurité sociale

Assurance maladie maternité
Direction et contrôle
Institut National d'Assurance Maladie Invalidité (INAMI)
Avenue de Tervueren, 211
Tél : 02 739 71 11
Fax : 02 2 739 72 91
Courriel : bib@inami.be

Les prestations familiales en Belgique

Il existe trois régimes de prestations familiales : travailleurs salariés, travailleurs indépendants, personnel du secteur public. Pour les personnes sans profession qui ont des enfants à charge, il existe un autre régime dit de prestations non contributives sous conditions de ressources.

● Bénéficiaires

Pour pouvoir bénéficier des prestations familiales, il doit exister un lien entre le bénéficiaire et l'enfant et celui-ci ne doit pas avoir plus 18 ans, 25 ans en cas d'apprentissage ou de poursuite d'études supérieures. Pour les apprentis, la rémunération brute mensuelle ne doit pas dépasser : 480,47 €.

Par ailleurs, l'enfant doit en principe être élevé en Belgique. Si ce n'est pas le cas, se renseigner auprès de la caisse d'allocations familiales sur les différents accords existants.

● Allocations familiales

Elles sont versées mensuellement à partir du premier enfant et varient en fonction du nombre d'enfants.
premier enfant : 83,40 €
deuxième enfant : 154,30 €
troisième enfant et chacun des suivants : 230,42 €

Selon l'âge, différents suppléments sont prévus sous certaines conditions : se renseigner auprès de sa caisse d'allocations familiales.
- Une majoration sociale est attribuée lorsque les revenus ne dépassent pas : 2 060,91 € pour une personne seule et 2 131,19 € pour un couple.
- Enfants de pensionnés ou de personnes au chômage depuis plus de 6 mois :
premier enfant : 42,46 €
deuxième enfant : 26,32 €
troisième enfant : 4 ,62 €

- Enfants de personnes invalides ou handicapées actives :
premier enfant : 91,35 €
deuxième enfant : 26,32 €
troisième enfant : 4,62 €
- Il existe une majoration pour famille monoparentale.
● Une allocation supplémentaire est prévue pour:
- un enfant handicapé né avant le 1er janvier 1993, de moins de 21 ans, atteint d'une incapacité physique ou mentale d'au moins 66%. L'allocation est variable selon le degré d'autonomie.
- un enfant handicapé né après le 1er janvier 1993. L'allocation varie en fonction de la gravité de l'affection. Un arrêté royal du 12 février 2009 permet de reconnaître 66 % d'incapacité dès la naissance pour certaines maladies.
Se renseigner auprès de sa caisse d'allocations familiales.
● Allocation orphelin
Les orphelins bénéficient d'allocations familiales majorées si le père ou la mère ne s'est pas remarié(e), ou ne vit pas en couple.
Par enfant : 320,40 €
● Allocation de naissance
première naissance : 1 129,95 €
deuxième naissance et chacune des suivantes : 850,15 €
naissance multiple (chaque enfant) : 1 129,95 €
● Prime d'adoption : 1 129,95 €

● Adresse de l'organisme des prestations familiales
Office National d' Allocations Familiales pour Travailleurs Salariés (ONAFTS). Cet office dispose de bureaux provinciaux.
Rue de Trèves, 70
1000 Bruxelles
Tél : 02 237 21 12
Fax : 02 237 24 70
Courriel : info.mediation@rkw-onafts.fgov.be

LA PROTECTION DE LA MATERNITÉ EN SUISSE

La protection sociale

En Suisse, les assurances sociales obligatoires pour la maladie, la maternité, le chômage, la vieillesse et les survivants, l'invalidité, les accidents professionnels et non professionnels sont prévues au niveau fédéral et gérées par une pluralité d'assureurs placés sous la tutelle de l'Office Fédéral des Assurances Sociales. En ce qui concerne spécifiquement la maladie-maternité, les caisses reconnues sont les caisses maladie publiques, les caisses privées, les institutions d'assurance privées soumises à la loi du 17 décembre 2004. Enfin, il existe une institution commune qui assume les coûts afférents aux prestations légales à la place des assureurs insolvables.

● Affiliation

Toute personne résidant en Suisse doit contracter une assurance pour les soins ou être assurée par son représentant légal dans les 3 mois qui suivent la naissance ou l'installation en Suisse. L'assurance prend effet immédiatement. L'assuré a le libre choix de la caisse maladie et celle-ci est tenue d'accepter, dans la limite de son rayon d'activité territorial, tout demandeur d'assurance.

Le montant des primes des soins de santé est fixé par l'assureur et il doit être approuvé par l'Office Fédéral de Santé Publique.

La participation aux frais pour l'assuré est composée d'une franchise annuelle de 300 FS. Il existe aussi des franchises à option. Les primes peuvent alors être réduites.

● Assurance maladie maternité

L'assurance maladie comprend l'assurance soins, qui est obligatoire, et l'assurance indemnités journalières, qui est facultative. La personne a le libre choix du médecin, du pharmacien, du laboratoire, de l'hôpital.

L'assurance soins comprend, entre autres, la maternité et couvre la grossesse, l'accouchement et la convales-cence de la mère. Les prestations spécifiques de la maternité comprennent les examens de contrôle, effectués par un médecin ou une sage-femme (7 examens lors d'une grossesse normale), une contribution aux cours de préparation à l'accouchement, les frais d'accouchement à domicile, dans un hôpital ou dans une institution de soins semi-hospitalier, ainsi que l'assistance d'un médecin ou d'une sage-femme, les conseils en cas d'allaitement -le remboursement est limité à 3 séances-(art. 13 à 16 de l'OPAS). Aucune participation n'est demandée lorsque la grossesse se passe bien.

● Congé de maternité

La durée est de 16 semaines dont au moins 8 semaines après l'accouchement.

● Assurance indemnités journalières

Cette assurance est ouverte à toute personne âgée de plus de 15 ans et de moins de 65 ans, résidant en Suisse ou y exerçant une activité professionnelle.
- Le montant des primes pour les indemnités journalières peut être différent en fonction de l'âge d'entrée de l'assuré ou du canton.
- Pour ouvrir droit aux indemnités journalières de maternité, l'assurée doit, au moment de l'accouchement, avoir été assurée durant au moins 270 jours sans interruption de travail de plus de 3 mois.

● Adresse utile

Office Fédéral des Assurances Sociales (OFAS)
Effingerstrasse 20 CH- 3003 Berne
Tél : 0 31 322 90 11
Fax: 0 31 322 78 80
Si vous souhaitez obtenir un aperçu des primes d'assurance de base pour votre canton, vous pouvez téléphoner au : 0 31 324 88 02

Les prestations familiales en Suisse

Le régime des allocations familiales est unifié depuis la loi fédérale (LAFam) du 24 mars 2006, en vigueur depuis le 1er janvier 2009. Selon la nouvelle loi, les allocations mensuelles doivent être versées pour chaque enfant dans tous les cantons.

Allocation pour enfant : 200 FS versés à partir du premier enfant jusqu'à 16 ans révolus

Allocation de formation professionnelle : 250 FS pour les enfants de 16 à 25 ans révolus.

Il s'agit d'un minimum, dans de nombreux cantons les montants versés sont plus élevés.

L'allocation de naissance et l'allocation d'adoption sont variables selon le canton.

● Bénéficiaires

- les salariés ;
- dans certains cas les personnes sans activité lucrative ayant un faible revenu ;
- dans certains cantons les personnes de conditions indépendantes.

Pour les allocations à la discrétion des cantons, la limite d'âge de l'enfant à charge varie de 16 à 18 ans révolus.

Dans certains cas, les allocations peuvent être versées lorsque l'enfant ne réside pas en Suisse.

● Conseil pratique

Toute personne qui souhaite faire valoir un droit aux allocations familiales doit en faire la demande à son employeur, qui la transmet à la caisse de compensation compétente.

● Pour plus de renseignements

Les caisses de compensation cantonales donnent volontiers les renseignements complémentaires souhaités. Leurs adresses se trouvent dans les dernières pages des annuaires téléphoniques.

Vous pouvez aussi consulter le site Internet de l'Office Fédéral des Assurances Sociales (www.ofas.admin.ch).

LA PROTECTION DE LA MATERNITÉ AU QUÉBEC

Au Canada, en matière de protection sociale, l'administration fédérale intervient sur le plan législatif et financier et gère directement certains programmes. D'autres programmes sont assurés au niveau provincial ou municipal. La majorité des programmes sont aidés financièrement par le gouvernement fédéral qui verse des subventions lorsque la province respecte les obligations inscrites dans la loi canadienne sur la santé.

● Assurance maladie

Le gouvernement québécois est responsable de l'exécution des programmes d'assurance maladie. Il relève du ministère de la santé et des services sociaux. Il est administré par la Régie d'assurance maladie du Québec (RAMQ). L'assurance maladie est financée par l'impôt.

Affiliation

Pour bénéficier des soins de santé, il faut être considéré comme résident au Québec. La personne autorisée par la loi à demeurer au Canada, qui vit au Québec et y est ordinairement présente, est un résident du Québec.

Il faut, par ailleurs, être inscrit à la RAMQ. Une fois inscrit, une carte d'assurance maladie est délivrée.

Pour bénéficier des services médicaux, il suffit de présenter au praticien sa carte d'assurance maladie valide.

Des précisions complémentaires peuvent être obtenues sur le site www.ramq.gouv.qc.ca.

Étendues de la protection

L'assurance maladie prend en charge les visites, les examens, les consultations, les traitements psychiatriques, les actes de diagnostic et thérapeutiques, la chirurgie, la radiologie et l'anesthésie, effectués par des médecins généralistes ou spécialistes, réalisés en cabinet privé, en établissement de soins ou au domicile. La plupart des services de laboratoires et certains examens très spécialisés: échographie, tomographie, etc., ne sont assurés que dans les centres hospitaliers.

● Assurance médicaments

Toutes les personnes résidant au Québec doivent bénéficier d'une couverture d'assurance médicaments, soit par le régime public administré par la RAMQ, soit auprès d'un régime privé accessible dans le cadre d'un emploi. Les personnes affiliées à la RAMQ versent une cotisation calculée sur les revenus. Le montant maximal de la cotisation est fixé à 557 $ par an. Il existe une franchise à la charge de l'assuré. Les médicaments sont gratuits pour les enfants.

● **Assurance parentale**

Ce régime, en vigueur depuis le 1er janvier 2006, a été mis en oeuvre afin de permettre aux parents de concilier leur vie professionnelle et leur vie familiale. C'est un régime d'assurance contributif et obligatoire. Les cotisations de l'assurance parentale couvrent les prestations maternité, paternité, parentale et d'adoption et sont perçues par le Revenu du Québec.

● **Affiliation et Bénéficiaires**

Pour bénéficier du RQAP, il faut être parent d'un enfant né ou adopté depuis le 1e janvier 2006, résider au Québec, avoir cessé de travailler ou avoir connu une diminution d'au moins 40% de son revenu habituel, avoir un revenu d'au moins 2 000 $ au cours des 52 dernières semaines et verser les cotisations.

Les parents peuvent choisir entre deux régimes : le régime de base et le régime particulier. Voir le tableau ci-dessous.

Les **prestations de paternité** sont versées au père à l'occasion de la naissance d'un enfant. Si le père ne les utilise pas, il ne peut pas les transférer à la mère.

En revanche, les **prestations parentales** et les **prestations d'adoption** peuvent être prises par l'un ou l'autre parent, simultanément ou successivement.

La RQAP envisage une majoration des prestations pour les familles à faible revenu (inférieur à 25 921 $).

Type de prestations	Régime de base		Régime particulier	
	Durée en semaines	% du revenu	Durée en semaines	% en revenu
Maternité	18	70%	15	75%
Paternité	5	70%	3	75%
Parentales	7	70%	25	75%
	25	55%		
Adoption	12	70%	28	75%
	25	55%		

Les prestations familiales au Québec

● **La prestation de soutien aux enfants**

Il s'agit d'une aide gouvernementale versée à toutes les familles qui ont des enfants à charge âgés de moins de 18 ans.

Le montant est variable d'une famille à l'autre car il tient compte du revenu familial net, du nombre d'enfants et du type de famille (monoparentale ou non).

Pour bénéficier de cette prestation, il faut avoir un enfant à charge de moins de 18 ans, résider au Québec et avoir produit une déclaration de revenus au Québec.

Le montant diminue à partir d'un seuil de revenu fixé à 31 984 $ pour les familles monoparentale et à 43 654 $ pour les autres.

● **La prestation supplément pour enfant handicapé**

Le supplément pour enfant handicapé est versé pour aider les familles à assumer la garde, les soins et l'éducation d'un enfant dont le handicap physique ou mental est important.

Le montant est le même pour tout enfant reconnu handicapé par la régie des rentes. Le montant de l'allocation est 167 $ par mois, il est versé quatre fois dans l'année.

● Des précisions complémentaires peuvent être obtenues sur www.rrq.gouv.qc.ca

LES PAYS DU MAGHREB

ALGÉRIE

La protection sociale

Les salariés, dépendent de deux caisses nationales, la Caisse Nationales des Assurances Sociales des Travailleurs Salariés (CNAS) et la Caisse Nationale de Retraite (CNR), placées sous la tutelle du Ministre chargé de la Sécurité Sociale.

La CNAS gère le recouvrement de toutes les cotisations, assure la gestion des prestations des assurances sociales et des prestations familiales. Dans chaque Wilaya, la CNAS dispose d'une agence qui fonctionne comme une annexe de la Caisse Nationale.

Les non salariés dépendent de la Caisse de Sécurité Sociale des Non Salariés (CASNOS) qui assure le recouvrement des cotisations, procède à l'immatriculation et gère les prestations des assurances sociales.

Sont obligatoirement affiliées les personnes qui exercent une activité salariée ou non, qui sont en formation professionnelle, quelle que soit leur nationalité.

● Assurance maladie : prestations en nature et en espèces
Conditions
Voir le tableau ci-dessous.
Bénéficiaires
- Pour les prestations en nature : le salarié et ses ayants droit
- Pour les prestations en espèces : le salarié perçoit du 1e au 15e jour d'arrêt des indemnités dont le montant est égal à 50% du salaire. A partir du 16e jour, en cas de maladie de longue durée ou d'hospitalisation, il perçoit 100% de son salaire après déduction des cotisations et des impôts. L'indemnité est versée pour chaque jour de travail, ouvrable ou non, pendant une durée maximale de 300 jours.

● Assurance maternité
Congé de maternité
Un congé de maternité d'une durée de 14 semaines (6 semaines avant l'accouchement et 8 semaines après) est accordé à l'assurée salariée. Les cotisations sont à la charge pour partie par l'employeur et par le salarié.
Prestations en nature
Pour bénéficier des prestations en nature, les conditions sont les mêmes qu'en maladie. Les frais de la grossesse, de l'accouchement et de ses suites, ainsi que les frais d'hospitalisation pendant une durée de 8 jours de la mère et de l'enfant, sont remboursables à 100% des tarifs fixés par voie réglementaire.
Prestations en espèces
L'assurée salariée en arrêt de maternité a droit à une indemnité journalière dont le montant est égal à 100% du salaire soumis à cotisation, après déduction des cotisations de la Sécurité sociale et des impôts.

Durée de l'arrêt de travail pour maladie	Périodes de travail exigées pour percevoir les prestations en nature et en espèces
Les 6 premiers mois	- Au moins 15 jours ou 100 heures au cours du trimestre précédant la date des soins - ou 60 Jours ou 400 heures les 12 mois précédant la date des soins.
Si prolongation au delà des 6 mois	- Au moins 60 jours ou 400 heures au cours des 12 mois précédant l'arrêt - ou au moins 180 jours ou 1200 heures au cours des 3 années qui ont précédé l'arrêt

Les prestations familiales en Algérie

Pour percevoir les prestations familiales, les enfants doivent être à la charge du travailleur. La limite d'âge est de 17 ans, et de 21 ans en cas de poursuite des études.

● Allocations familiales

Pour un allocataire disposant de revenus inférieurs ou égaux à 15 000 Dinars algériens
- du 1er au 5e enfant : 600 DA par mois et par enfant
- à partir du 6e enfant : 300 DA par mois

Pour un allocataire disposant de revenus supérieurs : 300 DA par mois et par enfant, quel que soit son rang.

● Allocation de scolarité

Il s'agit d'une allocation annuelle versée en une seule fois pour chaque enfant scolarisé à partir de 6 ans jusqu'à 21 ans.

● Pour un allocataire disposant de revenus mensuels inférieurs ou égaux à 15 000 DA
- par enfant, du 1er au 5e : 800 DA
- à partir du 6e enfant : 400 DA

● Pour un allocataire disposant de revenus mensuels supérieurs à 15 000 DA
- 400 DA par mois et par enfant quel que soit son rang.

MAROC

La protection sociale

Il existe au Maroc trois régimes de protection sociale : pour les salariés du secteur public, pour les salariés du secteur privé et le régime d'assistance médicale (RAMED).

La Caisse Nationale des Organismes de Prévoyance Sociale (CNOPS) gère les salariés du régime public, la Caisse Nationale de Sécurité Sociale (CNSS) ceux du régime privé. Le RAMED est basé sur les principes de l'assistance sociale et de la solidarité nationale des populations les plus démunies.

Les personnes économiquement faibles peuvent bénéficier des soins dans les établissements de santé et les services sanitaires publics.

● Assurance maladie

Depuis la loi du 1er mars 2006, les employeurs ont l'obligation de s'affilier à la CNSS au plus tard 30 jours après l'embauche de leur salarié. Une carte d'immatriculation est délivrée aux employés. La personne qui a été assuré pendant 1 080 jours et qui ne remplit plus les conditions peut s'assurer volontairement dans les 12 mois suivants sa perte de qualité d'assuré. Le financement est assuré par une contribution patronale et salariale.

Important

Pendant une période transitoire de 5 ans renouvelable, les employeurs du privé comme du public, qui assuraient au moment de l'entrée en vigueur de la loi une assurance médicale à titre facultatif, pourront continuer à assurer cette couverture à condition d'en apporter la preuve.

Prestations en nature du secteur privé

Pour bénéficier des prestations de l'assurance maladie obligatoire, une période de cotisation de 54 jours ouvrables pendant les 6 mois précédant la maladie est obligatoire. A cette première condition viennent s'ajouter le paiement effectif des cotisations par l'employeur et l'identification des membres de la famille de l'assuré auprès de la CNSS.

Etendue de la protection

Pendant les premières années de la mise en oeuvre de l'Assurance Maladie Obligatoire (AMO), il n'est pas prévu de remboursement des soins ambulatoires. Le panier de soins contient uniquement les suivis : de la maternité, de l'enfant de moins de 12 ans, des affections de longues et coûteuses, de longue durée, de l'hospitalisation.

Prestations en espèces

Pour bénéficier des prestations en espèces pour un premier arrêt de travail, le salarié doit justifier de 54 jours de cotisations au cours des 6 mois précédant l'arrêt. Les indemnités sont versées avec un délai de carence de 3 jours en cas de maladie, sans délai en cas d'accident.

Après un premier arrêt, l'assuré ne peut prétendre aux indemnités qu'après une autre période minimum de 6 jours de cotisations.

Les indemnités sont versées pendant 52 semaines au cours des 2 années consécutives qui suivent l'arrêt de travail.

Les indemnités sont égales à 66,6% du salaire de référence, plafonné à 6 000 dirhams par mois, perçu pendant les 6 derniers mois qui ont précédé l'arrêt de travail.

● Assurance maternité
Congé de maternité

Un congé de 14 semaines est accordé à la femme enceinte, dont 6 semaines minimum après l'accouchement.

Prestations en nature

L'AMO prévoit que la femme enceinte a droit pendant toute sa grossesse à l'ensemble des prestations en nature requises par son état : visites médicales, radiographies, analyses de laboratoire, etc., avant et après l'accouchement.

Prestations en espèces

L'assurée qui justifie de 54 jours de cotisations pendant 10 mois précédant la date du début du congé prénatal bénéficie d'indemnités journalières dont le montant s'élève à 100% du salaire brut moyen plafonné à 6 000 dirhams par mois.

● Congé de paternité

Le père a droit à un congé de naissance de 3 jours qui est remboursé directement par la CNSS à l'employeur.

Les prestations familiales au Maroc

Les salariés et les titulaires de pensions de vieillesse et d'invalidité peuvent y prétendre.

● Conditions

Le salarié doit justifier de 108 jours de cotisations pendant 6 mois d'immatriculation et percevoir un salaire minimum mensuel fixé à 500 dirhams.

Il ne peut recevoir d'allocations que pour 6 enfants au plus.

L'âge limite des enfants est de 13 ans. Le versement est poursuivi lorsque:
- les enfants sont placés en apprentissage jusqu'à 18 ans
- s'ils poursuivent des études au Maroc ou à l'étranger jusqu'à 21 ans
- s'ils sont handicapés, sans limite d'âge.

● Montant mensuel des allocations familiales
- 200 dirhams pour les 3 premiers enfants et pour chacun
- 36 dirhams à partir du 4e enfant et pour chacun.

● Adresse utile

CNSS,649, Boulevard Mohamed V -B.P. 10726 Casablanca,
Tél: 022 24 40 44
Site Web: www.cns.ma

Dans le but de faciliter les démarches, la CNSS a mis en place un portail internet gratuit permettant la télédéclaration, avec la possibilité d'échanges de formulaires ou de données et le paiement des cotisations.

TUNISIE
La protection sociale

Il existe en Tunisie quatre régimes de protection sociale: un régime général et complémentaire pour les salariés, un régime travailleurs indépendants, un régime pour les salariés agricoles, un régime pour les exploitants agricoles.

Ces différents régimes s'accompagnent de taux de cotisations différents et de prestations différentes. Compte tenu de cette spécificité, nous ne traiterons ici que la protection sociale des salariés du régime général.

La Caisse Nationale d'Assurance Maladie (CNAM) régit les assurances maladie, maternité, accidents du travail et maladies professionnelles, et la caisse nationale de sécurité sociale (CNSS) gère les assurances vieillesse, invalidité, survivants, décès, chômage et prestations familiales.

● Assurance maladie

Les employeurs sont tenus de déclarer leurs salariés dans le délai d'un mois à compter de la date d'embauche. En cas de défaillance, les salariés ont le droit de demander eux-mêmes leur immatriculation. Il s'agit d'un régime contributif à la charge de l'employeur et des salariés.

Pour bénéficier des prestations en nature et en espèces de l'assurance maladie-maternité, l'assuré doit justifier soit de 50 jours de travail pendant les 6 mois précédents ou de 96 jours pendant les 12 mois précédents. Les prestations sont servies à l'assuré et à ses ayants droit.

Les indemnités journalières sont versées à partir du 6e jour d'arrêt de maladie et dans la limite de 180 jours.

● Assurance maternité
Prestations en nature

Pour le suivi de la grossesse, le taux de prise en charge varie entre 70 % pour une consultation médicale et 85% pour l'achat de médicaments essentiels (100 % pour les médicaments vitaux).

L'assuré doit présenter et faire signer un bulletin de soins à chaque prestataire. Ces bulletins doivent être adressés à la CNAM dans les 60 jours qui suivent la date de consultation.

Pour l'accouchement, si l'assurée ou son ayant droit accouche dans une clinique privée conventionnée, le remboursement des frais médicaux et d'hébergement s'élève à 350 dinars et à 500 dinars pour une césarienne.

Un bulletin de naissance et un extrait d'acte de naissance doivent être adressés à la CNAM.

Prestations en espèces

L'assurée justifiant de 96 jours de travail pendant l'année civile précédant la date d'accouchement a droit à des indemnités journalières égales aux deux tiers du revenu journalier moyen, plafonné à 2 fois le SMIG, soit 479,65 dinars pendant 30 jours ; une prolongation est possible en cas de maladie consécutive à la grossesse ou à l'accouchement.

● Adresse utile

Caisse Nationale d'Assurance Maladie Takassim Ennacim, Immeuble El Kousour , Montplaisir BP 77, 1080 Tunis cedex .
Tél : (216)71952963 .

Les prestations familiales en Tunisie

Pour bénéficier des prestations familiales, les enfants doivent être à la charge du travailleur et résider à son domicile ; il s'agit des enfants légitimes, adoptés, placés en tutelle officieuse (frères et sœurs orphelins moyennant un acte notarié), donnés à titre de placement (enfant abandonné).

La limite d'âge est de 14 ans ou 16 ans pour ceux qui poursuivent leurs études, ou pour les filles qui remplacent leur mère au foyer, sans limite d'âge pour les enfants handicapés.

Les travailleurs indépendants n'ont pas droit aux prestations familiales.

● Allocations familiales

Le versement des allocations est limité aux 3 premiers enfants nés après le 1er janvier 1989. Le montant est dégressif avec le nombre d'enfants. Il ne peut dépasser 24,400 dinars par mois.

Majoration pour salaire unique

L'assuré ayant des enfants à charge qui ouvrent des droits aux allocations familiale, et dont le conjoint ne travaille pas, a droit une majoration mensuelle versée par l'employeur en même temps que la rémunération :

- pour 1 enfant : 9,375 dinars
- pour 2 enfants : 18,750 dinars
- pour 3 enfants ou plus : 23,475 dinars

● Allocations pour congés de naissance

A l'occasion de chaque naissance, le père salarié bénéficie d'un jour de congé dans les 7 jours suivant la naissance. Le financement de ce jour est remboursé à l'employeur par la CNSS.

● Contribution aux frais de crèche

Une prise en charge peut être octroyée aux mères exerçant une activité salariée et dont le salaire ne dépasse pas un certain montant pour 48 heures de travail hebdomadaire. Cette contribution est versée pour les enfants ouvrant droit aux prestations familiales et dont l'âge est compris entre 2 mois et 3 ans, inscrits dans une crèche agréée par le Ministère chargé de l'enfance.

● Adresse utile

Caisse Nationale de Sécurité Sociale
49 avenue Taïeb M'hiri 1002 Tunis belvédère.
Tél : (216) 71 796 744.
Fax: 00(216) 71 783 223
Site internet: www.cnss.nat.tn .

Nous remercions le CLEISS (Centre des Liaisons Européennes et Internationales de Sécurité sociale) qui nous a fourni la documentation et les informations nécessaires à la réalisation de ces mémentos destinés aux lecteurs belges, suisses, québécois et du Maghreb.

INDEX

INDEX

INDEX

INDEX

INDEX

INDEX

L'HEURE DU COURRIER

Le meilleur moment de la journée, c'est l'heure du courrier.
Les lettres arrivent des quatre coins de France, et du monde entier.
Ce courrier nous fait vraiment plaisir. Écrire un livre
est un long monologue, recevoir une lettre le transforme
en dialogue et montre qu'il a atteint son but.
Ces témoignages sont pour toute l'équipe
de *J'attends un enfant*,
un encouragement à poursuivre un travail qui chaque année s'amplifie.
Nous répondons à toutes ces lettres comme nous répondrions à des amis,
et nous conservons précieusement ces messages comme un trésor.
Si vous souhaitez nous écrire, voici notre adresse

LAURENCE PERNOUD
ÉDITIONS HORAY
22 BIS, PASSAGE DAUPHINE
75006 PARIS

J'attends un enfant et son équipe ont aussi une adresse Internet.
Cela veut dire pour les lectrices et les lecteurs
une autre possibilité de communiquer avec nous.
Voici notre adresse mail :

lpernoud@horay-editeur.fr

Si vous y pensez, précisez le prénom de votre enfant, son âge,
l'endroit où vous habitez. Nous aurons l'impression de mieux vous connaître.

Votre enfant est né. Vous avez apprécié

J'ATTENDS UN ENFANT

Nous vous proposons de lire maintenant la suite

J'ÉLÈVE MON ENFANT

qui répond à toutes les questions que se posent
les parents.

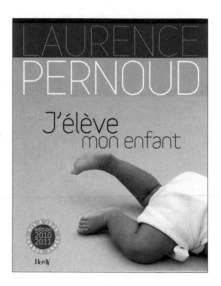

1   Un enfant entre dans votre vie

Et soudain tout change...
Des moments privilégiés.
Des instants parfois difficiles.
Le père et son nouveau-né.

Le bien-être de votre enfant
La toilette, soins et changes,
la layette, le bain, le berceau,
le lit, la chambre.

2   Bien nourrir votre enfant

L'allaitement maternel
Allaitement maternel ? Allaitement au biberon ? Comment
choisir ? Combien de temps allaiter ? Le régime de la maman.
J'ai trop de lait. J'ai des crevasses. Et les autres questions
que vous vous posez. Le sevrage.
L'enfant nourri au biberon
Quel lait donner ? La préparation du lait.
Horaires et rations. L'heure du biberon
Réponses à quelques questions.

Comment peu à peu un enfant apprend à manger de tout
À quel âge commencer la diversification ? Ce qu'apportent
les différents aliments : céréales, viande, poisson, lait...
Des menus pour tous les âges.
Quelques difficultés possibles de l'alimentation
Pourquoi pleure-t-il ?
Comment faire accepter les changements.
Votre enfant ne veut pas manger : que faire ?
Deux situations particulières : obésité et allergie

3   La vie d'un enfant

Une journée bien remplie
Comment aider l'enfant à avoir un bon
sommeil. Les repas. Lorsqu'il pleure.
Les sorties. Les jeux et les jouets.
Le goût de la lecture se prend tôt
Quelques idées de livres.
Attention danger !
Dans la maison, hors de la maison, dans la nature. Des
mesures de prévention. La sécurité des piscines.

Voyages, vacances, nature
Bon voyage : nourrir, distraire et changer
l'enfant. La sécurité en voiture. L'enfant transporté sur un
vélo. Bonnes vacances : à la mer, à la montagne, à la cam-
pagne. Le soleil : bienfaits et dangers. L'enfant et l'animal.
La vie à la crèche
De plus en plus autonome
L'enfant apprend à manger seul, à s'habiller seul, à être propre.

4   L'enfant à la découverte du monde

Ce chapitre est la colonne vertébrale du livre, il ne parle ni de biberons, ni de couches, ni de varicelle : mois après mois, de la naissance à l'école, il raconte ce qui se passe dans la tête et le cœur de l'enfant, ce qui le pousse à faire tel geste, ce qui provoque telle attitude.
Connaître ses goûts et ses besoins permet de mieux comprendre son enfant, de mieux l'élever et d'y prendre plus de plaisir.

Ce chapitre est divisé en différents stades. Chacun est illustré par des dessins montrant le développement et les nouvelles acquisitions de l'enfant.
Les débuts dans la vie du bébé prématuré
L'école maternelle
L'âge de l'école maternelle. Quelques difficultés. L'année d'avance.
Un univers à deux : les jumeaux

5   L'éducation silencieuse

Ce chapitre propose quelques réflexions sur des questions qui nous tiennent à cœur, sur certains faits de société et sur quelques situations difficiles.
Mère aujourd'hui. Père aujourd'hui.
La sécurité affective. La surprotection. L'autorité. L'éducation religieuse.
Il ignore le futur, il ne connaît que le présent. L'éducation sexuelle. Le premier enfant. Une petite sœur est née...
Les grands-parents. L'adoption. L'agressivité : qualité ou défaut ? Les caprices. Que faire en présence d'une scène ?

L'enfant agité. La confiance en soi.
Les frustrations. Les disputes. Menteur!
"Parler vrai". Vie privée. La pudeur. Les jouets. Ne l'humiliez pas. Toujours plus vite. Le bilinguisme.
Lorsque les parents se disputent.
Si les parents se séparent. L'enfant maltraité.
Les abus sexuels.
Deuils et chagrins.
La consultation psychologique.
Non, tout n'est pas joué à 3 ans...

6   Un enfant en bonne santé

Le nouveau-né
Description et tests.
Les points forts de la croissance
Poids. Taille. Périmètre crânien. Dents.
La surveillance médicale régulière
Le médecin. Le carnet de santé. Contrôle de la vision et de l'audition. Les vaccinations.
Soigner son enfant
Les signes de bonne et de mauvaise santé. Quand consulter le médecin ? Et autres questions. Que faire en cas de fièvre.

L'enfant et les médicaments
L'armoire à pharmacie. Le médicament n'est pas tout.
Et si l'enfant doit aller à l'hôpital
La santé de A à Z
Un dictionnaire des symptômes, maladies, et troubles du comportement, pouvant affecter la vie du jeune enfant : d'Abcès à Zona, en passant par Allergie, Bronchiolite, Cauchemar, Diabète, Dépression, Handicap, Régurgitation...

7   Mémento pratique

La déclaration de naissance
Le congé du père de famille.
Le livret de famille.
La Sécurité sociale
Qui peut en bénéficier ? Ce qu'il faut faire. Le congé après l'accouchement.
Cas où le congé peut être prolongé. Remboursements.
Les prestations familiales
Toutes les allocations dont peuvent bénéficier parents et enfants.

Lorsque les parents travaillent
Crèche. Assistante maternelle.
Employée de maison. Jeune fille au pair. Frais de garde et impôts.
Si vous êtes seule
L'autorité parentale
Lorsque les parents ne sont pas mariés.
En cas de séparation. Le nom de l'enfant.
Les droits de l'enfant
Des adresses utiles

CREDIT

Dessins

François Crozat 100 - 102h - 103 - 105 - 106 - 141 - 145 - 155 - 156 - 166 - 167 - 284 - 285 - 287hgd - 288 - 290 - 291- 292 * Editions Horay 25 - 57 - 90 - 101 - 102b - 113 - 137 - 138 - 146 - 268 - 270 - 285 - 287bd - 289- 351 * Siudmak 335 à 341

Photographies

Dr Althuser 129 - 132b - 133h - 134h - 154 - 215 * Dr Benassayag 127 - 128 - 130 - 131 - 132h - 133b - 134d - 135 * Bonnier Fakta / Nilsson 125 * Czap 162 * Digitalvision 315 - 359 - 373 - 375 - 387 - 401 * DR 361 * Fotolia 99 - 320 - 356 * Getty Eyewire 283 - 395 * PhotoDisc 67 - 69 - 277 - 380 * Graphic Obsession 414 * Dr Layyous / Science Photo Library / Cosmos 126 * Monneret 96 * Option Photo 27 * Phanie 207 * Photoalto 12 - 16 - 46 - 53 - 62 - 84 - 87 - 88 - 93 - 121 - 144 - 149 - 200 - 225 - 232 - 264 - 383 * Phovoir 74 - 75 - 77 * Steiner 370 - 371 * Stockbyte couverture - 19 - 30 - 43 - 49 - 59 - 64 - 112 - 118 - 136 - 171 - 186 - 189 - 207 - 217 - 220 - 235 - 245 - 267 - 293 - 322 - 330 - 333 - 342 - 348 - 368 - 387 - 389 - 405 * Studio X Degen 202 / Raith 150 - 153 - 165 - 362 / Rüffler 175 - 329 - 346 - 355 - 365 * Tendance Floue 305 - 306 - 307 * Winckler 280

CONCEPTION GRAPHIQUE : 'OLO
RÉALISATION : NICOLAS MARCHAND
ICONOGRAPHIE : JULIE LÉVÊQUE-HORAY

IMPRIMÉ EN FRANCE PAR CORLET IMPRIMEUR SA
DÉPÔT LÉGAL JANVIER 2010
N° D'ÉDITEUR : 1072
N° D'IMPRIMEUR : 124811